রাবীন্দ্রিক সাহিত্যে রবীন্দ্রনাথ

রাবীন্দ্রিক সাহিত্যে রবীন্দ্রনাথ

রাজীব শ্রাবণ

KOKP
কথা ও কাহিনি® প্রকাশনী প্রা. লি.
১৭, কেশবচন্দ্র সেন স্ট্রিট, কলকাতা ৭০০ ০০৯

প্রকাশনায় : কথা ও কাহিনী® প্রকাশনী প্রা. লি.
১৭ কেশবচন্দ্র সেন স্ট্রিট, কলকাতা ৭০০ ০০৯
✆ : +৯১ ৬২৯২১৫৪১৩৩
WhatsApp : +৯১ ৮৭৭৭৭৬৭০৯৬
Facebook : Katha-O-Kahini Prakashani
email : kokpbel@yahoo.com
kokprakashani@gmail.com

প্রথম প্রকাশ : কলকাতা বইমেলা জানুয়ারি, ২০২৪

ISBN : 978-93-92328-76-3

বর্ণ সংস্থাপন : কথা ও কাহিনী® প্রকাশনী প্রা. লি.

মুদ্রণ : র‍্যাব কনসার্ন
কলকাতা

উৎসর্গ

শান্তিনিকেতনের আশ্রমকন্যা

রবীন্দ্রনাথের স্নেহধন্যা

অমিতা সেনকে

শ্রদ্ধাসহ

নিবেদন

সমুদ্রমন্থনে উঠে এসেছিল অমৃতকুম্ভ। মৃত্যুঞ্জয়ী রসায়নে পূর্ণ ছিল সে পাত্র। কলসীজনাসের, ভাবসিন্ধু মন্থনে তেমনি উঠে এসেছে অনন্ত প্রাণদায়ী সঞ্জীবনী সুধা-সমগ্র জাতির অমরত্বের প্রাণরসধারা।

ধর্ম-দর্শন, শিক্ষা-সংস্কৃতি, সাহিত্য-সংগীত, সমাজশিল্প প্রভৃতি বিষয়ে বহুদর্শী ঋষিকবির ভাবনার সুধারসে পূর্ণ এই অমৃতকুম্ভ।

বিশ্ববন্দিত কবি রবীন্দ্রনাথ তাঁর বিচিত্র রূপিণী সাহিত্য ও শিল্প, অর্থাৎ সমান্তরালভাবে নানা শাখায় বিভক্ত তাঁর সাহিত্য, সেইসঙ্গে নৃত্য, সংগীত ও চিত্র দিয়ে জল, স্থল, স্বর্গ, মর্ত, স্বদেশ বিদেশ, এমনকী পাতাল পর্যন্ত, এবং মানুষ দেবতা বিজ্ঞান দর্শন সকল বিষয় ও স্থানের সঙ্গে যুক্ত প্রায় সব আলোচনার যোগ্য ক্ষেত্রকেই স্পর্শ করেছেন। এজন্য যাঁরা তাঁর জীবনের কেবল বড়ো বড়ো কীর্তিকাহিনি, সৃষ্টির কথাই জানবেন তা নয়, অসংখ্য জানবার ও উপভোগ করবার মতো খুঁটিনাটি বিষয় জেনেও তাঁরা আনন্দলাভ করবেন। শান্তিনিকেতন ও বিশ্বভারতীর জন্মকথাও সহজে জানবেন এবং গর্বিত হবেন, তাঁদের বুঝবার সুবিধার জন্য বহু ক্ষুদ্র, বিচ্ছিন্ন এবং আপাত দৃষ্টিতে যা অপ্রয়োজনীয় মনে হবে সে সকল জ্ঞাতব্য বিষয়েরও সমাবেশ ঘটানো হয়েছে প্রথম পর্যায়ে, তারপর শৃঙ্খলাপূর্ণভাবে কবিকে হাজির করা হয়েছে সকলের সম্মুখে কবির আপন প্রতিভা ও মহিমার আলোকে। কবির ভূপৃষ্ঠে অবতীর্ণ হওয়ার মুহূর্ত থেকে মহাপ্রয়াণের মুহূর্ত পর্যন্ত সংঘটিত ঘটনাসমূহের একটা রঙিন মালা গাঁথা হয়েছে। যদিও কবি বলেছেন—"ফুরায় যা তা দিস ফুরাতে; ছিন্ন মালার ভিন্নকুসুম যাসনে গো ফিরে কুড়াতে।" কিন্তু তাঁকে ছেড়ে আমরা যাব কোথায়? তিনি তাঁর 'সোনার ডালা' ভরে দিয়েছেন 'পাকা ফসলে', তাঁর পাকা ফসলই আমাদের জীবন পথের পাথেয় হোক— এই আমরা চাই। রবীন্দ্রনাথ তাঁর 'কড়ি ও কোমল' কাব্যের 'ভবিষ্যতের রঙ্গভূমি' কবিতায় অস্থায়ী জীবনের চিত্র এঁকে লিখেছেন—" সম্মুখে রয়েছে পড়ি যুগ-যুগান্তর।... ধরণী ধাইবে ছুটে। প্রতিদিন আসিবে যাইবে রবিকর।/ প্রতিদিন প্রভাতে জাগিবে নর নারী, প্রতি সন্ধ্যা শ্রান্ত দেহে-ফিরিয়া আসিব গেহে,/ প্রতি রাত্রে তারকা ফুটিবে সারি সারি / কত আনন্দের ছবি, কত সুখ আশা / আসিবে যাইবে হায়—সুখ স্বপনের প্রায়।/ কত প্রাণে জাগিবে, মিলাবে ভালবাসা। ... ওই যে শুকানো ফুল ছুঁড়ে ফেলে দিলে—উহার মরম কথা বুঝিতে নারিলে।/ও যেদিন ফুটেছিল নব রবি উঠেছিল,/ কানন মাতিয়া ছিল বসন্ত অনিলে।... মিছে শোক, মিছে এই বিলাপ কাতর, সম্মুখে রয়েছে পাড়ে যুগ যুগান্তর।" রবীন্দ্রনাথ এ সংসারজীবন— ও প্রবাহের একটা চিত্র অঙ্কন করেছেন, ইঙ্গিতে বলেছেন—কারও কোনো প্রিয়জনের মৃত্যুতে শোক করা উচিত নয়।— 'চিত্রা' কাব্যগ্রন্থের 'সাধনা' কবিতায় কবিগুরুকে লিখতে দেখি—

"দেবী, এ জীবনে আমি গাহিয়াছি বসি অনেক গান; পেয়েছি অনেক ফল।/সে আমি সবারে বিশ্বজনারে করেছি দান, ভরেছি ধরণী তল।—যার ভাল লাগে সে-ই নিয়ে যাক, যত দিন থাকে ততদিন যাক/ যশ অপযশ কুড়ায়ে বেড়াক ধূলার মাঝে।"

রবীন্দ্রনাথ তাঁর সাহিত্যকর্মের মাঝে মাঝে বিরূপ সমালোচনা হওয়ায় তা গ্রহণ-বর্জনের ভার পাঠক-পাঠিকাদের হাতেই ছেড়ে দিয়েছেন। কিন্তু একজন আধুনিক কবিরূপে সুকান্ত ভট্টাচার্য কী বলেন দেখা যাক। তিনি বলেছেন—তাঁর 'রবীন্দ্রনাথের প্রতি' কবিতায়—

"এখনো আমার মনে তোমার উজ্জ্বল উপস্থিতি/প্রত্যেক নিভৃত ক্ষণে মত্ততা ছড়ায় যথারীতি। এখনো তোমার গানে সহসা উদ্বেল হয়ে উঠি, /নির্ভয়ে উপেক্ষা করি জঠরের নিঃশব্দ ভ্রূকুটি। ..."
ধর্ম-দর্শন, শিক্ষা-সমাজ, শিল্প-সংস্কৃতি, সংগীত-সাহিত্য প্রভৃতি বিষয়ে মহান স্রষ্টার কালজয়ী সৃষ্টির যে উত্তরাধিকার আমরা পেয়েছি।

সর্বকালের শ্রদ্ধেয় মহামানব রবীন্দ্রনাথ নীরবে একই বিষয়কে বিভিন্ন দৃষ্টিকোণ থেকে বিচার করেছেন এবং আলোচনা করেছেন। নূতন নূতন দিক নিয়ে নানাভাবে তিনি আলোচনা করেছেন। সেই বক্তব্যকে কবির ব্যাখ্যা অনুসারে বিভিন্ন স্থানে বিভিন্ন কারণে উপস্থাপিত করতে হয়েছে। কোথাও কোথাও একঘেয়েমির ভাব আসতে পারে। অনুরোধ করব, এই সঙ্গে আর একটি নিবেদন অপ্রাসঙ্গিক হবে না আশা করি, সেটি হল— রবীন্দ্রনাথের নাটক, উপন্যাস, কবিতা এবং অনেক গদ্য পদ্য রচনা সম্বন্ধে বিচ্ছিন্নভাবে অল্পস্বল্প কথা বলা হলেও তাঁর নাটক উপন্যাস, কবিতা, ছোটোগল্প প্রভৃতির প্রায় প্রত্যেকটি এবং প্রবন্ধ-সহ বৈশিষ্ট্যপূর্ণ অন্যান্য রচনার সারমর্ম দেওয়া হয়েছে; পুস্তকে যেগুলিতে রচনার কারণ বা পরিবেশ, উপযোগিতা, দোষগুণ, মানুষের উপর প্রভাব ইত্যাদি সংক্ষেপে আলোচনা করা হয়েছে। কবিগুরু সম্বন্ধে যা জানবার, যা না জানলে তাঁকে জানা অনেকখানি অসম্পূর্ণ থেকে যায় তা কোনোটাই বাদ দেওয়া হয়নি। ফলে রবীন্দ্রনাথ, যিনি একজন সম্পূর্ণ মানুষরূপে বিশ্ববাসীর জীবন ও জীবিকা, সুখ, আনন্দ ও আত্মার জাগরণের জন্য যা বলেছেন তার সব কিছুই জানা যাবে। এরূপ গ্রন্থ প্রতি গৃহেই অপরিহার্য হবে বলে আমার বিশ্বাস।

শোনা যায় পালতোলা জাহাজের যুগে নাবিকেরা যখন সমুদ্র-যাত্রা করত, তখন যাত্রারম্ভের পূর্বে ক্যাপ্টেন আকাশের দিকে হাত বাড়িয়ে বলত, হে ভগবান তোমার সমুদ্র কত বিশাল আমার জাহাজ কত ক্ষুদ্র, কোনো বিপদ ঘটলে আমাদের রক্ষা কোরো। আমিও সেইরকম প্রার্থনা করি, হে রবীন্দ্রনাথ, হে রবীন্দ্রানুরাগী, রবীন্দ্রানুরাগিনিগণ, আপনাদের মনীষা কত উন্নত ও মহৎ, আমার মেধা কত ক্ষীণ, লেখনী কত দুর্বল; ভুলত্রুটির জন্য অনুগ্রহ করে ক্ষমা করবেন।

কথা ও কাহিনী প্রকাশনী সংস্থার কর্ণধার সম্মানীয় দেবরাজ পাত্র এবং ঋতুপর্ণা পাত্রর কাছে আমি বিশেষভাবে কৃতজ্ঞ। তাঁদের অকৃপণ সহযোগিতা ছাড়া আমার এই বইটি প্রকাশ হত না।

আন্তর্জাতিক কলকাতা বইমেলা ২০২৪ রাজীব শ্রাবণ

সূচিপত্র

[১]
সার্বভৌম ভাবনায় রবীন্দ্রনাথ

সত্তর বছর জন্মপূর্তি উৎসবে ভাষণ দিতে গিয়ে রবীন্দ্রনাথ ঠাকুর বলেছিলেন, একটি মাত্র পরিচয় আমার আছে, সে আর কিছু নয়, আমি কবি মাত্র। সেদিন কবিকে অভিনন্দনপত্র দিতে গিয়ে কথাশিল্পী শরৎচন্দ্র চট্টোপাধ্যায় তাঁকে কেবল কবি বলে সম্বোধন করেননি, সম্বোধন করেছিলেন 'সার্বভৌম কবি' বলে। কবি রবীন্দ্রনাথের জন্যে এই বিশেষণটিই যথাযথ শোভন পায়, কারণ, তাঁর বিচরণ সর্বভূমিতে, তাঁর অধিষ্ঠান সর্বদেশে, তাঁর মূলমন্ত্র সর্বমানবতা আর সর্বজনের অন্তরে তাঁর অধিকার। সম্ভবত একথা ভেবেই ১৯১৩ সালে নোবেল পুরস্কার প্রাপ্তি উপলক্ষ্যে রবীন্দ্রনাথকে শ্রদ্ধা নিবেদন করতে গিয়ে কবি সত্যেন্দ্রনাথ লিখেছিলেন—

যে ভাবই ওঠে প্রাণের মাঝে
তোমার গানে সকলই আছে।

ভারতে জন্মগ্রহণকারী নোবেলজয়ী ইংরেজ লেখক রুডিয়ার্ড কিপলিং একসময় গর্ব করে বলেছিলেন প্রাচ্য প্রাচ্যই, প্রতীচ্য প্রতীচ্যই। দুই দেশ কখনো এক হতে পারে না। কিপলিংয়ের সেই কথার লক্ষণীয় ও সম্ভবত একমাত্র ব্যতিক্রম রবীন্দ্রনাথ। তিনি দেখিয়েছেন, কাব্যের সেতুবন্ধে গোটা বিশ্বকে মেলানো যায়; একসূত্রে গাঁথা যায়। রবীন্দ্রনাথই সেই ব্যক্তিত্ব যিনি পাশ্চাত্যের কাছে তুলে ধরেছিলেন ভারতবর্ষকে। ভারতবর্ষের কাছে তুলে ধরেছিলেন পাশ্চাত্যকে। 'দিবে আর নিবে মিলাবে মিলিবে' — একথাই শুধু তিনি উচ্চারণ করেননি, সেতুবন্ধনও রচনা করেছিলেন।

রবীন্দ্রনাথের যে অসাধারণ ও মহৎ প্রতিভা তাতে অভিভূত হয়েছে গোটা বিশ্ব। অ্যালবার্ট আইনস্টাইনের মতো বিদগ্ধ ব্যক্তি তাঁর মধ্যে খুঁজে পেয়েছেন প্রাচ্যের মহামন্ত্রবাণী। আগে জার্মান মনীষী গ্যেটেকেই বিশ্ব জানত পৃথিবীর বড়ো কবি বলে। রবীন্দ্রনাথের আবির্ভাবের পর তাঁর মধ্যে আরও একজন বড়ো কবির সন্ধান পেয়েছিল সুইডিশ অ্যাকাডেমি। ১৯১৩ সালে কবিকে প্রদত্ত নোবেল পুরস্কার তারই বিশ্বস্বীকৃতি। বাংলা ভাষা ও বাঙালি জাতিকে তিনি বিশ্বসভায় সম্মানের আসন দিয়ে গেছেন।

বহুমুখী প্রতিভা রবীন্দ্রনাথের। মহামহিমময় সাহিত্যস্রষ্টা তিনি। বাংলা সাহিত্যে বলতে গেলে এমন কোনো শাখা নেই, যেখানে তিনি স্বচ্ছন্দ বিচরণ করেননি। প্রতিটি ক্ষেত্রেই তাঁর সৃষ্টির ব্যাপ্তি ও গুণমান বিস্ময়কর। বাংলা সাহিত্যের প্রতিটি শাখাকেই নবযৌবনের আলোয় ভাস্বর করেছেন তিনি।

আট বছর বয়সেই তাঁর কবিতা লেখার হাতেখড়ি। তেরো বছর বয়স থেকে তাঁর লেখা প্রকাশের যাত্রা শুরু। প্রথম কাব্যগ্রন্থ 'কবিকাহিনী' (১৮৭৮)। ষাট বছরের মতো কবিজীবনে গান ও কাব্যনাট্য ছাড়াই ৫৬টি কাব্যগ্রন্থ তিনি লিখেছেন। তাতে কবিতার সংখ্যা এক হাজারের উপর। গানের কথা-অংশ ধরলে তা হবে আরও অনেক বেশি। হিসাব করে দেখা গেছে, রবীন্দ্রনাথ কবিতার পঙ্‌ক্তি লিখেছেন দেড় লক্ষেরও উপর। আর তাঁর গদ্যরচনার পঙ্‌ক্তিসংখ্যা এর দ্বিগুণেরও বেশি। তাঁর রচিত কাব্যনাট্যসংখ্যা ১৯টি, নাটক ২৯টি, ছোটোগল্প ১১৯টি, উপন্যাস ১২টি এবং ভ্রমণকাহিনি ৯টি। তাঁর চিঠিপত্র সংকলিত হয়েছে ১১টি গ্রন্থে। জীবনে তিনি যে কয়েক হাজার চিঠি লিখেছেন তার সাহিত্যিক ও তথ্যগত মূল্য অপরিসীম। এ ছাড়াও ছোটোদের জন্যে লেখা তাঁর গল্প-কবিতা-ছড়ার বই রয়েছে ৮টি। পৃথিবীর বহু ভাষাতেই তাঁর রচনার অনুবাদ প্রকাশিত হয়েছে।

বাংলা কবিতা সবচেয়ে বেশি ঐশ্বর্যমণ্ডিত করেছেন রবীন্দ্রনাথ ভাব ও রূপের দিক থেকে। তিনি বাংলা কাব্যধারায় যে অকল্পনীয় উৎকর্ষ ও বৈচিত্র্য সৃষ্টি করেছেন তার তুলনা আমাদের দেশে শুধু নয়, সমগ্র বিশ্বে বন্দিত। বাংলা সাহিত্যে তিনিই এনেছেন আঙ্গিকের অজস্র বৈচিত্র্যময় রূপ। এনেছেন পরিশীলিত মার্জিত রুচিবোধ। মাটি ও মানুষের প্রতি গভীর মমতায় তিনি গড়ে তুলেছেন শিল্পের সৌন্দর্যলোক। একদিকে সৌন্দর্যবোধ, অপরদিকে গীতিকাব্যের সুমধুর মূর্ছনা। সব মিলিয়ে মানবতার প্রতি সংবেদনশীল হৃদয়ানুভূতি রবীন্দ্রনাথের কবিতার সাধারণ বৈশিষ্ট্য হয়ে উঠেছিল।

বাংলা সাহিত্যে প্রথম ছোটোগল্পের স্রষ্টা রবীন্দ্রনাথ। তাঁর হাতেই বাংলা উপন্যাস ইতিহাসাশ্রয়ী রোমান্সের জগৎ থেকে বাস্তবের মাটিতে পা ফেলেছে। তাঁর 'চোখের বালি' (১৯০২) উপন্যাসের মধ্য দিয়েই বাংলা সাহিত্যে প্রথম মনোবিশ্লেষণমূলক উপন্যাসের সূত্রপাত। তাঁর হাতেই বাংলা কথাসাহিত্যে প্রবেশ করেছে সুখ-দুঃখ, হাসি-কান্না; সমস্যাজটিল জীবনে কল্পনার বিচিত্র বিন্যাসের জায়গায় এসেছে মানবধর্মী মনোবিশ্লেষণের দৃষ্টিভঙ্গি।

বাংলা প্রবন্ধসাহিত্যের ধারাতে তাঁর লেখনীর ছোঁয়ায় ও মননশীলতার সম্পদে বাংলা প্রবন্ধসাহিত্য ব্যাপ্তি, বৈচিত্র্য ও মানের দিক থেকে আন্তর্জাতিক স্তরে উঠেছে। সাহিত্যতত্ত্ব, সমালোচনা, ধর্ম, দর্শন, শিক্ষা, সমাজ, ইতিহাস, রাজনীতি, বিজ্ঞান, ভাষাতত্ত্ব ইত্যাদি নানা বিষয়ে লেখা প্রবন্ধে তাঁর চিন্তাশীল দার্শনিক মনের সঙ্গে কবিমনের অপূর্ব মিলন ঘটেছে।

রবীন্দ্রনাথের বহুমুখী প্রতিভার প্রকাশ ও বিকাশ কেবল সাহিত্যে সীমাবদ্ধ ছিল না। অন্যান্য মাধ্যমগুলিতেও রবীন্দ্রনাথ নতুন এক মাত্রা এনেছেন। উচ্চ মানের সুরকার, গীতিকার,

গায়ক, চিত্রশিল্পী, অভিনেতা, অনুষ্ঠান সংগঠক হিসেবেও তিনি শিল্পরুচির বিকাশ ঘটিয়েছেন। গীতিকার-সুরকার হিসেবেও তাঁর প্রতিভা অসাধারণ। কথা ও সুরের অনন্য সম্মিলন ঘটিয়ে রবীন্দ্রসংগীতের যে ধারা ও ঐতিহ্য সৃষ্টি করেছেন তা এক বিরল দৃষ্টান্ত। মোট ২২৩২টি গান লিখেছেন কবি। গীতিকার হিসেবে তাঁর গান সংখ্যায় যেমন বিপুল তেমনি ভাবের দিক থেকেও বৈচিত্র্যময়। দেশাত্মবোধক গান রচনায় তাঁর দান অবিস্মরণীয়। ১৯০৫-এর বঙ্গভঙ্গ আন্দোলনের সপক্ষে জনমত সৃষ্টি করেছেন আবার চাঁদাও তুলেছেন। বহুকাল পরেও তাঁর দেশাত্মবোধক গানের আবেদন বাঙালিকে আন্দোলন সংগ্রামে প্রণোদিত করেছে ও করছে। অধুনা বাংলাদেশের ভাষা আন্দোলন গণতান্ত্রিক আন্দোলন ও মুক্তিযুদ্ধে তাঁর সেইসব গান বাঙালি জাতিকে সংগ্রামের পথে অনুপ্রেরণা জুগিয়েছে। তাঁর লেখা একটি গান বাংলাদেশের জাতীয় সংগীত, আর একটি ভারতের। যতদিন পৃথিবীতে মানুষের জীবনে প্রেম, প্রকৃতি, স্বদেশচেতনা ও মানবিকতা থাকবে ততদিন তাঁর গানের মৃত্যু নেই।

আবৃত্তি ও অভিনয়েও কবি দক্ষতার স্বাক্ষর রেখে গেছেন। তাঁর প্রতিভার আরও অনন্যসাধারণ পরিচয় বহন করছে শেষজীবনে আঁকা ছবিগুলিতে। প্রায় হাজার দুয়েক ছবি কবি এঁকেছেন। কোনো বিশেষ শিল্পরীতির অনুসারী ছিলেন না। কিন্তু বর্ণময়, আবেগময়, গতিময় চিত্রে চারপাশের জগৎ ও নিজের অনুভূতিকে তিনি যেভাবে ফুটিয়ে তুলেছেন তা সরস্বতীর বরপুত্র হওয়া ছাড়া সম্ভব নয়।

সাহিত্য, সংগীত, নৃত্যকলা ও চিত্রকলা— সৃজনশীল শিল্পের এই চারটি শাখাতেই তাঁর অবাধ বিচরণ ছিল। অসাধারণ অবদান। ভাবের সঙ্গে কর্মের যোগে কবিগুরুর জীবন বিশিষ্টতায় উজ্জ্বল। জমিদারির সূত্রে তিনি কৃষি উন্নয়নে ব্রতী হয়েছিলেন। কুটিরশিল্পের উন্নয়ন-সহ গ্রামীণ জীবনের পুনর্গঠনে সক্রিয় হয়েছিলেন। দেশীয় শিল্প বিকাশের লক্ষ্যে চটকল ও কাপড়ের কল প্রতিষ্ঠা করে শিক্ষিতসমাজকে সে-পথে আগ্রহী করতে চেয়েছিলেন। এইসব কারণে কবিকে বেশ অর্থনৈতিক লোকসানও গুনতে হয়েছিল।

রবীন্দ্রনাথ ছিলেন দেশ জাতি ও সমাজসচেতন কবি। তাঁর কবিতা, গান, প্রবন্ধ, গল্প, উপন্যাসে এর পরিচয় উজ্জ্বল। তাঁর সাহিত্যে স্বাধীনতা, শান্তি ও সুখের জন্য মানুষের সংগ্রাম এবং সেইসঙ্গে মানবতাবাদ বাণীরূপ লাভ করেছে। সামাজিক অসাম্য, নারীর অধিকারহীনতা, বর্ণবৈষম্য, পরাধীনতা ও বিদেশি শাসনের বিরুদ্ধে তিনি শুধু প্রতিবাদই করেননি, ব্রিটিশ সরকারের দেওয়া 'স্যার' উপাধিও বর্জন করেছিলেন। শাসকগোষ্ঠী এই ঘটনায় রবীন্দ্রনাথের সাহসী ভূমিকায় স্তম্ভিত হয়ে গিয়েছিল। 'স্যার' উপাধি বর্জন করে বড়োলাট লর্ড চেমসফোর্ডকে তিনি যে খোলা চিঠি লিখেছিলেন, অনন্যসাধারণ সেই চিঠিটি ভারতবর্ষের মুক্তি আন্দোলনের ইতিহাসে এক মূল্যবান দলিল হয়ে রয়েছে। প্রথম বিশ্বযুদ্ধের সময় (১৯১৪-১৯১৮) উগ্র জাতীয়তাবাদ ও সাম্রাজ্যবাদী যুদ্ধের বিরুদ্ধে শান্তি ও মানবতার পক্ষে অটল ছিলেন কবিগুরু। প্রথম মহাযুদ্ধ শেষে ফরাসি মনীষী রম্যাঁ রলাঁ পৃথিবীর শ্রেষ্ঠ চিন্তানায়কদের স্বাক্ষরযুক্ত যে বিখ্যাত ইশতেহারটি প্রকাশ করেছিলেন সেখানে রবীন্দ্রনাথ স্বাক্ষর করেছিলেন। বিশ্বমানবিকতার ইতিহাসে সে এক অন্যতম শ্রেষ্ঠ দলিল।

ত্রিশের দশকে ফ্যাসিবাদী শাসনের বিরুদ্ধে প্রকাশ্য অবস্থান ও ভূমিকা নিয়েছিলেন রবীন্দ্রনাথ। ফল স্বরূপ ইতালির ফ্যাসিবাদী একনায়ক মুসোলিনি ও জাপান সরকারের বিরাগভাজন হয়েছিলেন তিনি। হিটলারের জার্মানিতে তাঁর রচনার প্রবেশাধিকারে নিষেধাজ্ঞা আরোপিত হয়েছিল।

বিশ্বব্যাপী যুদ্ধবাজদের মারণাস্ত্র শানাতে দেখে মর্মপীড়িত হয়েছিলেন রবীন্দ্রনাথ। ১৯৩৭ সালে এক স্কুলছাত্রকে দেওয়া অটোগ্রাফে লিখেছিলেন—

নাগিনীরা চারিদিকে ফেলিতেছে বিষাক্ত নিশ্বাস,
শান্তির ললিত বাণী শোনাইবে ব্যর্থ পরিহাস—
বিদায় নেবার আগে তাই।
ডাক দিয়ে যাই।
দানবের সাথে যারা সংগ্রামের তরে
প্রস্তুত হতেছে ঘরে ঘরে।

(১৮ সংখ্যক কবিতা, *প্রান্তিক*)

কেবল শোষণ, পীড়ন, লুণ্ঠনের বিরুদ্ধে এই আহ্বান নয়। তিনি কায়মনোবাক্যে বিশ্বাস করেছিলেন, হিংসার অস্ত্রধারীরা একসময় ধ্বংস হবে। রক্তস্নানের ভিতর দিয়ে পরাধীন জাতির মুক্তি একদিন আসবেই। মৃত্যুর কিছুকাল আগে রোগশয্যায় শায়িত বিশ্বকবি যুদ্ধবাজ সাম্রাজ্যবাদী শক্তির বিরুদ্ধে কেবল ধিক্কার জানাননি, স্বাধীনতা সংগ্রামের বীর যোদ্ধাদের মহিমার জয়গান গেয়েছিলেন।

রবীন্দ্রনাথ ছিলেন বিশ্বপথিক। প্রায় সারা পৃথিবী তিনি ঘুরেছেন। চিন, জাপান, কোরিয়া, বার্মা, মালয়, ইন্দোনেশিয়া, ইরান, ইরাক, ফ্রান্স, ইংল্যান্ড, জার্মানি, ইতালি, আমেরিকা ও রাশিয়া—বিশ্বের যেখানেই তিনি গেছেন, সেখানেই বাংলা ও বাঙালির প্রতিনিধিত্ব করেছেন, ভারতবর্ষকে তুলে ধরেছেন বিশ্বের কাছে। ১৯১২ থেকে ১৯১৭ সাল পর্যন্ত রবীন্দ্রনাথের বিশ্বভ্রমণ ছিল। তাঁর কাছে যা ছিল একটা ব্রত উদ্‌যাপনের মতো। তাঁর ভ্রমণের অভিজ্ঞতা নিয়ে লেখাগুলো নিছক ভ্রমণকাহিনি নয়, তাতে ইতিহাসের চেতনার সঙ্গে অতলান্ত প্রজ্ঞাদৃষ্টি ও মানবপ্রীতি একাকার হয়ে মিশে আছে।

বিদেশি শিক্ষার প্রভাব থেকে জাতীয় শিক্ষাকে মুক্ত করার উদ্দেশ্যে 'জাতীয় শিক্ষা পরিষদ' গঠন করেছিলেন রবীন্দ্রনাথ। বিশ্বসংস্কৃতির পীঠস্থান হিসেবে একটা প্রতিষ্ঠান গড়ার সংকল্প তাঁর মনে জেগেছিল। শান্তিনিকেতনে প্রতিষ্ঠিত 'বিশ্বভারতী' বিশ্ববিদ্যালয় তারই বাস্তব রূপ এবং তা শিক্ষাব্রতী রবীন্দ্রনাথের জীবনের এক মহাকীর্তি। ১৯২১ সালে বিশ্বভারতী স্থাপিত হয়েছিল। পরের বছরেই বিখ্যাত পৌষ উৎসবের দিনে তিনি ওই প্রতিষ্ঠানটিকে সর্বসাধারণের হাতে তুলে দিয়েছিলেন। তাঁর সর্বজন অভিমুখী এই উদারতা অতুলনীয় এবং এক বিরল ঘটনা।

রবীন্দ্রনাথ ছিলেন একাধারে কবি ও কর্মী, চিন্তাবিদ ও দার্শনিক, শিক্ষানায়ক ও দেশহিতৈষী—সর্বতোমুখী প্রতিভা ও সর্বাঙ্গসুন্দর মহান ব্যক্তিত্ব। তাঁর চিন্তা ও কর্ম, স্বপ্ন ও সৃষ্টি বাঙালির মানস

বিকাশের চিরায়ত প্রেরণা। একইসঙ্গে তা মানব সংস্কৃতির মূল্যবান সম্পদ। তাঁর অবদান সর্বজনীন। জাতি-ধর্ম-বর্ণ-গোত্র নির্বিশেষে তিনি আমাদের মানুষ। দৈনন্দিন জীবনে সহজ দৃঢ়তা নিয়ে দুঃখ ও গ্লানি, শোক ও সংকট, ব্যর্থতা ও হতাশার মুখোমুখি হওয়ার জন্যে যে চেতনা সবার দরকার, তার অনেক কিছুই পাওয়া যায় রবীন্দ্রনাথের জীবন ও কর্ম, সাহিত্য ও শিল্প থেকে। অতীতের সমস্ত মহৎ অর্জন, বর্তমানের সমস্ত কল্যাণ, ভবিষ্যতের সমস্ত শুভ সম্ভাবনাকে তিনি মানুষের সামনে তুলে ধরায় প্রয়াসী হয়েছেন। রবীন্দ্রনাথের সর্বজনীনতার অন্যতম বৈশিষ্ট্য এখানেই নিহিত।

রবীন্দ্রনাথের সর্বজনীনতার আর একটি লক্ষণ হল তাঁর মনোভঙ্গির আধুনিকতা। সাহিত্য, সংগীত, চিত্রকলা ইত্যাদি প্রতিটি মাধ্যমে নতুনকে স্বাগত জানাতে তিনি কখনো দ্বিধা করেননি। এভাবে অনাগত দিকের নানা বৈশিষ্ট্য রূপায়িত হয়েছে তাঁর লেখায়। সৃষ্টি ও কর্মে তিনি হয়ে উঠেছেন আধুনিক মানুষ। হয়েছেন নতুন কালের জন্যে গ্রহণযোগ্য ও বরেণ্য।

সর্বজনীনতা বিশ্বজনীনতারই আরেক রূপ। সেই বিশ্বজনীন আদর্শে বিকশিত হয়েছিল রবীন্দ্রনাথের মন ও মনন। জাতি-ধর্ম-বর্ণ নির্বিশেষে বিশ্বের সব মানুষের সঙ্গেই কবি পরম আত্মীয়তা অনুভব করেছেন। *সোনার তরী* (১৮৯৩) কাব্যের 'বসুন্ধরা' কবিতায় তিনি ব্যক্ত করেছেন বিশ্বের সব মানুষের সঙ্গে একাত্ম হওয়ার পরম ইচ্ছা—

ইচ্ছা করে মনে মনে
স্বজাতি হইয়া থাকি সর্বলোকসনে
দেশে দেশান্তরে;
সকলের ঘরে ঘরে
জন্ম লাভ করে লই হেন ইচ্ছা করে।

এমনিভাবে *উৎসর্গ* (১৯০৪) কাব্যগ্রন্থের '১৪ সংখ্যক' কবিতায় বাণীরূপ পেয়েছে সর্বজনীন মানববোধ—

সব ঠাঁই মোর ঘর আছে, আমি
সেই ঘর মরি খুঁজিয়া।
দেশে দেশে মোর দেশ আছে, আমি
সেই দেশ লব যুঝিয়া।

ঘরে ঘরে আছে পরমাত্মীয়
তারে আমি ফিরি খুঁজিয়া।

কবির এই সর্বজনীন বিশ্বমানবিক মনোভঙ্গি গড়ে উঠেছিল স্বদেশবোধের ভিত্তিতে। তাই দেখা যায়, বিশ্বের ভাবসংস্কৃতির সমস্ত উপাদান আহরণ করে সেগুলিকে স্বদেশের কল্যাণে নিয়োজিত করায় ব্রতী হয়েছিলেন তিনি। সচেষ্ট হয়েছিলেন রাষ্ট্রিক পরাধীনতা, সামাজিক অনৈক্য ও চিন্তার

দৈন্য থেকে দেশকে মুক্ত করতে— দীনতা, মূঢ়তা ও পশ্চাৎপদতার হাত থেকে সমাজজীবনের পরিত্রাণ ঘটাতে সামাজিক ভেদাভেদ দূর করে নতুন সমাজ গঠন করতে। এমনকী আধুনিক বিজ্ঞানের সমস্ত অর্জনকে গ্রহণ করে নবযুগের চেতনায় জাতি ও জীবনের সংস্কার করতে এবং দেশীয় ঐতিহ্যের আলোয় জাতীয় ও সমাজজীবনে নবজাগরণ ঘটাতে। এসব ক্ষেত্রে তিনি সংস্কারে ব্রতী হয়েছিলেন। যুক্তিবাদী মন নিয়ে উদ্‌বোধন করেছিলেন সর্বমানবিক জাতীয়তাবোধের।

রবীন্দ্রনাথের ধর্মবোধও ছিল সর্বজনীন তথা সর্বমানবিক। আচারহীন, মন্ত্রহীন এমন এক ধর্মবোধ দ্বারা তিনি চালিত হয়েছেন যা সব ধরনের অন্ধতামুক্ত, যা জাতি-বর্ণ-গোত্র ইত্যাদির ভেদ মানে না। *পত্রপুট* (১৯৩৬) কাব্যগ্রন্থের পনেরো সংখ্যক কবিতায় তারই অসংকোচ ঘোষণা করেছিলেন কবি—

ওরা অন্ত্যজ, ওরা মন্ত্রবর্জিত
দেবালয়ের মন্দিরদ্বারে
পূজা-ব্যবসায়ী ওদের ঠেকিয়ে রাখে।
ওরা দেবতাকে খুঁজে বেড়ায় তাঁর আপন স্থানে
সকল বেড়ার বাইরে
সহজ ভক্তির আলোকে,

দেখেছি একতারা হাতে চলেছে গানের ধারা বেয়ে
মনের মানুষকে সন্ধান করবার
গভীর নির্জন পথে।

কবি আমি ওদের দলে—
আমি ব্রাত্য, আমি মন্ত্রহীন...

রবীন্দ্রনাথের এই সর্বজনীন ধর্মবোধের কথা আরও প্রাঞ্জলভাবে ব্যক্ত করেছেন 'মানুষের ধর্ম' রচনায়। জানিয়েছেন তাঁর ধর্ম ঐশ্বরিক নয়, তা একান্তই মানবিক। রবীন্দ্রনাথের এই সর্বজনীন ধর্মবোধের জন্যই তাঁর প্রার্থনাসংগীতগুলি সব ধর্মসম্প্রদায়ের অনুসারীরা নিজেদের প্রার্থনাসংগীত হিসেবে ব্যবহৃত করেছেন।

রবীন্দ্রনাথের সর্বজনীনতার অন্যতম চালিকাশক্তি সমকালীন প্রগতি আন্দোলন। রুশ বিপ্লব-পরবর্তী কয়েক দশকে বিশ্বব্যাপী সাম্যবাদী আন্দোলনের জোয়ার নিঃসন্দেহে তাঁর চিত্তে প্রগতি চেতনার প্রভাব ফেলেছিল। তাই যাঁরা কর্মে ও শ্রমে সভ্যতা নির্মাণ করেন সেই শ্রমজীবী মানুষকে, রিক্ত বঞ্চিত মানুষকে তিনি জানিয়েছেন শ্রদ্ধা ও প্রীতি। কাছ থেকেও তাঁদের বেদনা ও আকাঙ্ক্ষাকে সম্যকরূপে ফুটিয়ে তুলতে পারেননি বলে আফশোস করেছেন। সাধারণ মানুষের

জন্যে তাঁর এই আকুলতা তাঁকে সর্বজনমুখী করেছে। সাধারণ মানুষের দুঃখ-দৈন্য, আশা-আকাঙ্ক্ষা মূর্ত হয়েছে তাঁর শেষ পর্যায়ের সাহিত্যে, সংগীতে, চিত্রকলায়।

রবীন্দ্রনাথকে ভারতবর্ষে মানবমৈত্রীর পুরোধা প্রবক্তা বলা হয়। সাম্রাজ্যবাদী শক্তির পররাজ্যগ্রাসী লিপ্সার বিরুদ্ধে তিনি সোচ্চার হয়েছিলেন। বিজ্ঞানকে যারা মানবহত্যার হাতিয়ার করেছে তাদের ধিক্কার জানিয়েছেন। রাশিয়া সফর শেষে মানবকল্যাণে সোভিয়েত রাশিয়ার অবদানকে তিনি অকুণ্ঠভাবে ও পরম সম্মানে স্বীকৃতি দিয়েছেন। নতুন সমাজ বিনির্মাণে সেখানকার শ্রমজীবী মানুষের অবদানকে মহীয়ান করেছেন। আগ্রহী হয়েছেন সেখানকার অভিজ্ঞতার আলোয় দেশের পুনর্গঠনে।

ধর্মসংস্কারাচ্ছন্নতা ও ভেদজ্ঞানকে কখনো প্রশ্রয় দেননি কবিগুরু। অন্ধ জাতীয়তাবাদের নামে সৃষ্ট সভ্যতাবিধ্বংসী যুদ্ধের নিন্দা করেছেন তিনি। পুঁজিবাদী যন্ত্রসভ্যতায় শোষণ ও বঞ্চনার জাঁতাকলে মানবতার নিপীড়নে মর্মাহত হয়েছেন গভীরভাবে। সব কিছুর ঊর্ধ্বে সমতাভিত্তিক নতুন এক মানবসভ্যতার স্বপ্ন দেখেছেন কবি।

রাশিয়ার চিঠি (১৯৩১), *কালান্তর* (১৯৩৭), *সভ্যতার সংকট* (১৯৪১) ইত্যাদি প্রবন্ধগ্রন্থে এবং *লিপিকা* (১৯২২), *প্রান্তিক* (১৯৩৮), *আরোগ্য* (১৯৪০), *রোগশয্যায়* (১৯৪০), জন্মদিনে (১৯৪১), *শেষলেখা* (১৯৪১) প্রভৃতি কাব্যগ্রন্থে যে মানবতাবাদী কবিকে পাওয়া যায় তিনি আমাদের কাছের মানুষ— মৃত্তিকাসংলগ্ন একজন মানুষ। তাঁর চিন্তা ও কর্মের যে সর্বজনীন আবেদন রয়েছে তা দেশ-দেশান্তর কাল-কালান্তরের মানুষকে স্পর্শ করে যায়।

আপন ঐশ্বর্যের আলোয় রবীন্দ্রনাথ সদা দীপ্যমান। তিনি শুধু বাংলার নন, ভারতবর্ষের নন, তিনি সকল দেশের, সকল মানুষের গৌরব। তাঁর সমকালের এবং অনাগত কালের সকল মানুষের কাছে তিনি এক মহিমান্বিত পুরুষ। তাঁর চিন্তা, তাঁর সৃষ্টি ও তাঁর কর্ম বিশ্বের মানবজাতির পরম সম্পদ। তাঁর সাহিত্য, শিল্প, মনন ও কর্ম সকল স্তরের মানুষের কাছে সর্বজনীন আকাশের মতোই উদার ও উন্মুক্ত। একদিকে দান্তে, শেক্সপিয়র, কালিদাস, বাল্মীকি, গ্যেটে ও তলস্তয় বিশ্ববাসীর অন্তরে চিরদিনের আসন পেয়েছেন। তেমনি রবীন্দ্রনাথও চিরদিন অমর হয়ে থাকবেন। বিশ্ব সংস্কৃতি ও মানবতার জন্যে তাঁর দানের তুলনা নেই।

সেঁজুতি (১৯৩৮) কাব্যগ্রন্থের 'পরিচয়' কবিতায় আপন পরিচয় দিতে গিয়ে রবীন্দ্রনাথ লিখেছেন—

মোর নাম এই বলে খ্যাত হোক,
আমি তোমাদেরই লোক
আর কিছু নয়,
এই হোক শেষ পরিচয়।

সত্যিই রবীন্দ্রনাথ আমাদের সবার— সকল বাঙালির একান্ত প্রাণের ঠাকুর। রবীন্দ্রনাথের সার্ধশত জন্মবার্ষিকীতে কিশোর কবি সুকান্তের ভাষায় এই মহিমান্বিত পুরুষের প্রতি শ্রদ্ধা জানিয়ে লিখলেন—

এখনও তোমার গানে সহসা উদ্বেল হয়ে উঠি,
নির্জয় উপেক্ষা করি জঠরের নিঃশধ ভ্রূকুটি।
এখনও প্রাণের স্তরে স্তরে,
তোমার দানের মাটি
সোনার ফসল তুলে ধরে।
এখনও স্বগত ভাবাবেগে
মনের গভীর অন্ধকারে তোমার সৃষ্টিরা থাকে জেগে।

তিনি আমাদের অলংকার। তিনিই আমাদের অহংকার। শাশ্বতকাল ধরে থাকবেন সার্বভৌম কবি হিসাবে। আমাদের প্রাণের প্রাণভোমরা হয়েই থাকবেন।

[২]

রবীন্দ্রনাথ ও আমরা: উত্তরাধিকার ও ভবিষ্যৎ

শতবার্ষিকীর পর আরও পঞ্চাশ বছর পার হয়েছে। এখন এক বার নিজেদের দিকে ফিরে তাকাই। আমাদের অস্তিত্বে আজ কতটা জুড়ে আছেন রবীন্দ্রনাথ? অতীতেই-বা কতটা ছিলেন? তিনি কি আমাদের চেতনায় ক্রমশ দীপ্যমান, না কি আমাদের জীবন থেকে অপস্রিয়মাণ জ্যোতিষ্ক? আমাদের ধ্যানধারণা, জীবনযাপন, এসব তিনি অধিকার করে থাকেন কতটা? আমাদের শিল্প-সাহিত্যে, সাংস্কৃতিক উদ্যমেই-বা তাঁর ওপর নির্ভরতা কতখানি?

উনিশশো একষট্টির (১৯৬১) শতবার্ষিকী আজও অনেকের স্মৃতিতে উজ্জ্বল। সেদিন তৎকালীন পূর্ব পাকিস্তানে রবীন্দ্রনাথ হয়ে ওঠেন রাষ্ট্রীয় আদর্শের অদৃশ্য প্রতিদ্বন্দ্বী। সবাই জানেন পাকিস্তান রাষ্ট্রের ভিত্তি ছিল ধর্মীয় রক্ষণশীলতা ও সাম্প্রদায়িক ভেদবুদ্ধি। এদের মেনে না নিলে পাকিস্তান রাষ্ট্র গঠনের কোনো যৌক্তিক কাঠামো খুঁজে পাওয়া যায় না। অন্যদিকে রবীন্দ্রনাথ ছিলেন উদার মানবতার বাণীরূপ। আপনার নিরানন্দ অন্ধ কারাগার থেকে বেরিয়ে এসে সমস্ত খোলস ছাড়িয়ে বিশ্বসাথে যোগে মিলিত হওয়াই ছিল তাঁর সাধনা। ধর্মের, সংস্কারের, স্বার্থের ও সম্পদ গৌরবের সংকীর্ণতা থেকে মুক্ত হতে তিনি আজীবন খুঁজেছিলেন মানুষের পূর্ণতার স্বরূপ। 'আমি ব্রাত্য আমি মন্ত্রহীন' এই বোধ শেষ পর্যন্ত মুছে দিয়েছিল তাঁর আত্মপরিচয়ের সীমারেখা।

পাকিস্তানি মানসিকতা এই বোধকে স্বীকার করে না। যদিও এই অঞ্চলের মানুষের জীবন বাস্তবতায় পাকিস্তানি সংকীর্ণতা এক আরোপিত উপাদান। যুগ যুগ ধরে বিভিন্ন ধর্মের ও বর্ণের মানুষের এখানে পাশাপাশি বসবাস। জীবনযাপনের বিভিন্ন ক্ষেত্রে বিভিন্ন কর্মে তাদের পারস্পরিক যোগাযোগ। সহযোগিতা ও সহমর্মিতা বেঁচে থাকার তাগিদের মতোই স্বতঃস্ফূর্ত। পাকিস্তানি আদর্শ, ফলে জীবনভাবনায় এক বিকৃতি আনে। তার সঙ্গে বিরোধ ঘটে মানুষের স্বাভাবিক প্রবণতার।

রবীন্দ্র জন্মশতবার্ষিকী এই বিরোধকে প্রকট করে তোলে। বিপুল উৎসাহ ও উদ্দীপনায় যখন শতবার্ষিকী উদ্‌যাপনের উদ্যোগ নেওয়া হতে থাকে, তখন পাকিস্তানি শাসকচক্র এখানে তাদের বিকৃতমনা অনুচরদের নিয়ে তাকে শুধু অস্বীকারই নয়, বানচাল করার চক্রান্তে নামে।

শিল্প-সাহিত্য-সংস্কৃতির অঙ্গন থেকে বিষয়টি দ্রুত সামাজিক ও রাজনৈতিক প্রেক্ষাপটে একেবারে সামনে চলে আসে। উত্তপ্ত বিতর্ক পাকিস্তানি রাষ্ট্রীয় আদর্শের মূল ধরে নাড়া দেয়। এদেশের মানুষ স্পষ্ট করে দেখতে পায়, তাদের ধ্যানধারণা, জীবনযাপন সংগ্রাম ও স্বপ্ন-কল্পনা, এর কোনো কিছুর সঙ্গেই পাকিস্তানি মানসিকতার মিল নেই। বিরোধই বরং দস্তুর। শতবার্ষিকী উদ্‌যাপন দ্রুত হয়ে ওঠে প্রতিবাদের প্ল্যাটফর্ম। আমরা কে, কী চাই, কী হতে পারি, এসবেরই শ্রেয়োরূপের প্রতীক হয়ে যান রবীন্দ্রনাথ। তাঁরই নটীর পূজার শ্রীমতীর মতো তখন আমাদের রবীন্দ্রবন্দনা। 'ভঙ্গীতে আর সঙ্গীতে' আমাদের বাঁধনহারা অবাধ্যতা। 'আরতি' অবশ্য শুধুই 'মরিবার তরে' নয়, মৃত্যুকে অতিক্রম করে আত্মপ্রতিষ্ঠার জন্যও।

শতবার্ষিকী উদ্‌যাপন নিয়ে যখন বিতর্কের কেন্দ্রবিন্দুতে পরিণত হন রবীন্দ্রনাথ, তখন আমাদের সাহিত্য ভাবনা ও সংস্কৃতির অনুষ্ঠানগুলো শুধুই নিজ নিজ সীমিত গণ্ডির ভেতর আর আটকে থাকে না। তারা হয়ে ওঠে আমাদের আত্মপ্রকাশ ও আত্মপ্রতিষ্ঠার শক্তিশালী অবলম্বন। বিতর্কে যাঁরা অংশ নেন, শতবার্ষিকী উদ্‌যাপনের পেছনে যাঁরা সর্বাত্মক সহযোগিতা ঢেলে দেন, তাঁদের অনেকেরই অবস্থান সাহিত্য-সংস্কৃতির জগৎ থেকে যোজন যোজন দূরে। রবীন্দ্রনাথের সঙ্গে পরিচয় হয়তো কারও কারও ছেলেবেলায় স্কুলপাঠ্য বইয়ে দু-চারটি রচনার বাইরে এতটুকুও প্রসারিত নয়। তবু তাঁর ভেতরেই তাঁরা খুঁজে পেলেন তাঁদের জীবনসংগ্রামের তাৎপর্য। লক্ষ্য অবশ্যই রবীন্দ্রনাথ নন। লক্ষ্য বাঙালির আত্মোপলব্ধি ও জাতীয় উজ্জীবন। রবীন্দ্রনাথ উদ্দেশ্যসাধনের এক অসাধারণ ক্রান্তিসম্ভব হাতিয়ার। এতে অসংগতি নেই। আতিশয্য থাকলেও তা সামঞ্জস্য হারায় না। কারণ রবীন্দ্রনাথের চিন্তাভাবনার বিষয় ছিল সবসময়েই পরিপূর্ণ মানুষ। শুধুই শিল্প-সাহিত্যের আলাদা জগতের বিচ্ছিন্নতায় নয়, বরং জীবনের সমস্তটা নিয়ে তাঁর সার্থকতার সম্ভাবনার সমগ্রতায়। এক সংকীর্ণচিত্ত রাষ্ট্র ব্যবস্থার শাসনে-জুলুমে 'জীবন যখন শুকায়ে যায়' তখন রবীন্দ্রনাথের সার্বিক ভাবমূর্তিতে মানুষ খুঁজে পায় 'করুণাধারার' উৎস। এই সার্বিক ভাবমূর্তি বিবেক ও আত্মমর্যাদাসম্পন্ন মানুষের শ্রেয়োচেতনায় ভাবিত এক অনন্যসাধারণ শিল্পপ্রতিভার। সে শিল্পপ্রতিভা এমন, যা শুধু সাহিত্যকীর্তিতে জগৎজোড়া স্বীকৃতি ছিনিয়ে আনে না, বাংলা ভাষাকেও প্রায় একক প্রচেষ্টায় গতিশীল ও আধুনিক চিন্তাভাবনার প্রতিটি ক্ষেত্রে প্রকাশক্ষম করে তোলে। তাঁর সাহিত্যকর্মের সঙ্গে যাদের পরিচয় ক্ষীণ, তারাও যখন নানা কাজে বাংলা ভাষার ব্যবহার ঘটায়, তখন তাঁর বিপুল বিস্ময়কর অবদান অনায়াসে হাতের কাছে পেয়ে যায় বলেই তা করতে পারে। বাঙালি হিসেবে যখন মাথা তুলে দাঁড়াতে যাই, তখন আত্মপরিচয়ের স্বাধিকার প্রতিষ্ঠায় অন্যতম প্রধান অবলম্বন হিসেবে পাই আমাদের সচল স্বাবলম্বী মাতৃভাষা। গরীয়সী সেই ভাষার কাছে মাথা নত করতে গিয়ে রবীন্দ্রনাথকেও প্রণতি জানাই। তাঁর মনীষা ভাষ্যকে সক্ষম করে চিন্তাভাবনাকে এমন এক জায়গায় তুলে আনে যেখান থেকে জ্ঞান-বিজ্ঞানের সব দরজাই আমাদের সামনে খুলে যায়। আমরা কৃতজ্ঞবোধ করি।

এরই সঙ্গে জড়িয়ে আছে আমাদের অহংকার। জাতিগতভাবে যখন আমরা নিজেদের দিকে তাকাই, বিশেষ করে বাইরে থেকে মার খাই, তখন আমাদের ঐতিহ্য থেকে, অতীত কীর্তি থেকে,

মহাপুরুষদের অবদান থেকে প্রেরণা খুঁজি। বড়ো মাপের কাউকে পেলে আমাদের চেতনায় তাকে নায়কের আসনে বসাই। সবাইকে ডেকে বলতে পারি, আমরা তুচ্ছ নই, ভুঁইফোঁড় নই, অজ্ঞাতকুলশীল নই, সভ্যতা ও সংস্কৃতির অগ্রযাত্রায় আমাদেরও উল্লেখযোগ্য ভূমিকা আছে। বিশ্বের দরবারে আমরা অপাঙ্‌ক্তেয় নই। একজনের বিপুল কীর্তি গৌরবে আমরা গরীয়ান হই, একজন গোটা একটা জাতির মূর্ত প্রতিনিধি হয়ে দাঁড়ান। এইভাবে রবীন্দ্রনাথের নামে আমরাও নামাঙ্কিত হই। তিনি বিশেষ থেকে নির্বিশেষে প্রসারিত হন। আমাদের অস্তিত্বকে তিনি সংহত করেন। আমাদের আবেগকে উজ্জীবিত করেন। তিনি হয়ে দাঁড়ান আমাদের অবিসংবাদিত 'কালচার হিরো'; তাঁর জীবনে লভিয়া জীবন আমরাও জেগে উঠতে চাই। তাঁর সাহিত্যের সঙ্গে যদি আমাদের সবার সম্যক পরিচয় না থাকে তবু।

রবীন্দ্রনাথকে সামনে রেখে এই যে আমাদের আত্মসমীক্ষা ও আত্মোপলব্ধি তা চূড়ান্ত রূপ পায় আমাদের স্বাধীনতা সংগ্রামে। ইতিমধ্যে আমাদের দেশে সৃষ্টিশীল শিল্পচিন্তা ও সংস্কৃতিভাবনার অনেকখানি কেড়ে নেন রবীন্দ্রনাথ। ঢাকার ছায়ানট ও বুলবুল ললিতকলা অ্যাকাডেমির রবীন্দ্রসংগীত ও রবীন্দ্র নৃত্যনাট্যের পরিবেশন জনচিত্তে, বিশেষ করে শহরাঞ্চলে দারুণ আলোড়ন তোলে। রবীন্দ্রসংগীতের জনপ্রিয়তা শুধুই বিদ্বৎসমাজে নয়, সাধারণ মানুষের ভেতরেও ছড়ায়। তা আরও গভীরতা পায় দুষ্টচক্রের রবীন্দ্রবিরোধিতায়। বাঙালি চিত্তের প্রতিবাদই প্রতিফলিত হতে থাকে বিপুল উৎসাহে ব্যাপকভাবে রবীন্দ্রসংগীত চর্চায়।

রবীন্দ্রনাথ হয়ে উঠেছেন আমাদের সামাজিক ও রাজনৈতিক মুক্তির প্রতীক। গভীর অভিনিবেশে রবীন্দ্রসাহিত্য পড়ার চেয়ে রবীন্দ্রনাথের এই প্রতীকী ধারণা থেকে প্রেরণা ও শক্তি আহরণ গণজীবনে অনেক বেশি চোখে পড়েছে। রবীন্দ্রনাথ স্বয়ং এত বিশাল যে এতে তাঁর ধারণাকে টেনে বড়ো করার প্রয়োজন হয়নি। বরং এক বিশেষ দৃষ্টিকোণ থেকেই শুধু তাঁর উপর আলো ফেলা হয়েছে— গণচিত্তে ফলে যা আত্মস্থ্ করেছে তার উৎস তিনিই, যদিও তাঁর সমস্তটা নয়। এতে কোনো মিথ্যাচার ঘটে না। রবীন্দ্রনাথের এক বিশেষ সত্য উপস্থিতিই আমাদের স্বাধীনতা সংগ্রামে বজ্রের মতো ঝলসে ওঠে।

রাষ্ট্রচেতনায় ও সমাজ সম্পর্কে প্রগতিশীল মানবিক মূল্যবোধের প্রতিষ্ঠা ঘটলে রবীন্দ্রনাথের শিল্প-সাহিত্যের চর্চা আমরা খোলা মনে শুরু করতে পারব। সমষ্টিজীবনের গতিপথ যদি অবরোধ মুক্ত হয়, যদি 'জীর্ণতার আবর্জনা' পায়ে পায়ে বাধা না হয়ে দাঁড়ায়, যদি বলদর্পীর স্থির শাসনে সাধারণ মানুষকে প্রতি মুহূর্তে অপমান সইতে না হয়, তবে রবীন্দ্রনাথের কাছ থেকে সম্মিলিত উদ্ধারের পথ খোঁজার সঙ্গে সঙ্গে তাঁর শিল্প-সাহিত্যের সব কিছুর নিবিড় নিভৃত অনুশীলনেও আমরা মন দিতে পারি। বিশেষ পরিস্থিতিতে রবীন্দ্রনাথের প্রতিমা পূজা তার প্রাসঙ্গিকতাকেই পুষ্ট করে। কিন্তু সেই পরিস্থিতি বদলে গেলে প্রতিমা পূজা তার প্রাসঙ্গিকতা হারায়। মনের সঙ্গে যোগ তার ছিন্ন হয়। কিন্তু তাঁর সাহিত্য-শিল্পের সত্যিকারে চর্চা বার বার আমাদের তাঁর কাছে নিয়ে যেতে পারে। আমাদের মননের ও বোধের ক্ষেত্র সমৃদ্ধ ও প্রসারিত হয়। আমরা আরও

পরিপূর্ণ মানুষ হয়ে উঠতে পারি। তার মানে এই নয় যে, রবীন্দ্রনাথেই আমাদের সীমাবদ্ধ থাকতে হবে। আমাদের চিন্তাভাবনায় তিনিই শুধু একেশ্বরের মতো বিরাজ করবেন। আসলে মুক্তমনে রবীন্দ্রচর্চা আমাদের মনকে জাগিয়ে তুলে তার গ্রহণক্ষমতা বাড়াতে বাড়াতে এমন এক জায়গায় নিয়ে আসে, যেখানে প্রবল সক্ষমতায় তা রবীন্দ্রনাথকেও অতিক্রম করে যেতে চায়। এটা অভিপ্রেত নয়, বরং এইটিই জীবনের সৃষ্টিশীলতার লক্ষণ। তবে প্রথমেই রবীন্দ্রনাথকে অস্বীকার করে তাঁকে পাশ কাটিয়ে যদি আমরা শুরু করতে যাই, তবে আমাদের মনোভূমিতে ভিতটিই থাকে নড়বড়ে। শিব গড়তে বানর গড়া, অথবা শুধু বানরই গড়তে চাওয়া, এই হয়ে দাঁড়ায় তখন অনিবার্য নিয়তি।

বাস্তব অবস্থা বদলে গিয়ে হয়ে ওঠে অন্যরকম বোধ। হয় আগের চেয়েও ভয়াবহ। যদিও একথা সত্য যে, অ্যাকাডেমিক রবীন্দ্রচর্চা এখন আগের চেয়ে অনেক বেশি প্রসারতা পেয়েছে। রবীন্দ্রসংগীত শোনার সুযোগও এখন আগের চেয়ে অনেক বেশি হয়েছে। রবীন্দ্রসংগীত শুনতে হলে এখন আর অন্য পাড়ার কাউকে ডেকে আনতে হয় না। গায়ক, বিশেষ করে গায়িকা জোটে আশপাশেই। তবু রবীন্দ্রনাথকে এখনও প্রত্যাখ্যানের প্রকৃতি আগের মতোই। বোধ হয় আরও সুপরিকল্পিত, এবং ভেতর থেকে বলেই আরও বিপজ্জনক। অনাচ্ছন্ন মনে রবীন্দ্রনাথের বিপুল সৃষ্টির মুখোমুখি হওয়া আজও প্রায় অসাধ্যই থেকে যায়?

সরাসরি রবীন্দ্রনাথকে শত্রু হিসেবে চিহ্নিত করে না। বরং যে সুরুচি ও মূল্যবোধে রবীন্দ্রচেতনার প্রতিফলন, তাদেরই বেছে বেছে একে একে ধ্বংস করে। দেশের মানুষ যদি তা মেনে নেয়, অথবা মেনে নিতে বাধ্য হয়, তবে রবীন্দ্রনাথই যে শুধু অপ্রাসঙ্গিক হয়ে পড়েন, তাই নয়, সভ্যতা ও সংস্কৃতির ঐতিহ্যবিচ্যুত এক জনগোষ্ঠীকে নিশ্চেতন তাৎক্ষণিকতায় মজিয়ে রেখে তাদের দাস্য আনুগত্যকেও নিশ্চিত করা চলে। গোটা জাতির পক্ষে সে এক ভয়াবহ পরিণাম। কিন্তু যাদের নিজেদের পায়ের তলায় মাটি নেই, যারা বাইরের সাম্রাজ্যবাদী চক্রের মদত পেয়ে উড়ে এসে জুড়ে বসে, সেইসব ক্ষমতাদস্যু শুধু নিজেদের অবস্থা সুরক্ষিত রাখার লক্ষ্যে ওই সর্বনাশা পরিণামের দিকেই দেশকে ঠেলে দেয়।

আজ গ্রামীণ সংস্কৃতির নামে আর জোরের দিকটা উপেক্ষা করে প্রশ্রয় দেওয়া হচ্ছে রুচিহীনতা, স্থূলতা ও অশ্লীল গ্রাম্যতাকে। সহজ হবার ভান করে বিসর্জন দেওয়া হচ্ছে বুদ্ধিবৃত্তির পরিচর্যাকে। একইসঙ্গে শহুরে মানুষের মনোরঞ্জনের জন্য দেদার আমদানি হচ্ছে পাশ্চাত্যের সেক্স-ভায়োলেন্স সংবলিত পর্ণ সংস্কৃতি। মন যেখানে বসে গেছে, নিজের দিকে ফিরে তাকাবার ইচ্ছাটুকুও যায় হারিয়ে। সেইখানেই পূর্ণ হয় দখলদারি চক্রান্তের ষোলোকলা। এই পটভূমিকায় রবীন্দ্রনাথকে সরাসরি আক্রমণ করা তাদের প্রয়োজন পড়ে না। কারণ যে পরিবেশ তারা রচনা করতে চায় তা সম্ভব হলে সেখানে কেবল আগাছাই জন্মাবে, দূষিত বাতাসে রাবীন্দ্রিক ধ্যানধারণায় টিকে থাকাই একটা কঠিন ব্যাপার হয়ে দাঁড়াবে। অন্যদিকে রবীন্দ্রনাথকে আক্রমণের লক্ষ্যবস্তু করলে এখনও জনমনে বিক্ষোভ দেখা দিতে পারে। যারা চিন্তাভাবনা করতে চায় তারা সংগঠিত হয়ে বাড়তি সমস্যার সৃষ্টি করতে পারে। কাজেই তাঁকে সুকৌশলে এড়িয়ে যাওয়াটাই কায়েমি ক্ষমতাচক্রের কাছে বুদ্ধিমানের কাজ। অতীত অভিজ্ঞতা থেকেও মনে হয়, এইটাই তাদের শিক্ষা। রবীন্দ্রনাথের

উত্তরাধিকার সন্দেহ নেই, আমাদের পরম গৌরবের। কিন্তু অপশাসনের উত্তরাধিকার, এও দুর্ভাগ্যজনক হলেও বয়ে বেড়াতে হয় আমাদেরই।

দুশো বছরের পরাধীনতার নাগপাশ থেকে মুক্ত হয়েছিল দেশ বিভাজনের মধ্য দিয়ে—ভারত এবং পাকিস্তান নামক রাষ্ট্র সৃষ্টির মধ্য দিয়ে। সে-সময় রবীন্দ্রনাথকে সামনে নিয়ে এগোবার কথা ভাবতে হত। তবে পরিস্থিতি এখনও আরও জটিল। তখন বাইরের শাসক-শোষকদের আলাদা করে চিনে নেওয়া সহজ ছিল। এখন তারা সবাই ভেতরের। এমন স্বার্থের প্রয়োজনে রাবীন্দ্রিক মূল্যবোধের বিরোধী হলেও ব্যক্তিগতভাবে কেউ কেউ রবীন্দ্রানুরাগী। তা ছাড়া সদ্য স্বাধীন হওয়া দুই দেশে সীমিত সুযোগসুবিধা বিশেষ একটা গোষ্ঠীর ভেতর ছড়িয়ে দিয়ে অপশাসনে কায়েমি স্বার্থের এক নতুন জটাজাল ক্রমশ শক্ত আর বিস্তৃত করা হচ্ছে। দেশের মানুষের ভেতরেই দ্বিধা ও বিভ্রান্তি তাই অনিবার্য। তবু চুপ করে বসে থাকাও সাজে না। তা আত্মহননেরই নামান্তর। এবং এগোতে গেলে প্রেরণার জন্য হাত বাড়াতে হবে রবীন্দ্রনাথের কাছেই। 'ব্যর্থ প্রাণের আবর্জনা পুড়িয়ে ফেলে' আগুন জ্বালাতে হলে; বিচারের বাণী যার অপরাধে 'নীরবে নিভৃতে কাঁদে' সেই প্রতিকারহীন শক্তিকে আসামির কাঠগড়ায় দাঁড় করাতে হলে; মনুষ্যত্বকে যে বার বার অপমান করে সেই স্বৈরাচারী অপশাসন থেকে নিজেদের মুক্ত করতে হলে আবার শরণাপন্ন হতে হবে রবীন্দ্রনাথের কাছে। তবে রবীন্দ্রনাথের ভাবপ্রতিমাই আর যথেষ্ট হবে না। প্রয়োজন হবে সেইসব রবীন্দ্রসাহিত্য অনুশীলনের, যা মানুষকে মুক্তির আনন্দের পথ দেখায়। সামরিক স্বৈরশাসনের সঙ্গে আপোশ করার মানসিকতার বিরুদ্ধে তখনই লড়াই করতে পারি যখন আমাদের শ্রেয়োচেতনা জাগ্রত হয়ে সম্মিলিত প্রতিরোধে আমাদের প্রেরণা জোগায়। সংস্কৃতির ক্ষেত্রে যে অনাচার আজ আমাদের পূর্ব সুকৃতির ও ভবিষ্যৎ সম্ভাবনার সব ধারা মুছে ফেলতে চাইছে, তাকেও ঠিক ঠিক রুখতে পারি যদি আমাদের গৌরবময় ঐতিহ্যে আমরা সংলগ্ন থাকি এবং সেখানেও চাই রবীন্দ্রনাথের শিল্প-সাহিত্যে গভীরতর মনোনিবেশ।

বঙ্গবাসী হিসেবে এ আমাদের পরম সৌভাগ্য যে জাতীয় জীবনের দারুণ দুঃসময়ে আমরা রবীন্দ্রনাথকে আঁকড়ে ধরতে পারি। এও আমাদের চরম দুর্ভাগ্য যে রবীন্দ্রনাথকে আমাদের আঁকড়েই থাকতে হয়। বাস্তব পরিস্থিতি কিছুতেই তাঁকে ছাড়তে দেয় না। আমরা বলতে গেলে একই আবর্তে বার বার ঘুরপাক খাই। অথচ বাইরের বাস্তবতার চাপ, নতুন নতুন ধ্যানধারণা নতুন নতুন প্রযুক্তি নিয়ে আমাদের ওপরেও আছড়ে পড়ে। ভেতরে 'ন যৌস ন তস্থৌ' অবস্থা ক্রমাগত চলতে থাকায় আমরা তার সঙ্গে তাল মেলাতে পারি না। এরকম ত্রিশঙ্কু হয়ে ঝুলতে থাকি।

এটা রবীন্দ্রনাথকে তাঁর সমগ্রতায় বোঝার জন্য এবং তা থেকে শক্তিসঞ্চয় করে এগিয়ে যাবার জন্য আদৌ উপযোগী নয়। আমাদের দেখার ভিতরে এক ধরনের নিশ্চেতন ভাবালুতা এসে যাবার আশঙ্কা থাকে। আমাদের চিন্তাভাবনা গতানুগতিকতায় আটকে পড়তে পারে। রবীন্দ্রনাথ স্বয়ং আমাদের বিস্ময়কর উপলব্ধির উৎস না হয়ে এক স্থির বিশ্বাসের বস্তুতে পরিণত হতে পারেন। ফলে যে সংকীর্ণ মনস্কতার বিরুদ্ধে আমাদের লড়াই, তাই বিপরীত দিক থেকে এসে রবীন্দ্রনাথকে অবলম্বন করেই আমাদের গ্রাস করতে পারে। বাঞ্ছনীয় নয়। চূড়ান্তভাবে রাবীন্দ্রিক ধ্যানধারণার

বিরোধী। রবীন্দ্রনাথকে যখন আমরা আমাদের সংগ্রামের জীবন্ত প্রেরণা বা অদৃশ্য সেনাপতি হিসেবে চাই, তখনও যেন তাঁকে আমরা একমাত্র পরম সত্য বলে ধরে বসে না থাকি। 'আমার প্রেম রবিকিরণ হেন, জ্যোতির্ময় মুক্তি দিয়ে তোমারে ঘেরে যেন' অথবা I have learnt to love my God, Becauses he gives me freedom to deny him. এ রবীন্দ্রনাথেরই বাণী।

রবীন্দ্রনাথের কাছে এক বড়ো ঋণ, মানুষ ও প্রকৃতি নিয়ে সমস্ত বিশ্বজগৎকে আমাদের পূর্ণদৃষ্টিতে দেখবার চোখ তিনি খুলে দেন, পূর্ণপ্রাণে অনুভবের মন তিনি জাগিয়ে তোলেন। মানব অভিজ্ঞতার বিভিন্ন পরিস্থিতি সুখে-দুঃখে সংকটে-সংশয়ে প্রেম বঞ্চনায় অনুভবে শরীরী হয়ে ওঠে রবীন্দ্রনাথের টুকরো টুকরো গানের কলিতে, খণ্ড খণ্ড কবিতা চিত্রে, এমনকী গল্পগুচ্ছের অবিস্মরণীয় সব বর্ণনাংশে। আমাদের মনোভূমি প্রসারিত হয়। তার গভীরে গভীরে স্পন্দন জাগে, যা অনেকটাই অর্থবহ ব্যঞ্জনায় ভরে ওঠে রবীন্দ্রনাথের অবদানে। একথা সত্য নয় যে সব মানুষই সব কিছু চিন্তা করতে বা অনুভব করতে পারে। এসবের পেছনে থাকে তার সংস্কৃতি ও সভ্যতার ঐতিহ্য। যে-মানুষ সভ্যতার যাত্রাপথে কোনো এক বাঁকে আটকে যায়, তার চিন্তা ও উপলব্ধির ক্ষমতা সেইখানেই থেমে থাকে। তার ভেতরের সম্ভাবনা নিদ্রিতই রয়ে যায়। রবীন্দ্রনাথ আমাদের এই পিছিয়ে পড়ার হাত থেকে উদ্ধার করেছেন। আমরা জীবনের ঐশ্বর্য ও আনন্দকে বিপুল বৈচিত্র্যে চিনে নিতে পারি। উন্নত বা অনুন্নত অর্ধসত্য মানুষের মতো আহার মৈথুন ইত্যাদি গুটিকয় উদ্দেশ্যসাধনেই আমাদের সীমাবদ্ধ থাকতে হয় না। রবীন্দ্রনাথের কাছে এই ঋণ যারা গ্রহণ করেও স্বীকার করে না, তারা ভণ্ড। যারা এই ঋণগ্রহণে অপারগ, তারা সত্যিই দুর্ভাগা। বাংলার অধিকাংশ মানুষ এখনও নিরক্ষর, ফলে রবীন্দ্ররচনার সঙ্গে অপরিচিত; এ আমাদের বিশাল ব্যর্থতা। আর শিক্ষিত হয়েও যারা রবীন্দ্রনাথ থেকে মুখ ফিরিয়ে নেয়, তারা স্বেচ্ছায় বর্বর হতে চায়। সমষ্টিজীবনের উদ্‌বোধনের কথা মনে রাখলে এই ইচ্ছাকে প্রশ্রয় দেওয়া যায় না।

তবে এই ঋণ স্বীকারই সব নয়। জীবনের এবং শিল্প-সাহিত্য-সংস্কৃতি রচনার কখনোই শেষ কথা নন রবীন্দ্রনাথ। বরং রবীন্দ্রনাথে আটকে থাকাটা এক অনুচিত কালা সংগতি। আজ নিশ্চয় কেউ রবীন্দ্রনাথের ঢঙে কবিতা লিখতে চাইবেন না। তাঁর অনেক কবিতাই আজ মনে হয় অতিকথনদুষ্ট। তাঁর ক্রিয়াপদের ব্যবহার কোথাও কোথাও অতি মোলায়েম, ফলে আজকের কর্কশ বাস্তবতাকে ধারণ করার পক্ষে নিতান্তই দুর্বল। বর্তমানের বহুমাত্রিক বাস্তবতা চেতনায় যে ছায়া ফেলে তারই পরিণামে যে কবিতা— অনেক বেশি জটিল ও প্রচ্ছন্ন হওয়াই তার পক্ষে স্বাভাবিক। দ্বান্দ্বিক পরিবেশের গভীরে চোখ রেখে তাকে চিনে নিলে তা যে কোনো দৃষ্টিনন্দন ছবি ফুটিয়ে তুলবে, এমন কথা বলা যায় না। হয়তো তা হবে কদর্য, বীভৎস, অসুন্দর। এই সত্য ছবি ফুটিয়ে তোলাই শিল্পের কাজ। রাবীন্দ্রিক সৌন্দর্য সুষমা সেখানে সংগতিহীন। অবশ্য রবীন্দ্রনাথের চিত্রকলায় অসুন্দরের ও অন্ধকারের প্রবল মাতামাতি চোখে পড়ে। কোনো সত্যসন্ধ শিল্পীর কাছে তা শুধু বিস্ময় নয়, শিক্ষণীয়ও বটে। পরিচয় মেলে আজকের দ্বান্দ্বিক বাস্তবতায় রবীন্দ্রসাহিত্যের অনুকরণ না করেই বরং কোনো সাহিত্যিক যথার্থ রবীন্দ্রানুসারী থাকতে পারেন।

আরও একটা প্রশ্ন দেখা দেয় চিন্তাভাবনার পদ্ধতিগত ব্যাপার নিয়ে। ভারতীয় ঐতিহ্য মনীষীদের মতো রবীন্দ্রনাথও প্রধানত ইনট্যুইশন যা স্বজ্ঞার কর্তৃত্ব মেনে নেন। সত্যকে তিনি পান তাঁর চেতনার গভীরে। কীভাবে পান, তার যৌক্তিক কাঠামোয় তিনি নিরুৎসুক। যাঁরা অনন্য প্রতিভা, সত্যকে তাঁরা এভাবে অনুভব করেন। প্রকাশ করেন। গুহাহিত বাণীর নান্দনিক উচ্চারণে আমাদের প্রাণেও দোলা জাগে। কিন্তু বিরল প্রতিভার বেলায় যা সম্ভব ও সংগত, সাধারণ মানুষের বেলায় তা একইরকম নাও হতে পারে। সবাই যদি বলতে শুরু করেন, 'আমার মনে হল' 'আমার ধারণা এই'— তবে চিন্তার রাজ্যে সুষম শৃঙ্খলার বদলে এক বিরাট নৈরাজ্যই দেখা দেবার আশঙ্কা। এই আশঙ্কা আমাদের বেলায় অতিমাত্রায় সত্য এবং এখানে রবীন্দ্রনাথ কোনো অনুকরণযোগ্য পথিকৃৎ নন। যৌক্তিক চিন্তাপদ্ধতি আবেগনির্ভর নয়। এবং তা সম্পূর্ণতা নৈর্ব্যক্তিক। রবীন্দ্রনাথ যে সত্যে সরাসরি পৌঁছে যান, তাকে পুরোপুরি বোঝার জন্যও আমাদের এই গদ্যময় যুক্তির সিঁড়ি ভেঙে এগোনো ছাড়া গত্যন্তর থাকে না। জগৎ ও জীবনের নানাবিধ প্রশ্নের যখন মুখোমুখি হই, তখন তো তা আরও বেশি। সত্যকথা, মননশীল রচনায় রবীন্দ্রনাথ যুক্তিকে পাশ কাটিয়ে যান না। কিন্তু তাঁর রচনার প্রসাদগুণ এমন যে ওই যুক্তির কাঠামোটা অধিকাংশ ক্ষেত্রেই আমাদের চোখ এড়িয়ে যায়। এতে আমাদের শেখার কাজটা অসম্পূর্ণই থেকে যায় এবং বেশিরভাগই ভুলভাবে অগ্রসর হই।

রবীন্দ্রনাথ মেয়েদের যেভাবে দেখেছেন, সেটাও আর এক গুরুত্বপূর্ণ বিবেচনার বিষয়। যেকোনো উৎসুক পাঠকেরই এটা চোখে পড়ে যে রবীন্দ্রনাথের সমগ্র কথাসাহিত্যের কেন্দ্রভূমিতে প্রায় সবসময়েই মেয়েদের প্রশ্নটা প্রধান হয়ে উঠে এসেছে। কিন্তু কিছু কবিতাতেও, বিশেষ করে *পলাতকা* কাব্যগ্রন্থে 'বিদায় অভিশাপে' ও 'কথা ও কাহিনী'-তে নানা দিক থেকে তিনি নারীর অস্তিত্ব ও ব্যক্তিত্বও যে মর্যাদা দাবি করে, তাদের অস্তিত্বের শক্তি ও মাধুর্য যে বিস্ময় ও সমীহ জাগায়, এই বক্তব্যগুলোর শিল্পিত প্রকাশ তাঁর রচনায় পরিকীর্ণ। নারীর ব্যক্তিত্বকে আলাদাভাবে দেখায় ও দেখানোয় তিনি কোথাও এতটুকু আপোশ করেন না। স্বমহিমায় তাঁর প্রতিষ্ঠাকেই তিনি বড়ো করে দেখেছেন। করুণায় বা ঘৃণায় তাকে খাটো করেননি। আজকেও নিশ্চয় এই মনোভাব শ্রদ্ধেয় এবং এখনও তা সমান প্রাসঙ্গিক। কিন্তু যথেষ্ট কি?

একটু খেয়াল করলেই ধরা পড়ে, রবীন্দ্রনাথেও মেয়েদের আলাদা সত্তা যখন চিনিয়ে দেওয়া হয়, তা পুরুষের দৃষ্টিকোণ থেকেই, এবং সেখানে মেয়েরা প্রার্থনার সম্মানের বা শ্রদ্ধার যা-ই হোক-না কেন, অবজেক্টই থেকে যায়। এই 'অবজেক্ট' আর অপ্রাণীবাচক নয়, এবং তারও সজীব আকর্ষণীয় ব্যক্তিত্ব আছে— তা সত্ত্বেও। অতএব নারীর ব্যক্তিত্ব সবসময়ে পুরুষের চেতনার বৃত্তে পরিস্ফুট। নারীও নিজেকে দেখে পুরুষের অবস্থানের সূত্র ধরেই। এই পুরুষ আবার যেকোনো পুরুষ নয়, জেনারালাইজড পুরুষও নয়, তা বিশেষ এক পুরুষ, যাকে কেন্দ্র করে অথবা যার বিপরীতে ওই নারী ব্যক্তিত্বের প্রস্ফুটন। চেতনার প্রস্থানবিন্দুতে নারী সবসময়েই থেকে যায় পুরুষের শয্যাসঙ্গিনী। তার পশ্চাৎভূমিতে যে বাস্তব সম্পর্ক-সম্বন্ধের জগৎ সেখানেই প্রশ্নটা বোঝাপড়ার, যার কাঙ্ক্ষিত রূপ পারস্পরিক সম্মান ও প্রেম। চিত্রাঙ্গদার যে অমর উচ্চারণ, 'নহি দেবী নহি সামান্য নারী /

পূজা করি মোরে রাখিবে ঊর্ধ্বে / সে নহি নহি / হেলা করি, মোরে রাখিবে পিছে / সে নহি নহি / যদি পার্শ্বে রাখ মোরে / সংকটে সম্পদে / সম্মতি দাও যদি কঠিন ব্রতে / সফল হতে / পাবে তুমি চিনিতে মোরে' — এও যেকোনো পুরুষের উদ্দেশ্যে নিবেদিত নয়, যাকে বলা, সে অর্জুন। চিত্রাঙ্গদারই কাঙ্ক্ষিত পুরুষ। আর আমরা জানি, চিত্রাঙ্গদার এই আত্মপ্রকাশের যে মধুর সমাপ্তি, তাতে উভয়ের একত্রে যে মন্ত্রোচ্চারণ, তা রবীন্দ্রনাথের অনুবাদে— 'আমাদের আঁখি হোক মধুসিক্ত অপাঙ্গ হয় যেন প্রেমলিপ্ত। হৃদয়ের ব্যবধান হোক মুক্ত। আমাদের মন হোক যোগমুক্ত।'

এই যে নারীকে তার বাসরশয্যার প্রস্থানবিন্দু থেকে দেখা, সে-বাসরশয্যা প্রকৃত বা প্রত্যাশিত। যা-ই হোক-না কেন, তা কখনো নারীকে পরিপূর্ণ 'সাবজেক্ট' করে তোলে না, যদিও বাস্তবে সে ক্রমশ হয়ে উঠতে থাকে নিজের অনেক বেশি নিয়ন্তা। যে মেয়েটি আজ বাইরের জগতে কাজ করে সে তার কাজের সূত্রে বহু মানুষের সঙ্গে— সে-মানুষ পুরুষ-মেয়ে দু-ই হতে পারে— বহুভাবে যুক্ত। এই যোগাযোগ অনেকটাই নৈর্ব্যক্তিক, কিন্তু তার ব্যক্তিত্বের মুক্তিতে কম গুরুত্বপূর্ণ নয়। এই যে নারীর বিশেষ কোনো পুরুষনিরপেক্ষ আত্মপ্রকাশ, অথবা সেই কোনো পুরুষের সঙ্গে পারস্পরিক নির্ভরতা, যা সামগ্রিক সম্পর্ক-সম্বন্ধের এক ভগ্নাংশ মাত্র— হয়তো আবেগপূত ভগ্নাংশ— এটা কিন্তু বাস্তবে ঘটছে। এই বাস্তবতার সামাজিক ও দার্শনিক তাৎপর্য অবশ্যই ভেবে দেখার বিষয়। রবীন্দ্রনাথে তাঁর পূর্বপ্রস্তুতির আভাস মেলে মাত্র।

আমরা অবশ্যই ভুলি না *যোগাযোগ* উপন্যাসে কুমুর কথা। অনেক দুঃখ-লাঞ্ছনা-গঞ্জনা পেরিয়ে যে আপন সত্তায় 'কুমু' হয়েই দাঁড়াতে চেয়েছিল। ভুলি না *স্ত্রীর পত্র*-এর মৃণালকে, যে স্পষ্ট করে বলতে পারে, 'আমি আর ফিরব না, সংসারের মাঝখানে মেয়ে মানুষের পরিচয়টা যে কী তা আমি পেয়েছি। সে পরিচয় আর আমার দরকার নেই।' ভুলি না 'সবলা' কবিতায় নির্বাসিত নারীমনের আত্মস্থ বেদনাঘন অভিযোগ, 'নারীকে আপন ভাগ্য জয় করিবার কেহ নাহি দিবে অধিকার, হে বিধাতা।' অথবা তার প্রত্যয়সিদ্ধ উচ্চারণ, 'যাব না বাসরকক্ষে বধূবেশে বাজায়ে কিঙ্কিনি'— কিন্তু এ সবগুলোই মনে হয় অনিশ্চিত নিরবলম্ব— শুধুই আক্ষেপের বা আকাঙ্ক্ষার একটা দিকের, সর্বদিকের বা সবটুকুর নয়। নিরাবরণ উচ্চারণ, সত্য ও সাহসী অবশ্যই, কিন্তু শক্ত মাটিতে তারা দাঁড়ায় না, সমাজ-বাস্তবতায় উপযুক্ত আধার তারা পায় না। রবীন্দ্রনাথ নিশ্চয় এর জন্য সবটুকু দায়ী নন। তাঁর সময়ে কর্মের পথে সমাজ-সংসারের বিভিন্ন ক্ষেত্রে সার্থক হবার সুযোগ নারী খুব কমই পেয়েছে। তার অধিকারও ছিল সীমিত। বাঁধাধরা ছকের বাইরে তাকে এনে দাঁড় করিয়ে তার নিজস্বতাকে পুরোপুরি ফুটিয়ে তোলার ক্ষমতা রবীন্দ্রনাথেরও ছিল না। কারণ তার বস্তুগত অবস্থাই অনুপস্থিত ছিল।

রবীন্দ্রনাথের মনে আরও একটা ধারণা দৃঢ়মূল ছিল। সে-ধারণা অচরিতার্থতার হলেও অগৌরবের নয়। তাঁর ভাবকল্পনায় প্রকৃতির মতো নারীও পুরুষকে আঁকড়ে ধরতে চায়। পুরুষ বার বার সেই বাঁধন কেটে জ্ঞানের পথে কর্মের পথে অগ্রসর হয়ে নৈর্ব্যক্তিক সিদ্ধির পথ খোঁজে। তাঁর 'বিদায় অভিশাপ' কবিতায় এই ভাবটিই ফুটে ওঠে। পরে আরও অনেক লেখায় তার পুনরাবৃত্তি

দেখি। এতে তাঁর নারী প্রতিমা অপমানিত হয় না, বরং দুঃখবরণের অনলশুদ্ধ বিভা তাতে লেগে থাকে। হয়তো মানব ইতিহাসের পুণ্যপুরুষ গৌতম বুদ্ধ, যিশু খ্রিস্ট বা চৈতন্যদেবের কাহিনির এই ধারণা প্রতিমানির্মাণে পুষ্টি জোগায়। কিন্তু এই প্রতিমা কি একদিক থেকে নারীর সম্ভাবনার ক্ষেত্রকে অনেকখানি সংকুচিত করে না? প্রতিমা ভেঙে বেরিয়ে এসে জগতে জ্ঞানের রাজ্যে এবং কর্মযজ্ঞে সেও তো নানাভাবে অংশ নিতে পারে, এবং নিচ্ছেও। নারীর গৌরব আর পুরুষ-মহিমার এই ছক তাহলে বাস্তবের সঙ্গে আর খাপে খাপে মিলছে না, গোটা বিষয়টা তাই অনুপুঙ্খে পুনর্বিবেচনা দাবি করে।

নারীর প্রেরণাকে রবীন্দ্রনাথ দৃঢ়ভাবে দেখেছেন। একদিকে সে ঘরের লক্ষ্মী, অন্যদিকে চেতনার অখণ্ডলোকের অধিষ্ঠাত্রী পূর্ণ শাশ্বতী। এই দুইকে তিনি একজায়গায় মেলাতে পারেননি। হয়তো চানওনি। শেষের কবিতায় লাবণ্যময়ী বাণী ছড়িয়ে-ছিটিয়ে আছে তাঁর গোটা সাহিত্যকর্মেই। তাঁর মতো করে এ একটা সমাধান— না সমাধান নয়, সামঞ্জস্যবিধান। নিশ্চয় তা উপেক্ষণীয় নয়। কিন্তু জটিল বাস্তবতার মুখোমুখি দাঁড়িয়ে এমন সরল সমীকরণ সমাধানে আমাদের গভীরতার সব আকৃতির কি উত্তর মেলে? রবীন্দ্র-মুগ্ধতাকে একপাশে সরিয়ে রেখে আমাদের বিষয়টি নিয়ে ভাবতে হয়।

কিন্তু রবীন্দ্রনাথে যা পাই, তাঁর উত্তরসূরিদের হাতে কি সেটুকুও মেলে? এ এক অদ্ভুত অবস্থা। বাস্তবতা এগিয়ে যায় অনেক দূর পর্যন্ত, চিন্তাভাবনা আটকে থাকে পুরোনো ঘাটেই। বাইরের জগতে নারীর আত্মকর্তৃত্বহীন বিচরণ শুধু যে সমাজের উপরতলাতে বা মাঝখানে ঘটে তা-ই নয়, মানুষ যেখানে শ্রমজীবী সেখানেও ঘটে। অথচ আজকের বাংলা সাহিত্যে, পাশ্চাত্যের পণ্য সাহিত্যের অনুকরণে নারীও মূলত পণ্য। কোথাও কোথাও নানাভাবে নানা সাজে তাকে ঢেকে রাখা হয় মাত্র। এতে না আছে বাস্তবতাবোধ, না আছে সত্যদৃষ্টি। সাহিত্যে সততা ফিরিয়ে আনতে হলে শুরু করতে হবে রবীন্দ্রনাথের মনোযোগী পাঠ দিয়েই। তবে চোখ ফেরাতে হবে আজকের ঘটমান বাস্তবতায়। খুঁজতে হবে তার আত্মা, তার অন্তর্নিহিত চলমান সত্য।

যেদিকেই যাই, যেভাবেই যাই, রবীন্দ্রনাথকে এড়িয়ে যেতে চাওয়া এক অপরিণামদর্শী দুর্বুদ্ধিতা। আমরা আজকের বাস্তবতার সংলগ্ন হব অবশ্যই। কিন্তু রবীন্দ্রনাথকে বাদ দিয়ে শুরু করার অর্থ শিকড়বিচ্ছিন্ন অবস্থায় ঝুলে থাকা। অল্পপ্রাণ এই অস্তিত্বকে সহজেই গ্রাস করে ফেলে বাইরের প্রভাব। তাতে হারিয়ে ফেলি আমরা নিজেদেরই। রবীন্দ্রনাথের একশো পঁচিশতম জন্মবার্ষিকীর পূর্বক্ষণেও তাই তাঁর কাছেই আমাদের ফিরে যাওয়া, যেমন গিয়েছিলাম শতবার্ষিকীতে। তবে এখনও আরও সচেতনভাবে। বুদ্ধি ও মনকে পুরোপুরি জাগিয়ে রেখে।

[৩]

রবীন্দ্রনাথের বাঙালি ভাবনা

রবীন্দ্রনাথ বাংলা ভাষার শ্রেষ্ঠ কবি। বাংলা সাহিত্যের বিরল প্রতিভা। বাঙালি মনীষী হিসেবেও তিনি শীর্ষস্থানীয়দের অন্যতম। তাঁকে নিয়ে গৌরব ও গর্ব করার সংগত কারণ ও অধিকার বাঙালির রয়েছে। কিন্তু রবীন্দ্রনাথ নিজে তাঁর বাঙালি পরিচয়টি নিয়ে কতটা গর্বিত ছিলেন, বাঙালিত্ব ব্যাপারটিকেই-বা তিনি কীভাবে দেখতেন, বর্তমান নিবন্ধে সে-প্রশ্নের উত্তর খোঁজাই আমাদের উদ্দেশ্য।

কবির সাতাশ বছর বয়সে লেখা কবিতা 'দুরন্ত আশা'য় কবি 'তৈল-ঢালা স্নিগ্ধতনু / নিদ্রারসে ভরা / মাথায় ছোটো বহরে বড়ো / দাস্যসুখে হাস্যমুখে / বিনীত জোড়-কর / প্রভুর পদে সোহাগ-মদে / দোদুল কলেবর।' বাঙালি হওয়ার মর্মপীড়া থেকে মুক্তি খুঁজছেন 'আরব-বেদুয়িন' হওয়ার আকাঙ্ক্ষায়। চৌত্রিশ বছরে বয়সে লেখা কবিতা 'বঙ্গমাতা'য় 'সাত কোটি' বঙ্গসন্তানের শেষপর্যন্ত বাঙালিই হয়ে থাকা, মানুষ হতে না পারা নিয়ে আক্ষেপ ব্যক্ত করেছেন। 'স্নেহার্ত' 'মুগ্ধ' বঙ্গজননীর উদ্দেশ্যে প্রার্থনা জানিয়েছেন, 'মানুষ হইতে দাও তোমার সন্তানে।' প্রায় একই সময়ে লেখা অন্য এক রচনায় বাঙালি চরিত্রের নেতিবাচক বৈশিষ্ট্য বা সীমাবদ্ধতার উল্লেখ করে লিখেছেন, 'আমরা আরম্ভ করি, শেষ করি না; আড়ম্বর করি, কাজ করি না; যাহা অনুষ্ঠান করি তাহা বিশ্বাস করি না, যাহা বিশ্বাস করি তাহা পালন করি না; ভূরি পরিমাণ বাক্যরচনা করিতে পারি, তিল পরিমাণ আত্মত্যাগ করিতে পারি না। আমরা অহংকার দেখাইয়া পরিতৃপ্ত থাকি, যোগ্যতা লাভের চেষ্টা করি না। আমরা সকল কাজেই পরের প্রত্যাশা করি, অথচ পরের ত্রুটি লইয়া আকাশ বিদীর্ণ করিতে থাকি।' ব্যাপক অর্থে বাঙালি জাতি কিংবা বিশেষ করে তার মধ্যবিত্ত ভদ্রলোক শ্রেণিটি সম্পর্কে রবীন্দ্রনাথের এই কথাগুলো বহু উদ্ধৃতির ফলে ইতিমধ্যে একরকম প্রবাদপ্রতিমতা অর্জন করেছে। উৎস সম্পর্ক না-জেনেও আমরা অনেকেই আজ কথাগুলোর সঙ্গে পরিচিত এবং তা আওড়ে থাকি। রবীন্দ্রনাথের *চারিত্রপূজ* গ্রন্থে (১৩১৪) একই 'বিদ্যাসাগরচরিত' শিরোনামে তাঁর দুটি প্রবন্ধ রয়েছে, যার প্রথমটির প্রায় শেষ দিকে বাঙালি চরিত্র সম্পর্কে তিনি এই মন্তব্য করেছেন।

অসমাপ্ত ওই উদ্ধৃতিটির মনে হয় বর্তমান সময়ের পক্ষে অধিকতর তাৎপর্যপূর্ণ শেষাংশটুকু হল, "পরের অনুকরণে আমাদের গর্ব, পরের অনুগ্রহে আমাদের সম্মান; পরের চক্ষে ধূলি নিক্ষেপ করিয়া আমাদের পলিটিক্স, এবং নিজের বাক্‌চাতুর্যে নিজের প্রতি ভক্তিবিহ্বল হইয়া উঠাই আমাদের জীবনের প্রধান উদ্দেশ্য।" বিদ্যাসাগরের মহত্ত্ব বিচার করতে গিয়ে প্রবন্ধে রবীন্দ্রনাথের আরও মন্তব্য, "এই দুর্বল, ক্ষুদ্র, হৃদয়হীন, কর্মহীন, দাম্ভিক, তার্কিক জাতির প্রতি বিদ্যাসাগরের এক সুগভীর ধিক্কার ছিল। কারণ তিনি সর্ববিষয়েই ইহাদের বিপরীত ছিলেন।" তো এই প্রবন্ধের সূচনাবাক্যটিতেই রবীন্দ্রনাথ বিদ্যাসাগর চরিত্রের 'সর্বপ্রধান গুণ' হিসেবে যা উল্লেখ করেছেন তা হল, বিদ্যাসাগর 'বাঙালি জীবনের জড়ত্ব'-কে 'সবলে ভেদ করে উন্মুক্ত অপার মনুষ্যত্বের অভিমুখে' তাঁর 'দৃঢ়নিষ্ঠ একাগ্র একক জীবনকে প্রবাহিত' করে নিয়ে গিয়েছিলেন। রবীন্দ্রনাথ লিখেছেন, "বিদ্যাসাগরের জীবনবৃত্তান্ত আলোচনা করিয়া দেখিলে এই কথাটি বারংবার মনে উদয় হয় যে, তিনি যে বাঙালি বড়োলোক ছিলেন তাহা নহে, তিনি যে রীতিমতো হিন্দু ছিলেন তাহাও নহে, তিনি তাহা অপেক্ষাও অনেক বেশি বড়ো ছিলেন, তিনি যথার্থ মানুষ ছিলেন।" এই অনন্যসুলভ মনুষ্যত্বের প্রাচুর্যই 'বিদ্যাসাগরের জীবনীতে সর্বোচ্চ গৌরবের বিষয়' বলে রবীন্দ্রনাথ অভিমত প্রকাশ করেছেন। প্রবন্ধ শেষেও তাঁর আশাবাদ, 'বৃহৎ পৃথিবীর সংশ্রবে এসে যতই আমরা মানুষ হয়ে উঠব ততই নিজের অন্তরের মধ্যে অনুভব করতে থাকব যে, বিদ্যাসাগরের চরিত্রে প্রধান গৌরব তাঁর অজেয় পৌরুষ, অক্ষয় মনুষ্যত্ব'। অর্থাৎ এ পর্যন্ত আলোচনায় আমরা দেখতে পাচ্ছি, হিন্দুত্বের তো নয়ই, বাঙালি হওয়ারও নয়, মনুষ্যত্বের সাধনাকেই রবীন্দ্রনাথ একমাত্র গুরুত্ব দিয়েছেন। আর এ পথে বাঙালির চরিত্রবৈশিষ্ট্যকে তিনি অনেক ক্ষেত্রে বাধা হিসেবে গণ্য করেছেন। আমাদের এ বক্তব্যের সপক্ষে রবীন্দ্ররচনার বিপুল সম্ভার থেকে আরও অজস্র দৃষ্টান্ত চয়ন করা যেতে পারে। তবে আমরা এখানে আপাতত রবীন্দ্রনাথের অপেক্ষাকৃত স্বল্প পরিচিত দুটি রচনার উল্লেখ করব। দুটিই প্রবন্ধ, নাম— 'চেঁচিয়ে বলা' ও 'জিহ্বা আস্ফালন'। প্রকাশিত হয় ভারতী পত্রিকায় যথাক্রমে ফাল্গুন ১২৮৯ ও শ্রাবণ ১২৯০ সংখ্যায়। বর্তমানে বিশ্বভারতী প্রকাশিত রবীন্দ্র-রচনাবলির ১৭শ খণ্ড রচনা দুটি সংকলিত হয়েছে।

শিরোনাম থেকেই প্রবন্ধ দুটির বিষয়বস্তু বা মূল বক্তব্য অনুমান করা হয়তো আমাদের পক্ষে কঠিন নয়। 'চেঁচিয়ে বলা' প্রবন্ধে রবীন্দ্রনাথ সবসময় 'চেঁচিয়ে' কথা বলা, জানান দিয়ে সব কিছু করাকে আধুনিক বাঙালিসমাজের একটি বৈশিষ্ট্য বলে নির্দেশ করেছেন। তাঁর মতে, বাঙালি 'চেঁচিয়ে দান করে, চেঁচিয়ে সমাজ সংস্কার করে, চেঁচিয়ে খবরের কাগজ চালায়, এমনকি গোল থামাইতে গোল করে'। তিনি লিখেছেন, 'পক্ষীজাতির মধ্যে কাকের সমাজ পশুজাতির মধ্যে শৃগালের সমাজ, আর মনুষ্যজাতির মধ্যে বাঙালির সমাজ' এ বিষয়ে শ্রেষ্ঠতা লাভ করেছে। কথার সঙ্গে প্রাণের যোগ না-থাকাকেই বাঙালির এই উচ্চৈঃস্বর ও বাগাড়ম্বর প্রিয়তার কারণ বলে রবীন্দ্রনাথ মনে করেছেন। 'যখন প্রাণে বাজে নাই অথচ মুখে বলিতে হইবে, তখন চেঁচাইয়া বলিতে হয়, বিস্তর বলিতে হয়।' প্রসঙ্গত তিনি আরও লিখেছেন, "যিনি বাংলা দেশের কিছুই জানেন না, তিনি কথায় কথায় বলেন, 'কুমারিকা হইতে হিমালয় ও সিন্ধুনদী হইতে ব্রহ্মপুত্র' ফুঁ দিয়া কথাগুলোকে যত বড়ো করা সম্ভব তাহা করা হয়; যেখানে বাংলাদেশ বলিলেই যথেষ্ট হয়, সেখানে

তিনি এশিয়া না বলিয়া থাকিতে পারেন না" ইত্যাদি। দান কিংবা দেশহিতৈষণা সব ব্যাপারেই বাঙালির প্রচারপ্রবণতা ও গলাবাজির স্বভাবের সমালোচনা করে রবীন্দ্রনাথের মন্তব্য—

"ভিক্ষুক আসিল, দয়ার উদ্রেক হইল না। তাহাকে এক কথায় হাঁকাইয়া দিলাম, এই প্রাচীন কথা। কিন্তু এখন লোকে ভিক্ষুক তাড়াইতে গেলে, পোলিটিকল ইকনামির বড়ো বড়ো কথা আওড়াইতে থাকে, বলে দান না করাই যথার্থ দয়া, দান করাই নিষ্ঠুরতা, ইহাতে সমাজের অপকার করা হয়। আলস্যকে প্রশ্রয় দেওয়া হয়, ভিক্ষাবৃত্তিকে জিয়াইয়া রাখা হয়— ইত্যাদি ইত্যাদি। সমস্তই মানি। কিন্তু তোমার মুখে এসব কথা কেন? তুমি এক পয়সা উপার্জন কর না, ঘরের পয়সা ঘরে জমাইয়া রাখ, বাণিজ্য ব্যবসায়ের সঙ্গে কোনো সম্পর্ক নাই, কেবল অকেজো কতকগুলো বিলাস দ্রব্য কিনিয়া পয়সা ধ্বংস কর, ভিক্ষা দিবার সময়েই পোলিটিকল ইকনামি কেন?"

শব্দপ্রিয়তার দিক থেকে বিশেষ করে বাংলা সংবাদপত্রের আগুয়ান ভূমিকার ও জনমানসে তার প্রভাব উল্লেখ করে রবীন্দ্রনাথ লিখেছেন—

"বাংলা খবরের কাগজগুলি কেবল শব্দের প্রভাবেই পাঠকদের কান দখল করিয়া বসিয়া আছে। কী যে বলিতেছে তাহা বড়ো একটা ভাবিয়া দেখে না, কেবল গলা খাটো না হইলেই হইল। একটা কথা উঠিলে হয়, অমনি বাংলা খবরের কাগজে মহা চেঁচামেচি পড়িয়া যায়। কথাটা হয়তো বোঝাই হয় নাই, ভালো করিয়া শোনাই হয় নাই, হয়তো সে বিষয়ে কিছু জানাই নাই— কিন্তু আবশ্যক কী? বিষয়টা যত কম বোঝা যায়, বোধ করি ততই হো হো করিয়া চেঁচাইবার সুবিধা হয়। জ্ঞানের অপেক্ষা বোধ করি অজ্ঞতার আওয়াজটা অধিক। গলা ভারী করিয়া কথা কয়, অথচ কথাগুলো ছেলে মানুষের মতো, বলিবার ভঙ্গি এবং বলিবার বিষয়ের মধ্যে এমন অসামঞ্জস্য যে শুনিলে হাসি পায়— প্রত্যেক সামান্য ঘটনার চিৎকার করিবার ভাব প্রতিনিয়ত বাংলা সংবাদপত্রে দেখা যাইতেছে। ইহাতে ফল এই হইতেছে, সাধারণের মধ্যে ছেলেমানুষের মতো এক প্রকার খুঁৎখুঁতে কাঁদুনে ভাবের প্রভাব দেখা যাইতেছে। অনবরত আত্ম-প্রশংসা করিয়া নিজের দোষের জন্যে পরকে তিরস্কার করিয়া নিজের কর্তব্যভার পরের স্কন্ধে চাপাইয়া কেবল গলার আওয়াজেরই উন্নতি করিতেছি ও চক্ষু বুঁজিয়া মনে করিতেছি যে আমাদের দুর্ভাগ্যের নিমিত্ত আমরা ব্যতীত আর বিশ্বসুদ্ধ সকলেই দায়ী।"

সমকালীন সাহিত্যেও অনুরূপ 'চিৎকারের প্রতিধ্বনি' রবীন্দ্রনাথ শুনতে পেয়েছেন। বলেছেন, "পরিপূর্ণতার মধ্য হইতে যে একটা গম্ভীর আওয়াজ বাহির হয়, সেই আওয়াজ ইহাতে পাওয়া যায় না?"

রবীন্দ্রনাথের মতে বাঙালির সমাজসংস্কারের আগ্রহ বিদ্রোহ মনস্কতা, এসবের পেছনেও আসলে এক ধরনের খ্যাতির মোহ বা সহজ প্রচার লাভের আকাঙ্ক্ষা কাজ করে। যার মূলে রয়েছে বাঙালির বিশ্বাসের অভাব বা কমজোরি এবং অন্ধ অনুকরণপ্রিয়তা। উনিশ শতকের বাংলায় নব্য ইংরেজি শিক্ষিতদের উদাহরণ টেনে বলেছেন—

> "যখন বাংলা দেশে নূতন ইংরাজি শিক্ষার আরম্ভ হইল তখন নূতন শিক্ষিত যুবারা জোর করিয়া মদ খাইতেন, গোমাংস খাইতেন, চেঁচাইয়া সমাজ-বিরুদ্ধ কাজ করিতে বিশেষ আনন্দ বোধ করিতেন। এখনও সেই শ্রেণীর একদল লোক আছেন। তাঁহাদের অনেকে সমাজ-সংস্কারক বলিয়া গণ্য করেন। কিন্তু ইহা জানা আবশ্যক যে, তাঁহারা যে হৃদয়ের বিশ্বাসের বেগে চিরন্তন প্রথার বিরুদ্ধে গমন করেন তাহা নহে, তাঁহারা অন্ধভাবে চেঁচাইয়া কাজ করেন। ভারতবর্ষীয় স্ত্রীলোকদের দুর্দশায় তাঁহাদের যে কষ্টবোধ হয় তাহা নহে, তাঁহারা যে হৃদয়ের মধ্যে অনুভব করিয়া কোনো কাজ করেন তাহা নহে, তাঁহারা কেবল চেঁচাইয়া বলিতে চান আমরা স্ত্রী-স্বাধীনতার পক্ষপাতী। ইঁহাদের দ্বারা হানি এই হয় যে, ইঁহারা নিজ কার্যের সীমা-পরিসীমা কিছুই দেখিতে পান না— কোথা গিয়া পড়েন ঠিকানা থাকে না।"

'চেঁচিয়ে বলা' প্রবন্ধটির সমাপ্তি টেনেছেন রবীন্দ্রনাথ এই মন্তব্য দিয়ে—

> "আমাদের সমাজে আজকাল যে এইরূপ অস্বাভাবিক চিৎকার প্রথা প্রচলিত হইতেছে, তাহার কারণ আর কিছু নহে, আমরা হঠাৎ সভ্য হইয়াছি। আমরা বিদেশ হইতে কতকগুলো অচেনা ভাব পাইয়াছি, তাহাদের ভালো করিয়া বুঝিতে পারিতেছি না, ভালো করিয়া আয়ত্ত করিতে পারি নাই, অথচ কর্তব্যবোধে আমাদের অনুগমন করিতে গিয়া এক প্রকার বলপূর্বক চেঁচাইয়া কাজ করিতে হয়। কোন্ কাজগুলা আমরা বিশ্বাসের প্রভাবে করিতেছি, আর কোনগুলা কেবল অন্ধভাবে করিতেছি। কোনখানে আমরা নিজে দাঁড় টানিয়া যাইতেছি আর কোনখানে আমাদের ভাসাইয়া লইয়া যাইতেছে। বড়ো বড়ো বিদেশী কথার মুখোশ পরিয়া আমরা তো আপনাকে ও পরকে প্রবঞ্চনা করিতেছি না? আমাদের যেরূপ দেখাইতেছে আমরা সত্যই কি তাহাই হইয়াছি? যদি হইতাম তাহা হইলে কি এত চেঁচাইতে হইত? আর যদি না হইতে পারিলাম, তবে কি মাংসখণ্ডের ছায়া দেখিয়া মুখের মাংসখণ্ডটি ফেলিয়া ভালো কাজ করিতেছি? শেষকালে কি অধ্রুবও যাইবে, ধ্রুবও যাইবে?"

এই প্রবন্ধের প্রায় গোড়ার দিকেই রবীন্দ্রনাথ লিখেছেন, "আমি বেশ দেখিতেছি। আমার কথা অনেকে ভুল বুঝিবেন", হয়তো এই এই ভুল বোঝার আশঙ্কা থেকেই তিনি নিজে পরে এ রচনাটি তাঁর কোনো গ্রন্থভুক্ত করেননি। একই প্রবন্ধে তাঁর অভিমত— "যে ব্যক্তি অপ্রিয় সত্য শুনিতে পারে না সে ব্যক্তি মানুষের মধ্যেই নহে, সে ব্যক্তি বালক, দুর্বল, লঘুচিত্ত।" বাঙালি চরিত্রে সে-পরিপক্বতার অভাব, বালসুলভ দুর্বলতা ও লঘুচিত্ততাই কি রবীন্দ্রনাথ লক্ষ করেছিলেন?

'জিহ্বা আস্ফালন' নামক প্রবন্ধেও রবীন্দ্রনাথ বাঙালির আতিশয্য ও বাগাড়ম্বরপ্রিয়তার সমালোচনা করেছেন। তাঁর মতে বাঙালি যেন সবসময় সব কিছু নিয়েই মুখিয়ে আছে। লক্ষ্য ও যুক্তিহীন এক ধরনের যুদ্ধংদেহিতা এবং বাঁধি গৎ ব্যবহারকে তিনি বাঙালিদের একটি প্রবণতা হিসেবে শনাক্ত করেছেন। কী সাহিত্য কী দেশসেবা অথবা রাজনীতি সব ক্ষেত্রে কবি এর প্রকোপ লক্ষ করেছেন। কয়েকটি উদ্ধৃতি দেখা যাক— "আমাদের সমাজে একদল পালোয়ান লোক আছেন, তাহারাও লড়াই ছাড়া অন্য কোনো কথা মুখে আনেন না। তাঁহাদের অস্ত্রের মধ্যে একখানি ভোঁতা জিহ্বা ও একটি ইস্টিল পেনা... এই সকল মিলিটেরি ব্যক্তিদিগের নিজের গলার শব্দে নিজের কানে এমনি তালা ধরিয়াছে যে, এখন কী সৌন্দর্যের মোহন বংশিধ্বনি কী বিশ্বপ্রেমের

উদার আহ্বানস্বর, কী বিকাশমান অনন্ত জীবনের আনন্দ উচ্ছ্বাস, কী পরদুঃখকাতরের করুণ সঙ্গীত, কিছুই তাহাদের কানের মধ্যে প্রবেশ করিবার রাস্তা পায় না। তাঁহারা চান— সকলেই কেবল লড়াইয়ের গান গায়, লড়াইয়ের কবিতা লেখে, সুখের কথায় যতগুলো রাজা ও যতগুলো উজীর মারা সম্ভব সবগুলোকে মারিয়া ফেলে। যেন বঙ্গসাহিত্যের প্রতি ছত্রে বারুদের গন্ধ থাকে, যাহাতে শুদ্ধমাত্র বঙ্গসাহিত্য পড়িয়া ভবিষ্যতের পুরাতত্ত্ববিদগণ একবাক্যে স্বীকার করেন যে, বাঙালি জাতির মতো এতো বড়ো পালোয়ান জাতি আজ পর্যন্ত জন্মগ্রহণ করে নাই।

ইঁহারা চান বঙ্গসাহিত্য কেবল দাঁত ও নখের চর্চা করিতে থাকুক আর কিছু নয়। ক্ষমতাভেদে ও অবস্থাভেদে যে প্রত্যেকে স্ব স্ব উপযোগী কার্যে প্রবৃত্ত হইবে ও এইরূপে সমাজের অন্তর্নিহিত বিচিত্র শক্তি চারিদিক হইতে বিকশিত হইয়া উঠিবে তাহা তাঁহাদের অভিপ্রেত নহে।

সকলেই মনে করিতেছে, কাজ করিলাম। গোলমাল করিতেছি, হাততালি দিতেছি, চেঁচাইতেছি, কী যেন একটা হইতেছে। দেশের জন্য প্রাণপণ করিতেছি মনে করিলে নিজের মহত্ত্বে নিজের শরীর লোমাঞ্চিত হইয়া উঠে, অতি নিষ্কণ্টকে সেই অতুল আনন্দ উপভোগ করিতেছি। মাথা-মুণ্ডহীন একটা গোলমালেই সমস্ত চুকিয়া যাইতেছে, আর কাজ করিবার আবশ্যক হইতেছে না।

একদল লোক আছেন, তাঁহারা কেবল উত্তেজিত ও উদ্দীপ্তই করিতেছেন, তাঁহাদের বক্তৃতায় বা লেখায় কোনো উদ্দেশ্য দেখিতে পাওয়া যায় না। তাঁহারা কেবল বলিতেছেন, ''এখনও চৈতন্য হইতেছে না, এখনও ঘুমাইতেছে। এইবেলা আলস্য পরিহার করো, গাত্রোত্থান করো। আমাদের পূর্বপুরুষদের একবার স্মরণ করো— ভীষ্ম, দ্রোণ, গৌতম, বশিষ্ঠ ইত্যাদি। কী করিতে হইবে বলেন না, কোন পথে যাইতে হইবে বলেন না, পথের পরিণাম কোথায় বলেন না, কেবল উত্তেজিতই করিতেছেন। বন্দুকের বারুদে আগুন দিতেছেন, অথচ কোনো লক্ষ্যই নাই, ইহাতে ভালো ফল যে কী হইতে পারে জানি না, বরঞ্চ আপনা-আপনির মধ্যেই দু-চারজন জখম হওয়া সম্ভব।''

এভাবে বাঙালিসমাজে কতগুলো 'অর্থহীন অনির্দিষ্ট উদ্দীপনাবাক্য বলে মিথ্যা উত্তেজনা সৃষ্টির চেষ্টা', 'হৃদয় সম্পর্কশূন্য বাঁধিবোল', উচ্চারণ 'মহৎভাবকে ফ্যাশনের ঘৃণিত হীনত্বে পরিণত' করার প্রবণতার বিরুদ্ধে সতর্ক করে দিয়ে রবীন্দ্রনাথ বলেছেন, ''কৃত্রিমতা মাত্রেই মন্দ, তথাপি মতের কৃত্রিমতা সহ্য করা যায়, কিন্তু হৃদয়ের অনুভবের কৃত্রিমতা একেবারে অসহ্য।'' এবং যে ভাব ও যে কথার অর্থ ভুলিয়া যাই, যাহারা আর হৃদয় হইতে উঠে না, কেবল মুখে মুখে বিরাজ করে, তাহারা মরিয়া যায় ও জীবন অভাবে ক্রমশই পচিয়া উঠিতে থাকে। দেশহিতৈষতার বুলিগুলিরও সেই দশা ধরিবে।'' বাংলার সমাজ ও সাহিত্যে 'একপ্রকার কোমর বাঁধা মুষ্ঠিবদ্ধ উদগ্রভাবের (রবীন্দ্রনাথ এ প্রসঙ্গে 'খেঁকিবৃত্তি' শব্দটিও ব্যবহার করেছেন) চর্চা, এর উল্লেখ করে রবীন্দ্রনাথের মন্তব্য ''কিন্তু কেন যে এ ভাব তাহা তিনিও জানেন না, আমিও জানি না কী যেন একটা ঘোরতর কারখানা বাধিয়াছে, কী যেন একটা সর্বনাশের উদ্যোগ হইতেছে, কেবল তিনি জাগ্রত সতর্ক আছেন বলিয়াই কোনো দুর্ঘটনা ঘটিতেছে না।'' শ্রাবণের বর্ষণমুখর রাতে ব্যাঙের দলের অনবরত 'ঘকঘক' শব্দের সঙ্গে বিষয়টির তুলনা করে তিনি লিখেছেন, ''তাহারাও বোধ করি মনে করে, ভাগ্যে তাহারা ছিল ও প্রাণপণে সমস্ত রাত্রি চিৎকার করিয়াছে, জগতে আজ তাই প্রলয় হইতে পারিল না।''

আরও যা বিশেষভাবে লক্ষণীয় তা হল উনবিংশ শতাব্দী নিয়ে সমকালীন বাঙালির উচ্ছ্বাস বা আদিখ্যেতা। (তুলনীয় আমাদের বর্তমানের বহু উচ্চারিত 'একবিংশ শতাব্দী') বিষয়টিকেও রবীন্দ্রনাথ এই প্রবন্ধে তীব্র বাক্যবাণে বিদ্ধ করেছেন। তিনি লিখেছেন—

> সকলেই বলিতেছে, 'আজ উনবিংশ শতাব্দী'। উনবিংশ শতাব্দীটা যেন বঙ্গসমাজের বাবা স্বয়ং রোজগার করিয়া আনিয়াছে। 'উনবিংশ শতাব্দী' নামক একটা অনুবাদিত শব্দ বাঙালির মুখে শুনিলে অত্যন্ত হাসি পায়। যে বাঙালি দুই দিন বিলাতে থাকিয়া বিলাতকে home বলেন তিনিও ইহা অপেক্ষা হাস্যজনক কথা বলেন না। উনবিংশ শতাব্দী আমাদের কে? আঠারোটি শতাব্দী যাহাদিগকে ক্রমান্বয়ে মানুষ করিয়া আসিয়াছে, নিজের বিদ্যালয়ে পাঠাভ্যাস করাইয়াছে, তাহারাই উনবিংশ শতাব্দী লইয়া গর্ব করিতেছে। আর আমরা আজ দুদিন ইংরাজের সহিত আলাপ করিয়া এমনিভাবে কথাবার্তা আরম্ভ করিয়াছি যেন উনবিংশ শতাব্দীটা আমাদেরই; যেন উনবিংশ শতাব্দীটা অত্যন্ত সস্তা দামে বাংলা দেশে নিলাম হইয়া গিয়াছে, আর বঙ্গীয় বীরপুরুষ নামক জয়েন্ট স্টক্ কোম্পানি তাহা সমস্তটা কিনিয়া লইয়াছেন। ভাববিশেষ যখন সমাজে ফ্যাশন হইয়া যায় তখন এইরূপই ঘটে। তখন তাহার আনুষঙ্গিক কতকগুলা কথা মুখে চলিত হইয়া যায়, সে কথাগুলার যেন একটা অর্থ আছে এইরূপ ভ্রম হয়, কিন্তু জিজ্ঞাসা করিলে কেহ তাহার অর্থ ভালো করিয়া বুঝাইয়া দিতে পারেন না।

সুরেন্দ্রনাথ বন্দ্যোপাধ্যায় (১৮৪৮-১৯২৫) বঙ্গবাসীর প্রতি যে মিতব্যবহার অবলম্বনের আহ্বান জানান তাতে 'সুখী' হয়ে রবীন্দ্রনাথ এ প্রবন্ধে যা লিখেছেন তাতে মনে হওয়া খুব স্বাভাবিক যে, এখানে কংগ্রেসের নরমপন্থী অংশের প্রতি তাঁর সহানুভূতি ব্যক্ত হয়েছে। সে-সম্ভাবনা স্বীকার করেও, আমরা তাঁর বক্তব্যের মর্মগত তাৎপর্য কিংবা কালান্তরেও তার প্রাসঙ্গিকতা উপেক্ষা করতে পারি না। বাগাড়ম্বর ও আতিশয্যপ্রিয়তাকে অপরিণতবুদ্ধি ছেলেমানুষির লক্ষণ হিসেবে চিহ্নিত করে রবীন্দ্রনাথ লিখেছেন—

"*অধিকাংশ বঙ্গযুবক মনে করেন পেট্রিয়ট হইতে হইলে হঠাৎ অত্যন্ত উন্মাদ হইয়া উঠিতে হইবে, হুটোপাটি করিতে হইবে, যাহাকে যাহা না বলিবার তাহা বলিতে হইবে। তাঁহারা মনে করেন, সফরী পুচ্ছের ন্যায় অবিরত ফরফরায়মান তাঁহাদের অতি লঘু, অতি ছিবলা এই জিহ্বাটার জুরিসডিকশন্ সর্বত্রই আছে। একটি স্থির উদ্দেশ্য অবলম্বন করিয়া, আত্মসংযমন করিয়া, না ফুলিয়া ফাঁপিয়া ফেনাইয়া বালকের মতো কতকগুলা নিতান্ত অসার কথা না বলিয়া অপ্রতিহত বেগে বহিয়া যাও, গম্যস্থানে গিয়া পৌঁছিবে, যে-সকল পাষাণ-স্তূপ পথে পড়িয়া আছে, অবিশ্রাম স্থির প্রবাহ-বেগে তাহারা ক্রমেই ভাঙিয়া যাইবে। যতদিন পর্যন্ত না আমরা আত্মসংযম করিতে শিখিব, যতদিন পর্যন্ত অপরিণত বুদ্ধির ন্যায় আমাদের ভাবে ভাষায় ব্যবহারে একপ্রকার আতিশয্য প্রকাশ করিব ততদিন বুঝিতে হইবে যে, আমরা স্বায়ত্তশাসনের উপযুক্ত হই নাই।*"

'যারা বক্তৃতা করেন, উদ্দীপক গদ্য-পদ্য লেখেন' তাঁদের প্রতি রবীন্দ্রনাথের আহ্বান; "তাঁহারা যেন একটা উদ্দেশ্য দেখাইয়া দেন, একটা কর্তব্য নির্দেশ করিয়া দেন। আমাদের সমাজের পদে পদে এতশত প্রকার কর্তব্য রহিয়াছে যে, কতকগুলো অস্পষ্ট বাঁধি বোল বলিয়া সময় ও

উদ্যম নষ্ট করা উচিত হয় না। দীপ্তরক্ত যুবকেরা যাহাতে কতকগুলা কুহেলিকাময় পর্বতাকার উদ্দেশ্য লইয়াই নাচিয়া না বেড়ান, ছোটো ছোটো কাজের মধ্যে যে-সকল মহৎ-বীরত্বের কারণ প্রচ্ছন্ন আছে, সেগুলিকে যেন হেয় জ্ঞান না করেন।" প্রসঙ্গত রবীন্দ্রনাথের মন্তব্য—"গড়ের মাঠে, বা কেল্লার মধ্যেই কেবল বীরত্বের রঙ্গভূমি নাই, হয়তো গৃহের মধ্যে, অন্তঃপুরের ক্ষুদ্র পরিসরের মধ্যে তাহা অপেক্ষা বিস্তৃত রণস্থল রহিয়াছে। এত সামাজিক শত্রু চারিদিকে রহিয়াছে তাহাদিগকে কে নাশ করিবে। দুর্ভাগ্যক্রমে ইহাতে agitation করিতে হয় না, ইহাতে ঢাকঢোল বাজে না, হট্টগোল হয় না। agitation করা অনেকের একটা নেশার মতো হইয়াছে, মদ্যপানের মতো ইহাতে আমোদ পান— সকলেই উদ্দেশ্য বুঝিয়া কর্তব্য বুঝিয়া agitate করেন না।"

দেশোদ্ধার-চঞ্চল বাঙালি যুবকদের প্রতিও কবিগুরুর আহ্বান— "আগে দেশের অবস্থা সম্বন্ধে উদাহরণ সংগ্রহ করো, ভাবিতে আরম্ভ করো ও বলিতে শেখো, তাহা হইলে আর সকলে শুনিতে আরম্ভ করিবে।" যেহেতু "বেশি করিয়া বলিলে কিছুই হয় না, ভালো করিয়া বলিলে কী না হয়।" প্রবন্ধটি শেষ করেছেন রবীন্দ্রনাথ আতিশয্যপ্রিয়তার পরিণতি সম্পর্কে একটা কড়া হুঁশিয়ারি দিয়ে— "যেখানেই যুক্তিহীন আতিশয্যপ্রিয় প্রজা, সেইখানেই স্বেচ্ছাচারী প্রভুতন্ত্র শাসন প্রণালী।"

বাংলার পল্লিপ্রকৃতি, তার ঋতুবৈচিত্র্য আজীবন রবীন্দ্রনাথকে আকৃষ্ট করেছে, মোহিত করেছে। মমতামাখা চোখে তিনি যে প্রকৃতি ও তার বুকে বাস করা মানবসন্তানদের দিকে তাকিয়েছেন, নিপুণ দক্ষতায় আপন রচনাশৈলীতে তাদের যাপিত জীবনের ছবি ফুটিয়ে তুলেছেন। তাঁর ছোটোগল্প, কবিতা ও পত্রাবলি যার সাক্ষ্য দেয়। বাংলার আকাশ-বাতাস সবসময় তাঁর প্রাণে 'বাঁশি বাজিয়েছে।' বাংলা-মায়ের মধুর বাণী অর্থাৎ বাংলা ভাষা তাঁর কানে সুধাবর্ষণ করেছে। বাংলা-মায়ের মলিন বদন দেখে কখনো তিনি চোখের জলেও ভেসেছেন। তবে মায়ের সে মলিন-বিধুর মুখচ্ছবির জন্য যে বাঙালির 'ভূষণ বলে পরের ঘরে' ফাঁসি কেনার স্বভাবটিও দায়ী, দেখা যায়, সেকথা তাঁর অজানা নয়। স্বদেশি যুগে গান বেঁধেছেন যাতে ভগবানের উদ্দেশ্য তাঁর প্রার্থনা উচ্চারিত হয়েছে, বাংলার মাটি, জল, বায়ু, ফল সব যেন পুণ্য হয়; বাংলার ঘর, হাট, বন, মাঠ যেন পূর্ণ হয়। সেইসঙ্গে তিনি আরও প্রার্থনা করেছেন বাঙালির পণ, বাঙালির আশা, বাঙালির কাজ, বাঙালির ভাষা এসব যেন 'সত্য' হয়। বাঙালির প্রাণ, বাঙালির মন, 'বাঙালির ঘরে যত ভাই বোন' যাতে 'এক' হয়। যেহেতু বাঙালিজীবনে এই সত্য ও একত্বের অভাব তিনি গভীরভাবে অনুভব করেছিলেন।

[৪]
রবীন্দ্রনাথের সাহিত্যচিন্তা

সাহিত্যের উদ্দেশ্য বা উপযোগ সম্পর্কে রবীন্দ্রনাথের বিখ্যাত অভিমত সাহিত্য হল 'অপ্রয়োজনের আনন্দ'। 'অপ্রয়োজনের' এই অর্থে যে তা মানুষের বস্তুগত প্রয়োজন মেটায় না। আর আনন্দ কথাটার ব্যাখ্যা রবীন্দ্রনাথ তাঁর নানা রচনায় নানাভাবে দিয়েছেন। এমনই একটি ব্যাখ্যা— "যখন কোনো ছেলেকে পয়সা দিই সে জিজ্ঞাসা করতে পারে পয়সা নিয়ে কী হবে? উত্তর যদি দিই বাজারে যাবে, তা হলেও প্রশ্ন এই যে বাজারে গিয়ে কী হবে? পুতুল কিনবে। পুতুল কিনে কী হবে? খেলা করবে। খেলা করে কী হবে? তখন একটি উত্তরে সব প্রশ্নের শেষ হয়ে যাবে— খুশি হবে। খুশি হয়ে কী হবে এ প্রশ্ন কেউ কখনো অন্তরের থেকে বলে না। ইচ্ছার পূর্ণ চরিতার্থতা হয়ে যে আনন্দ ঘটে সেই আনন্দের মধ্যেই সকল প্রশ্ন সকল সন্ধান নিঃশেষিত হয়ে যায়।" ('ত্যাগের ফল', শান্তিনিকেতন রর/৭, বিশ্বভারতী সংস্করণ ১৪১০ পৃ. ৫৩২)। রবীন্দ্রনাথের মতে আনন্দই সাহিত্যের কারণ। আবার আনন্দই তার উদ্দেশ্য। বাকি যা তা আনুষঙ্গিক। তার মূল্যও ক্ষণস্থায়ী। ঐতিহাসিক রচনাকে কখন সাহিত্য বলা যাবে? "যখন জানিব যে তাহার ঐতিহাসিক অংশটুকু অসত্য বলিয়া প্রমাণ হইয়া গেলেও তাহা বাঁচিয়া থাকিতে পারে। অর্থাৎ যখন জানিব ইতিহাস উপলক্ষ মাত্র, লক্ষ্য নহে।" ('সাহিত্যের উদ্দেশ্য', সাহিত্য র র/১৭, পৃ. ২৪৮)। একই কথা প্রযোজ্য দার্শনিক বৈজ্ঞানিক প্রভৃতি অন্যান্য রচনার ক্ষেত্রেও। এ প্রসঙ্গে 'সৃষ্টি' ও 'নির্মাণ' দুইয়ের তফাত উল্লেখ করে তাঁর মন্তব্য— 'সৃষ্টির উদ্দেশ্য পাওয়া যায় না, নির্মাণের উদ্দেশ্য পাওয়া যায়। ফুল কেন ফোটে তাহা কাহার সাধ্য অনুমান করে, কিন্তু ইঁটের পাঁজা কেন পোড়ে, সুরকির কল কেন চলে, তাহা সকলেই জানে। সাহিত্য সেইরূপ সৃজনধর্মী: দর্শন, বিজ্ঞান প্রভৃতি নির্মাণধর্মী। সৃষ্টির ন্যায়, সাহিত্যই সাহিত্যের উদ্দেশ্য, (ওই, পৃ. ২৪৮) *জাপান-যাত্রীতে* (১৯১৯) রবীন্দ্রনাথ 'মানুষের নিজের মধ্যেই' থাকা 'দুই পাখি'র কথা বলেছেন। এক পাখির প্রয়োজন আছে, আর এক পাখির প্রয়োজন নেই। এক পাখি ভোগ করে, আর এক পাখি দেখে। যে পাখি ভোগ করে সে নির্মাণ করে। যে পাখি দেখে, সে সৃষ্টি করে। নির্মাণ করা মানে মাপে তৈরি করা, অর্থাৎ যেটা

তৈরি হচ্ছে সেইটেই চরম নয়। সেইটিকে অন্য কিছুর মাপে তৈরি করা— নিজের প্রয়োজনের মাপে বা অন্যের প্রয়োজনের মাপে। আর সৃষ্টি করা অন্য কোনো কিছুর মাপের অপেক্ষা করে না। সে হচ্ছে নিজেকে সর্জন করা, নিজেকেই প্রকাশ করা। এইজন্য ভোগীপাখি যে-সমস্ত উপকরণ দিয়ে কাজ করছে তা প্রধানত বাইরের উপকরণ, আর স্রষ্টা পাখির উপকরণ হচ্ছে আমি পদার্থ। এই আমির প্রকাশই সাহিত্য, আর্ট। তার মধ্যে কোনো দায়ই নেই, কর্তব্যের দায়ও না। (র র/১০, পৃ. ৩৯৭-৯৮)

কবি আবার অন্যত্র লিখেছেন—

> "আমাদের দেশে পরমপুরুষ একটি সংজ্ঞা আছে তাঁকে বলা হয়েছে সচ্চিদানন্দ। এর মধ্যে আনন্দটিই হচ্ছে সবশেষের কথা, এর পরে আর-কোনো কথা নেই। সেই আনন্দের মধ্যেই যখন প্রকাশের তত্ত্ব তখন এ প্রশ্নের কোনো অর্থই নেই যে, আর্টের দ্বারা আমাদের কোনো হিতসাধন হয় কি না।" ('সাহিত্যের পথে', র র /১২, পৃ. ৪৩৮)

সাহিত্যরচনা বা শিল্পসৃষ্টির ক্ষেত্রে আনন্দ ছাড়া আর যে-বিষয়টির উপর বিশ্বকবি গুরুত্ব দিয়েছেন তা হল সৌন্দর্য। পূর্বসূরি বঙ্কিমচন্দ্রও তাঁর 'বাঙ্গালার নব্য লেখকদিগের প্রতি নিবেদন'-এ বলেছিলেন "যদি মনে এমন বুঝিতে পারেন যে লিখিয়া দেশের বা মনুষ্যজাতির কিছু মঙ্গল সাধন করিতে পারেন, অথবা সৌন্দর্য্য সৃষ্টি করিতে পারেন, তবে অবশ্য লিখিবেন।" (বঙ্কিম রচনাবলী, ২য় খণ্ড, ১৩৮৭, পৃ. ২৭২) লক্ষণীয় 'অথবা' শব্দটির দ্বারা বঙ্কিমচন্দ্র সৌন্দর্যকে সামাজিক দায়বোধের সমগুরুত্বে স্থাপন করেছেন। পক্ষান্তরে রবীন্দ্রনাথের কাছে সাহিত্যের একমাত্র সার্থকতা সৌন্দর্যসৃষ্টিতে। এই সৌন্দর্য তাঁর মতে প্রয়োজন-নিরপেক্ষ। কবি লিখেছেন "ক্ষুধা-তৃষ্ণা মানুষকে টানে প্রাণযাত্রার গৌরবে, সৌন্দর্যও টানে, কিন্তু তাতে প্রয়োজনের তাগিদ নেই। প্রয়োজনের সামগ্রীর সঙ্গে আমরা সৌন্দর্যকে জড়িয়ে রাখি সে কেবল প্রয়োজনের একান্ত ভাবাকর্ষণ থেকে মনকে উপরে তোলবার জন্যে।" (বাংলাভাষা-পরিচয়, র র/১৩, পৃ. ৫৭৭)।

এ পর্যন্ত আলোচনায় রবীন্দ্রনাথকে আমাদের 'শিল্পের জন্য শিল্প' তত্ত্বেব বিশ্বাসী কলাকৈবল্যবাদী বলে মনে হওয়াই স্বাভাবিক, যদি-না এমন কী একই প্রবন্ধের অন্যত্র আমরা সাহিত্যের উপযোগ সম্পর্কে তাঁর কিছুটা ভিন্নধর্মী বক্তব্যের সাক্ষাৎ পাই। যেখানে তিনি বলছেন, "সাহিত্যের প্রভাবে আমরা হৃদয়ের যোগ অনুভব করি, হৃদয়ের প্রবাহ রক্ষা হয়, হৃদয়ের সহিত হৃদয় মেলাইতে থাকে, হৃদয়ের জীবন ও স্বাস্থ্য-সঞ্চার হয়।" ("সাহিত্যের উদ্দেশ্য", সাহিত্য র র/১৭, পৃ. ২৪৮)। রবীন্দ্রনাথের মতে— "যুক্তিশৃঙ্খলের দ্বারা মানবের বুদ্ধি ও জ্ঞানের ঐক্যবন্ধন হয়, কিন্তু হৃদয়ে হৃদয়ে বাঁধিবার তেমন কৃত্রিম উপায় নাই। সাহিত্য স্বত উৎসারিত হইয়া সেই যোগ সাধন করে।" (রর/১৭, পৃ. ২৪৮)। অর্থাৎ সাহিত্যিক যদি-বা তাঁর মনের আনন্দে সাহিত্য সৃষ্টি করেন, এবং শেষপর্যন্ত আনন্দেই তার চরিতার্থতা, কিন্তু মানবমন বা হৃদয়ের যোগসাধনের পথেই সে। আনন্দের রূপায়ণ ঘটে।

সাহিত্য কথাটা এসেছে 'সহিত' শব্দ থেকে, অন্তত রবীন্দ্রনাথ তা-ই মনে করতেন। কবি লিখলেন, "অতএব ধাতুগত অর্থ ধরিলে সাহিত্য শব্দের মধ্যে একটি মিলনের ভাব দেখিতে পাওয়া যায়। সে যে কেবল ভাবে-ভাবে ভাষায়-ভাষায় গ্রন্থে-গ্রন্থে মিলন তাহা নহে, মানুষের সহিত মানুষের, অতীতের সহিত বর্তমানের, দূরের সহিত নিকটের অত্যন্ত অন্তরঙ্গ যোগসাধন সাহিত্য ব্যতীত আর কিছুর দ্বারাই সম্ভবপর নহে। যেদেশে সাহিত্যের অভাব সেদেশের লোক পরস্পর সজীব বন্ধনে সংযুক্ত নহে; তাহারা বিচ্ছিন্ন।" ('বাংলা জাতীয় সাহিত্য'/, সাহিত্য র র/৪ পৃ. ৬৬৫)। সাহিত্যের এই মানবমিলনকারী ক্ষমতা বা তাৎপর্য, এর উল্লেখ করে। রবীন্দ্রনাথের মন্তব্য— "সাহিত্য অর্থেই একত্র থাকিবার ভাব— মানবের 'সহিত' থাকিবার ভাব— মানবকে স্পর্শ করা, মানবকে অনুভব করা। সাহিত্যের প্রভাবে হৃদয়ে হৃদয়ে শীতাতপ সঞ্চারিত হয়, বায়ু প্রভাবিত হয়, ঋতুচক্র ফিরে, গন্ধ গান ও রূপের হাট বসিয়া যায়। উদ্দেশ্য না থাকিয়া সাহিত্য সেইরূপ সহস্র উদ্দেশ্য সাধিত হয়।" ('সাহিত্যের উদ্দেশ্য', র র/১৭, পৃ. ২৪৮-২৪৯)। 'উদ্দেশ্য না থেকেও' এই যে 'উদ্দেশ্যসাধন', এই কথাটার মধ্যেই আমাদের আলোচ্য রবীন্দ্রনাথের সাহিত্যচিন্তার মূল সূত্রটি নিহিত রয়েছে।

ধর্মপ্রচার কিংবা নীতিশিক্ষা সাহিত্যের উদ্দেশ্য নয়। প্রকৃতপক্ষে কোনোরকম শিক্ষাদানই সাহিত্যের কাজ হতে পারে না। তেমন প্রত্যাশা যাঁদের তাঁদের কথা মনে রেখে রবীন্দ্রনাথ লিখলেন— "লোক যদি সাহিত্য হইতে শিক্ষা পাইতে চেষ্টা করে তবে পাইতেও পারে, কিন্তু সাহিত্য লোককে শিক্ষা দিবার জন্য কোনো চিন্তাই করে না। কোনো দেশেই সাহিত্য ইস্কুল-মাস্টারির ভাব লয় নাই।" ('বাস্তব' সাহিত্যের পথে, র র /১২, পৃ. ৪২৮)। নীতিশিক্ষা যেমন সাহিত্যের উদ্দেশ্য নয়, একইভাবে বিশেষ তত্ত্ব বা তথ্যের বাহন হয়ে ওঠাতেও সাহিত্যের স্বধর্ম ক্ষুণ্ণ হয়? কারণ "তত্ত্বালোচনায় যে ব্যক্তি আলোচনা করে সে প্রধান নয়, তত্ত্বটাই প্রধান। সাহিত্যে সেই ব্যক্তিটাই প্রধান, তত্ত্বটা উপলক্ষ।" (*জাপান যাত্রী* র র /১০ পৃ. ৩৯৭)। কিংবা গ্যেটে যেমন বলেছেন, 'তত্ত্ব মাত্রই ধূসর কিন্তু জীববৃক্ষ চিরসবুজ' তেমনি রবীন্দ্রনাথও মনে করেন, 'তত্ত্ব অর্থাৎ জ্ঞান পুরাতন হইয়া যায়, মৃত হইয়া যায়, মিথ্যা হইয়া যায়। আজ যে জ্ঞানটি নানা উপায়ে প্রচার করিবার আবশ্যক থাকে, কাল আর থাকে না, কাল তাহা সাধারণের সম্পত্তি হইয়া গিয়াছে।... জ্ঞান একটু পুরাতন হইলেই তাহার পুনরুক্তি আর কাহারও, কিন্তু মানুষ নিছক বাস্তব নয়। তার অনেকখানি অবাস্তব অর্থাৎ তা সত্য। তা সত্যের সাধনার দিকে পন্থায় উৎসুক হয়ে থাকে। তার সাহিত্য, তার শিল্প, একটা বড়ো পন্থা। তা কখনো কখনো বাস্তবের রাস্তা দিয়ে চললেও পরিণামে সত্যের দিকে লক্ষ্য নির্দেশ করে। ('সত্য ও বাস্তব', সাহিত্যের স্বরূপ, র র/১৪, পৃ. ২০০-২০১)।

মানুষকে বাদ দিয়ে কিছুই নয়, সাহিত্য-শিল্পের কেন্দ্রেও রয়েছে মানুষ, রবীন্দ্রনাথের মতে ব্যক্তিমানুষ। কাজ হিসেবেও এটি 'একলা মানুযে'র কাজ। এ প্রসঙ্গে 'কবিগুরু রবীন্দ্রনাথ' বলেছেন, "পৃথিবীতে দশে মিলে অনেক কাজ হয়ে থাকে, কিন্তু সাহিত্য তার অন্তর্গত নয়। সাহিত্য একান্তই

একলা মানুষের সৃষ্টি।" ('বাংলা সাহিত্যের ক্রমবিকাশ', সাহিত্যের পথে রর/১২, পৃ. ৫৩২)। জীবন, সমাজ বা পরিবেশের রূঢ় কুশ্রী বাস্তবতা এবং মানুষের ভেতরে অশুভের অস্তিত্ব সম্পর্কে রবীন্দ্রনাথ অসচেতন ছিলেন এমন কথা বলা যাবে না। তবে একে শেষ কথা বলে মানতে তিনি নারাজ। কিংবা তত্ত্বের খাতিরে মেনে নিলেও বাস্তব চিত্রণের নামে সাহিত্য-শিল্পে তার রূপায়ণের যৌক্তিকতা তিনি স্বীকার করেননি। সাহিত্যকে শিল্পকলাকে সমগ্র মনুষ্যত্ব সাধনার অঙ্গ বলেই মনে করেছেন। তাঁর মতে "সাহিত্যকে শিল্পকলাকে সমগ্র মনুষ্যত্ব থেকে স্বতন্ত্র করতে থাকলে ক্রমে সে আপন শৈল্পিক উৎকর্ষের আদর্শকেও বিকৃত করে তোলে।" (বাংলা ভাষা পরিচয়, র র/১৩/ পৃ. ৫৮০)। আর প্রশ্নটি যেখানে মনুষ্যত্বের, সেখানে বলাই বাহুল্য, মূল্যবোধ বা শ্রেয়োচেতনার বিষয়টিকে বাদ দেয়া বা গৌণ করে দেখার সুযোগ নেই। রবীন্দ্রনাথও দেখেননি। এমনকী জীবনের উপান্তে বিরূপ বিশ্বের মুখোমুখি তাঁর চিত্ত যখন সংশয়দীর্ণ, এ জগৎ যে স্বপ্ন নয় সে-উপলব্ধির কথা জানিয়েই শুধু যখন তিনি ক্ষান্ত নন, কঠিন সে-সত্যকে ভালোবাসার কথাও বলেছেন (শেষ লেখা) তখনও "মনুষ্যত্বের অন্তহীন প্রতিকারহীন পরাভবকে চরম" বলে বিশ্বাস করতে রাজি হননি, ('সভ্যতার সঙ্কট') সেকথা আমরা জানি। এ পর্যায়েও নৈতিকতা বা লোকশিক্ষা নয়, আনন্দ ও সৌন্দর্যকেই তিনি সাহিত্যের লক্ষ্য জ্ঞান করেছেন।

সাহিত্যসৃষ্টিতে রসের ভূমিকাকেই রবীন্দ্রনাথ সবচেয়ে গুরুত্বপূর্ণ মনে করেছেন। তিনি বলেছেন, "সাহিত্যে ও আর্টে কোনো বস্তু যে সত্য তার প্রমাণ হয় রসের ভূমিকায়।" ('তথ্য ও সত্য সাহিত্যের পথে, র র/১২, পৃ. ৪৪২)। তাঁর মতে যা রসোত্তীর্ণ নয় তাকে আর যাই হোক, সাহিত্য বলা যাবে না। সাহিত্য ব্যাখ্যায়ও এই রসের বিচারটিই মুখ্য। কিন্তু 'রস' জিনিসটা কী? তার বিচারই-বা হবে কীভাবে? রবীন্দ্রনাথ বলছেন—

(ক) যা আমরা দেখছি শুনছি জানছি তার সঙ্গে যখন অনির্বচনীয়ের যোগ হয় তখন তাকেই আমরা বলি রস। অর্থাৎ সে জিনিসটাকে অনুভব করা যায়, ব্যাখ্যা করা যায় না। (ছন্দের অর্থ, ছন্দ, র র/১১, পৃ. ৫২৯)।

(খ) রসের মধ্যে একটা নিত্যতা আছে। মান্ধাতার আমলে মানুষ যে-রূপটি উপভোগ করিয়াছে আজও তাহা বাতিল হয় নাই। কিন্তু, বস্তুর দর বাজার-অনুসারে এবেলা ওবেলা বদল হইতে থাকে। ('বাস্তব' সাহিত্যের পথে, র র/১২, পৃ. ৪২৬)।

(গ) রস জিনিসটা রসিকের অপেক্ষা রাখে, কেবল মাত্র নিজের জোরে নিজেকে সে সপ্রমাণ করিতে পারে না। (ওই, পৃ. ৪২৬)।

সাহিত্যের পেছনে যেমন অনুভূতির তেমনি বুদ্ধি বা মননেরও একটা বড়ো ভূমিকা আছে। কিন্তু সাহিত্যকে কেউ যদি চিন্তার বাহন মাত্র মনে করেন তবে তা হবে সাহিত্য সম্পর্কে ভুল বা সরলীকৃত ধারণার পরিচায়ক। মননঋদ্ধ হয়েও কোনো রচনা সাহিত্য পদবাচ্য না হতে পারে। এ প্রসঙ্গে ১৩৩৮ বঙ্গাব্দের (১৯৩১ খ্রি.) ২১ ভাদ্র ধূর্জটিপ্রসাদ মুখোপাধ্যায়কে এক পত্রে রবীন্দ্রনাথ লিখেছেন—

"তোমার লেখা সম্বন্ধে আমার একটি নালিশ আছে। ইংরেজিতে যাকে বলে thoughts, বাংলায় যার কোনো নাম নেই। সেইগুলো ঠেলাঠেলি করে একটার ঘাড়ে আর একটা এসে পড়ে ভিড় করে— ফাঁক দিতে চায় না। সাহিত্যে thought জিনিসটা উপাদান, কিন্তু রচনা তাকে ছাড়িয়ে যদি যায় তবেই বাঁচোয়া। — তোমাদের মন বেশি চিন্তা করে এবং চিন্তার বিষয়গুলির পরে তোমাদের অত্যন্ত মমতা। আর্টিস্ট জাতটা নির্মম। তাদের একটা সৌজাত্য তত্ত্ব (eugenics) আছে— তারি বিধি মানতে গিয়ে তারা নিজের মনোজ সন্তানগুলিকে যথাপরিমাণে নষ্ট করতে কুণ্ঠিত হয় না। যেগুলো অন্য হিসাবে মূল্যবান সেগুলো রচনা হিসাবে অন্তরায়। — অনেককাল আগে ইংল্যান্ডে একজন লেখক শেলির প্রসঙ্গে আমাকে বলেছিলেন, কবি জাতটাই নির্বোধ। হয়তো কথাটা সত্য। বুদ্ধি থাকলে কবিত্বের খেত জুড়ে বেগুন, সিম, কুমড়ো, কাঁচকলা ফলত— দুটি-চারটি তাল গাছ এবং একটি মাত্র বুড়ো ছাতিম সমেত চোখ-জুড়ানো মাঠের দফা নিকেশ হত। আসল সাহিত্যে বুদ্ধির সঙ্গে অনেকখানি পরিমাণে অবুদ্ধি মেশাতে হবে। তোমরা বুদ্ধি নিয়ে জন্মেছ ভাবতে পারো; ভাবাতে পারো, অবুদ্ধির সাধনা করনি, তাই ভাবনা ভুলিয়ে দিয়ে খুশি করবার দিকে তোমাদের ঝোঁক নেই।"

(উদ্ধৃত: সত্যেন্দ্রনাথ রায় সম্পা, রবীন্দ্রনাথের চিন্তাজগৎ, কলকাতা; ১৯৯৬ পৃ. ২৬১)

দর্শন, বিজ্ঞান, ইতিহাস, এগুলোও যদিও মানুষের মনন ক্রিয়ার ফল, কিন্তু সাহিত্যের সঙ্গে তাদের একটা প্রভেদ আছে। রবীন্দ্রনাথের মতে প্রভেদটা একদিকে যেমন খণ্ড ও পূর্ণের তেমনি অন্যদিকে নির্বিশেষ ও বিশেষের। তিনি বিষয়টিকে এভাবে ব্যাখ্যা করেছেন।

বর্তমান যন্ত্রসভ্যতা যে মানুষকে স্রষ্টার আসন থেকে বিচ্যুত করে মিস্ত্রি ও মহাজনে পরিণত করছে তার উল্লেখ করে রবীন্দ্রনাথ লিখেছেন, "মানুষের শ্রেষ্ঠ পরিচয় হচ্ছে মানুষ সৃষ্টিকর্তা। আজকের দিনের সভ্যতা মানুষকে মজুর করছে, মিস্ত্রি করছে, মহাজন করছে, লোভ দেখিয়ে সৃষ্টিকর্তাকে খাটো করে দিচ্ছে। মানুষ নির্মাণ করে ব্যবসায়ের প্রয়োজনে, সৃষ্টি করে আত্মার প্রেরণায়। ব্যবসায়ের প্রয়োজন যখন অত্যন্ত বেশি হয়ে উঠতে থাকে, তখন আত্মার বাণী নিরস্ত হয়ে যায়।" (সৃষ্টি, সাহিত্যের পথে, র র/১২ পৃ. ৪৪৮)।

শিল্প-সভ্যতার বিকাশের সঙ্গে সঙ্গে মানুষের জীবনে জ্ঞান-বিজ্ঞান কিংবা আরও সঠিক অর্থে তথ্য ও প্রযুক্তির ভূমিকা ক্রমে বড়ো হয়ে উঠবে এবং বিশুদ্ধ সাহিত্যের ভূমিকা গৌণ হয়ে পড়বে বলে যাঁরা মনে করেন, রবীন্দ্রনাথ স্পষ্টতই তাঁদের সঙ্গে একমত নন। এমনকী তেমন পরিস্থিতি যদি অনিবার্যও হয়, রবীন্দ্রনাথ তাকে কাম্য বা অভিপ্রেত বলে মনে করেন না। বরং সে-ভবিষ্যতের মধ্যে তিনি মানবসভ্যতার বিনষ্টই আশঙ্কা করেছেন। এ প্রসঙ্গে 'সাহিত্য ও সভ্যতা' প্রবন্ধে তাঁর মন্তব্য— "অনেক পণ্ডিত ভবিষ্যদবাণী প্রচার করেন যে, সভ্যতা বিস্তারের সঙ্গে সঙ্গে সাহিত্যের বিনাশ হইবে। তা যদি হয় তবে সভ্যতারও বিনাশ হইবে। কেবল পাকা রাস্তাই যে মানুষের আবশ্যক তাহা নয়, শ্যামল ক্ষেত্র তাহা অপেক্ষা অধিক আবশ্যক। প্রকৃতির বুকের উপরে পাথর ভাঙিয়া আগাগোড়া সমস্তটাই যদি পাকা রাস্তা করা যায়, কাঁচা কিছুই না

থাকে, তবে সভ্যতার অতিশয় বৃদ্ধি হয় সন্দেহ নাই, কিন্তু সেই অতিবৃদ্ধিতেই তাহার বিনাশ।" (সাহিত্য, র র/১৭, পৃ. ২৫১)। আজ মানুষের ভোগবিলাসের উপকরণ বৃদ্ধি ও নগরসভ্যতার বিকাশের মুখে প্রাকৃতিক পরিবেশের ক্ষয়ক্ষতি যখন বিশ্বব্যাপী এক প্রধান উদ্‌বেগের বিষয় হয়ে দাঁড়িয়েছে, তখন রবীন্দ্রনাথের এই মতামতটির আক্ষরিক অভ্রান্ততা আমরা গভীরভাবেই উপলব্ধি করতে পারি। তবে রবীন্দ্রনাথ এখানে কথাটা বলেছেন মানুষের জীবনে সাহিত্যের স্থান ও তার আবশ্যকতার বিশেষ তাৎপর্যটি তুলে ধরতে গিয়ে তুলনা হিসেবে। আমরা এখানে একই প্রবন্ধ থেকে তাঁর বক্তব্যের প্রাসঙ্গিক অংশটুকু উদ্ধৃত করছি:

"যেমন বদ্ধগৃহে থাকিলে মুক্ত বায়ুর আবশ্যক অধিক, তেমনি সভ্যতার সহস্র বন্ধনের অবস্থাতেই বিশুদ্ধ সাহিত্যের আবশ্যকতা অধিক হয়। সভ্যতার শাসন-নিয়ম, সভ্যতার কৃত্রিম শৃঙ্খল যতই আঁট হয়, হৃদয়ে হৃদয়ে স্বাধীন মিলন, প্রকৃতির অনন্ত ক্ষেত্রের মধ্যে কিছুকালের জন্য রুদ্ধ হৃদয়ের ছুটি, ততই নিতান্ত অপ্রয়োজনীয় হইয়া উঠে। সাহিত্যই সেই মিলনের স্থান, সেই খেলার গৃহ, সেই শান্তিনিকেতন। সাহিত্যই মানবহৃদয়ে সেই ধ্রুব অসীমের বিকাশ।"

[৫]

রবীন্দ্রনাথের পত্রসাহিত্য

রবীন্দ্রনাথের সাহিত্যকর্মের অন্যতম অঙ্গ পত্রসাহিত্য। তাঁর গল্প, প্রবন্ধ, নাটক, কবিতা, গীতি যেমন অসামান্য, পত্রসাহিত্যের অসামান্যতা তার চেয়ে কোনো অংশেই কম নয়।

সাহিত্য মানবজীবনের দর্পণ। লেখকের দেখা উপলব্ধি অনুভব প্রকাশ পায় সাহিত্যে। তাই লেখকের রচনা থেকে লেখকের মনোভূমির খানিকটা পরিচয় পাওয়া যায়। পত্রসাহিত্যে সে-পরিচয় অনেকটাই স্পষ্ট হয়ে ওঠে। কারণ আর সবার মতো লেখকও একজন মানুষ। তাঁর আছে কাছের জন আপনজন। তাদের কাছে তিনি পত্র লেখেন আপনজনের মতো, সাহিত্যিকের মতো নয়। লেখেন অন্তর উজাড় করে মনের কথা। অন্তরের হাসি, আনন্দ, ব্যথা, বেদনার বোঝা হালকা করেন প্রিয়জনের কাছে অন্তর উন্মুক্ত করে। পত্রের সুবিধা হল মুখোমুখি দাঁড়িয়ে যে কথা বলা যায় না কালির আঁচড়ে তা অনায়াসে প্রকাশ করা যায়।

অতি প্রাচীন কাল থেকেই পত্রসাহিত্যের ব্যবহার ছিল। তবে রবীন্দ্রনাথ ঠাকুরে পত্রগুলি যেভাবে অলঙ্ঘনীয় সাহিত্য হয়ে উঠেছে, তার আগে এমনটি আর কারও ক্ষেত্রে হয়নি। রবীন্দ্রনাথের মতো এত সংখ্যক পত্র বাংলা সাহিত্যে তো নয়ই, বিশ্ব সাহিত্যের কোনো সাহিত্যিক রচনা করেছেন বলে আমার জানা নেই।

রবীন্দ্রনাথের এই পত্রসাহিত্যের সূচনা হয় ১৯৭৮ সালের ২০ সেপ্টেম্বর (বাংলা ১২৮৫ আশ্বিনের ৫ তারিখ) রবীন্দ্রনাথের বিলেত-যাত্রার কারণে। ফিরে আসেন ১৮৮০ সালের ফেব্রুয়ারি মাসে। বিলেতে যাপিত জীবনের সময়ে তিনি তাঁর ইউরোপ-যাত্রা কোনো বঙ্গীয় যুবকের পত্র শিরোনামে চিঠির আকারে ধারাবাহিক লেখা ভারতীয় পত্রিকায় (১২৮৬ বৈশাখ সংখ্যা থেকে ১২৮৭ শ্রাবণ, ১৮৭৯-১৮৮০ খ্রি.) পাঠান এবং তা প্রকাশিত হয়। ১৮৮৮ সালে আবার এই চিঠিগুলোই 'য়ুরোপ প্রবাসীর পত্র' শিরোনামে গ্রন্থাকারে প্রকাশিত হয়।

রবীন্দ্রনাথের পত্রাবলি যাদের কাছে এবং যেসব জায়গায় লেখা তাঁদের মধ্যে উল্লেখযোগ্যরা হলেন—

১. শ্রীশচন্দ্র, ২. ইন্দিরা দেবী, ৩. সরলা রায়, ৪. দীনেশ চন্দ্র সেন, ৫. অরুণ চন্দ্র সেন, ৬. ড. প্রিয়ম্বদা দেবী, ৭. প্রমথ চৌধুরী, ৮. ড. রানু অধিকারী, ৯. শরৎচন্দ্র চট্টোপাধ্যায়, ১০. আশালতা সিংহ, ১১. অমিত সেন, ১২. মৃণালিনী দেবী, ১৩. বন্ধু রামেন্দ্র সুন্দর ত্রিদেবী, ১৪. বন্ধু মনোরঞ্জন বন্দ্যোপাধ্যায়, ১৫. চারুচন্দ্র বন্দ্যোপাধ্যায়, ১৬. কুঞ্জলাল ঘোষ, ১৭. কাদম্বিনী দেবী, ১৮. সুকুমারী দেবী, ১৯. যদুনাথ সরকার, ২০. সত্যেন্দ্রনাথ দত্ত, ২১. রবীন্দ্রনাথ লিখিত জাভা যাত্রীর পত্র, ২২. রবীন্দ্রনাথ লিখিত রাশিয়ার চিঠি, ২৩. রবীন্দ্রনাথ ঠাকুর লিখিত ইউরোপ প্রবাসীর পত্র, ২৪. প্রিয়নাথ সেন, ২৫. জগদীশ চন্দ্র বসু, ২৬. অবলা বসু, ২৭. বিজয় চন্দ্র মজুমদার, ২৮. রবীন্দ্রনাথের ছোটোজামাই নগেন্দ্রনাথ, ২৯. রবীন্দ্রনাথের বউমা প্রতিমা দেবী, ৩০. হেমন্ত বাল, ৩১. রবীন্দ্রনাথের ছোটোমেয়ে মীরা দেবী।

চিঠিপত্র সম্পর্কে রবীন্দ্রনাথ নিজেই ছিন্ন পত্রাবলির ১৫০ নম্বর চিঠিতে তাঁর ভ্রাতুষ্পুত্রী ইন্দিরা দেবীর কাছে লিখেছিলেন, 'আমিও জানি তোকে আমি যেসব চিঠি লিখেছি তাতে আমার মনের সব বিচিত্র ভাব যেরকম ব্যক্ত হয়েছে এমন আর কোনো লেখায় হয়নি।'

রবীন্দ্রনাথের সামগ্রিক পত্রসাহিত্য উনিশটি খণ্ডে প্রকাশিত হয়েছে। এ ছাড়া ভাইঝি ইন্দিরা দেবী চৌধুরানীকে লেখা *ছিন্নপত্র ও ছিন্ন পত্রাবলী*, রানু অধিকারীকে (মুখোপাধ্যায়) লেখা ভানুসিংহের পত্রাবলী এবং নির্মলকুমারী মহলানবিশকে লেখা *পথে ও পথের প্রান্তে* বই তিনটি তাঁর উল্লেখযোগ্য পত্র সংকলন। ১৮৮৭-১৮৯৫ সালে শ্রীমতী ইন্দিরা দেবীকে রবীন্দ্রনাথ যে-সমস্ত পত্র লিখেছিলেন তা থেকে ১৫৩ টি পত্র সংকলিত হয়েছে *ছিন্নপত্র* গ্রন্থাবলিতে।

এই সময়ে লিখিত চিঠিপত্রের মধ্য থেকে কিছু চিঠি ইন্দিরা দেবী দুটি খাতায় স্বহস্তে নকল করে কবিকে উপহার দিয়েছিলেন। এই খাতা দুটি অবলম্বনে, অনুলেখিকা অথবা পত্রকার স্বয়ং যতটা সংকলনযোগ্য মনে করেছিলেন তাই নিয়ে ১৩১৯ সালে *ছিন্নপত্র* প্রকাশিত হয়। অনেক চিঠিই রবীন্দ্রনাথ তখন গ্রন্থভুক্ত করেননি। কোনো কোনো পত্রের কোনো কোনো অংশ সাধারণ মানুষ পছন্দ করবেন না মনে করে বর্জন করেন। মূল খাতা দুখানি অবলম্বনে ১৯৬০ সালে 'ছিন্ন পত্রাবলী' নামে গ্রন্থখানি প্রকাশিত হয়।

ছিন্নপত্রের ১৪১ সংখ্যক পত্রে কবি পত্রের ভূমিকা সম্পর্কে এভাবে উল্লেখ করেছেন, যেটি পুরোপুরিই উদ্ধৃতিযোগ্য।

"পৃথিবীতে অনেক মহামূল্য উপহার আছে। তার মধ্যে সামান্য চিঠিখানি কম জিনিস নয়। চিঠির দ্বারা পৃথিবীতে একটা নূতন আনন্দের সৃষ্টি হয়েছে। আমরা মানুষকে দেখে যতটা লাভ করি, তার সঙ্গে কথাবার্তা কয়ে যতটা লাভ করি, চিঠিপত্র দ্বারা তার চেয়ে আরো একটা বেশি কিছু পেয়ে থাকি। চিঠিপত্রে যে আমরা কেবল প্রত্যক্ষ আলাপের অভাব দূর করি তা নয়, ওর মধ্যে আরো একটু রস আছে যা প্রত্যক্ষ দেখা-শোনায় নেই। মানুষ মুখের কথায় আপনাকে যতখানি ও যে রকম করে প্রকাশ করে লেখার কথায় ঠিক ততখানি করে না। আবার লেখায় যতখানি

করে মুখের কথায় ততখানি করে না। এই কারণে, চিঠিতে মানুষকে দেখবার এবং পাবার জন্য আরো একটা যেন নতুন ইন্দ্রিয়ের সৃষ্টি হয়েছে। আমার মনের হয়, তারা চিরকাল অবিচ্ছেদে চব্বিশ ঘণ্টা কাছাকাছি আছে, যাদের মধ্যে চিঠি লেখালেখির অবসর ঘটেনি, তারা পরস্পরকে অসম্পূর্ণ করেই জানে। যেমন বাছুর কাছে গেলে গরুর বাঁটে আপনি দুধ জুগিয়ে আসে তেমনি মনের বিশেষ বিশেষ রস কেবল বিশেষ বিশেষ উত্তেজনায় আপনি সঞ্চারিত হয়, অন্য উপায়ে হবার জো নেই। এই চার পৃষ্ঠা চিঠি মনের যে রস দোহন করতে পারে, কথা কিম্বা প্রবন্ধ কখনোই তা পারে না। আমার বোধ হয় ঐ লেফাফার মধ্যে একটি সুন্দর মোহ আছে— লেফাফাটি চিঠির প্রধান অঙ্গ, ওটা একটা মস্ত আবিষ্কার।"

কিন্তু মনের বিশেষ রস নিঃসরণের জন্যে বিশেষ পাত্র-পাত্রী চাই, যাকে উপলক্ষ্য রসটি স্বতঃনিসৃত হয়। ১৬ অক্টোবর ১৯৩৩ সালে শ্রীমতী হেমন্তবালা দেবীকে লিখিত পত্রে (পত্রসংখ্যা ১৪২, চিঠিপত্র, নবম খণ্ড) রবীন্দ্রনাথ লিখছেন—

"তোমাকে উপলক্ষ্য করে আমি অনেক কথা বলি কিন্তু তোমাকে বলি নে। দেশের অসীম দুর্গতির কথায় মন যখন উদ্বিগ্ন হয়ে ওঠে তখন চুপ করে থাকতে পারি নে। দেশের জন্যে আমি তোমাকেও ভাবাতে চাই।"

পত্র যেকোনো ব্যক্তির মানসলোক সম্পর্কে পরিচয় পাওয়ার একটি প্রধান মাধ্যম। চিঠি সম্পর্কে রবীন্দ্রনাথ বলেন, 'একটি' চিঠির সেই একটি মাত্র কথা সেই অনেক। সেই সুন্দর, সেই ভীষণ, সেই হাসির ঝিলিকে ঝিকিমিকি, সেই কান্নার কাঁপনে ছলছল' রবীন্দ্রনাথের সব চিঠি সাহিত্য হয়ে উঠেছে কিন্তু 'ছিন্ন পত্রাবলি'র আড়াইশো চিঠির সাহিত্য-মান যে বেশি তার কথা থেকেই বোঝা যায়।

ভ্রাতুষ্পুত্রী ইন্দিরাকে, তাঁর ১৩ থেকে ২১ বছর বয়সকালে লেখা চিঠিগুলির তাৎপর্য স্বয়ং পত্রকারই সবিস্তারে ব্যাখ্যা করেছেন ৭ অক্টোবর ১৮৯৪ সালে লেখা চিঠিখানিতে।

"আমার অনেক সময় ইচ্ছা করে, তোকে যে সমস্ত চিঠি লিখেছি সেইগুলো নিয়ে পড়তে পড়তে আমার অনেক দিনকার সঞ্চিত অনেক সকাল দুপুর সন্ধ্যার ভিতর দিয়ে আমার চিঠির সরু রাস্তা বেয়ে আমার পুরাতন পরিচিত দৃশ্যগুলির মাঝখান দিয়ে চলে যাই। কতদিন কত মুহূর্তকে আমি ধরে রাখবার চেষ্টা করেছি— সেগুলো বোধ হয় তোর চিঠির বাক্যের মধ্যে ধরা আছে। আমাকে একবার তোর চিঠিগুলো দিস— আমি কেবল ওর থেকে আমার সৌন্দর্য সম্ভোগগুলো একটা খাতায় টুকে নেব, আমার গদ্যে পদ্যে কোথাও আমার সুখ দুঃখের দিনরাত্রিগুলি এরকম করে গাঁথা নেই।' (শিলাইদহ, ১১ মার্চ ১৮৯৫, সংযোজন, ছিন্নপত্র)।

ছিন্নপত্রের যেকোনো একটি চিঠি পড়লেই দেখা যাবে কবির মনে বাইরের জগৎ, প্রকৃতি কী অসম্ভবরকম প্রভাব ফেলেছে। তিনি কতটা প্রাণিত হয়েছেন প্রকৃতি থেকে। কতটা ভাবছেন প্রকৃতির সত্য আবির্ভাব নিয়ে।

"ওই যে মস্ত পৃথিবীটা চুপ করে পড়ে রয়েছে ওটাকে এমন ভালবাসি— ওর এই গাছপালা নদী মাঠ কোলাহল নিস্তব্ধতা প্রভাত সন্ধ্যা সমস্তটাসুদ্ধ দুহাতে আঁকড়ে ধরতে ইচ্ছে করে। মনে হয় পৃথিবীর কাছ থেকে আমরা যেসব পৃথিবীর ধন পেয়েছি এমন কি কোনো স্বর্গ থেকে পেতুম? স্বর্গ আর কী দিত জানি নে, কিন্তু এমন কোমলতা দুর্বলতা-ময়, এমন সকরুণ আশঙ্কাভরা, অপরিণত এই মানুষগুলির মতো এমন আপনার ধন কোথা থেকে দিত! আমি এই পৃথিবীকে ভারী ভালোবাসি। এর মুখে ভারী একটি সুদূরব্যাপী বিষাদ লেগে আছে— যেন এর মনে আছে, আমি দেবতার মেয়ে, কিন্তু দেবতার ক্ষমতা আমার নেই। আমি ভালোবাসি, কিন্তু রক্ষা করতে পারি নে। আরম্ভ করি, সম্পূর্ণ করতে পারি নে। জন্ম দিই, মৃত্যুর হাত থেকে বাঁচাতে পারি নে। এই জন্যে স্বর্গের উপর আড়ি করে আমি আমার দরিদ্র মায়ের ঘর আরো বেশি ভালোবাসি— অসহায়, অসমর্থ, অসম্পূর্ণ, ভালোবাসার সহস্র আশঙ্কায় সর্বদা চিন্তাকাতর বলেই।"(পত্র ১৮, ছিন্নপত্র)

ভ্রাতুষ্পুত্রী ইন্দিরা দেবীর সঙ্গে রবীন্দ্রনাথের আন্তরিক যোগটি ছিল সবচেয়ে নিবিড়। ইন্দিরা দেবী রবীন্দ্রনাথের অন্তরের দুঃখ-বেদনা-আনন্দ যতটা গভীরভাবে উপলব্ধি করতে পারতেন তা অন্য কেউ পারত না বলেই ইন্দিরা দেবীকে লেখা রবীন্দ্রনাথের চিঠির সংখ্যা সবচেয়ে বেশি। আনুমানিক ৩৫০টি পত্র রবীন্দ্রনাথ ইন্দিরা দেবীকে লিখেছিলেন। রবীন্দ্রনাথের এই চিঠিগুলো পাঠ করলে মানসপটে রূপসি বাংলার অসাধারণ রূপ ফুটে ওঠে। রবীন্দ্রনাথের লেখা ইন্দিরা দেবীকে একটি চিঠি—

১০ কর্ণওয়ালিশ, কলকাতা, পোস্টমার্ক, ১০ সেপ্টেম্বর ১৯২৪ খ্রি,

কল্যাণীয়েসু,

কখন লিখব বল? আমি সমস্ত দিন এক মুহূর্ত ফাঁক পাইনে। তার উপরে আবার আগামী সোমবারে অরূপ রতন অভিনয় করতে হবে। তার উপরে কলেজের ছাত্ররা টানাটানি বাধিয়ে দিয়েছে। তবে যদি ইচ্ছে করিস শনিবারে মুখে মুখে অল্প কিছু বলতে পারব। ভালো করে ভেবে বলবারও সময় নেই। তোর এখানে কদিন ধরে যাবার চেষ্টা করছি। কিছুতেই হয়ে উঠছে না।

রবি কাকা

রবীন্দ্রনাথ শুধু সাহিত্যিক ছিলেন না। মানুষের মনোজগৎ সৃষ্টি করবার অসাধারণ ক্ষমতা তাঁর ছিল। প্রতিমা দেবী তার উজ্জ্বল উদাহরণ। প্রথমত, বিধবা প্রতিমাকে রবীন্দ্রনাথ তাঁর ছেলে রথীন্দ্রনাথের বউ করে নিয়ে আসেন। প্রতিমা দেবীর কাছে লেখা ১১৫টি চিঠিতে রবীন্দ্রনাথের মনোজগতের আরেকটি নিবিড় পরিচয় উন্মুক্ত হয়েছে। রবীন্দ্রনাথের প্রতিমা দেবীকে লেখা একটি চিঠি তুলে ধরা হল—

কল্যাণীয়েসু বৌমা,

ভয় করছে আমার বুঝি ভ্রমণে যাওয়ার মত উল্টে গেছে একেবারেই। না ভ্রমণে বেরিয়ে পড়বার আবেগ আমার আরো বেড়ে যাচ্ছে। আমি দুই-এক মাসের জন্য কোথাও খুচরো রকমের বেড়াতে

যেতে ইচ্ছে করিলে পৃথিবীর কাছে বেশ ভালো রকমে বিদায় নেবার জন্যে মনটা উত্তলা হয়ে উঠেছে। কলকাতায় গিয়ে দেখবো যদি বাধা কাটাতে পারি তাহলে আমি দূরেই বেরিয়ে পড়বো।

এখানে শারদোৎসব অভিনয়ের আয়োজন চলছে। আমাকে সবাই মিলে সন্ন্যাসী সাজাচ্ছে। কলকাতা থেকে এবারও মেয়ের দল আসছেন।

শুভাকাঙ্ক্ষী
শ্রী রবীন্দ্রনাথ ঠাকুর

রবীন্দ্রনাথের স্ত্রী মৃণালিনী দেবীকে লেখা রবীন্দ্রনাথের একটি চিঠি।

সেপ্টেম্বর ১৮৯০, প্যারিস

বৌ আমার,

ইফেল টাওয়ার বলে একটা উঁচু লৌহ স্তম্ভের উপর উঠে তোমাকে একটা চিঠি পাঠালুম। আজ ভোরে প্যারিসে এসেছি লন্ডনে গিয়ে চিঠি লিখবো। আজ এই পর্যন্ত।

রবীন্দ্রনাথ ঠাকুর

রবীন্দ্রনাথের ছোটোমেয়ে মীরা বা অতসী। রবীন্দ্রনাথের ছোটোমেয়ের জামাই নগেন্দ্রনাথকে লেখা চিঠি হয়েছে ১১৯টি।

কল্যাণীয়াসু

নগেন্দ্রনাথ,

আমি দুই-চারি দিনের মধ্যেই নীতুকে (নগেন্দ্রনাথের ছেলে) তোমার ওখানে পাঠাবার ব্যবস্থা করছি। পিয়ার্সন যদি কলকাতায় যেতেন তাহলে তার সঙ্গেই পাঠাতুম। মীরাকে (নগেন্দ্রনাথের স্ত্রী) আর কিছুদিন পরে তোমার ওখানে পাঠাব। ইতিমধ্যে তাকে আমি বিলেত যাবার জন্য তৈরি করে নিতে চাই। (১৩২৬ বঙ্গাব্দ)

শুভানুধ্যায়ী
শ্রী রবীন্দ্রনাথ ঠাকুর

রবীন্দ্রনাথের ছোটোকন্যা মীরা দেবীর স্বামী নগেন্দ্রনাথকে নিয়ে রবীন্দ্রনাথের বহু ঝক্কিঝামেলা পোহাতে হয়। মেয়ের জামাইকে তিনি সন্তানের মতোই গ্রহণ করেছিলেন। তবুও রবীন্দ্রনাথ কিংবা মীরার সঙ্গে নগেন্দ্রনাথের সম্পর্কটি ঠিক মধুর হয়ে উঠতে পারেনি।

কাদম্বিনী দত্ত কোনো পরিচিত মহিলা নন। রবীন্দ্রনাথের তাঁকে লেখা চিঠির মাধ্যমে তিনি পরিচিত হয়েছেন। তাঁর ঈশ্বর-জিজ্ঞাসা এবং অসামান্য ধীশক্তি রবীন্দ্রনাথকে বিশেষভাবে মুগ্ধ করেছিল। প্রায় ত্রিশ বছর কাল উভয়ের মধ্যে পত্রযোগে নানা বিষয়ে আলাপ-আলোচনা চলেছিল। কবি প্রাঞ্জল ভাষায় এই শোকাতুরা বালবিধবাকে শান্তির অমোঘ বাণী শুনিয়েছেন। তার কিছু নমুনা দেওয়া হল।

"ঈশ্বর তাঁর পরম দানগুলিকে দুঃখের ভিতর দিয়াই সম্পূর্ণ করেন— তিনি বেদনার মধ্য দিয়া জননীকে সন্তান দেন— সেই বেদনার মূল্যেই সন্তান জননীর এত অত্যন্তই আপন। সেই কথা মনে করিয়া, যখন ঈশ্বরের কাছে সত্য চাই, আলোক চাই, অমৃত চাই তখন অনেক বেদনা অনেক ত্যাগের জন্য নিজেকে সবলে প্রস্তুত করিতে হইবে। মা, ঈশ্বর যদি তোমাকে বেদনা দেন তবে নিজের দোষে সেই বেদনাকে ব্যর্থ করিয়ো না— তাহাকে সফল করিবার জন্য সমস্ত হৃদয় মনকে সম্পূর্ণ প্রস্তুত করিয়া জাগ্রত হও।" (পত্র ৪, ওই)

কবিগুরুর সঙ্গে কাদম্বিনী দত্তের পত্র ব্যবহারের মূল বিষয় ছিল— এ সংসারে মানুষের সুখ -দুঃখের স্বরূপ। হেমন্তবালার সঙ্গে পত্রালাপের মুখ্য বিষয় মানুষের ধর্মমত এবং ধর্মের দৃষ্টিকোণ থেকে কবির আত্মপরিচয়।

তিনি নানা প্রশ্ন করে এমনভাবে চিঠি লিখতেন যে, রবীন্দ্রনাথ উত্তর লিখতে উদ্‌বুদ্ধ হতেন। বৈষ্ণব ধর্ম গ্রহণকারিণী এই গরীয়সী রমণীর মুখ্য প্রশ্নটি ছিল, আপনি এমন কবি ও ভাবুক হয়েও বৈষ্ণব ধর্মকে কেন সমর্থন করেননি, এবং সাকার উপাসনার বিরুদ্ধে বলেন কেন?

বিশ্ব মুসলিমসমাজের সৌভ্রাতৃত্বের তুলনায় হিন্দু জাতের ধর্মেও নিরর্থক আচারে শতধা বিভক্তির দুর্বলতা এই পত্রের উপজীব্য। এমনই হাজারো বিষয়ে বক্তব্য, মন্তব্য, ভাষা, ব্যাখ্যা উপযোগী কোনো সম্বোধিতকে উপলক্ষ্য করে কবি হাজারো পত্রে লিখে গিয়েছেন। অবিশ্বাস্য প্রাচুর্যের আধার অজস্র ধারায় পত্রাবলিতে রবীন্দ্রনাথ কখনো দেশকে-জাতিকে, কখনো চলমান ক্ষণকে, কখনো সদ্য সক্রিয় মনকে, কখনো মনের খেয়ালখুশিকেই বিশ্বস্তরূপে রেকর্ড করে গিয়েছেন।

এমনই স্বগত ভাবনা বা ব্যক্তিগত প্রবন্ধে অতুলনীয় সৎসাহিত্য রচিত হয়েছে রবীন্দ্রনাথের অসংখ্য পত্রের বেশিরভাগ জুড়ে। তবে এ সাহিত্য পত্রমাধ্যম ছাড়া অন্য কোনো মাধ্যমে এ প্রসাদগুণ নিয়ে সৃষ্ট হতে পারত না কেন, তাও তাঁর কাছেই শোনা ভালো। *ছিন্নপত্র, ভানুসিংহের পত্রাবলী, পথে ও পথের প্রান্তে* এই তিনখানি গ্রন্থ ১৩৪৫ সালে 'পত্রধারা' শিরোনামে চিহ্নিত হলে, তার ভূমিকাতে ছিন্নপত্র প্রসঙ্গে কবি যা লিখেছেন তা তাঁর সমগ্র পত্রসাহিত্য সম্পর্কেই প্রযোজ্য।

"পত্রধারায় ছিন্নপত্র পর্যায়ে যে চিঠির টুকরোগুলি ছড়ানো হয়েছে তার অধিকাংশই আমার ভাইঝি ইন্দিরাকে লেখা চিঠি থেকে নেওয়া। তখন আমি ঘুরে বেড়াচ্ছিলুম বাংলার পল্লীতে পল্লীতে, আমার পথ-চলা মানে সেই-সকল গ্রামদৃশ্যের নানা নতুন পরিচয় ক্ষণে ক্ষণে চমক লাগাচ্ছিল; তখনি তখনি তাই প্রতিফলিত হচ্ছিল চিঠিতে। কথা কওয়ার অভ্যাস যাদের মজ্জাগত, কোথাও কৌতুক-কৌতুহলের একটু ধাক্কা পেলেই তাদের মুখ খুলে যায়। যে বকুনি জেগে উঠতে চায় তাকে টেকসই পণ্যের প্যাকেটে সাহিত্যের বড়ো হাটে চালান করবার উদ্যোগ করলে তার স্বাদের বদল হয়। চারদিকের বিশ্বের সঙ্গে নানা-কিছু নিয়ে হাওয়ায় হাওয়ায় আমাদের মোকাবিলা

চলছেই, লাউড-স্পীকারে ছড়িয়ে তাকে ব্রডকাস্ট করা সয় না। ভিড়ের আড়ালে চেনা লোকের মোকাবিলাতেই তার সহজরূপ রক্ষা হতে পারে।"

৬৫ বছরের এই সুদীর্ঘ সময়ে রবীন্দ্রসাহিত্যের যে বিপুল ভাণ্ডার আমরা পেয়েছি তা এক অনন্য সৃষ্টি। রবীন্দ্রনাথের সব গবেষণার সব ক্ষেত্রেই চিঠিপত্রের সাহায্য নেয়া হয়েছে; কারণ ওই একটাই, চিঠিপত্র কোনো মানুষের মনোভূমি উদ্ঘাটনের বিশেষ সহায়ক।

চিঠিপত্র সম্পর্কে রবীন্দ্রনাথ আরও বলেছেন। সর্বজনের দরবারে সাধারণ সাহিত্যের আর অন্তরঙ্গ মহলে চিঠি সাহিত্যের গতিবিধি। চিঠির সাহিত্যকে ধরা হয় লেখকের কাছে ঘেঁষা জগতের দৈনিক ছায়া-প্রতিচ্ছায়া, ধ্বনি-প্রতিধ্বনি।

রবীন্দ্রসাহিত্য যদি মহাসাগর ধরা হয় তবে তাঁর পত্রসাহিত্যকে সাগরের সঙ্গে অনায়াসে তুলনা করা যায়।

রবীন্দ্রনাথের আত্মপরিচয় উপলব্ধির ক্ষেত্রে তাঁর চিঠিপত্র আমাদের কাছে একটি বড়ো সহায়ক। চিঠিপত্র রবীন্দ্রসাহিত্যে নিঃসন্দেহে একটি বড়ো স্থান দখল করে আছে। সাড়ে পনেরো বছর বয়স থেকে তিনি লিখতে শুরু করেন। রবীন্দ্রনাথ তাঁর ৫৫ বছরে সাহিত্যজীবনে কম-বেশি কয়েক হাজার বাংলা-ইংরেজি চিঠি লিখে সৌজন্য ও দায়িত্বপালন করেছেন। বাংলা সাহিত্যে এই চিঠিগুলো অমূল্য সম্পদ।

সেই কবেই তো শরৎচন্দ্র চট্টোপাধ্যায় লিখে গিয়েছেন, 'কবিগুরু তোমার প্রতি চাহিয়া আমাদের বিস্ময়ের সীমা নাই।' অর্থাৎ রবীন্দ্রপ্রতিভা বঙ্গে এক পরমবিস্ময়। আর রবীন্দ্র পত্রসাহিত্য সেই বিস্ময়সাগরের কল্লোলিত ঢেউ।

[৬]

বাংলা কবিতার ঐশ্বর্যায়নের ভাবনায় রবীন্দ্রনাথ

সাহিত্যগগনে রবীন্দ্রনাথ অনন্য প্রতিভা নিয়ে আবির্ভূত হয়েছিলেন। সাহিত্যের সব শাখায় বিচরণ করেছেন তিনি। প্রত্যেকটি ক্ষেত্রে যে অসামান্য অবদান রেখেছেন, ব্যাপ্তি ও বিস্তারের দিক থেকে তা সত্যিই বিস্ময়কর। সাহিত্যের অন্যান্য শাখা বাদ দিলে শুধু কাব্যক্ষেত্রে তাঁর যে অবদান, সংক্ষেপে তার পরিচয় তুলে ধরাও সহজ কাজ নয়। তাঁর ষাট বছরের কাব্যজীবনে আটচল্লিশটির মতো কাব্যগ্রন্থ লিখেছেন। কবিতার সংখ্যা এক হাজারের উপর। সংগীতের কথা-অংশ ধরলে তা হবে আরও বেশি।

হিসেব করে দেখা গেছে যে, রবীন্দ্রনাথ কবিতা পঙ্‌ক্তি লিখেছেন দেড় লক্ষেরও বেশি। যা থেকেই বোঝা যায়, সংক্ষেপে রবীন্দ্রনাথের কাব্যগ্রন্থের সামগ্রিক মূল্যায়ন কতখানি দুরূহ।

তেরো থেকে আঠারো বছর বয়সের মধ্যে কবি 'বনফুল' (১৮৭০) 'কবি-কাহিনী' (১৮৭৮) 'শৈশব-সঙ্গীত' (১৮৮৪) ইত্যাদি কয়েকটি কাব্য রচনা করেন। অপিরণত বয়সের ভাবোচ্ছ্বাস ও আকাঙ্ক্ষা এসব কবিতায় মূর্ত; যদিও পরে এগুলোকে তিনি নিজেই বাতিল করে দিয়েছেন। *সন্ধ্যাসঙ্গীত*কেই কবি তাঁর কাব্য রচনার সূচনাবিন্দু বলে মনে করেন। *সন্ধ্যাসঙ্গীত* থেকে *শেষ লেখা* পর্যন্ত কবির সমস্ত কাব্যসৃষ্টিকে যদি একটি বহতা নদীর সঙ্গে তুলনা করা যায় তাহলে দেখা যাবে যে, নদীর প্রবাহের মতো তাঁর কাব্যপ্রবাহও ভাবকল্পনা ও রূপরীতির দিক থেকে নানা পরিবর্তনের মধ্য দিয়ে অগ্রসর হয়েছে, ভাবের পরিবর্তনের সঙ্গে সংগতি রেখে কবিতার রীতিতেও ঘটেছে পরিবর্তন। এই পরিবর্তনের ধারাটি মোটামুটিভাবে কয়েকটি পর্যায়ে ভাগ করা হয়।

কবিপ্রাণের উদ্‌বোধন ও কবিতায় পরীক্ষানিরীক্ষা—

১৮৮২ থেকে ১৮৮৫ সালের মধ্যে প্রকাশিত হয় রবীন্দ্রনাথের *সন্ধ্যাসঙ্গীত* (১৮৮২) *প্রভাত সঙ্গীত* (১৮৮৩) *ছবি ও গান* (১৮৮৪) *কড়ি ও কোমল* (১৮৮৬) কাব্যগ্রন্থ। এই চারটি কাব্যগ্রন্থে কবিপ্রাণের উদ্‌বোধন ঘটেছে। কবির অবরুদ্ধ হৃদয়াবেগ অনুভূতিময় কবিতার রূপ নিয়েছে এ

পর্বে। কবিতা ঋদ্ধ হতে শুরু করেছে। ভাবসম্পদে ও ধ্যান বিভোরতা ধীরে ধীরে কুয়াশা ও স্বপ্ন বিহ্বলতা কাটিয়ে উঠেছে। *সন্ধ্যাসঙ্গীত*-এ বিশ্বপ্রকৃতি ও মানবজীবনের সঙ্গে সংযোগ ও পরিচয় ঘটাতে না পেরে কবির প্রাণ কেঁদে উঠেছে। *প্রভাতসঙ্গীত*-এ জীবন ও জগতের সান্নিধ্যে এসে কবি উল্লসিত। তিনি গাইলেন—

হৃদয় আজি মোর কেমনে গেল খুলি!
জগৎ আসি সেথা করিছে কোলাকুলি।
(প্রভাত উৎসব)

নির্ঝরের স্বপ্নভঙ্গ হয়েছে। কবিতার ভাষা ও ছন্দে সৌন্দর্য ও শক্তির আভাস দেখা দিয়েছে। ছবি ও গান-এ ফুটে উঠেছে কবির ভালো লাগা বস্তুজগতের নানা চিত্র। কবির মর্ত্যপ্রীতি এখানেই প্রথম প্রকাশিত। সৌন্দর্যকে ইন্দ্রিয়গ্রাহ্য করার আকাঙ্ক্ষা এখানে দেখা দিয়েছে। তবে রং ও সুর ফুটিয়ে তোলার শিল্পনৈপুণ্য তখনও ততটা আয়ত্ত হয়নি। *কড়ি ও কোমল*-এ সৌন্দর্যানুভূতির আরও পরিণত রূপ দেখা যায়। নারীর মোহনীয় সৌন্দর্যে কবি এখানে রূপবিভোর। খণ্ড প্রেম ও খণ্ড সৌন্দর্যকে নিত্যকালের প্রেম ও সৌন্দর্যের সঙ্গে মেলানোর যে আকুল প্রয়াস রবীন্দ্রকাব্যের বিশেষত্ব, তার উন্মেষ *কড়ি ও কোমল*-এ। এখানেই কবিকণ্ঠে মর্ত্যমমতার উদাত্ত ঘোষণা করে লিখলেন—

মরিতে চাহিনা আমি সুন্দর ভুবনে,
মানবের মাঝে আমি বাঁচিবারে চাই।
এই সূর্যকরে এই পুষ্পিত কাননে
জীবন্ত হৃদয়-মাঝে যদি স্থান পাই।
(প্রাণ)

রূপলোকের ঐশ্বর্য ও শিল্পের সতেজ দীপ্তি— *মানসী* (১৮৯০) কাব্যগ্রন্থ থেকে এই পর্বের সূচনা। *সোনার তরী* (১৮৯৩), *চিত্রা* (১৮৯৬), *চৈতালী* (১৮৯৬), *কল্পনা* (১৯০০), *ক্ষণিকা* (১৯০০) ইত্যাদি এই পর্বের কথা। এইসব কাব্যে মানবপ্রীতি, নিসর্গচেতনা, সৌন্দর্যবোধ ও প্রেমজিজ্ঞাসা চমৎকার বাণীরূপ লাভ করেছে। বহু অতুলনীয় কবিতা এই পর্যায়ে সৃষ্টি করেছেন তিনি। ভাববস্তু ও প্রকরণে বিস্ময়কর বৈচিত্র্যময়তাও এই পর্বেই প্রথম লক্ষণীয়। *মানসী* কাব্যে রবীন্দ্রনাথ স্রষ্টা। প্রেমের ব্যঞ্জনা ও সৌন্দর্যের চিত্রকলা এখানে স্পষ্ট, সজীব, গভীর ও মাধুর্যময়। এখানেই ছন্দ নিয়ে রবীন্দ্রনাথ পরীক্ষানিরীক্ষা করেছেন। *সোনার তরী* কাব্যে নিসর্গ সৌন্দর্য ব্যক্তিমানসের সঙ্গে একাকার হয়ে গেছে। বিশ্বপ্রকৃতি ও মানবজীবনের মধ্যে এক গভীর সম্পর্ক আবিষ্কার করেছেন কবি। ছন্দের ছটায় ও ভাবের বৈভবে শিল্পের সতেজ দীপ্তি নিয়ে কবি এখানে হাজির। চিত্রা-র কয়েকটি কবিতায় সৌন্দর্যকে সন্ধান করা হয়েছে মাটির ধরণিতে। কর্ম ও কর্তব্যের সংকল্পও এখানে ব্যক্ত। *চৈতালী*-তে কবির মর্ম মমতা ও বৈরাগ্যবিমুখ জীবনপ্রীতির সুগভীর প্রকাশ ঘটেছে। কবির ধর্মচেতনাও এখানে প্রকাশিত। সেইসঙ্গে রয়েছে প্রাচীন ভারতে মানস পরিক্রমার ছবি। মানুষের সুখ-দুঃখ সত্ত্বেও কর্তব্যনিষ্ঠা কবিকে আকৃষ্ট করেছে। *কল্পনা* কাব্যে

প্রাচীন ভারতের মোহময় বর্ণাঢ্য সৌন্দর্যলোকে মানসভ্রমণ করে আকণ্ঠ সৌন্দর্যরস পান করতে চেয়েছেন কবি। এর আগে কর্মের জগতে উত্তরণের যে বাসনা প্রকাশিত হয়েছিল এখানে তা একটি প্রধান ধারায় পরিণত। ভাবের ঐশ্বর্য ও ভাষার কারুকাজে নৈপুণ্যের স্বাক্ষর এখানে স্পষ্ট। এই পর্যায়ের বেশিরভাগ কবিতায় কবি পৃথিবী ও মানুষের প্রেম ও সৌন্দর্যে মুগ্ধ। প্রত্যক্ষ ও ইন্দ্রিয়গ্রাহ্য সৌন্দর্য আকণ্ঠ পান করায় কবির আকুতি প্রকাশিত। *ক্ষণিকা* কাব্যে ধরা পড়েছে আলো, হাসি আর মাটির সৌরভ। চিকন কথার জালে কবি বেঁধে রেখেছেন ক্ষণিকের দেখা বিভিন্ন জীবনছবিকে।

অরূপলোকের অনুভূতি এই পর্যায়ে *নৈবেদ্য* (১৯০১), *উৎসর্গ* (১৯০৪), *খেয়া* (১৯১০) ও *গীতাঞ্জলি* (১৯১০) কাব্যগ্রন্থগুলো অন্তর্ভুক্ত করা হয়। *নৈবেদ্য*-এ এসেছে উপনিষদের ভাবলোক, এসেছে ঐশী জিজ্ঞাসা। *খেয়া*-তে কবি পার্থিব সৌন্দর্যলোক থেকে বিদায় নিয়ে অরূপলোকে যাত্রা করেছেন। বস্তুলোক ছেড়ে ডুব দিতে চেয়েছেন অন্তর্লোকে। আবার *গীতাঞ্জলি*তে মূর্ত হয়েছে মরমিয়া ভাব ও ঐশী অনুভূতি। অরূপকে কবি লীলাময় রূপে পেয়েছেন। এই পর্যায়ের কবিতায় অধ্যাত্মভাবের প্রকাশ ঘটেছে। কবি এখানে দার্শনিকের চেতনা নিয়ে উপস্থিত হয়েছিলেন। ঈশ্বরের প্রেম ও সান্নিধ্যলাভের জন্য তিনি ব্যাকুল। কবিতাগুলো বেশ করুণ প্রকৃতির। সেখানে ভক্তিরসে সমৃদ্ধ হয়েছে। রূপ নির্মিতির দিক থেকে এগুলোর ভাষা খুবই সহজ, সরল ও নিরলংকার। গীতাঞ্জলি কবিকে খ্যাতি দিয়েছে। তবে এটি কবির শ্রেষ্ঠ কাব্য নয় বলে রবীন্দ্র বিশেষজ্ঞদের মত।

কাব্যের পালাবদল ও সহস্রধার ঐশ্বর্য:

বলাকা (১৯১৬), *পলাতক* (১৯১৮), *পূরবী* (১৯২৫), *মহুয়া* (১৯২৯), *বনবাণী* (১৯৩১), *পরিশেষ* (১৯৩২) ইত্যাদি কাব্যগ্রন্থসমূহ এই পর্যায়ে অন্তর্ভুক্ত। রবীন্দ্রকাব্যের পালাপদল শুরু হয়েছে বলাকা কাব্যের মধ্য দিয়ে। কবি অধ্যাত্মলোক থেকে নেমে এসেছেন মাটির পৃথিবীতে। কর্মের মধ্যে, সংগ্রামের মধ্যে, বিপর্যয়ের মধ্যে নিত্য বহমান গতিশীলতার মধ্যে তিনি জীবনকে আবিষ্কার করেছেন। এই কাব্যে ভাব্যের ক্ষেত্রে শুধু নতুনত্ব নেই, ছন্দরূপের মধ্যেও রয়েছে নতুনত্ব। কবিতা উজ্জীবনী প্রাণশক্তিতে ঝলমল করে —

> 'যাত্রা করো, যাত্রা করো, যাত্রীদল'
> উঠেছে আদেশ,
> 'বন্দরের কাল হল শেষ'।
>
> (৩৭ সংখ্যক কবিতা)

এখানে মুক্ত পয়ার রচনায় নৈপুণ্য দেখিয়েছেন কবি। কল্পনা ও ভাবের দিক থেকে এগুলো ঐশ্বর্যময়। ভাষার বর্ণিল উজ্জ্বলতা ও ছন্দের অনিরুদ্ধ প্রবাহ *বলাকা* কাব্যকে দিয়েছে বিশিষ্টতা। এরপর পরিশেষ পর্যন্ত যে-কাব্যগুলো রবীন্দ্রনাথ লিখেছেন সেগুলোর কোনোটিই ভাবকল্পনা ও রূপনির্মাণের দিক থেকে *বলাকা* কাব্যকে অতিক্রম করতে পারেনি।

পলাতক কাব্যে প্রধান হয়ে দেখা দিয়েছে আখ্যানধর্মিতা। *পূরবী*-তে কবি পুরাতনের স্মৃতি রোমন্থন করেছেন। *মহুয়া*-য় প্রকাশিত হয়েছে প্রেমভাবনা। বৈরাগ্য আর বিষণ্ণতার ছায়া পড়েছে

পূরবী ও *মহুয়ায়*। *বনবানী* কাব্যে নিসর্গ সৌন্দর্যের প্রতি কবির রূপমুগ্ধতার প্রকাশ ঘটেছে। বিষণ্ণ অতীত ও উজ্জ্বল পরিপার্শ্ব নিয়ে আসক্তি-নিরাসক্তির দ্বন্দ্ব ফুটে উঠেছে *পরিশেষ* কাব্যে।

গোধূলি বেলার কবিতা

পুশ্চন থেকে *শেষ লেখা* পর্যন্ত কাব্য এই পর্যায়ে পড়ে। এই পর্বে রবীন্দ্রনাথ নিত্যনতুন রূপে আমাদের সামনে উপস্থিত। কবিতা নেমে এসেছে সাধারণ জীবনের প্রাঙ্গণে। কবিতার ধ্বনিতে ধ্বনিত হয়েছে সাধারণ মানুষের হৃদয়ের কথা।

ওরা চিরকাল
টানে দাঁড়, ধরে থাকে হাল,
ওরা মাঠে মাঠে
বীজ বোনে পাকা ধান কাটে,
ওরা কাজ করে
নগরে প্রান্তরে
(১০ সংখ্যক কবিতা, *আরোগ্য*)

জীবনের শেষপ্রান্তে উপনীত হয়ে পৃথিবীর ধূলিকণার প্রতি কবিসত্তার মমতা নিবিড় হয়ে ফুটে উঠেছে। আর আসন্ন মৃত্যুকে অনুভব করেছেন কবি, তাকে শান্ত সমাহিত চিত্তে বরণ করতে তিনি প্রস্তুত।

ভাবের পরিবর্তনের সঙ্গে সঙ্গে কবিতার রূপরীতিতেও পরিবর্তন দেখা দিয়েছে। সরল, সহজ, নিরলংকার অথচ মধুর গদ্যকবিতা রচনায় পারদর্শিতা দেখা গিয়েছে এখানে।

রূপনারায়নের কূলে
জেগে উঠিলাম
জানিলাম এ জগৎ
স্বপ্ন নয়।
রক্তের অক্ষরে দেখিলাম,
আপনার রূপ,
চিনিলাম আপনারে
আঘাতে আঘাতে
বেদনায় বেদনায়;
সত্য যে কঠিন,
কঠিনেরে ভালোবাসিলাম,
সে কখনো করে না বঞ্চনা।
(১১ সংখ্যক কবিতা, *শেষ লেখা*)

এই পর্বের প্রথম দিকে *পুনশ্চ* (১৯৩২), *শেষ সপ্তক* (১৯৩৫), *শ্যামলী* (১৯৩৬), *পত্রপুট* (১৯৩৬), *প্রান্তিক* (১৯৩৮), *সেঁজুতি* (১৯৩৮) ইত্যাদি কাব্যগ্রন্থে কবি গদ্যের ভঙ্গিতে কবিতা রচনা করেছেন। জীবনের শেষপ্রান্তে এসে মোহমুক্ত বৈরাগ্যের দৃষ্টি দিয়ে জগৎ ও জীবনকে দেখেছেন তিনি।

রবীন্দ্রনাথের সৃষ্টিশেলীতে গদ্যকবিতার প্রতিষ্ঠা হয় *পুনশ্চ* কাব্যগ্রন্থে। *শেষ সপ্তক*-এ মৃত্যুভাবনার পাশাপাশি রয়েছে জীবনের সার্থকতার বোধ। *শ্যামলী*-তে নিরাভরণ ভাষায় প্রকাশিত অনাসক্ত জীবনানুভূতি। *পত্রপুটে* কবির মর্ত্যপ্রেম ফুটে উঠেছে। *প্রান্তিক* কাব্যে মৃত্যুচেতনার পাশাপাশি বিশ্ববোধ মূর্ত। আবার *সেঁজুতি* কাব্যগ্রন্থে প্রকাশিত হয়েছে মৃত্যুভাবনা ও মর্ত্যপ্রীতি।

এই পর্বের শেষ দিকের সৃষ্টি *রোগশয্যায়* (১৯৪০), *আরোগ্য* (১৯৪০), *জন্মদিন* (১৯৪১) ও *শেষ লেখা* (১৯৪১) কাব্যগ্রন্থে রবীন্দ্রনাথের নতুন বোধের পরিচয় পাওয়া যায়। এখানে কবির দৃষ্টি গভীর ও উদার। বোধিজাত অনুভূতির জন্যই কবিতার বাণীরূপে না-আছে অলংকার, না-আছে চমকের কারুকাজ; বরং তা সহজ ও অকৃত্রিম। ভাব ও সুরের একমুখীনতায় কবিতাগুলো অনবদ্য।

ভাবের দিক থেকে এবং রূপরীতির দিক থেকে রবীন্দ্রনাথ বাংলা কাব্যে যে অকল্পনীয় উৎকর্ষ ও বৈচিত্র্য সৃষ্টি করেছেন তার তুলনা আমাদের দেশে শুধু নয়, বিশ্বের অন্যত্রও বিরল। বাংলা সাহিত্যে তিনিই এনেছেন আঙ্গিকের অজস্র ও বৈচিত্র্যময় রূপ। এনেছেন পরিশীলিত, মার্জিত রুচিবোধ। মাটি ও মানুষের প্রতি গভীর মমতাকে কাব্য সৌন্দর্যমণ্ডিত করে রচনা করেছেন অপূর্ব শিল্পলোক। তাঁর দানের মাটিতেই নিরন্তর ফলানো হচ্ছে বহু বিচিত্র ফসলের সম্ভার। তাঁর সৃষ্ট ঐশ্বর্যে আমরা হয়েছি ঋত।

[৭]

কবি যখন প্রকৃতিপ্রেমিক

রবীন্দ্রনাথের কবিতার বহু বিচিত্র বৈশিষ্ট্যের একটি হচ্ছে, প্রকৃতির গভীর আকর্ষণ। প্রাচীন ভারতীয় সাহিত্যের ঐতিহ্যের ধারার প্রভাব যেমন তাতে রয়েছে তেমনি তা বিশিষ্টতা পেয়েছে ব্যক্তিগত বৈশিষ্ট্যমণ্ডিত হয়ে। প্রাচীন সাহিত্যে প্রকৃতিকেন্দ্রিক যে ভাবগম্ভীরতা ও আধ্যাত্মিকতার প্রাধান্য লক্ষ করা যায় রবীন্দ্রকাব্যে তার লক্ষণ যে নেই তা নয়, কিন্তু তফাত এই যে, রবীন্দ্রকাব্যে প্রকৃতির চিত্র এসেছে আধুনিক কবি কল্পনা ও কাব্যরীতির উপাদান হিসেবে।

জীবনকে জানবার চেষ্টায় রবীন্দ্রনাথ প্রথমে প্রকৃতির দিকে চোখ মেলে তাকিয়েছেন। তিনি জানিয়েছেন, প্রথম বয়সে প্রকৃতিকে তিনি দেখেছিলেন জোড়াসাঁকোয় 'আড়াল আবডাল' থেকে। আর তাঁর উপলব্ধির প্রথম প্রকাশ ঘটেছিল প্রকৃতির সঙ্গে অন্তরঙ্গতার মধ্য দিয়ে। কৈশোরে 'জল পড়ে পাতা নড়ে' আবৃত্তি করে রবীন্দ্রনাথ প্রকৃতির আনন্দলোকের মহিমাকে উপলব্ধি করেছিলেন অপার বিস্ময়-মেশানো অনুভূতির তীব্রতা দিয়ে। আর তখন থেকে প্রকৃতির অন্তহীন সৌন্দর্যের অফুরান উৎসসম্ভার কখনো তাঁর দৃষ্টির আড়ালে যায়নি। তিনি প্রকৃতির ভেতর দিয়েই জীবনকে জানতে চেয়েছেন, বুঝতে চেয়েছেন এবং আবিষ্কার করেছেন।

রবীন্দ্রনাথ প্রকৃতিকে নিখিল বিশ্বের অখণ্ড সমগ্রের অংশ হিসেবে দেখেছেন। প্রকৃতির মাটি-জল, মাঠ-বনানী, পশুপাখি, চাঁদ-তারা, দিনরাত্রি— এসব দেখে এদের মধ্যেই চেতনাময় সত্তার প্রকাশ চেখেছেন। তাঁর একাত্মতা অনুভূত হয়েছে সমগ্র সৃষ্টির সঙ্গে। আর অনুভব করেছেন যে, মানুষের চেতনা প্রকৃতির মধ্যে সর্বত্র শিকড় বিস্তার করে রয়েছে। প্রকৃতি রবীন্দ্রনাথের সত্তার অংশ, তাঁর আশ্রয়। তাই আমৃত্যু তিনি প্রকৃতিকে ভালোবেসেছেন, প্রকৃতির রূপবৈচিত্র্যের সঙ্গে নিজের অনুভূতি মিশিয়েছেন, আর পথ চলেছেন তার ঋতুবদলের পালায়:

ছয় ঋতু ধায় আকাশ-তলায়
তার সাথে আর আমার চলায়
আজ হতে না রইল ব্যবধান।
('মাটির ডাক' *পূরবী*)

বাংলার ঋতুরঙ্গ তার বৈচিত্র্যময় রূপ নিয়ে অভিব্যক্তি পেয়েছে রবীন্দ্রনাথের প্রকৃতি বিষয়ক কবিতায়। তাঁর কাব্যসৃষ্টিতে বর্ষা ও বসন্ত বিশেষ প্রাধান্য পেলেও অন্যান্য ঋতুও স্থান পেয়েছে এই প্রকৃতিপ্রেমিকের কবিতায়।

গ্রীষ্ম: রবীন্দ্রনাথের অনেক কবিতায় গ্রীষ্ম প্রকৃতির বর্ণনা আছে। আছে গ্রীষ্মের নানা অনুভূতির প্রসঙ্গ। তাঁর জন্ম বৈশাখ মাসে। বৈশাখ নিয়ে তাঁর একাধিক কবিতাও রয়েছে। *কল্পনা* কাব্যের 'বৈশাখ' কবিতায় তিনি প্রকৃতির রুদ্র রূপের বর্ণনা দিয়েছেন সন্ন্যাসীর প্রতীক রূপ ব্যবহার করে।

দীপ্ত চক্ষু হে দীর্ণ সন্ন্যাসী
পদ্মাসনে বস আসি রক্তনেত্র তুলিয়া ললাটে,
শুষ্ক জল নদীতীরে, শস্য শূন্য তৃষাদীর্ণ মাঠে।
উদাসী প্রবাসী—
দীপ্ত চক্ষু হে দীর্ণ সন্ন্যাসী।

জ্বলিতেছে সম্মুখে তোমার
লোলুপ চিতাগ্নিশিখা, লেহি লেহি বিরাট অম্বর,
নিখিলের পরিত্যক্ত মৃত্যুস্তূপ বিগত বৎসর
করি ভস্মসার
চিতা জ্বলে সম্মুখে তোমার।

চৈতালি-র (১৮৯৬) 'মধ্যাহ্ন' কবিতায় রূপায়িত হয়েছে গ্রীষ্মের প্রকৃতি ও পরিবেশ।

বর্ষা: বর্ষা নিয়ে রবীন্দ্রনাথ বেশ কিছু গান ও কবিতা লিখেছেন, তাঁর *মানসী* (১৮৯০), *সোনার তরী* (১৮৯৩), *কল্পনা* (১৯০০), *ক্ষণিকা* (১৯০০), *খেয়া* (১৯১০), *বীথিকা* (১৯৩৫), *শেষ সপ্তক* (১৯৩৫) ইত্যাদি কাব্যগ্রন্থে বর্ষার প্রসঙ্গ এসেছে বিষয় হিসেবে। *মানসী* কাব্যগ্রন্থের 'বর্ষার দিনে', 'মেঘের খেলা' ও 'শ্রাবণের পত্র', *সোনার তরী* কাব্যগ্রন্থের 'বর্ষাযাপন', *কল্পনা* কাব্যগ্রন্থের 'বর্ষামঙ্গল', *ক্ষণিকা* কাব্যগ্রন্থের 'নববর্ষা ও আষাঢ়', *খেয়া* কাব্যগ্রন্থের 'বর্ষাপ্রভাত' ও 'বর্ষাসন্ধ্যা', *বীথিকা* কাব্যগ্রন্থের 'বর্ষাযাপন','বাদলসন্ধ্যা' ও 'বাদলরাত্রি', *শেষ সপ্তক* কাব্যগ্রন্থের 'আষাঢ়' ইত্যাদি এক্ষেত্রে উল্লেখযোগ্য। এ ছাড়াও অন্যান্য কাব্যগ্রন্থে বর্ষার প্রসঙ্গ এসেছে প্রসঙ্গক্রমে বা অনুষঙ্গ হিসেবে। *মানসী*-র 'বর্ষার দিনে' কবিতায় বর্ষাকে ঘিরে কবির হৃদয়ানুভূতির অকুণ্ঠ প্রকাশ ঘটেছে।

এমন দিনে তারে বলা যায়
এমন ঘনঘোর বরিষায়।

কল্পনা-র 'বর্ষামঙ্গল' কবিতায় ধরা পড়েছে বর্ষার রূপ।

ঐ আসে ঐ অতি ভৈরব হরষে
জল সিঞ্চিত ক্ষিতি সৌরভরভসে
ঘন গৌরবে নবযৌবনা বরষা
শ্যামগম্ভীর সরসা।

শরৎ: রবীন্দ্রনাথ শরৎপ্রকৃতির রূপে মুগ্ধ। শরৎ ঋতুর এই রূপমুগ্ধতা রবীন্দ্রনাথের বেশ কয়েকটি কবিতায় অভিব্যক্ত হয়েছে। 'শরৎ' কবিতায় তিনি লিখেছেন—

আজি কি তোমার মধুর মুরতি
হেরিনু শারদ প্রভাতে।
হে মাত বঙ্গ; শ্যামল অঙ্গ
ঝলিছে অমল শোভাতে।
ডাকিছে দোয়েল গাহিছে কোয়েল
তোমার কানন সভাতে
মাঝখানে তুমি দাঁড়ায়ে জননী
শরৎকালের প্রভাতে।

মাতার কণ্ঠে শেফালি মাল্য
গন্ধে ভরিছে অবনী।
জলহারা মেঘ আঁচলে খচিত
শুভ্র যেন সে নবনী।

শরৎ শিরোনামে রবীন্দ্রনাথ একাধিক কবিতা লিখেছেন। এ ছাড়া *নটরাজ* (১৯২৭) কাব্যগ্রন্থের 'শরতের ধ্যান' ওই শরতের বিদায়; *পুনশ্চ* (১৯৩২) কাব্যের 'পয়লা আশ্বিন'; *বীথিকা* (১৯৩৫) কাব্যের 'আশ্বিনে' ইত্যাদি কবিতায় নানাভাবে শরতের রূপ ফুটে উঠেছে। 'পয়লা আশ্বিন' কবিতায় শরতের রূপ অভিব্যক্ত হয়েছে এভাবে—

হিমের শিহর লেগেছে আজ মৃদু হাওয়ায়
আশ্বিনের এই প্রথম দিনে।
ভোর বেলাকার চাঁদের আলো
মিলিয়ে আসে শ্বেতকরবীর রঙে।
শিউলি ফুলের নিশ্বাস বয়,
ভিজে ঘাসের পরে,
তপস্বিনী ঊষার পরা পূজোর চেলির
গন্ধ যেন
আশ্বিনের এই প্রথম দিনে।

বীথিকা কাব্যগ্রন্থের 'আশ্বিনে' কবিতায়ও শরতের এ ধরনের রূপচিত্র আঁকা হয়েছে।

নটরাজ (১৯২৭) গ্রন্থের 'শরতের ঋণ' ও 'মায়া বিদায়' কবিতায় এবং *গীতবিতান*-এর 'শরৎ তোমার অরুণ আলোর অঞ্জলি', 'এলো শরতের অমল মহিমা, এসো হে ধীরে', 'তোমার রাত পোহালে শারদ প্রাতে' ইত্যাদি বেশ কয়েকটি গানে শরতের প্রসঙ্গ উজ্জ্বল।

হেমন্ত: রবীন্দ্রনাথের কবিতায় 'হেমন্ত' তত উজ্জ্বল নয়। তবু হেমন্ত রবীন্দ্রকাব্যে একেবারে উপেক্ষিত হয়নি। এ প্রসঙ্গে নটরাজ *ঋতুরঙ্গশালা* গ্রন্থের 'হেমন্ত' এবং *রোগশয্যায়* (১৯৪০) কাব্যগ্রন্থের ৮ সংখ্যক কবিতা স্মরণীয়। 'হেমন্ত' কবিতায় কবি বাংলার বুকে কুণ্ঠিত হেমন্তের স্বর্ণসুধা দানের প্রসঙ্গ টেনে এনেছেন—

ভরেছ হেমন্তলক্ষ্মী, ধরার অঞ্জলি পক্ক ধানে
লুকায়ে দক্ষিণ হস্ত দক্ষিণা দিয়েছ তুমি আনি,
ভূমিগর্ভে আপনার দাক্ষিণ্য ঢাকিলে সাবধানে।
অমরার স্বর্গ নামে ধরণীর সোনার অঘ্রানে।
তোমার অমৃত-নৃত্য, তোমার অমৃত স্নিগ্ধ হাসি
কখন ধূলির ঘরে সঞ্চিত করিলে রাশি রাশি
আপনার দৈন্যচ্ছলে পূর্ণ হলে আপনার দানে,

এ ছাড়া গীতবিতানের 'হেমন্তে কোন বসন্তের বাণী' হেমন্ত বিষয়ক সংগীত হিসেবে বিশেষ উল্লেখযোগ্য।

শীত: রবীন্দ্রনাথ শীত ঋতুকে বিবেচনা করেছেন বসন্তের বন্দনার ঋতু হিসেবে— 'এসেছে শীত সাহিত্যে গীত বসন্তেরি জয়'—। শীত নিয়ে তাঁর উল্লেখযোগ্য কবিতা হচ্ছে 'শীতের উদ্বোধন', 'আসন্ন শীত', 'শীত', 'শীতের বিদায়' ইত্যাদি। *নটরাজ* গ্রন্থের 'শীতের উদ্‌বোধন' কবিতায় শীতের বৈশিষ্ট্য ধরা পড়েছে এভাবে:

'শুষ্ক শাখা খাও যে চুমি
কাঁপাও থরথর
জীর্ণপাতা বিদায়গাঁথা গাহিছে মরমর।

যৌবনেরে তুষার-ডোরে
রাখিয়াছিলেন অসাড় করে
বাহির হতে বাঁধিলে ওরে
কুয়াশা-ঘন জালে

শীতের রিক্ততা ধরা পড়েছে 'আসন্ন শীত' কবিতায়—

শীতের বনে কোন সে কঠিন
আসবে বলে
শিউলিগুলি ভয়ে মলিন
বনের কোলে।
আমলকী-ডাল সাজল কাঙাল,
খসিয়ে দিল পল্লবজাল,
কাশের হাসি হাওয়ায় ভাসি
যায় যে চলে।

সইবে না সে পাতার ঘাসে
চঞ্চলতা,
তাই তো আপন রঙ ঘুচালো
ঝুমকো লতা।

শীতের আধিপত্যে প্রকৃতির সৌন্দর্য হারানোর নির্মম ছবি ফুটে উঠেছে 'শীত' কবিতায়।

ওগো শীত, ওগো শুভ্র, হে তীব্র নির্মম,
তোমার উত্তর বায়ু দুরন্ত দুর্দম
অরণ্যের বক্ষে হানে। বনস্পতি যত
থরথর কম্পমান, শীর্ষ করি নত
আদেশ-নির্ঘোষ মানে।

কুঞ্জে কুঞ্জে মৃত্যুর বিপ্লব
করিছে বিকীর্ণ শীর্ণ পর্ণ রাশি রাশি
শূন্য নগ্ন করি শাখা, নিঃশেষে বিনাশি
অকাল পুষ্পের দুঃসাহস।

বসন্ত: রবীন্দ্রনাথের কবিতায় বসন্তকে তাঁর প্রিয় ঋতু হিসেবে প্রতিভাত হতে দেখা যায়। বিষয় ও অনুভবের দিক থেকে রবীন্দ্রনাথের কাছে বসন্ত হল মিলনের ঋতু।

কল্পনা কাব্যের 'বসন্ত'; *পুরবী* (১৯২৫) কাব্যের 'শেষ বসন্ত'; *বনবানী*-র (১৯৩১) 'বসন্ত'; *স্ফুলিঙ্গ* (১৮৮৫) কাব্যের 'বসন্ত পাঠায় দূত'; *চৈতালি* (১৮৯৬) কাব্যের 'উৎসর্গ'; *চিত্রা* (১৮৯৬) কাব্যের 'উৎসব' প্রভৃতি কবিতায় অভিব্যক্ত হয়েছে বসন্তের রূপসৌন্দর্যময়তা।

কল্পনা-র 'বসন্ত' প্রকৃতিবন্দনামূলক কবিতা। প্রকৃতির কোলে বসন্ত নন্দনকাননের দুয়ার খুলে দেয়। ওই মধুমাস মানুষের দুয়ারে নিয়ে আসে আনন্দের উপকরণ। বসন্তের পুষ্পশোভিত পরিবেশ চিরকাল ধরে মানুষের মনে জাগায় আনন্দ-বিষাদের দোলা:

ওগো মধুমাস।
তোমার কুসুম গন্ধে বর্ষে বর্ষে শূন্যে জলে স্থলে
হইবে প্রকাশ।
বকুলে চম্পকে তারা গাঁথা হয়ে নিত্য যাবে চলি
যুগে যুগান্তরে,
বসন্তে বসন্তে তারা কুঞ্জে কুঞ্জে উঠিবে আকুলি
কুহু কলস্বরে
অমর বেদনা মোর হে বসন্ত, রহি গেল
মর্মর নিশ্বাসে
উত্তপ্ত যৌবন মোহ রক্ত রৌদ্রে রহিল রঞ্জিত
চৈত্র সন্ধ্যাকাশে।

অনেক কবিতায় রবীন্দ্রনাথ প্রকৃতিকে আশ্রয় করে নিজের অনুভূতিকে প্রকাশ করেছেন। যেমন *চৈতালী* (১৮৯৬) কাব্যগ্রন্থের 'পদ্মা' কবিতাটি—

গোধূলির শুভলগ্নে হেমন্তের দিনে,
সাক্ষী করি পশ্চিমের সূর্য অস্তমান
তোমারে সঁপিয়াছিনু আমার পরান।
অবসান-সন্ধ্যালোকে আছিলে সেদিন
নতমুখী বধূসম শান্ত বাক্যহীন;
সন্ধ্যাতারা একাকিনী সস্নেহ কৌতুকে
চেয়েছিল তোমাপানে হাসিভরা মুখে।
সেদিনের পর হতে, হে পদ্মা আমার
তোমায় আমায় দেখা শত শত বার।

এই কবিতায় পদ্মার রূপ নয়, পদ্মা সম্পর্কে অনুভবই অভিব্যক্তি পেয়েছে।

রবীন্দ্রনাথের কাব্যে প্রকৃতির আরও এক ধরনের ব্যবহার আমরা লক্ষ করি। তাঁর সমগ্র কাব্যকর্মের প্রায় সর্বত্র কবিতার রূপনির্মিতি বা কারুকর্মের কাজে তিনি প্রকৃতিকে ব্যবহার করেছেন। প্রকৃতির বিভিন্ন অনুষঙ্গ হয়েছে কবিতার উপমা ও চিত্রকল্প এবং তার মাধ্যমে তিনি জীবনের ছবি এঁকেছেন। জীবনের ছবি রূপায়ণের কৌশল হিসেবে প্রকৃতি থেকে উপমা ও চিত্রকল্প নিয়েছেন তিনি।

কখনো কবি মানবজীবনের বিভিন্ন ইন্দ্রিয়ের সক্রিয়তার প্রকাশ দেখেছেন প্রকৃতির সান্নিধ্যে। এসব ক্ষেত্রে প্রকৃতিনির্ভর সংবেদনের প্রকাশ ঘটেছে। যেমন—

স্পর্শানুভূতির প্রকাশ:
যাই পরশিয়া
স্বর্ণশীর্ষে আনমিত শস্যক্ষেত্রতল
অঙ্গুলির আন্দোলনে—
('বসুন্ধরা', *সোনার তরী*)

দর্শন অনুভূতির প্রকাশ:
আঁধার আকাশ-মাঝে আঁখি চারিদিকে চায়।

প্রকৃতি কবির বিশেষ মানসিক অনুভূতি ও অবস্থাকে প্রকাশের অবলম্বন হয়েছে বহু কবিতায়। যেমন প্রকৃতিকে আশ্রয় করে তিনি তাঁর ইচ্ছার কথা ব্যক্ত করেছেন একটি কবিতায়—

নবীন আষাঢ়ে রচি নব মায়া
এঁকে নিয়ে যাব ঘনতর ছায়া
করে দিয়ে যাব বসন্তকায়া
বাসন্তী বাস-পরা
ধরণীর তলে গগনের গায়
সাগরের জলে অরণ্য ছায়

আরেকটুখানি নবীন আভায়
রঙীন করিয়া দিব।
('পুরস্কার', *সোনার তরী*)

প্রকৃতিকে আশ্রয় করে অনুভূতি প্রকাশের এরকম কৌশল রবীন্দ্রনাথের কবিতায় প্রায়ই দেখা যায়। যেমন—

আসঙ্গ পিপাসার প্রকাশ: 'তারায় তারায় খোঁজে তৃষ্ণায় আতুর অন্ধকার।'

সম্ভোগের প্রকাশ: 'হৃদয় দেহ আঁধারে যেন হয়েছে একাকার।'

রবীন্দ্রনাথ প্রকৃতির মধ্যে সৃষ্টিধর্মী প্রাণশক্তিকে দেখেছেন, যার লক্ষ্য জড়ের বন্ধন থেকে চেতনার উন্মীলন, চেতনার মুক্তি। তাঁর ধারণা, প্রকৃতি যে আনন্দের গভীর উৎস তার কারণ প্রকৃতির সঙ্গে মানুষের আত্মীয়তার যোগ। শিলাইদহে নদীস্রোতের নিরন্তর কলশব্দে তাঁর মনে হয়েছে, 'নদীটা যেন একটা সুবৃহৎ প্রাণপদার্থের মতো'। প্রকৃতি সম্পর্কে এই চেতনার ফলেই রবীন্দ্রনাথের কাব্যে প্রকৃতিকে আমরা সজীব ও প্রাণবন্ত হয়ে উঠতে দেখি। আমরা তাঁর কবিতায় যে প্রকৃতির পরিচয় পাই তা যেন মানবজীবনের সবরকম অনুভূতির অধিকারী। তাঁর কবিতায় এর অজস্র উদাহরণ রয়েছে। যেমন —

চঞ্চল আলো আশার মতন
কাঁপিছে জলে।
('নিরুদ্দেশ যাত্রা', *সোনার তরী*)

এখানে 'চঞ্চল আলো' হচ্ছে প্রকৃতি। আর তা মানুষের মনের বিশেষ অনুভূতি 'আশা'র অনুষঙ্গকে আশ্রয় করে জীবন্ত সত্তার গুণ পায়। *সোনার তরী* (১৮৯৩) কাব্যগ্রন্থের 'নিরুদ্দেশ যাত্রা' কবিতায় একম বিভিন্ন শব্দকল্প, রূপকল্পে প্রকৃতি যেন মানবিক সত্তার গুণসম্পন্ন:

ঝলিতেছে জল তরল অনল
গলিয়া পড়িয়ে অম্বরতল
দিকবধূ যেন ছলছল আঁখি
অশ্রুজলে,

কিংবা

আঁধার রজনী আসিবে এখনি
মেলিয়া পাখা

কিংবা

গৃহহারা ঝড় করি হাহাকার
বহিছে বেগে

কিংবা

যামিনী শয়ন তার
দেয় বিছাইয়া, একখানি অন্ধকার
অনন্ত ভুবনে।

এভাবে মানবজীবনের আবেগ-অনুভূতি, তার সচলতা-সজীবতাকে রবীন্দ্রনাথ কখনো প্রকৃতির মধ্যে আবিষ্কার করেছেন, কখনো প্রকৃতিতে আরোপ করেছেন। ফলে জীবন যেমন প্রাণবন্ত, প্রকৃতিও তেমনি সজীব ও প্রাণোচ্ছল হয়ে উঠেছে।

এভাবে রবীন্দ্রনাথের কবিতায় প্রকৃতি ও মানবজীবন এক অচ্ছেদ্য বন্ধনে বাঁধা পড়েছে। *চিত্রা* কাব্যগ্রন্থের 'সুখ' কবিতায় আছে—

আজ মেঘমুক্ত দিন, প্রসন্ন আকাশ
হাসিছে বন্ধুর মতো;

কিংবা

অর্ধমগ্ন বালুচর
দূরে আছে পড়ি, যেন দীর্ঘ জলচর
রৌদ্র পোহাইছে শয়ে।

কিংবা

বক্র শীর্ণ পত্রখানি দূর গ্রাম হতে
শস্যক্ষেত্র পার হয়ে নামিয়েছে স্রোতে
তৃষার্ত জিহ্বার মতো।

এখানে আকাশের বন্ধুসুলভ হাসি, বালুচরের রোদ-পোহানো, পথকে 'তৃষ্ণার্ত জিহ্বা' উপমা দিয়ে দেখানোর ফলে প্রকৃতির উপর মানবিক বৈশিষ্ট্য আরোপিত হয়েছে। ফলে প্রকৃতি ও মানবসত্তা একাকার হয়ে গেছে। প্রকৃতির সঙ্গে মানুষের অন্তরঙ্গ মৈত্রী ঘটেছে।

এখানে একটি বিষয় লক্ষ করার মতো। ইংরেজ কবি উইলিয়াম ওয়ার্ডসওয়ার্থের কবিতায় প্রকৃতির ব্যবহার হয়েছে। ওয়ার্ডসওয়ার্থ প্রকৃতিকে দেবোপম করেছেন। তাঁর কবিতায় প্রকৃতির যে ছবি আমরা পাই তাতে প্রকৃতির কাছে আমাদের মাথা নত হয়ে আসে। রবীন্দ্রনাথ প্রকৃতিকে একইভাবে অনুভব করেছেন, ভেবেছেন এবং কোথাও কোথাও রবীন্দ্রনাথের অনুভূতি, ভাবনা ও সৃষ্টি আরও উত্তরণ ঘটেছে। সেই উত্তরণ, উপলব্ধি রবীন্দ্রনাথের রচনার মধ্যে প্রকাশ পেয়েছে।

[৮]

রবীন্দ্রকবিতায় বর্ষা ঋতুর ভাবনা

রবীন্দ্রনাথ ছেলেবেলা থেকেই প্রকৃতির প্রতি গভীর আকর্ষণ অনুভব করেছিলেন। সে-আকর্ষণ ছিল সহজ হৃদয়ধর্মের। জীবনের শেষ দিন পর্যন্ত তিনি প্রকৃতির সঙ্গে মানুষের জীবনকে ঘনিষ্ঠভাবে সম্পর্কিত করে গেছেন তাঁর লেখায়। মানুষের হৃদয়ানুভূতিকে প্রকৃতির সাহচর্যেই সার্থক গণ্য করেছেন তিনি। তাঁর এই বোধের প্রকাশ ঘটেছে এভাবে—

'ইন্দ্রিয়ের দ্বার
রুদ্ধ করি যোগাসন, সে নহে আমার।
যা-কিছু আনন্দ আছে দৃশ্য গন্ধ গানে,
তোমার আনন্দ রবে তারি মাঝখানে।
(৩০ সংখ্যক কবিতা, *নৈবেদ্য*)

সেইজন্যেই বাংলার ঋতুবৈচিত্র্য বিভিন্ন ভাব, ব্যঞ্জনা ও আবেদন নিয়ে তাঁর কবিতায় বাণীরূপ পেয়েছে। রবীন্দ্রনাথের প্রিয় ঋতু ছিল বর্ষা। তা রবীন্দ্রমানসে গভীর ও অসাধারণ প্রভাব ফেলেছে। সেইজন্যেই বোধ করি, তাঁর কবিতায় ও গানে একটা বড়ো স্থান দখল করে আছে বর্ষা।

এর কারণে হয়তো অনুমান করা যায়। কবির রসানুভূতির মূলে রয়েছে শান্ত করুণ রসের প্রভাব। তাই শরৎ-বসন্তের উৎফুল্লতা, আড়ম্বর, চাঞ্চল্য, উৎসব-কোলাহলে কবি যেন পুরোপুরি স্বাচ্ছন্দ্য বোধ করেননি। পক্ষান্তরে, বর্ষার নির্জনতায় নিঃসঙ্গতার শান্ত বেদনাভারাতুর ভাব পরিবেশ কবিকে আচ্ছন্ন করেছে, বারিধারার বিষাদকরুণ সুর তাকে আপ্লুত ও অভিভূত করেছে।

বর্ষা বাংলার প্রকৃতির চেনা রূপ একেবারে পালটে দেয়। বর্ষা আসে। বৃষ্টির অঝোরধারায় গাছে গাছে, পাতায় পাতায় জাগে শিহরন, জাগে সজীবতা। বর্ষার মিষ্টি ছোঁয়ায় কেয়া ফুল ঘোমটা খুলে পাপড়ি মেলে, মাতাল গন্ধে আকুল করে চারপাশ। কদম ফুলের পেলব কোমল শরীরের স্পর্শ নিতে ছুটে আসে বাদল দিনের ঝড়ো হাওয়া। ঝিঁঝি পোকার একটানা নেপথ্যসংগীত চৈতন্যে আনে

অবসাদের আমেজ। তারই মধ্যে আকুল উদাস ব্যাঙেরা কণ্ঠ মেলায় ঐকতানে। কালো মেঘের দল চোখের পলকে পলকে হানে বিদ্যুদ্‌বাণ। বজ্রের ধ্বনির নিরন্তর শাসানি শুনে পথিক ছোটে ঘরের পানে। আর আকাশ-বাতাস-মাটিতে অঝোর ধারায় বৃষ্টি ঝরে— রিমঝিম, রিমঝিম, রিমঝিম।

বর্ষার মেঘের আনাগোনা আর মেঘগর্জনের যে গুরুগম্ভীর উদাত্ত ধ্বনিরূপ আছে তার কিছু আভাস পাওয়া যায় সংস্কৃত সাহিত্যে জয়দেবের কাব্যে—

মেঘৈর্মেদুরম্বরং বনভুবঃ
শ্যামস্তমালদ্রুমৈঃ

বর্ষার ধ্বনিগাম্ভীর্যময়তা ছেলেবেলায় রবীন্দ্রনাথের মনে প্রভাব ফেলেছিল। তাঁর কবিতায় একসময় মেঘগর্জনের গুরুগম্ভীর ধ্বনিময় দ্যোতনার বৈচিত্র্যময় রূপায়ণ দেখা গেছে। ওইসব কবিতায় ধ্বনি সৌকর্য অতুলনীয়। দু-একটি উদাহরণ দেওয়া যাক—

(১) নীল অঞ্জনঘন পুঞ্জছায়ায় সমবৃত
অম্বর হে গম্ভীর
বনলক্ষীর কম্পিত কায়, চঞ্চল অন্তর—
ঝংকৃত তার ঝিল্লির মঞ্জীর হে গম্ভীর।।
বর্ষণগীত হল মুখরিত মেঘমন্দ্রিত ছন্দে
কদম্ববন গভীর মগন আনন্দঘন গন্ধে—
নন্দিত তব উৎসব মন্দির।
(প্রকৃতি-৫৫, *গীতবিতান*)

(২) ঐ আসে ঐ অতি ভৈরব হরষে
জলসিঞ্চিত ক্ষিতিসৌরভ-রভসে
ঘনগৌরবে নবযৌবনা বরষা
শ্যামগম্ভীর সরসা।
গুরুগর্জনে নীল অরণ্য শিহরে,
উতলা কলাপী কেকা-কলরবে বিহরে,
নিখিল চিত্তহরষা
ঘনগৌরবে আসিছে মত্ত বরষা
('বর্ষামঙ্গল', *কল্পনা*)

কবিতাগুলিতে জয়দেবের মেঘৈর্মেদুরম্বরং-এর ধ্বনির প্রভাব লক্ষ করা যায়। এসব কবিতায় বর্ষাবর্ণনার বৈশিষ্ট্য হচ্ছে, এগুলিতে বর্ষা প্রকৃতির বাইরের ছবি ধ্বনিময় রূপ পেয়েছে আলংকারিক ও ধ্বনিময় শব্দের সমারোহমণ্ডিত বর্ণনায়। কিন্তু এটাও সত্য যে, বাংলা কবিতায় মেঘের ঘনঘটাময় শ্যামগম্ভীর প্রকৃতির এমন ধ্বনিময় কাব্যরূপ রবীন্দ্রনাথের মতো আর কোনো কবি এমন করে প্রকাশ করতে পেরেছেন বলে মনে হয় না।

এসব কবিতায় রবীন্দ্রনাথ বর্ষাকে অবলোকন করেছেন বাইরের চোখ দিয়ে। ধ্বনি সমারোহের এসব কবিতায় কবির অন্তরের অনুভূতি ধরা পড়েনি। তা রূপায়িত হয়েছে রবীন্দ্রনাথের আর এক ধরনের বর্ষার কবিতায়, যেখানে বর্ষা কবির হৃদয়ানুভূতির রাজ্যে করুণাঘন ছায়া ফেলেছে। কবির মনে জেগেছে নানা বৈচিত্র্য অনুভূতি। কখনো মেঘের মধ্যে কবির মন হারিয়ে গেছে। কবির মনে জেগেছে উদাস পিপাসা, বেদনাময় আকুলতা—

এ ঘোর রাতে কিসের লাগি
পরান মোর সহসা জাগি
এমন কেন করিছে মরি মরি
বাদল জল পড়িছে ঝরি, ঝরি।
(*গীতাঞ্জলি* ১৭)

কখনো অব্যক্ত বেদনা, ছাপিয়ে ওঠে মন জুড়ে। নির্জন নিঃসঙ্গ মুহূর্তে ইচ্ছে করে প্রিয়জনকে পেতে, বলা কথা তাকে বার বার শোনাতে।

আজি তোমায় আবার চাই শুনাবারে
যেকথা শুনায়েছি বারে বারে।
আমার পরানে আজি যে বাণী উঠিছে বাজি
অবিরাম বর্ষণধারে।
কারণ শুধায়ো না অর্থ নাহি তার,
সুরের সংকেত জাগে পুঞ্জিত বেদনার।
(প্রকৃতি-১২৭, *গীতবিতান*)

কিংবা

সঘন বরষা, গগন আঁধার
হেরো বারিধারে, কাঁদে চারিধার
('ঝুলন', *সোনার তরী*)

হৃদয়ের গহিন ভেতর থেকে বেদনার এমন উৎসমুখ খুলে দেওয়ার দৃষ্টান্ত রবীন্দ্রনাথের কবিতাতেই আমরা প্রথম পাই। বৃষ্টিমুখর রাতে একা বসে এমন স্মৃতিবেদনাসিক্ত কবিতা তিনিই লিখেছেন সবচেয়ে বেশি।

বর্ষা যেমন বাংলার প্রকৃতিতে বিরহ ও বেদনার স্নিগ্ধ ম্লান ছায়া নিয়ে উপস্থিত হয়, রবীন্দ্রনাথের কবিতাতেও তেমনি তার প্রভাব পড়ে। বর্ষা কখনো তাঁর কবিতায় প্রিয়বিরহের শ্যামল ছায়া :

ঝরো ঝরো ঝরো ভাদর বাদর,
বিরহকাতর শর্বরী,
ফিরিছে এ কোন অসীম রোদন
কানন কানন মর্মরি
('শেষবর্ষণ')

কখনো রবীন্দ্রনাথের বর্ষার কবিতায় ফুটে ওঠে স্মৃতি জাগানিয়া রোমান্টিক বিষণ্ণতা—

বন্ধু, রহো রহো সাথে
আজি এ সঘন শ্রাবণ প্রাতে।
ছিলে কি মোর স্বপনে
সাথিহারা রাতে।
বন্ধু বেলা বৃথা যায় রে।
আজি এ বাদলে আকুল হাওয়ায় রে,
কথা কও মোর হৃদয়ে,
হাত রাখো হাতে।
(‘শেষবর্ষণ’)

রবীন্দ্রনাথের কবিমানসে বর্ষার এমনই প্রভাব যে, তাঁর অনেক কবিতা ও গানে বর্ষা কখনো সরাসরি এসেছে, কখনো তা এসেছে অনুষঙ্গ হিসেবে। কয়েকটি কবিতা সরাসরি বর্ষা নিয়ে লেখা। যেমন *শিশু* (১৯০৩) কাব্যগ্রন্থের ‘বৃষ্টি পড়ে টাপুর টুপুর’; *মানসী* (১৮৯০) কাব্যগ্রন্থের ‘মেঘদূত’ ও ‘বর্ষার দিনে’; *কল্পনা* (১৯০০) কাব্যগ্রন্থের ‘বর্ষামঙ্গল’; *ক্ষণিকা* (১৯০০) কাব্যগ্রন্থের ‘আষাঢ়’ ও ‘নববর্ষা’ ইত্যাদি।

বর্ষা নিয়ে রবীন্দ্রনাথের অনুভূতি যেমন বিচিত্র তেমনি তার প্রকাশও বৈচিত্র্যময়। বর্ষা কখনো জীবনেরই অনুষঙ্গ, কখনো-বা তা প্রকৃতির রহস্যের প্রতীকী তাৎপর্যে উদ্ভাসিত।

[৯]

রোমান্টিকতায় রবীন্দ্রকাব্য

রোমান্টিক কবির বৈশিষ্ট্য হচ্ছে, তিনি জীবনের দৈনন্দিন বাস্তবতাকে এবং বাস্তবভিত্তিক চেতনাকে ছাড়িয়ে যান, কল্পনার মায়াময় পরিবেশে সৌন্দর্যকে অনুসন্ধান করেন এবং তাকে স্বপ্নময়, মোহময়, আদর্শময় করে তোলেন।

এদিক থেকে দেখলে রবীন্দ্রনাথকে বলা যায় জন্ম-রোমান্টিক কবি। কারণ, তাঁর কাব্যের জগৎটি ছিল প্রধানত ও প্রায় পুরোপুরি কল্পনারঙিন। একটি গানের মধ্যে এই রোমান্টিক কবির সূক্ষ্ম বেদনাবোধ প্রকাশিত— 'আমি কেবলি স্বপন করেছি বপন বাতাসে।' আর নিজের কবিমনের কল্পনাশ্রয়ী সৌন্দর্যচেতনা সম্পর্কে তিনি বলেছেন, 'অধরার গেছি পিছু পিছু।' এই স্বপ্নচারিতা ও অরূপ সৌন্দর্য সন্ধানের ব্যাপক পরিচয় রয়েছে তাঁর কবিতায়। বিশেষ করে *বলাকা* (১৯১৬) পরবর্তী কাব্যগুলিতে।

সামগ্রিকভাবে সমগ্র রবীন্দ্রকাব্যে রয়েছে এক অখণ্ড জীবনবোধের তাৎপর্য— অনির্বচনীয় আনন্দ ও সৌন্দর্যবোধ এবং মানব ও বিশ্বের প্রতি সুগভীর অনুরূপ। কবির এই বোধ ও বৈশিষ্ট্য গড়ে উঠেছে কবির কাব্যসাধনার দুটি পর্বে।

প্রথম পর্বে *বনফুল* (১৮৭৯) থেকে শুরু করে *গীতাঞ্জলি* (১৯১১) পর্যন্ত কাব্যগ্রন্থে কবির যে জীবনজিজ্ঞাসা ও অনুভব তা মূলত রোমান্টিক কবির আত্মগত ভাবোচ্ছ্বাসের মাধুরী নয়। প্রকৃতি, মানবজীবন ও অরূপচেতনা— সবই কবির চোখে ধরা পড়েছে আত্মগত অনুভবের আলোকে। এখনে কবির আত্মগত মুক্তির একটি অভিপ্রায়ও লক্ষণীয়। তাকে বলা হয়েছে 'সীমার মধ্যে অসীমের মিলন সাধনের পালা'। এই পালায় রয়েছে দ্বন্দ্বসংকুল চড়াই-উতরাই।

এক অপরিসীম আকুলতা নিয়ে কবি চেয়েছিলেন, 'জগৎ দেখিতে হইব বাহির'। দেখা গেল, রোমান্টিক কবি পৃথিবীর ধূলিকে দেখলেন না। তিনি ভাবলেন, তাঁর স্থান বাস্তবাতীত সৌন্দর্যলোকে। তিনি ভাসলেন তাই অসীমের নৌকায়। আলিঙ্গন করতে চাইলেন সৌন্দর্যের অরূপ লোককে। দৃষ্টি ফেরালেন সুদূর অতীতে— মহাকবি কালিদাসের কালে।

দূরে বহুদূরে
স্বপ্নলোকে উজ্জয়িনীপুরে
খুঁজিতে গেছিনু কবে শিপ্রা নদীপারে
মোর পূর্বজনমের প্রথমা প্রিয়ারে।
মুখে তার লোধ্ররেণু, লীলাপদ্ম হাতে,
কর্ণমূলে কুন্দকলি, কুরুবক মাথে,
তনু দেহে রক্তাম্বর নীবিবন্ধে বাঁধা,
চরমে নূপুরখানি বাজে আধা আধা।

('স্বপ্ন কল্পন')

উর্বশী-বিজয়িনীর স্বপ্নলোক তাঁকে অভিভূত ও আচ্ছন্ন করেছে। কিন্তু শেষপর্যন্ত কবি যখন বুঝেছেন, উর্বশী-বিজয়িনীর কল্পনা সুন্দর হলেও তা কেবল স্বপ্ন, অলীক ও অবাস্তব, তখনই তাঁর মনে পড়েছে মাটির পৃথিবীর কথা, ভূতলের স্বর্গখণ্ডগুলির কথা। কবি ব্যাকুল হয়ে বলে উঠেছেন— 'এবার ফিরাও মোরে'। বুঝেছেন, সীমাকে এড়িয়ে অসীমকে পাওয়া যায় না। তাই মাটির পৃথিবীর প্রাকৃতিক পরিবেশে অতিপরিচিত গৃহবধূর মধ্যে সৌন্দর্যপিপাসাকে চরিতার্থ করতে চেয়েছেন। বলেছেন; 'সীমার মাঝে অসীম তুমি বাজাও আপন সুর'। গীতাঞ্জলি কাব্যগ্রন্থের এই পর্যায় পর্যন্ত কবির উপলব্ধি পুরোপুরি রোমান্টিক। এমনকী *গীতাঞ্জলি* কাব্যগ্রন্থে কবি যে মরমিয়া জগৎকে উপহার দিয়েছেন তাও রোমান্টিক কবির নিভৃত অধ্যাত্ম-অনুভূতি।

রবীন্দ্রকাব্যে পালাবদল এল। *বলাকা* (১৯১৬) থেকে *শেষ লেখা* (১৯৪১) পর্যন্ত কাব্য পরিক্রমায় কবি বিশ্বপথিক। আত্মগত জীবনবোধের জায়গায় বিশ্বমানবতাবোধ এ পর্বের কবিতায় প্রধান হয়ে দেখা দিয়েছে। তাঁর কবিতায় এসেছে যুদ্ধ, সংঘাত ও কর্মের দাহনে ক্ষুব্ধ কোলাহলময় পৃথিবীর রূপ— মরণসমুদ্রের পাড়ে দাঁড়ানো বিপর্যস্ত মানবতার ছবি। উচ্ছল নিসর্গ উপাসনার জায়গায় এসেছে নিরাসক্ত প্রকৃতিচেতনা। কল্পলোকের মানবের জায়গায় এসেছে মানুষের নিরবচ্ছিন্ন কর্মপ্রবাহ। সর্বোপরি এসেছে বিপন্ন মানবতার জন্য গভীর মমত্ববোধ। কবি শেষপর্যন্ত এই স্থিরবিশ্বাস ও সিদ্ধান্তে উপনীত হয়েছেন— 'এ দ্যুলোক মধুময় পৃথিবীর ধূলি'। এই বিশ্বাস নিয়েই কবি অন্তিম নিশ্বাস ফেলেছেন।

কিন্তু তা সত্ত্বেও ঘুরে-ফিরে স্মৃতিকে আশ্রয় করে, আত্মগত বেদনাবোধের পাখায় ভর করে প্রায়শই রোমান্টিক অনুভূতি ছড়িয়ে পড়েছে তাঁর কবিতার অবয়বে। কোনো অপরাহ্ন বেলায় একান্তই মানবী গৃহবধূকে সম্ভাষণ করতে গিয়ে রোমান্টিক আবেশেই তাকে দেখেছেন কালিদাসের কালের নায়িকারূপে। রোমান্টিক কবির বোধ নিয়েই স্থির উচ্চারণ করেছেন—

তবু শূন্য শূন্য নয়
ব্যথাময়
অগ্নিবাষ্পে পূর্ণ সে গগন।

একা একা সে অগ্নিতে
দীপ্ত গীতে
সৃষ্টি করি স্বপ্নের ভুবন।
('পূর্ণতা', *পূরবী*)

এই রূপরেখার বাইরে রোমান্টিকতার অন্যান্য কিছু প্রবণতার আলোকেও রবীন্দ্রনাথের কাব্যের রোমান্টিক বৈশিষ্ট্যের উপর আলোকপাত করা যেতে পারে। রোমান্টিক কবিরা তাঁদের কাব্য প্রেরণার মূল্যে কোনো দৈবী প্রেরণাকে নির্দেশ করে থাকেন। রবীন্দ্রনাথও দৈবী প্রেরণার কথা বলেছেন। তাঁর কবিজীবনের নিয়ামক শক্তি হিসেবে তিনি 'জীবন দেবতা'র উল্লেখ করেছেন বিভিন্ন কবিতায়। এ ছাড়াও তাঁর কোনো কোনো কবিতায় কাব্য প্রেরণার পেছনে রয়েছে স্বপ্নের ভূমিকা। এ প্রসঙ্গে উল্লেখ করা যেতে পারে 'গানভঙ্গ', 'স্বপ্ন', 'নিদ্রিতা', 'সুপ্তোত্থিতা' ইত্যাদি কবিতার কথা। কখনো আবার তাঁর কাব্যের আবেগের উৎস স্মৃতি রোমন্থন। 'লীলাসঙ্গিনী' কবিতার এই দিকটি স্পষ্ট।

দ্বিতীয়ত, রোমান্টিক কবির কাব্যবাণীতে আবেগ উচ্ছ্বাস প্রধান হয়ে ওঠে। রবীন্দ্রনাথের কবিতায় এ বৈশিষ্ট্য প্রায়ই লক্ষ করা যায়। এখানে একটি মাত্র উদাহরণের আশ্রয় নিচ্ছি আমরা। *মহুয়া* (১৯২৯) কাব্যগ্রন্থের 'প্রত্যাশা' কবিতায় আছে—

প্রাঙ্গণে মোর শিরীষ শাখায় ফাল্গুন মাসে
কী উচ্ছ্বাস
ক্লান্তিবিহীন ফুল ফোটানোর খেলা।
ক্ষান্ত-কূজন শান্ত বিজয় সন্ধ্যাবেলা
প্রত্যহ সেই ফুল্ল শিরীষ প্রশ্ন সুধায় আমায় দেখি।
'এসেছে কি?'

উৎকণ্ঠার ব্যাকুলতা এখানে উচ্ছ্বসিত বাণীরূপ পেয়েছে এবং শিরীষ হয়ে উঠেছে জীবনাকাঙ্ক্ষার প্রতীকী অভিব্যক্তি।

রোমান্টিক কবি সূক্ষ্ম রহস্যবোধের চেতনা দ্বারা চালিত হন। তাই বাস্তব জীবন পরিবেশের সৌন্দর্যের চেয়ে দূরবর্তী জীবনধারার কাল্পনিক সৌন্দর্যের মায়াজাল বোনেন তিনি। সেজন্যে সৌন্দর্য রচনার উপাদান তিনি সন্ধান করেন প্রাচীন গাথা, কাহিনিকাব্য ও ইতিহাসের অতীতে।

রবীন্দ্রনাথও তেমনি সৌন্দর্যসৃষ্টি করতে গিয়ে অবগাহন করেছেন ঔপনিষদিক ও পৌরাণিক কাহিনিতে, বৌদ্ধ জাতকে, বৈষ্ণব কাব্যে। ভারতের প্রাচীন ইতিহাসে এবং নানা দেশীয় গাথাকাব্যে। এসবের সৌন্দর্যরসে আপ্লুত কবি তাঁর কাব্যে রোমান্টিক সৌন্দর্যের জগৎ নির্মাণ করেছেন।

প্রধানত প্রেম ও প্রকৃতি— দুটি ক্ষেত্রেই রবীন্দ্রনাথ পুরোপুরি রোমান্টিক। তাঁর কাব্যে আবেগশীল, দেহসচেতন অলজ্জ প্রেম অনুপস্থিত নয়, কিন্তু তাঁর প্রেম মূলত ভাববিলাসী প্রেম। তাঁর কাব্যের প্রিয় বা প্রিয়তমা মানুষ হলেও তাতে শরীরী প্রেম প্রধান নয়, প্রধান হয়ে

উঠেছে প্রেমের আদর্শ, ভাবলোকের প্রেম। তাঁর কাব্যের প্রেমাবেগ শরীরী প্রিয়ার জন্য নয়, বরং ভাবলোকবাসী মানসসুন্দরীর জন্যে। তবে *মহুয়া* কাব্যগ্রন্থে প্রেম অবয়ব পেয়েছে এবং *পূরবী* (১৯২৫) পরবর্তী কাব্যে প্রেমের বাস্তবতা ও প্রত্যক্ষতা লক্ষ করা যায়।

প্রকৃতিকেও রবীন্দ্রনাথ রোমান্টিক দৃষ্টিতে দেখেছেন। তিনি ছিলেন প্রকৃতির সচেতন উপাসক। নিসর্গসৌন্দর্য তাঁর কাছে বিশ্বের মৌল সত্যের নিত্য ও অভ্রান্ত প্রকাশ। নিসর্গপ্রকৃতি তাঁর চোখে কোনোদিন অন্তহীন ব্যাপ্তির সৌন্দর্য হারায়নি। তাই প্রকৃতিকে তিনি দেখেছেন ব্যক্তিক অনুভূতি নিয়ে—

যখন বরনা আমি মর্তকায়ায়
তখন স্মরিতে যদি হয় মন
তবে তুমি এসো হেথা নিভৃত ছায়ায়
যেথা এই চৈত্রের শালবন।
('স্মরণ', *সেঁজুতি*)

অন্যদিকে রবীন্দ্রনাথের জীবনদৃষ্টিতে যে মরমিয়া অধ্যাত্মবাদ লক্ষ করা যায় তাও নিঃসন্দেহে রোমান্টিক। কারণ রোমান্টিক কবিদের মতোই তিনি বলেন—

আপনাকে এই জানা আমার ফুরাবে না।
সেই জানারই সঙ্গে সঙ্গে তোমায় চেনা।
(গীতিমাল্য)

নিজেকে জানার অনিঃশেষ চেষ্টার ভেতর দিয়েই তিনি ঈশ্বরকে চিনে নিতে চান।

সুতরাং রবীন্দ্রনাথের কাব্যে প্রধানত ধ্বনিত রোমান্টিক সৌন্দর্যকুঞ্জের পাখির গান। আঘাত জর্জরিত জীবনের কঠিন বাস্তব থেকে দূরে রোমান্টিক সৌন্দর্যলোকে তার অধিষ্ঠান। যদিও এক সময় তা বাস্তবের কঠিন মাটিতে এসে দাঁড়িয়েছে।

[১০]
মানবমহিমায় রবীন্দ্রকাব্য

বিশেষ সামাজিক পরিমণ্ডলে লালিতপালিত রবীন্দ্রনাথ আযৌবন বাইরের জগতে বিচরণের তেমন কোনো সুযোগ পাননি অভিভাবকদের সদাসতর্ক কঠোর পাহারা ও অলঙ্ঘনীয় প্রতিবন্ধকতার কারণে। পরবর্তী জীবনে জমিদারের 'রাজসম্মান' সাধারণ মানুষের সঙ্গে রচনা করেছে তাঁর এক দূরত্বের ব্যবধান। এই দূরত্ব যে তাঁর অন্তর্বেদনার কারণ হয়েছিল সেই অকপট স্বীকৃতি রয়েছে তাঁর শেষ দিককার কবিতায়—

পাই নে সর্বত্র তার প্রবেশের দ্বার
বাধা হয়ে আছে মোর বেড়াগুলি জীবনযাত্রার।
চাষি খেতে চালাইছে হাল,
তাঁতি বসে তাঁত বোনে, জেলে ফেলে জাল
বহুদূর প্রসারিত এদের বিচিত্র কর্মভার।

.. ..

সমাজের উচ্চ মঞ্চে বসেছি সংকীর্ণ বাতায়নে।
মাঝে মাঝে গেছি আমিও পাড়ার প্রাঙ্গণের ধারে,
ভিতরে প্রবেশ করি সে শক্তি ছিল না একেবারে।

(১০ সংখ্যক কবিতা, *জন্মদিনে*)

এই সীমাবদ্ধতা সত্ত্বেও রবীন্দ্রনাথের বিভিন্ন রচনা ও কবিতায় মানবের যে মহিমা চিত্রিত হয়েছে তা অভূতপূর্ব ও অনন্যসাধারণ। চারপাশের সাধারণ মানুষের কাছ থেকে কিছুটা দূরত্বে তাঁর অবস্থান ছিল। কিন্তু মানুষের মহিমায় তাঁর যে অসাধারণ আস্থা, সাধারণ মানুষের প্রতি তাঁর যে সুগভীর মমতা ও প্রীতি তার পরিচয় তাঁর কবিতায় নানাভাবে বাণীরূপ পেয়েছে।

ভাবলে অবাক হতে হয়, ১৮৭৮ সালে যখন রবীন্দ্রনাথের বয়স মাত্র ১৭ বছর, সেই সময়েই বিশ্ব জুড়ে শোষণ ও অত্যাচারের বিরুদ্ধে তাঁর গভীর আক্ষেপের বহিঃপ্রকাশ ঘটেছিল 'কবি-কাহিনী' নামে একটি কবিতায়।

কী দারুণ অশান্তি এ মনুষ্যজগতে
রক্তপাত, অত্যাচার, পাপ কোলাহল
দিতেছে মানব-মনে বিষ মিশাইয়া

কোটি কোটি মানবের শান্তি স্বাধীনতা
রক্তময় পদাঘাতে দিতেছে ভাঙিয়া ,
তবুও মানুষ বলি গর্ব করে তারা,
তবু তারা সভ্য বলি করে অহংকার।

ওই কবিতাতেই তিনি প্রত্যাশা করেছিলেন—

এখনই যেন
দূর ভবিষ্যৎ সেই পেতেছি দেখিতে
যেই দিন এক প্রেমে হইয়া নিবন্ধ
মিলিবেক কোটি কোটি মানব হৃদয়।

রবীন্দ্রনাথের কবিতায় যে মানবমহিমা ফুটে উঠেছে তার পেছনে কাজ করেছে এক সর্বজনীন সর্বকালীন মানববোধ। তিনি বিশ্বাস করতেন, মানুষের বাস যে-দেশে, সেদেশ আসলে ভৌগোলিক নয় মানসিক। তাঁর মতে, কর্মের আশ্রয়ে পূর্ণ মানুষ হিসেবে গড়ে ওঠাতেই মানুষের সার্থকতা। সেই পূর্ণ মানুষ বলতে তিনি এমন এক সর্বজনীন মানবকে বুঝিয়েছেন যার মধ্যে সকল দেশের, সকল কালের, সকল মানুষের পরিচয় ফুটে ওঠে।

রবীন্দ্রনাথ লিখেছেন, দেশকালের সীমায় সীমিত যে খণ্ড খণ্ড মানবসত্তা বা ব্যক্তিসত্তা বাইরের পরিচয়ে তাদের মধ্যে প্রভেদ যতই বিচিত্র বা গভীর হোক-না-কেন, আত্মিক সত্যতায় তারা এক।

এই বোধের পরিচয় রয়েছে তাঁর একেবারে প্রথম দিককার কবিতায়। *প্রভাতসঙ্গীত* (১৮৮৩) কাব্যগ্রন্থের 'প্রভাত-উৎসব' কবিতায় তিনি বিশ্বমানবের সঙ্গে নিজের অন্তরের যোগসূত্র অনুভব করেছেন—

হৃদয় আজি মোর কেমনে গেল খুলি!
জগৎ আসি সেথা করিছে কোলাকুলি।
ধরায় আছে যত মানুষ শত শত
আসিছে প্রাণে মোর, হাসিছে গলাগলি।

('প্রভাত-উৎসব', *প্রভাতসঙ্গীত*)

রবীন্দ্রনাথ মনুষ্যত্বের শাশ্বত মহিমা দেখেছেন সাধারণ মানুষের মধ্যে। তাই অপরিসীম দরদ নিয়ে তিনি সাধারণ মানুষকে তাঁর কবিতায় বহুমাত্রিক ঔজ্জ্বল্য দিয়েছেন। *পুনশ্চ* (১৯৩২) কাব্যগ্রন্থের 'বাঁশি' কবিতায় ফুটে উঠেছে হরিপদ কেরানির জীবনসংগ্রামের দিক। এই কাব্যগ্রন্থের 'ছেলেটা' ও 'সাধারণ মেয়ে' এবং *শ্যামলী* (১৯৩৬) কাব্যগ্রন্থের 'বাঁশিওয়ালা' ইত্যাদি কবিতায় এসেছে সাধারণ মানুষের মমতামাখা ছবি। 'ওরা কাজ করে' কবিতায় স্পষ্টতর হয়েছে সমাজের নীচুতলার মানুষের জীবনসংগ্রামের কথা। সেখানে গভীর সহানুভূতি ফুটে উঠেছে তাদের প্রতি—

ওরা চিরকাল
টানে দাঁড়, ধরে থাকে হাল,
ওরা মাঠে মাঠে
বীজ বোনে, পাকা ধান কাটে।
ওরা কাজ করে
নগরে প্রান্তরে

(১০ সংখ্যক কবিতা, *আরোগ্য*)

রবীন্দ্রনাথ ধর্মীয় ভেদাভেদের ঊর্ধ্বে দেখেছেন মানুষকে। ১৮৯৭ সালে লেখা 'সতী' কবিতায় তার সুস্পষ্ট উল্লেখ করেছেন কবি—

যবন ব্রাহ্মণ
সে ভেদ কাহার ভেদ? ধর্মের সে নয়।
অন্তরে অন্তর্যামী যেথা জেগে রয়।
সেথায় সমান দোঁহে

('সতী', কাহিনী)

এই বোধ থেকেই তিনি 'ভারততীর্থ' (১০৬ সংখ্যক কবিতা, *গীতাঞ্জলি*) কবিতায় ভারতবর্ষকে দেখেছিলেন সর্বজাতি সর্বমানবের মিলনকেন্দ্ররূপে:

দিবে আর নিবে, মিলাবে মিলিবে,
যাবে না ফিরে,
এই ভারতের মহামানবের
সাগরতীরে।

কবিগুরু এই মিলনকেন্দ্রে তিনি জাতি-ধর্ম নির্বিশেষে মিলিত হতে আহ্বান জানিয়েছেন সকলকে—

এসো হে আর্য, এসো অনার্য
হিন্দু-মুসলমান।
এসো এসো আজ তুমি ইংরাজ,
এসো এসো খ্রীস্টান।

রবীন্দ্রনাথের এই মানবমহিমার বোধ কেবল ভারতবর্ষের ভৌগোলিক গণ্ডিতে সীমিত ছিল না, তা পরিব্যাপ্ত হয়েছিল সমগ্র বিশ্বলোকে। সারা বিশ্বের জাতিহীন, গোত্রহীন, অনাদৃত অপাঙ্‌ক্তেয় মানুষের সঙ্গে আত্মীয়তার সম্পর্ক ঘোষণা করে তিনি বিশ্বমানবের মহামিছিলে নিজেকে একাত্ম করেছেন। 'পত্রপুট' (১৫ সংখ্যক কবিতা, *পত্রপুট*) কবিতায় তিনি লিখেছেন—

দলের উপেক্ষিত আমি,
মানুষের মিলন-ক্ষুধায় ফিরেছি,
যে মানুষের অতিথিশালায়
প্রাচীর নেই, পাহারা নেই।

মানুষের গণ্ডির মধ্যে হারিয়েছি
মিলেছে তার দেখা
দেশ বিদেশের সকল সীমানা পেরিয়ে।
তাতে বলেছি হাত জোড় করে
হে চিরকালের মানুষ, হে সকল মানুষের মানুষ,
পরিত্রাণ করো
ভেদচিহ্নের তিলক-পরা
সংকীর্ণতার ঔদ্ধত্য থেকে
হে মহান পুরুষ, ধন্য আমি, দেখেছি তোমাকে
তামসের পরপার হতে
আমি ব্রাত্য, আমি জাতিহারা

(১৫ সংখ্যক কবিতা, *পত্রপুট*)

নিঃসন্দেহে সকল ভেদবুদ্ধির ঊর্ধ্বে এক মানব ঐক্যই এখানে অকুণ্ঠ স্বীকৃতি পেয়েছে। মানবমহিমার এই বোধ থেকেই কবি রবীন্দ্রনাথ ন্যাশনালিজম বা জাতীয়তাবাদের নামে অন্ধ জাত্যভিমানকে স্বীকার করেননি কখনো। জাতীয়তাবাদের নামে জাতিতে জাতিতে বিরোধের বিনাশী তৎপরতা দেখে পীড়িত হয়ে তাই তার বিরুদ্ধে প্রচণ্ড ক্ষোভ প্রকাশ করে লিখেছেন—

(১) জাতি প্রেম নাম ধরি প্রচণ্ড অন্যায়
ধর্মেরে ভাসাতে চাহে বলের বন্যায়

(৬৪ সংখ্যক কবিতা, *নৈবেদ্য*)

(২) ছুটিয়াছে জাতিপ্রেম মৃত্যুর সন্ধানে
বাহি স্বার্থতরী, গুপ্ত পর্বতের পানে।

(৬৫ সংখ্যক কবিতা, *নৈবেদ্য*)

বিশ্বমানবের প্রতি আত্মীয়তার বোধ থেকেই তিনি ‘আফ্রিকা’ কবিতায় নির্যাতিত কালো মানুষের প্রতি প্রকাশ করেছেন সহানুভূতি ও সৌভ্রাতৃত্ববোধের এবং সেইসঙ্গে সাম্রাজ্যবাদের নিষ্ঠুরতার বিরুদ্ধে দেখিয়েছেন প্রবল ঘৃণা:

এল ওরা লোহার হাতকড়া নিয়ে
নখ যাদের তীক্ষ্ণ তোমার নেকড়ের চেয়ে,
এল মানুষ-ধরার দল।
গর্বে যারা অন্ধ তোমার সূর্যহারা অরণ্যের চেয়ে।
সভ্যের বর্বর লোভ
নগ্ন করলে আপনার নির্লজ্জ অমানুষতা।
তোমার ভাষ্যহীন ক্রন্দনে বাষ্পাকুল অরণ্যপথে
পঙ্কিল হল ধূলি তোমার রক্তে অশ্রুতে মিশে,

দস্যু-পায়ের কাঁটা মারা জুতোর তলায়
বীভৎস কাদার পিণ্ড
চিরচিহ্ন দিয়ে গেল তোমার অপমানিত ইতিহাসে।
(১৫ সংখ্যক কবিতা, *পত্রপুট*)

মানুষ সম্পর্কে রবীন্দ্রনাথের চেতনা ও দৃষ্টিভঙ্গির মূলে ছিল সর্বজনীন বিশ্বমানবতাবোধ। আর সেইজন্যই জীবনের শেষপ্রান্তে মৃত্যুর মুখোমুখি দাঁড়িয়ে যে কবিতা লিখে গেছেন সেখানেও পরম আশাবাদ থেকে এক মহিমময় মানুষের আবির্ভাব কামনা করে লিখেছেন কয়েকটি অমর পঙ্‌ক্তি—

ওই মহামানব আসে;
দিকে দিকে রোমাঞ্চ লাগে
মর্তধূলির ঘাসে ঘাসে

উদয়শিখরে জাগে মাভৈঃ মাভৈঃ রব
নবজীবনের আশ্বাসে।
জয় জয় জয় রে মানব-অভ্যুদয়
মন্দ্রি উঠিল মহাকাশে
(৬ সংখ্যক কবিতা, *শেষ লেখা*)

এই মহামানব নিঃসন্দেহে সর্বজনীন বিশ্বমানবের মহিমময় ভাবমূর্তি। এই মানবমহিমার উপরই ছিল রবীন্দ্রনাথের পরম ও অবিচল আস্থা।

[১১]
রবীন্দ্র জীবনদর্শনের ঐশ্বর্যায়ন

ভাবকল্পনা ও সৃজনী প্রতিভার বৈচিত্র্যে ও বৈশিষ্ট্যে রবীন্দ্রপ্রতিভা অনন্য। সাহিত্যের সব শাখায় বিচরণ করেছেন তিনি, আর সব শাখাই হয়েছে তাঁর অসামান্য দানের ব্যাপ্তি ও বিস্তারে।

কেবল তাঁর কাব্যসৃষ্টির দিকে যদি আমরা তাকাই তাহলে কবিজীবনের পথ পরিক্রমার প্রতিটি বাঁকে জীবনচেতনার যে বিচিত্র ও অভিনব প্রকাশ তিনি ঘটিয়েছেন তার সঙ্গে পরিচিত হয়ে আমরা বিস্মিত ও মুগ্ধ না হয়ে পারি না। তা কবির নিজস্ব জীবনদর্শনের গভীর ও বিচিত্র উপলব্ধিতে উজ্জ্বল।

রবীন্দ্রনাথের প্রথম দিককার কাব্যে অবশ্য তাঁর জীবনভাবনা গাঢ়তা পায়নি। সে-পর্ব মূলত তাঁর ভাবকল্পনার কুয়াশা ও স্বপ্ন বিহ্বলতা কাটিয়ে ওঠার পর্ব। তবু সেখানে পৃথিবীর প্রতি কবির ভালোবাসা এবং প্রেম ও সৌন্দর্যকে ইন্দ্রিয়গ্রাহ্য করার একটা আকুল প্রয়াস আমরা লক্ষ করি।

বিশ্বকবির জীবনদর্শনে আমরা রূপলোকের ঐশ্বর্য অনুভব করি এর পরের পর্বে। এই পর্বের শুরু *মানসী* (১৮৯০) কাব্যগ্রন্থে। শেষ মোটামুটি *কল্পনা* (১৯০০) ও *ক্ষণিকায়* (১৯০০); মাঝে রয়েছে *সোনার তরী* (১৮৯৩) *চিত্রা* (১৮৯৬) ও *চৈতালী* (১৮৯৬)। এই পর্বে রবীন্দ্র জীবনদর্শনে লক্ষণীয় হয়ে উঠেছে মানবপ্রীতি, নিসর্গচেতনা, সৌন্দর্য ও প্রেম জিজ্ঞাসা। প্রেমের ব্যঞ্জনা ও সৌন্দর্যের রূপকল্প এই পর্বে স্পষ্টতর, সজীব, গভীর ও মাধুর্যময়। বিশেষ করে *সোনার তরী*তে নিসর্গ সৌন্দর্য ব্যক্তিমানসের সঙ্গে একাকার হয়ে গেছে। *চিত্রা*-য় কবি জয়গান করেছেন বস্তু নিরপেক্ষ সৌন্দর্যের। আর তার উৎসকে তিনি সন্ধান করেছেন মাটির পৃথিবীতে। *চৈতালী*-তে ফুটে উঠেছে কবির মর্ত্যমমতা ও বৈরাগ্যবিমুখ জীবনপ্রীতি। আবার কল্পনা কাব্যে প্রাচীন ভারতের বর্ণাঢ্য সৌন্দর্যলোকে ঘটেছে কবির মানসভ্রমণ। সব মিলিয়ে এখানে পৃথিবী ও মানুষের প্রেম ও সৌন্দর্যে মুগ্ধ এক কবিকে আমরা খুঁজে পাই।

রবীন্দ্রনাথের কবিজীবন পরিক্রমায় এর পরের পর্ব অরূপলোকের অনুভূতিতে ভাস্বর। সে-অনুভূতিতে বিচিত্র প্রকাশ ঘটেছে *নৈবেদ্য* (১৯০১), *খেয়া* (১৯১০), *উৎসর্গ* (১৯০৪) ও

গীতাঞ্জলি (১৯১১) কাব্যে। *নৈবেদ্য* কাব্যে এসেছে উপনিষদের ভাবলোক। *খেয়া*-তে কবি পার্থিব সৌন্দর্যলোক থেকে বিদায় নিয়ে হয়েছে অরূপলোকের অভিসারী। *গীতাঞ্জলি*-তে অরূপকে তিনি পেয়েছেন লীলাময় রূপে। উপনিষদ প্রভাবিত দার্শনিক চেতনা এই পর্বে করুণ ও ভক্তিরসে সঞ্জীবিত হয়ে উঠেছে।

এর পরের পর্বে রবীন্দ্রনাথের কবিচেতনায় আমরা বাস্তব জীবনাভিমুখী এক যুগান্তকারী পালাবদল লক্ষ করি। এই পালাবদল শুরু হয়েছে *বলাকা* (১৯১৬) কাব্য থেকে। অধ্যাত্মলোক থেকে কবি নেমে এসেছেন মাটির পৃথিবীতে। কর্মের মধ্যে, সংগ্রামের মধ্যে বিপর্যয়ের মধ্যে, নিত্য বহমান গতিময়তার মধ্যে তিনি জীবনকে আবিষ্কার করেছেন। তাঁর কবিতায় মূর্ত হয়েছে উজ্জীবনী প্রাণশক্তি।

> ‘যাত্রা কর, যাত্রা কর, যাত্রীদল’
> উঠেছে আদেশ
> ‘বন্দরের কাল হল শেষ।’
> (*বলাকা*)

এই পালাবদলের সম্প্রসারিত অভিব্যক্তি ঘটেছে এই পর্বের অন্যান্য কাব্যে— *পলাতক* (১৯১৮), *পূরবী* (১৯২৫), *মহুয়া* (১৯২৯), *বনবাণী* (১৯৩১), *পরিশেষ* (১৯৩২) ইত্যাদি কাব্যগ্রন্থে। কিন্তু কোনোটিই ভাবকল্পনায় *বলাকা*-কে অতিক্রম করতে পারেনি।

কাব্যজীবনের গোধূলি পর্বের কবিতায় রবীন্দ্রনাথ আমাদের সামনে উপস্থিত হয়েছেন। নতুনতর রূপে। তাঁর কবিতা নেমে এসেছে সাধারণ মানুষের জীবন চত্বরে। বাণীরূপ পেয়েছে সাধারণ মানুষের কথা:

> ওরা চিরকাল
> টানে দাঁড় ধরে থাকে হাল
> ওরা মাঠে মাঠে
> বীজ বোনে, পাকা ধান কাটে।
> ওরা কাজ করে
> নগরে প্রান্তরে
> (১০ সংখ্যক কবিতা, *আরোগ্য*)

এই পর্বের শেষ দিকে লেখা *রোগশয্যায়* (১৯৪০), *আরোগ্য* (১৯৪০), *জন্মদিনে* (১৯৪১), *শেষ লেখা* (১৯৪১) ইত্যাদি কাব্যগ্রন্থে রবীন্দ্রনাথের বোধিজাত নতুন অনুভূতির পরিচয় পাওয়া যায়। জীবনের শেষপ্রান্তে এসে মোহমুক্ত বৈরাগ্যের দৃষ্টি নিয়ে জীবনকে দেখেছেন তিনি। ঋষিদৃষ্টিতে অনুভব করেছেন জীবনসত্যকে—

> রূপনারানের কূলে
> জেগে উঠিলাম;
> জানিলাম এ জগৎ
> স্বপ্ন নয়।

রক্তের অক্ষরে দেখিলাম
আপনার রূপ—
চিনিলাম আপনারে
আঘাতে আঘাতে
বেদনায় বেদনায়।
সত্য যে কঠিন,
কঠিনেরে ভালোবাসিলাম
সে কখনো করে না বঞ্চনা
(১১ সংখ্যক কবিতা, *শেষ কথা*)

সুদীর্ঘ ষাট বছরের কবিজীবনে আমরা কেবল রবীন্দ্রনাথের মনন ও অনুভবের সীমাহীন বিস্তৃতি ও অতল গভীরতা লক্ষ করি না, তাঁর জীবনবোধের বিবর্তনের বৈশিষ্ট্যও আমাদের বিস্ময়াতীত করে। উনিশ শতকের মানবপ্রীতিই সম্ভবত তাঁর জীবনপ্রত্যয়ের কেন্দ্রীয় স্থিতিভূমি, কিন্তু একইসঙ্গে তিনি ভারতীয় ঔপনিবেশিক ও প্রাচীন ভারতের সৌন্দর্যকল্পনার ধ্যানময়তাকে যেমন আশ্রয় করেছেন, তেমনি বিশ শতকের মহাযুদ্ধকালীন জীবনযন্ত্রণা ও মানবমহিমার অনুভবেরও তিনি পুরোযাত্রী। মাটি ও মানুষের প্রতি সুগভীর মমতার আশ্রয়েই গড়ে উঠেছে তাঁর কাব্যের অপূর্ব শিল্পলোক।

[১২]

মৃত্যুভাবনায় রবীন্দ্রনাথ

রবীন্দ্রনাথ প্রথম মৃত্যুকে নিয়ে কবিতা লেখেন সতেরো বছর বয়সে। তখন মৃত্যু সম্পর্কে তাঁর কোনো গভীর উপলব্ধি ছিল না। তাঁর কবিসত্তাকে তখন আচ্ছন্ন করে রেখেছিল রোমান্টিক কল্পনাচ্ছন্ন ভাবাবেগ। মৃত্যুকে তখন তিনি দেখেছেন প্রেমিক হিসেবে। তাকে নিয়ে বিলাস করে লিখেছেন—

মরণ রে,
তুঁহুঁ মম শ্যামসমান।
মেঘবরণ তুঝে, মেঘ জটাজুট,
রক্ত কমলকর, রক্ত অধরপুট,
তাপ-বিমোচন করুণ কোর তবু
মৃত্যু-অমৃত করে দান।
তুঁহুঁ মম শ্যামসমান।।

(১৯ সংখ্যক কবিতা, *ভানুসিংহ ঠাকুরের পদাবলী*)

কিন্তু কবির এই বিলাসিতায় ভাবান্তর ঘটতে খুব-একটা সময় লাগেনি। তাঁর বয়স যখন চব্বিশ তখন তাঁর বউদি কাদম্বরী দেবীকে হারান। সময়টা ছিল ১৮৮৪। এই মৃত্যু তাঁর মনে গভীরভাবে রেখাপাত করে। মৃত্যুর বিয়োগান্তক রূপের সঙ্গে পরিচয়ে জীবনের প্রতি মমতা বেড়ে যায়। তিনি 'প্রাণ' কবিতায় লেখেন—

মরিতে চাহিনা আমি সুন্দর ভুবনে
মানবের মাঝে বাঁচিবারে চাই।
এই সূর্যকরে এই পুষ্পিত কাননে,
জীবন্ত হৃদয়-মাঝে যদি স্থান পাই।

(প্রাণ, *কড়ি ও কোমল*)

১৮৯০ খ্রিস্টাব্দ রচিত মানসী কাব্যে মৃত্যুকল্পনার বিশেষ প্রকাশ ঘটেছে 'মরণস্বপ্ন' কবিতায়। সেখানে অন্ধকার ও অন্ধকারহীনতা, অস্তিত্ব ও অনস্তিত্ব, চৈতন্য ও অচৈতন্যের দোলাচলের মধ্যে জীবন ও মৃত্যুকে একাকার করে দেখা হয়েছে।

অন্ধকারহীন হয়ে গেছে অন্ধকার।
আমি বলে কেহ নাই, তবু যেন আছে।
অচৈতন্যতলে অন্ধ চৈতন্য হইলে বন্ধ,
রহিল প্রতীক্ষা করি কার—
মৃত্যু হয়ে প্রাণ যেন চিরকাল বাঁচে।

সোনার তরী (১৮৯৩) কাব্যের 'ঝুলন' কবিতায় মৃত্যুর প্রসঙ্গ এসেছে কোনো কোনো পঙ্‌ক্তিতে। যেমন— 'আমি পরানের সাথে খেলিব আজিকে/ মরণখেলা;' কিংবা 'মরণদোলায় ধরি রাশিগাছি'। এখানে যে মৃত্যুর ইঙ্গিত আছে তা পৌরাণিক রূপক তাৎপর্যমণ্ডিত। এখানে অহং (আমি) সত্তার সঙ্গে অন্তরঙ্গ পরম সত্তার (পরান) সঙ্গ।

এরপর একের-পর-এক মৃত্যু ছায়া ফেলেছে রবীন্দ্রনাথের জীবনে। ১৯০২ সালে তিনি হারান স্ত্রী মৃণালিনী দেবীকে। এই ব্যক্তিগত শোকের ঘটনার প্রভাব লক্ষ করা যায় *স্মরণ* (১৯০৩) কাব্যের কবিতাগুলিতে।

অক্ষয়কুমার বড়ালের *এষা* (১৯১২) যে-অর্থে শোককাব্য, *স্মরণ* সে-অর্থে শোককাব্য নয়। এ কাব্যে রবীন্দ্রনাথের শোকাচ্ছন্ন মনের অনুভূতির প্রকাশ ঘটলেও দেখা যায় রবীন্দ্রনাথ তখনও মৃত্যুকে ভয়াবহ কিংবা নিদারুণ শোকাবহ বলে গণ্য করেননি। জীবন ও মৃত্যুর সঙ্গে দার্শনিক সম্পর্ক ও যোগসূত্র নিরূপণ করে এক ধরনের সেতুবন্ধন রচনার প্রয়াস তাতে লক্ষ করা যায়—

জন্ম-মরণের মাঝখানে
নিস্তব্ধ রয়েছ দাঁড়াইয়া।
তুমি মোর জীবন মরণ
বাঁধিয়াছ দুটি বাহু দিয়া।
(১৩ সংখ্যক কবিতা, *স্মরণ*)

স্ত্রী মৃণালিনী দেবীর মৃত্যুর পর পাঁচ বছরের মধ্যে রবীন্দ্রনাথ একে একে হারান প্রিয়তমা কন্যা রেণুকাকে (১৯০৩), পিতা মহর্ষি দেবেন্দ্রনাথ ঠাকুরকে (১৯০৫), কনিষ্ঠ পুত্র শমীন্দ্রনাথকে (১৯০৭)।

এইসব মর্মান্তিক বিচ্ছেদবেদনার পরোক্ষ ছাপ পড়েছে *খেয়া* (১৯০৬) ও পরবর্তী কাব্যগ্রন্থের কবিতায়। এক ধরনের বিষণ্ণতা ও বিদায়ের করুণ আর্তি ছাপিয়ে উঠেছে *খেয়া*-র কোনো কোনো কবিতায়—

ঘরেই যারা যাবার তারা কখন গেছে ঘর পানে,
পারে যারা যাবার গেছে পারে;
ঘরেও নহে, পারেও নহে, যে জন আছে মাঝখানে
সন্ধ্যাবেলা কে ডেকে নেয় তারে।

দিনের আলো যার ফুরালো সাঁঝের আলো জ্বলল না,
সেই বসেছে ঘাটের কিনারায়।
ওরে আয়
আমায় নিয়ে যাবি কে রে
বেলাশেষের শেষ খেয়ায়
('শেষ খেয়া', খেয়া)

বলাকা (১৯১৬) কাব্যগ্রন্থে রবীন্দ্রনাথের মৃত্যুচিন্তা দার্শনিকতা ভাবাপন্ন। এই কাব্যগ্রন্থের 'ছবি', 'শাজাহান', 'চঞ্চলা' ইত্যাদি কবিতায় মৃত্যুর প্রসঙ্গ এসেছে। এখানে যে মৃত্যুভাবনার প্রকাশ ঘটেছে তার পেছনে *গীতা*-য় বর্ণিত মৃত্যুদর্শনের প্রভাব পড়েছে বলে ধারণা করা হয়। অবশ্য তার সঙ্গে যুক্ত হয়েছে মৃত্যু সম্পর্কে রবীন্দ্রনাথের নিজস্ব অনুভব।

'ছবি' কবিতায় রবীন্দ্রনাথ মৃত্যুকে দেখতে চেয়েছেন জীবনের বন্ধন থেকে চিরমুক্তির বিস্তারের মধ্যে। 'শাজাহান' কবিতায় মৃত্যু সম্পর্কে অনুরূপ বোধের প্রকাশ ঘটেছে। জীবন মানুষকে আবদ্ধ করে স্মৃতিভারে, যে লোকান্তরের যাত্রী সে ভারমুক্ত; তিনি লিখলেন—

স্মৃতিভারে আমি পড়ে আছি
ভার মুক্ত সে এখানে নাই
(৭ সংখ্যক কবিতা, *বলাকা*)

আবার 'চঞ্চলা' কবিতায় কবির উপলব্ধি, মৃত্যু-স্নানের ভেতর দিয়ে জীবন হয়ে ওঠে শুচিস্নাত;

তব মৃত্যু মন্দাকিনী নিত্য ঝরি ঝরি
তুলিতেছি শুচি করি
মৃত্যু স্নানে বিশ্বের জীবন।
(৮ সংখ্যক কবিতা, *বলাকা*)

একইসঙ্গে কবি মনে করেন, মৃত্যুতে জীবনের অবসান হয় না, প্রাণ হয়ে ওঠে নতুন দীপ্তিতে প্রাণময়;

'মৃত্যু ওঠে প্রাণ হয়ে ঝলকে ঝলকে।'

পরবর্তী জীবনে রবীন্দ্রনাথ আরও কিছু মৃত্যুকে দেখেছেন। কন্যা মাধুরীলতার মৃত্যু (১৯১৮), অগ্রজ সত্যেন্দ্রনাথ ঠাকুরের মৃত্যু (১৯২৩), জ্যেষ্ঠ ভ্রাতা দ্বিজেন্দ্রনাথ ঠাকুরের মৃত্যু (১৯২৬) এক্ষেত্রে বিশেষ উল্লেখযোগ্য। এসব মৃত্যুকে দেখে রবীন্দ্রনাথ মৃত্যু নিয়ে ভেবেছেন। এই সংক্রান্ত বোধের শিখরে উঠতে চেষ্টা করেছেন।

মৃত্যু সম্পর্কে রবীন্দ্রনাথের গভীরতার উপলব্ধির প্রকাশ দেখা যায় *শেষ সপ্তক*-এর (১৯৩৫) একাধিক কবিতায়। মৃত্যুকে এই সময় থেকে তিনি দেখেছেন জীবনের সম্প্রসারিত অংশ হিসেবে। মৃত্যু কবির চোখে এই জগতের বহমান গতিধারাকে নিরন্তর অব্যাহত রাখার এক অপরিহার্য দিক-বিশেষ। কারণ মৃত্যুর মধ্য দিয়েই জীবন পায় চলমানতার মহিমা।

আমি মৃত্যু- রাখাল
সৃষ্টিকে চরিয়ে চরিয়ে নিয়ে চলেছি
যুগ হতে যুগান্তরে
নব নব চারণক্ষেত্রে

(৩৯ সংখ্যক কবিতা, *শেষ সপ্তক*)

পত্রপুট (১৯৩৬) কাব্যগ্রন্থের ৫ সংখ্যক কবিতায় মৃত্যুকে সহজভাবে নেবার মনোভাব দেখিয়েছেন কবি—

আমার মন বললে
মৃত্যু, ওগো মধুময় মৃত্যু,
তুমি আমায় নিয়ে চলেছ লোকান্তরে
গানের পাখায়।

মৃত্যু সম্পর্কে রবীন্দ্রনাথের বাস্তব উপলব্ধির প্রকাশ প্রথম লক্ষ করা যায় *প্রান্তিক* (১৯৩৭) কাব্যগ্রন্থে। ১৯৩৭ সালে কবি অসুস্থ হয়ে পড়ে দারুণ রোগযন্ত্রণায় ভুগে, মৃত্যুর মুখোমুখি হয়ে তিনি যেন মৃত্যুস্নান করে ওঠেন। মৃত্যু ও মৃত্যু পেরিয়ে আসা জীবনের উপলব্ধি কাব্যবাণীতে ভাস্বর হয়েছে *প্রান্তিক*-এর বিভিন্ন কবিতায়।

একদিন মৃত্যু চুপিচুপি করাল ছায়ার মতো এসে অন্ধকারময় করেছে কবির জীবন। কিন্তু শেষপর্যন্ত সেই অন্ধকারকে জয় করে নিয়েছে শুভ্রচৈতন্যময় জ্যোতি। রবীন্দ্রনাথের মৃত্যুচিন্তায় ঔপনিষদিক জ্যোতির ধ্যানময় প্রকাশ ঘটেছে এখানে।

১৯৪১-এ রবীন্দ্রনাথের মৃত্যু হয়। তার আগের বছর রবীন্দ্রনাথ বেশ কিছুদিন কাটান রোগযন্ত্রণায়— জীবণ-মরণের সন্ধিলগ্নে। এই সময় মৃত্যুর সঙ্গে যেন তাঁর মুখোমুখি পরিচয় হয়। তাঁর শেষ ক-টি কাব্যগ্রন্থে *রোগশয্যায়* (১৯৪১), *আরোগ্য* (১৯৪০), *জন্মদিনে* (১৯৪১) ও *শেষলেখা*-য় (১৯৪১) জীবন-মৃত্যুর এক গভীর দার্শনিক চেতনার সহজ প্রকাশ ঘটে। তাতে ফুটে ওঠে জীবন-মৃত্যুর সম্পর্কের পরিচয়:

অনিঃশেষ প্রাণ
অনিঃশেষ মরণের স্রোতে ভাসমান,
পদে পদে সংকটে সংকটে
নামহীন সমুদ্রের উদ্দেশ্যবিহীন কোন তটে
পৌঁছিবারে অবিশ্রাম বহিতেছে খেয়া

(২ সংখ্যক কবিতা, *রোগশয্যায়*)

মহামৃত্যুর মুখোমুখি দাঁড়িয়ে কবি রবীন্দ্রনাথ জিজ্ঞাসু চোখে তাকিয়েছেন মৃত্যু পরবর্তী কালের দিকে। সেইসঙ্গে জীবনের প্রতি রয়েছে শেষ বারের মতো ফিরে তাকাবার আকুলতা। তাঁর দৃষ্টিতে মৃত্যু মানবজীবনের স্বাভাবিক পরিণতি।

অজস্র দিনের আলো,
জানি, একদিন
দু চক্ষুরে দিয়েছিলে ঋণ
ফিরায়ে নেবার দাবি জানায়েছ আজ
তুমি, মহারাজ।
(৪ সংখ্যক কবিতা, *রোগশয্যায়*)

মৃত্যুতে জীবনের কী পরিণাম ঘটে তা নিয়ে মানুষের জীবনে জন্ম থেকে মৃত্যু পর্যন্ত যে সংশয়ের জাল বোনা, আসন্ন মৃত্যুর স্পর্শে সেই সংশয়ের জাল ছিঁড়ে গেছে। কবি অনুভব করেন, জীবনের অমৃতকে গ্রাস করার ক্ষমতা মৃত্যুরাহুর নেই।

রাহুর মতন মৃত্যু
শুধু ফেলে ছায়া
পারে না করিতে গ্রাস জীবনের স্বর্গীয় অমৃত
জড়ের কবলে
এ কথা নিশ্চিত মনে জানি
(২ সংখ্যক কবিতা, *শেষলেখা*)

কবি অনুভব করেছেন, জীবন ও জগতের যে অমৃতময় রূপ তা মৃত্যুভীতির মুখোশ দিয়ে আড়াল করে রাখা হয়েছে মাত্র।

ভয়ের বিচিত্র চলচ্ছবি
মৃত্যুর নিপুণ শিল্প বিকীর্ণ আঁধারে।
(১৪ সংখ্যক কবিতা, *শেষলেখা*)

কবি তাঁর সারা জীবনের অভিজ্ঞতার আলোকে শেষ পর্যায়ের কবিতায় মৃত্যু সম্পর্কে তাঁর পরম বোধকে প্রকাশ করেছেন মন্ত্রের ভাষায়। বন্ধনমুক্ত স্রষ্টার প্রাণদৃষ্টিতে তিনি দেখেছেন মৃত্যুকে। অনুভব করেছেন— 'মৃত্যু ও জীবনের নানা শিল্পে প্রাণের যবনিকা কারুখচিত।' (অমিয় চক্রবর্তী, সাম্প্রতিক) বলেছেন, মানুষের জীবন হচ্ছে দুঃখের মধ্য দিয়ে সত্যকে উপলব্ধির সাধনক্ষেত্র। আর সে-সাধনা চরম মূল্য পায় মৃত্যুতে।

আমৃত্যুর দুঃখের তপস্যা এ জীবন,
সত্যের দারুণ মূল্য লাভ করিবারে,
মৃত্যুতে সকল দেনা শোধ করে দিতে।
(১১ সংখ্যক কবিতা, *শেষলেখা*)

তাই চিরকালের মতো পৃথিবী থেকে বিদায় নেওয়ার আগে রবীন্দ্রনাথ সবাইকে আশীর্বাদ করে পেতে চেয়েছেন সবার আশীর্বাদ। তারপরে যাত্রা করতে চেয়েছেন মৃত্যুর সঙ্গে মহামিলনের পথে।

শূন্য ঝুলি আজিকে আমার;
দিয়েছি উজাড় করি
যাহা কিছু আছিল দিবার,
প্রতিদানে যদি কিছু পাই—
কিছু স্নেহ, কিছু ক্ষমা
তবে তাহা সঙ্গে নিয়ে যাই।
পারের খেয়ায় যাব যবে
ভাষাহীন শেষের উৎসবে।

(১০ সংখ্যক কবিতা, *শেষলেখা*)

মৃত্যু সম্পর্কে রবীন্দ্রনাথের শেষ উপলব্ধি এমনই। এ উপলব্ধি কেবল জীবনদ্রষ্টা কবির নয়, মহৎ দার্শনিকেরও। ঋষিতুল্য এক কঠিন দেবতারও।

[১৩]

রবীন্দ্রভাবনায় নারী

বিখ্যাত সংস্কৃত পণ্ডিত, তার্কিক ও নারীশিক্ষার অন্যতম প্রবক্তা রমাবাঈ সরস্বতী (১৮৬২-১৯২৪) মহারাষ্ট্রের পুনা শহরে এক সভায় বক্তৃতা দিতে গিয়ে কেবল মদ্যপান ছাড়া আর সব বিষয়েই পুরুষের সঙ্গে নারীর সমকক্ষতা দাবি করেছিলেন। সভায় উপস্থিত শ্রোতারা ওই সভায়ই গোলযোগ সৃষ্টি করে তাঁকে বাধা প্রদান করেন ও সভাটি পণ্ড করে দেন। পরবর্তী সময়েও রমাবাঈয়ের সে-বক্তব্য নিয়ে ভারত জুড়ে প্রতিবাদ ও বিতর্ক চলে (রোকেয়ার 'ভ্রাতা-ভগ্নী' রচনাটিতে প্রসঙ্গটির ইঙ্গিত আছে) । রবীন্দ্রনাথও এ বিতর্কে অংশ নেন। 'ভারতী' ও 'বালক' পত্রিকার আষাঢ় ১২৯৬ বঙ্গাব্দের সংখ্যায় লিখিত এক স্বাক্ষর বিহীন পত্রে তিনি রমাবাঈয়ের বক্তব্যের সমালোচনা করে বলেন, ''মেয়েরা সকল বিষয়েই যদি পুরুষের সমকক্ষ, তা হলে পুরুষের প্রতি বিধাতার নিতান্ত অন্যায় অবিচার বলতে হয়।'' ('রমাবাঈয়ের বক্তৃতা উপলক্ষে', *রবীন্দ্র রচনাবলী*, ৬ষ্ঠ খণ্ড, বিশ্বভারতী সংস্করণ, কলকাতা ১৪১৯, পৃ. ৬৭৮)। পুরুষকে শারীরিক বলে শ্রেষ্ঠ, পক্ষান্তরে নারীকে রূপে শ্রেষ্ঠ, পুরুষকে বুদ্ধিতে শ্রেষ্ঠ, পক্ষান্তরে নারীকে হৃদয়ে শ্রেষ্ঠ— এভাবে ব্যাখ্যা করে তিনি লেখেন, ''তাই স্ত্রী, পুরুষ দুই জাতি পরস্পর পরস্পরকে অবলম্বন করতে পারছে''। (ওই, পৃ. ৬৭৮) স্ত্রীশিক্ষার পক্ষে নিজ মত ব্যক্ত করেও তিনি লেখেন, ''তাই বলে স্ত্রী শিক্ষা অত্যাবশ্যক এটা প্রমাণ করবার সময় স্ত্রীলোকের বুদ্ধি পুরুষ লোকের ঠিক সমান এ কথা গায়ের জোরে তোলবার কোনো দরকার নেই।'' (ওই, পৃ. ৬৭৮) বহুকাল ধরে বহু নারীর সংগীতচর্চার পরও তাদের মধ্যে কোনো মোজার্ট বা বিটোফেন জন্ম না-নেওয়ার উদাহরণ থেকে তিনি সিদ্ধান্তে পৌঁছেছেন, মেয়েদের 'একরকম গ্রহণশক্তি ধারণাশক্তি' থাকলেও তাদের 'সৃজনশক্তির বল নেই'। এবং ''মেয়েদের একরকম চটপটে বুদ্ধি আছে, কিন্তু সাধারণত পুরুষদের মতো বলিষ্ঠ বুদ্ধি নেই''। (ওই, পৃ. ৬৭৯)। ভবিষ্যতেও যে এ অবস্থার পরিবর্তন ঘটবে না, এ সম্পর্কে নিজ বিশ্বাস ব্যক্ত করে রবীন্দ্রনাথ লেখেন, ''হাজার পড়াশুনা করলেও নারীরা কখনই বাইরের কাজে 'পুরুষের সঙ্গে' সমানভাবে নামতে পারবে না।'' (ওই, পৃ. ৬৭৯)। এই না-পারার একটি কারণ, তিনি বলেছেন, নারীর শারীরিক দুর্বলতা, আর অন্য কারণ নারীর গর্ভধারণ ও

সন্তানপালন। নারী-পুরুষের এই 'অবস্থার প্রভেদ' কর্মক্ষেত্রের তফাত বা পুরুষের ওপর নারীর নির্ভরতা, একে 'প্রকৃতির অভিপ্রায়' হিসেবে উল্লেখ করে তিনি বলেন, এর জন্যে 'পুরুষের অত্যাচার'-কে দায়ী করা 'কোনো কাজেরই কথা নয়' (ওই, পৃ. ৬৭৯)। বরং তেমন ভাবাটা তাঁর মতে 'অসংগত' 'অমঙ্গলজনক' (ওই, পৃ, ৬৮০)। কতকগুলো 'অবশ্যম্ভাবী অধীনতা'কে সহ্য করে নেওয়ার পক্ষে মত ব্যক্ত করে রবীন্দ্রনাথ তাঁর ওই পত্রে লেখেন, "প্রভুভক্তিকে যদি ধর্ম মনে করে তা হলে ভৃত্যের মনে মনুষ্যত্বের হানি হয় না।" (ওই, পৃ. ৬৮০)। এখানেও শেষ নয়, পত্রে রবীন্দ্রনাথ এমনও মন্তব্য করেন (১) "সাধ্বী স্ত্রীর প্রতি যদি কোনো স্বামী পাশবিক ব্যবহার করে, তবে সে-ব্যবহারের দ্বারা স্ত্রীর অধোগতি হয় না, বরং মহত্ত্বই বাড়ে"। এবং (২) "পতিভক্তি বাস্তবিকই স্ত্রীলোকের ধর্ম। আজকাল একরকম নিষ্ফল ঔদ্ধত্য ও অগভীর ভ্রান্ত শিক্ষার ফলে সেটা চলে গিয়ে সংসারের সামঞ্জস্য নষ্ট করে দিচ্ছে এবং স্ত্রী-পুরুষ উভয়েরই আন্তরিক অসুখ জন্মিয়ে দিচ্ছে।" (ওই, পৃ. ৬৮০)। মহারাষ্ট্রীয় শ্রোতাদের অভব্য আচরণের নিন্দা ও 'বর্গির উৎপাতে'র সঙ্গে তার তুলনা করেও, এবং স্ত্রীশিক্ষা ও স্ত্রীস্বাধীনতার যে তিনি বিরোধী নন, সেকথা জানিয়েও রবীন্দ্রনাথের শ্লেষাত্মক মন্তব্য— "অবশ্য, শিক্ষা সত্ত্বেও পুরুষ সম্পূর্ণ স্ত্রী ও স্ত্রী সম্পূর্ণ পুরুষ হতে পারবে না এবং এ না হলেই বাঁচা যায়।" (ওই, পৃ. ৬৮১)। বস্তুত ভাষাটি রবীন্দ্রনাথের হলেও এ পত্রটির মধ্য দিয়ে নারীর প্রতি আমাদের বা যেকোনো সমাজের সনাতনী পুরুষতান্ত্রিক দৃষ্টিভঙ্গিরই প্রকাশ ঘটেছে। এই দৃষ্টিভঙ্গিটির সঙ্গে আজকের দিনেও আমাদের পরিচয় অতিঘনিষ্ঠ। উল্লেখ্য, পত্রটি লেখার সময় রবীন্দ্রনাথ ছিলেন ২৮ বছরের একজন তরুণ। রবীন্দ্রনাথের উক্ত পত্রের সমালোচনা করে একই 'ভারতী' ও 'বালক' পত্রিকার ফাল্গুন ১২৯৬ সংখ্যায় কৃষ্ণভাবিনী নানা যুক্তি দিয়ে বুদ্ধিবৃত্তিতে এ দেশের মেয়েরা যে কোনো অংশে পুরুষের চেয়ে কম নয় তা প্রতিষ্ঠা করার প্রয়াস পান। জানা যায় কৃষ্ণভাবিনীর উক্ত সমালোচনাটিকে রবীন্দ্রনাথ প্রসন্নভাবে গ্রহণ করতে পারেননি। অন্তত তিনি যে নারী-পুরুষের সমতার প্রশ্নে কৃষ্ণভাবিনীর সঙ্গে একমত নন, তার প্রমাণ পাওয়া যায় দু-বছর পর কৃষ্ণভাবিনীর অন্য একটি প্রবন্ধের সমালোচনা করে লেখা রবীন্দ্রনাথের রচনা থেকে। আমাদের বর্তমান আলোচনাতেই কিছু পরে আমরা যার পরিচয় পাব।

তাঁর চুয়ান্ন বছর বয়সে, সবুজপত্র পত্রিকার ভাদ্র-আশ্বিন (১৩২২ বঙ্গাব্দ) সংখ্যায় রবীন্দ্রনাথ একটি প্রবন্ধ লেখেন 'স্ত্রী শিক্ষা' শিরোনামে। প্রবন্ধটির সূচনাবাক্য থেকে আমরা জানতে পারি জনৈক লীলা মিত্রের একটি পত্রের বক্তব্য বিষয়ে আলোচনার তাগিদ থেকেই প্রবন্ধটি লিখিত হয়। লীলা মিত্রের উক্ত পত্রের বক্তব্য হিসেবে যা উদ্ধৃত হয়েছে, সেকালের তো বটেই, আজকের দিনের পক্ষেও তা অত্যন্ত তাৎপর্যপূর্ণ। স্ত্রীশিক্ষার বিরুদ্ধবাদী ও পক্ষপাতী উভয় তরফেরই মতের উল্লেখ করে পত্রে বলা হয়, দুই দলই নিজেদের দিক হইতে স্ত্রীশিক্ষার বিচার করিতেছেন। নারীর যে পুরুষের মতো ব্যক্তিত্ব আছে, সে যে অন্যের জন্য সৃষ্ট নয়, তাহার নিজের জীবনের যে সার্থকতা আছে, তাহা স্ত্রীশিক্ষার সপক্ষের বা বিপক্ষের কোনো উকিল স্বীকার করেন না। উকিলরা যে-পক্ষ লইয়াছেন বস্তুত তাহা তাঁহাদের নিজেরই পক্ষ। মামলার নিষ্পত্তিতে যাঁহাদের প্রকৃত স্বার্থ তাঁহাদের কথা কাহারো মনে উদয় হয় না, এইটেই আশ্চর্য।

গরজ যাঁহাদের তাঁহাদিগকেই কার্যক্ষেত্রে নামিতে হইবে। নিজেদের উদ্যমে ও শক্তিতে নিজেকে মুক্ত না করিলে অন্যে মুক্তি দিতে পারে না। অন্যে যেটাকে মুক্তি বলিয়া উপস্থিত করে সেটা বন্ধনেরই অন্য মূর্তি। পুরুষ যে স্ত্রী শিক্ষার ছাঁচ গড়িয়াছে সেটা পুরুষের খেলার যোগ্য পুতুল গড়িবার ছাঁচ। (র র/১৬, পৃ. ২৮৫)

এই বক্তব্যে রবীন্দ্রনাথের প্রতিক্রিয়া কী? 'যা কিছু জানার যোগ্য তাই বিদ্যা' আর পুরুষ-নারী সবারই তাতে অধিকার আছে একথা স্বীকার করে নিয়েও রবীন্দ্রনাথ তাঁর প্রবন্ধে লেখেন "কিন্তু তাই বলিয়া শিক্ষাপ্রণালীতে মেয়ে পুরুষে কোথাও কোনো ভেদ থাকিবে না, এ কথা বলিলে বিধাতাকে অমান্য করা হয়। যেখানে বিশুদ্ধ জ্ঞান সেখানে মেয়ে-পুরুষের পার্থক্য নাই, কিন্তু যেখানে ব্যবহার সেখানে পার্থক্য আছেই।" (ওই, পৃ. ২৮৬)। বিধাতা পুরুষকে পুরুষ এবং নারীকে নারী হিসেবে সৃষ্টি করেছেন। ঈশ্বরের এক 'আশ্চর্য উদ্ভাবন'। একথার ওপর জোর দিয়ে রবীন্দ্রনাথ বলেন, "মেয়েদের শরীরের এবং মনের প্রকৃতি পুরুষের হইতে স্বতন্ত্র বলিয়াই তাহাদের ব্যবহারের ক্ষেত্র স্বভাবতই স্বতন্ত্র হইয়াছে। আজকাল বিদ্রোহের ঝোঁকে একদল মেয়ে এই গোড়াকার কথাটাকেই অস্বীকার করিতেছেন।" (ওই, পৃ. ২৮৬-৮৭)। প্রসঙ্গত সংসারের কাছে 'একনিষ্ঠ আত্মসমর্পণে'ই নারীর প্রকৃত গৌরব এবং 'সমাজে পুরুষের দাসত্ব নারীর চেয়ে অল্প নয়, বরং বেশি' এমন কথাও রবীন্দ্রনাথ বলেছেন। (ওই, পৃ. ২৮৭-২৮৮)। সত্যিই ভেবে আশ্চর্য হতে হয়, পুরুষতন্ত্রের একটা উচ্চকণ্ঠ মুখপাত্র রবীন্দ্রনাথ। তিনি রবীন্দ্রনাথই।

রবীন্দ্রনাথ যেখানে কবি সেখানে নারীর প্রধান পরিচয় তাঁর কাছে সে প্রেমময়ী। যদিও সে প্রেমময়ী সত্তার সঙ্গে কোথাও একজন অবগুণ্ঠনবতী, রহস্যময়ীও লুকিয়ে আছে। আর পুরুষকে আকৃষ্ট, আবিষ্ট করার মধ্যেই যেন তার নারীজন্মের সার্থকতা। জীবনের প্রায় শেষ পর্বে লেখা কবিতা সানাই (১৯৪০) কাব্যগ্রন্থের অন্তর্ভুক্ত 'নারী' (১৯৩৭) কবিতায়ও লিখেছেন "স্বাতন্ত্র্যস্পর্ধায় মত্ত পুরুষেরে করিবারে বশ/ যে আনন্দরস/ রূপ ধরেছিল ধমণীতে/ ধরণীর ধমনীতে/ তুলেছিল চাঞ্চল্যের দোল/ রক্তিম হিল্লোল/ সেই আদি ধ্যান মূর্তিটিরে/ সন্ধানে করিছে ফিরে ফিরে/ রূপকার মনে-মনে/ বিধাতার তপস্যার সংগোপনে।" আকাশপ্রদীপ (১৯৩৯) কাব্যগ্রন্থের 'তর্ক' (১৯৩৯) কবিতায়ও পুরুষের মুখ দিয়ে নারীর বন্দনা উচ্চারিত হয়েছে এভাবে "নারীকে দিবেন বিধি পুরুষের অন্তরে মিলায়ে/ সেই অভিপ্রায়ে/ রচিলেন সূক্ষ্মশিল্পকারুময়ী কায়—/ তারি সঙ্গে মিলালেন অঙ্গের অতীত কোন্ মায়া/ যারে নাহি যায় ধরা/ যাহা শুধু জাদুমন্ত্রে ভরা/ যাহারে অন্তরতম হৃদয়ের অদৃশ্য আলোকে/ দেখা দেয় ধ্যানাবিষ্ট চোখে/ ছন্দোজালে বাঁধে যার ছবি/ না-পাওয়া বেদনা দিয়ে কবি।" অর্থাৎ নারী যে সৌন্দর্যময়ী, অপরূপা, তা কতকটা পুরুষ তাকে সেভাবে কল্পনা করে বলেই। প্রায় তরুণ বয়সে লেখা চৈতালি (১৮৯৬) কাব্যগ্রন্থের 'নারী' (১৮৯৫) শীর্ষক কবিতায়ও নারীকে 'মানসীরূপিণী' বলে উল্লেখ করে লিখেছিলেন, "'তুমি এ মনের সৃষ্টি, তাই মনোমাঝে/ এমন সহজে তব প্রতিমা বিরাজে।" একই কাব্যগ্রন্থের অন্তর্ভুক্ত 'মানসী' (১৮৯৫) কবিতায় রয়েছে সেই বিখ্যাত পংক্তিনিচয়; "শুধু বিধাতার সৃষ্টি নহ তুমি নারী/পুরুষ গড়েছে তোরে সৌন্দর্য সঞ্চারী/ আপন অন্তর হতে... অর্ধেক মানবী তুমি, অর্ধেক

কল্পনা।" মোট কথা পুরুষতন্ত্রই এখানে নিয়ামক। কিংবা কণিকা (১৮৯৯) কাব্যের 'সৌন্দর্যের সংযম' কবিতাটির কথাই ধরা যাক। নারীর অবরুদ্ধ, শৃঙ্খলিত জীবনকেই কি এতে মহিমান্বিত করা হয়েছে একথা বলে?

নর কহে, বীর মোরা যাহা ইচ্ছা করি।
নারী কহে জিহ্বা কাটি, শুনে লাজে মরি।
পদে পদে বাধা তব, কহে তারে নর।
কবি কহে, তাই নারী হয়েছে সুন্দর।

মানসী (১৮৯০) কাব্যগ্রন্থের 'নারীর উক্তি' (১৮৮৭) কবিতায় এক অভিমানী নারীর সাক্ষাৎ পাই আমরা, পুরুষের অবহেলার পাত্রী হয়ে যার উক্তি, "আছি যেন সোনার খাঁচায়/ একখানি পোষ-মানা প্রাণ/ এও কি বুঝাতে হয় প্রেম যদি নাহি রয়/ হাসিয়ে সোহাগ করা শুধু অপমান?" একদিন তার পানে চেয়ে যে-পুরুষের 'আঁখিতে কাঁপিত প্রাণখানি, আজ সে-পুরুষ তাকে 'দেখেও দেখে না', তার 'সব কথা শুনতে পায় না', 'আনমনে পাশ দিয়ে চলে যায়'। একদিন যার অবস্থান ছিল 'সর্বত্র', আজ সে-নারী নেমে এসেছে পুরুষের 'হৃদয়ের প্রান্তদেশে, ক্ষুদ্র গৃহকোণে'। কিন্তু নারী জানে যে তর্কে এর কোনো সমাধান নেই ("মিছে তর্ক— থাক তবে থাক") জানে যে একদিন যে-পুরুষের ভালোবাসা তাকে বুঝিয়েছিল 'প্রেমে দেয় কতখানি/ কোন হাসি কোন্ বাড়ী,/ হৃদয় বাসিতে পারে কত ভালোবাসা' আজ সেই পুরুষেরই 'গুটি দুই-তিন মিষ্ট কথা আর প্রেমহীন হাসির অনুগ্রহ লাভের আকাঙ্ক্ষা কিংবা সে-অনুগ্রহে সন্তুষ্টি আপন ব্যক্তি বা মানবসত্তার অপমান বই তো নয়। তাই "এই মুছিলাম আঁখি— এ শুধু চোখের জল, এ নহে ভর্ৎসনা।"

মহুয়া (১৯২৯) কাব্যগ্রন্থের অন্তর্ভুক্ত 'সবলা' (১৯২৮) কবিতায় রবীন্দ্রনাথের সেই বিখ্যাত বা বহু উদ্ধৃত উক্তি "নারীকে আপন ভাগ্য জয় করিবার/ কেহ নাহি দিবে অধিকার/ হে বিধাতা?" আর শুরুতে নারীর মুখ দিয়ে এই আক্ষেপ ব্যক্ত করিয়েই কবি ক্ষান্ত হননি, সেই নারীর মুখ দিয়ে তিনি বলিয়েছেন, "যাব না বাসরকক্ষে বধূবেশে বাজায়ে কিঙ্কিনী—/ আমারে প্রেমের বীর্যে করো অশঙ্কিনী/... কভু তারে দিব না ভুলিতে/ মোর দৃপ্ত কঠিনতা" ইত্যাদি। কিন্তু 'সবলা'র 'দৃপ্ত কঠিনতা'র অর্থ হল "মাথার গুণ্ঠন খুলি কব তারে,' মর্তে বা ত্রিদিবে/একমাত্র তুমিই আমার" কবিতাটি শেষও হয় এভাবে—

হে বিধাতা, আমারে রেখো না বাক্যহীনা,
রক্তে মোর জাগে রুদ্র বীণা,
উত্তরিয়া জীবনের সর্বোন্নত মুহূর্তের 'পরে
জীবনের সর্বোত্তম বাণী যেন ঝরে
কণ্ঠ হতে
নির্বাসিত স্রোতে
যাহা মোর অনির্বচনীয়
তারে যেন চিত্ত-মাঝে পায় মোর প্রিয়

সময় ফুরায়ে যদি তবে তার পরে
শান্ত হোক সে-নির্ঝর নৈঃশব্দের নিস্তব্ধ সাগরে

এ তো শেষাবধি সেই প্রেমিক বা পুরুষের কাছে সমর্পণেরই কথা।

প্রহাসিনী (১৯৩৮) কাব্যগ্রন্থের 'নারী প্রগতি' (১৯৩৪) কবিতায় নারীপ্রগতি নিয়ে কৌতুক করতেও আমরা রবীন্দ্রনাথকে দেখি। তবে ওই একই কাব্যগ্রন্থের 'নারীর কর্তব্য' শীর্ষক কবিতাটিতে আপাত কৌতুকের আড়ালে বঙ্গীয় নারীজীবনের বঞ্চনার চিত্রের পাশাপাশি যুগান্তরের লক্ষণও স্পষ্ট হয়ে উঠেছে। যেমন—

দুর্গতি দিয়েছে দেখা; বঙ্গনারী ধরেছে শেমিজ,
বি.এ., এম.এ, পাস করে ছড়াইছে বীজ
যুক্তিমানা ঘোর ম্লেছতার।
ধর্মকর্ম হল ছারখার।
শীতলামায়ীরে করে হেলা;
বসন্তের টীকা নেয় 'গ্রহণের বেলা
গঙ্গাস্নানে পাপ নাশে'
শুনিয়া মূর্খের মতো হাসে।

রবীন্দ্রনাথের মতে নারী-পুরুষের মিলনেই জীবন ও জগৎ সুন্দর, অর্থময়। ওই প্রহাসিনী কাব্যেরই অন্য এক কবিতা 'মিলের কাব্য'-এ (১৯৪১) একটু মজা করেই লিখেছেন, "নারীকে আর পুরুষকে যেই মিলিয়ে ছিলেন বিধি/ পদ্য কাব্যে মানবজীবন পেল মিলের বিধি।/ কেবল যদি পুরুষ নিয়ে থাকত এ সংসার/ গদ্য কাব্যে এই জীবনটা হ'ত একাকার।" ইত্যাদি।

পুনশ্চ (১৯৩২)-এর 'সাধারণ মেয়ে' (১৯৩২) কবিতায় মালতী বিছানায় শুয়ে শুয়ে রাত্রির অন্ধকারে এক জয়ের স্বপ্ন দেখে, নরেশ অর্থাৎ পুরুষের ওপর সে-জয়। যদিও জানে যে তা 'অসম্ভব'। তার স্বপ্নের মধ্যেও বিদুষী হওয়ার চেয়ে বরং বিদেশি পুরুষদের চোখে নারী হিসেবে আবিষ্কৃত হওয়ার, 'মোহিনী দৃষ্টি'র অধিকারিণী এক রহস্যময়ী হিসেবে ধরা পড়ার আকাঙ্ক্ষাই শেষাবধি প্রাধান্য পায়। *চিত্রাঙ্গদা* (১৮৯২) নৃত্যনাট্যের চিত্রাঙ্গদা চরিত্রের মুখ দিয়ে উচ্চারিত নিম্নোক্ত পঙ্‌ক্তিগুলোর মধ্য দিয়ে নারীর স্বাধীন সত্তা বা মর্যাদার প্রতি রবীন্দ্রনাথের স্বীকৃতি প্রকাশ পেয়েছে, এমন একটি ধারণা প্রতিষ্ঠা পেলেও, তা আংশিক সত্য।

দেবী নহি, নহি আমি সামান্য রমণী।
পূজা করি, রাখিবে মাথায়, সেও আমি
নই অবহেলা করি পুষিয়া রাখিবে
পিছে, সেও আমি নহি। যদি পার্শ্বে রাখ
মোরে সংকটের পথে, দুরূহ চিন্তার
যদি অংশ দাও, যদি অনুমতি কর
কঠিন ব্রতের তব সহায় হইতে,

যদি সুখে দুঃখে মোরে কর সহচরী
আমার পাইবে তবে পরিচয়?

চিত্রাঙ্গদা এখানে সংকটের পথে অর্জুনের পাশে থাকতে, দুরূহ চিন্তায় তাঁর অংশী হতে, অর্জুনের কঠিন ব্রতের সহায় ও সুখে-দুঃখে তার সহচরী হতে, সর্বোপরি এর মধ্য দিয়ে নিজের সক্ষমতা বা সামর্থ্যের পরিচয় প্রকাশ করতে চায় সত্যি। তবে তা তখনই সম্ভাবিত হতে পারে যদি অর্জুন অর্থাৎ পুরুষ তা চায় 'অনুমতি করে'। কিন্তু এই পুরো বক্তব্যটি শেষপর্যন্ত গৌণ হয়ে যায় যখন আমরা চিত্রাঙ্গদার পরবর্তী কথাগুলোয় মনসংযোগ করি:

গর্ভে
আমি ধরেছি যে সন্তান তোমার, যদি
পুত্র হয়, আশৈশব বীরশিক্ষা দিয়ে
দ্বিতীয় অর্জুন করি তারে একদিন
পাঠাইয়া দিব যবে পিতার চরণে—
তখন জানিবে মোরে প্রিয়তম।
আজ শুধু নিবেদি চরণে, আমি চিত্রাঙ্গদা
রাজেন্দ্রনন্দিনী।

নাটকটি শেষ হয় অর্জুনের উত্তর দিয়ে, 'প্রিয় আজ ধন্য আমি' এখানে প্রশ্ন হল চিত্রাঙ্গদার কোন পরিচয়ে অর্জুন ধন্য? সহচরী-সহব্রতী? নাকি তাঁর সম্ভাব্য পুত্রের 'দ্বিতীয় অর্জুনের গর্ভধারিণী?'

প্রায় তরুণ বয়সেই লেখা রবীন্দ্রনাথের একটি নিবন্ধ-জাতীয় রচনা 'স্ত্রী ও পুরুষের প্রেমে বিশেষত্ব' (১৯৮৮)। সমকালেই রচনাটি বিতর্ক সৃষ্টি করে। শরৎকুমারী চৌধুরানী, জ্যোতিরিন্দ্রনাথ ঠাকুর, যোগেশচন্দ্র চৌধুরী ও সুরেন্দ্রনাথ ঠাকুর এই বিতর্কে যোগ দেন। উক্ত রচনায় নারী ও পুরুষের ভালোবাসার মধ্যে মাত্রাভেদ নয়, রীতিমতো 'জাতিভেদ' আবিষ্কার করে রবীন্দ্রনাথ লেখেন, 'পুরুষের ভালোবাসা সৌন্দর্যপ্রিয়তার সহিত সংযুক্ত, আর স্ত্রীলোকের ভালোবাসা নির্ভরপরতা সুতরাং ক্ষমতার প্রতি আসক্তি হইতে উৎপন্ন। পুরুষের যথার্থ ভালোবাসা Ideal-এর প্রতি এবং স্ত্রীলোকের যথার্থ ভালোবাসা Real-এর প্রতি (র র/১৭ পৃ. ৪৫৮) এখানেই শেষ নয়, নারী-পুরুষের প্রেমের বৈশিষ্ট্য নির্দেশ করে তিনি এর পরও যা বলেছেন তাতেও পুরুষের প্রেমের শ্রেষ্ঠত্ব ঘোষিত হয়েছে এভাবে—

রমণীর প্রেমের মধ্যে পরিতৃপ্তি আছে, বিশ্বাস আছে, নিষ্ঠা আছে। কিন্তু পুরুষের প্রেমের মধ্যে যে একটি চির অতৃপ্তিপূর্ণ অনির্বচনীয় সুখ আছে তাহা বোধ করি খুব অল্প রমণী উপভোগ করিয়াছে। সেই প্রেমে যেন মানবাত্মার অন্তর্নিহিত গভীর অমরতা হইতে এক অপূর্ব রাগিণীময় গান বাহিরের সৌন্দর্যময়ী অসীমতার দিকে কম্পিত হোমশিখার ন্যায় সর্বদা উত্থিত হইতে থাকে।
(ওই, পৃ. ৪৫৯)

একই রচনায় রবীন্দ্রনাথের আরও মন্তব্য ''আমার সামান্য অভিজ্ঞতায় এই দেখিয়াছি রমণীরা প্রকৃত সাহিত্যের যথার্থ রসগ্রাহী ও সমালোচক হইতে পারে না।'' (ওই, পৃ. ৪৫৯)। বাংলা বৈষ্ণব সাহিত্যে রাধিকা প্রেমের সৌন্দর্যে উজ্জ্বল। রবীন্দ্রনাথের মতে এই রাধিকা প্রেম আসলে পুরুষের প্রেম, নারীর পক্ষে অমন বাধা-বন্ধনহীন প্রেম সম্ভব নয়। নিবন্ধটির অন্য অংশে তিনি লিখেছেন; ''আমাদের দেশের বৈষ্ণব কবিরা অনেক স্থলে রাধিকার যে প্রেম বর্ণনা করিয়াছেন আমার বোধ হয় তাহা পুরুষের প্রেম, স্ত্রী লোকের প্রেম নহে? ('পুরুষের কবিতায় স্ত্রীলোকের প্রেমের ভাব', (র র/১৭ পৃ ৪৬০)

পারিবারিক স্মৃতিলিপি পুস্তকে লেখা (নভেম্বর ১৮৮৮) রবীন্দ্রনাথের একই ধরনের আরও তিনটি রচনা 'সমাজে স্ত্রী-পুরুষের প্রেমের প্রভাব', 'আমাদের প্রাচীন কাব্যে ও সমাজে স্ত্রী-পুরুষ প্রেমের অভাব' এবং CHIVALRY। বিশ্বভারতী প্রকাশিত রবীন্দ্র রচনাবলীর ১৭শ খণ্ডে এ রচনাগুলোও সংকলিত হয়েছে। এর মধ্যে প্রথম রচনাটিতে রবীন্দ্রনাথ আমাদের সমাজে নারী-পুরুষের প্রকৃত প্রেমের অভাব লক্ষ করে বলেছেন, 'প্রেমের এই শক্তিকে 'ষোলো আনা মাত্রায়' সমাজের কাজে লাগালে মানবসভ্যতা অনেকটা বল পায়।' আর তা থেকে বঞ্চিত করলে 'সমাজের একটি প্রধান বল অপহরণ' করা হয়।' রবীন্দ্রনাথের ব্যাখ্যা মতে ইউরোপ বা পাশ্চাত্যের নারী-পুরুষ প্রেম ব্যক্তিবিশেষে আবদ্ধ নয়, তা 'সমস্ত সমাজের মধ্যে সঞ্চারিত'। তার ফলে সমস্ত সমাজ সেখানে গতিপ্রাপ্ত হচ্ছে। সেখানে পুরুষ-প্রকৃতি ও স্ত্রী-প্রকৃতির নিজেকে পরিপূর্ণ মাত্রায় বিকশিত করবার চেষ্টা আছে। মোট কথা প্রেমের প্রভাবে মানুষের সর্বাঙ্গীণ পরিস্ফুট হওয়ার ব্যাপারটি সেখানে স্বাভাবিক নিয়মেই ঘটে। আমাদের সমাজের মতো 'অনুশাসন ও সংহিতা ধোঁয়া দিয়ে' তা পাকানো হয় না (র র/১৭ পৃ. ৪৬২) রবীন্দ্রনাথ লিখেছেন, ''আমাদের দেশে পরিবার আছে, কিন্তু সমাজ নাই তাহার এক প্রধান কারণ স্ত্রীলোকেরা পরিবারের পরিধির মধ্যেই পর্যাপ্ত। পরিবারের বাহিরে আর মানব সমাজ নাই, কেবল পুরুষ সমাজ আছে।'' (ওই, পৃ. ৪৬০)। আপাতদৃষ্টে এই বক্তব্যের মধ্য দিয়ে নারীর স্বাধীন বা স্বতন্ত্র অস্তিত্বের প্রতি স্বীকৃতি প্রকাশ পেয়েছে বলে মনে হলেও পুরুষের সম্পূরক সত্তা হিসেবেই শেষপর্যন্ত নারীকে দেখা হয়েছে। স্পষ্ট করেই তিনি বলেছেন, ''এমন-কি পুরুষ প্রকৃতি গড়িয়া তুলিতে স্ত্রী লোকেরাই বিশেষ আবশ্যক। কারণ, স্ত্রীলোকেই চাহে পুরুষ পরিপূর্ণরূপে পুরুষ হউক। পুরুষের উন্নত আদর্শ স্ত্রীলোকের হৃদয়েই বিরাজ করিতে পারে। স্ত্রীলোকের জন্যই পুরুষদিগকে, বিশেষরূপে পুরুষ হওয়া আবশ্যক।'' (ওই, পৃ. ৪৬৩)। নারীর 'সাধারণ শিক্ষা' হিসেবে তিনি গার্হস্থ্যকর্মকেই নির্দেশ করেছেন। এ দেশের নারীরা বাল্যকাল থেকে কেবল পরিবারের সেবা করা জন্য বিশেষরূপে গড়ে ওঠে, আত্মোৎকর্ষ সাধনের যাবতীয় উপায় থেকে বঞ্চিত হয়ে তারা 'সম্পূর্ণ স্ত্রীলোক হতে পারে না'। তাদের সর্বাঙ্গীণ উন্নতির পথ আমাদের দেশে সম্পূর্ণ রুদ্ধ, 'আমাদের দেশের স্ত্রীলোকেরা কেবলমাত্র গৃহিণী, তা ছাড়া আর কিছুই নয়' ইত্যাদি মর্মে আক্ষেপ ব্যক্ত করেও, নারীজীবনের সার্থকতা তিনি দেখেছেন শেষাবধি পুরুষকে পূর্ণতা দেওয়ার, তার যথার্থ সঙ্গিনী হওয়ার মধ্যে। নারীর মানুষ হওয়াও সে-প্রয়োজন থেকেই। রচনাটি শেষ করেছেন রবীন্দ্রনাথ একথা দিয়ে— ''সন্তান পালন কেবলমাত্র

স্তনদান নহে, স্বামীর সঙ্গিনী হওয়া কেবল স্বামীর ভাতের মাছি তাড়ানো, পা ধুইবার জল জোগানো নহে। এ সকল কাজের জন্য প্রথমত সাধারণ শিক্ষা আবশ্যক, মানুষ হওয়া আবশ্যক এবং আমরা কেবল অসম্পূর্ণ পুরুষ, স্ত্রীলোকেরা কেবল আমাদের ঘরের কাজ অসম্পূর্ণরূপে করে মাত্র।" (ওই, পৃ. ৪৬২-৬৩)

আমাদের প্রাচীন কাব্যে ও সমাজে 'স্ত্রী-পুরুষ প্রেমের অভাব' শীর্ষক নিবন্ধটিতে রবীন্দ্রনাথ তাঁর একটি তাৎপর্যপূর্ণ পর্যবেক্ষণের কথা বলেছেন। তিনি বলেছেন, আমাদের প্রাচীন সাহিত্যে দাম্পত্য প্রেমের বহুল উল্লেখ থাকলেও, স্বাধীন প্রেমের কথা নেই বললেই চলে, সেখানে ''য়ুরোপীয় কাব্য সাহিত্যে দাম্পত্যপ্রেম অপেক্ষা স্বাধীন প্রেমই অধিক বিস্তৃত।" (ওই, পৃ. ৪৬৪) এ দেশীয় প্রাচীন সাহিত্যের শ্রেষ্ঠ নিদর্শনগুলো যেমন শকুন্তলা, বিক্রমোর্বশী, মৃচ্ছকটিক, কুমারসম্ভব-এ স্বাধীন প্রেমের পরিচয় আছে। কারণ প্রেম সেখানে 'সমাজ বিরোধী', 'অসামাজিক', 'সমাজবন্ধন' ছিন্ন করে সৌন্দর্যের দিকে ধাবিত হয়েছে। অন্তত ভাবাদর্শের স্তরে এই অসামাজিক প্রেমকে রবীন্দ্রনাথ ইতিবাচক অর্থেই গ্রহণ করেছেন। তিনি লিখেছেন— ''রাধাকৃষ্ণের সমাজবিদ্রোহী প্রেমগান যে আমাদের এই আটঘাঁট (বাঁধা) সমাজেরও সর্বত্র প্রচলিত হইল ইহাতেও প্রমাণিত হইতেছে, আমাদের রুদ্ধ হৃদয় ব্যাকুলভাবে প্রেমের স্বাধীনতা (খুঁজিতেছে)।" এবং ''সমাজনিয়মের শাসন সত্ত্বেও প্রেম আমাদের হৃদয় হইতে লুপ্ত হয় নাই।" (ওই, পৃ. ৪৬২-৬৩) তবে স্বাধীন প্রেমের অভাবের জন্য যে আমাদের সমাজে নারীর স্বাধীনতার অভাবও দায়ী, সেকথা রবীন্দ্রনাথ বলেননি। যদিও বিষয়টা যে তাঁর উপলব্ধিতে নেই তাও মনে হয় না। বিশেষ করে যখন একই দিনে (২৬ নভেম্বর, ১৮৮৮) লেখা তাঁর ঙ্খছজ্জ)ঙ্জ্রট্টু শীর্ষক ক্ষুদ্র রচনাটিতে তিনি বলেন, ''আমাদের দেশে স্ত্রীলোকের প্রতি যে সম্মান আছে, তাহা জননীভাবে, দেবীভাবে। তাহার কারণ, কেবলমাত্র পতিব্রতা সতী এবং জননী এই দুইভাবে আমাদের স্ত্রীলোকেরা ভক্তির যোগ্য। ... আমাদের দেশে কুমারী শিশু আছে, কিন্তু কুমারী স্ত্রীলোক নাই, সুতরাং স্ত্রী-পুরুষ মাত্রেরই মধ্যে যে অস্বাভাবিক প্রেমের সম্বন্ধ তাহা এদেশে জানিতে পারে নাই।" (ওই, পৃ. ৪৬৪) এবং ''স্বাধীনতা লাভ করিয়া স্ত্রীলোক সবল হয় এবং সবলতা লাভ করিয়া স্ত্রীলোক জয়ী হয়। কেবল স্বামী পুত্র পরিবারের নহে, সমস্ত পুরুষের প্রেম আকর্ষণ করিয়া তবে সমাজে একটি সমগ্র স্ত্রীলোক উদ্ভিন্ন হইতে পারে।" (ওই, পৃ. ৪৬৪-৬৫)

প্রায় তিরিশ বছর বয়সে লেখা পঞ্চভূত-এর (১৮৯৭) অন্তর্ভুক্ত 'নরনারী'-তে (১৮৯২) স্রোতস্বিনীর জিজ্ঞাসার অভাবে উত্তমপুরুষে ব্যক্ত নিম্নোদ্ধৃত বক্তব্যে সমাজে নারীর ভূমিকা বা করণীয় সম্পর্কে রবীন্দ্রনাথের এক রকম সনাতনী দৃষ্টিভঙ্গিরই কি প্রতিফলন ঘটেনি?

''আর তো কিছুই করিতে হইবে না। যেমন আছ তেমনি থাকো। লোকে দেখিয়া বুঝিতে পারুক সত্য, সরলতা, শ্রী যদি মূর্তি গ্রহণ করে তবে তাহাকে কেমন দেখিতে হয়। যে গৃহে লক্ষ্মী আছে, সে গৃহে বিশৃঙ্খলা কুশ্রীতা নাই। আজকাল আমরা যে সমস্ত অনুষ্ঠান করিতেছি তাহার মধ্যে লক্ষ্মীর হস্ত নাই। এইজন্য তাহার মধ্যে বড়ো বিশৃঙ্খলতা বড়ো বাড়াবাড়ি— তোমরা শিক্ষিতা নারীরা তোমাদের হৃদয়ের সৌন্দর্য লইয়া যদি এই সমাজের মধ্যে এই অসংযত কার্যস্তূপের মধ্যে

আসিয়া দাঁড়াও তবেই ইহার মধ্যে লক্ষীস্থাপনা হয়, তবে অতি সহজেই সমস্ত শোভন পরিপাটি এবং সামঞ্জস্যবদ্ধ হইয়া আসে।" (র. র/১ পৃ. ৯০০)

বক্তব্যের শেষাংশ থেকে সমাজের বহিরাঙ্গনে নারীর ভূমিকার প্রতি স্বীকৃতি প্রকাশ পেয়েছে বলে মনে হলেও, তা নারী-পুরুষের সাম্য বা সমানাধিকারের দ্যোতক নয়। তেতাল্লিশ বছর পর লেখা একই রচনাটির শেষাংশে (১৯৩৫) নারী-পুরুষের বৈশিষ্ট্য বা পার্থক্য উল্লেখ করে লেখা হয়।

"আদর্শ নারীর উপকরণ-আয়োজন অনেকখানি জোগাইয়াছে প্রকৃতি। প্রকৃতির আদুরে সন্তান নয় পুরুষ, বিশ্বের শক্তিভাণ্ডার তাহাকে লুঠ করিয়া লইতে হয়। এইজন্য পৃথিবীতে অনেক পুরুষ অকৃতকার্য। কিন্তু যাহারা সার্থক হইতে পারে তাহাদের তুলনা তোমার মেয়ে মহলে মিলিবে কোথায়, অন্তত আমাদের দেশে এই অকৃতার্থতার কি একটা কারণ নয় মেয়েরাই? তাহাদের অন্ধসংস্কার, তাহাদের আসক্তি, তাহাদের ঈর্ষা, তাহাদের কৃপণতা! মেয়েরা সেখানেই ত্যাগ করে যেখানে তাহাদের প্রবৃত্তি ত্যাগ করায়, তাহাদের সন্তানের জন্য, প্রিয়জনের জন্য। পুরুষের যথার্থ ত্যাগের ক্ষেত্র প্রবৃত্তির বিরুদ্ধে। এ কথা মনে রাখিয়া দুই জাতের তুলনা করিয়ো।" (ওই, পৃ. ৯০১)

প্রথম বার ইউরোপ প্রবাসকালীন বিলেতে দু-ধরনের নারীর রবীন্দ্রনাথ সাক্ষাৎ পেয়েছেন। তাদের একদল তাঁর ভাষায় 'ধনী ফ্যাশনেবল' অন্যদল 'মধ্যবিত্ত'। এর মধ্যে প্রথম দলে যারা তারা 'বড়োমানুষের মেয়ে কিংবা বড়োমানুষের স্ত্রী', তাদের জীবন কাটে আরাম-আয়েশ, বিলাস-ব্যসনের মধ্যে। সংসারের বলতে গেলে কুটোটিও তাদের নাড়তে হয় না, সেজন্য রয়েছে অন্য লোক— হাউস কিপার, নার্স, গভর্নেস, মেড প্রভৃতি। শুয়ে-বসে, সাজগোজ, সামাজিকতা ও ফ্লার্ট করে তাদের দিন কাটে। এদের সঙ্গে নিজ দেশের নারীদের তিনি কোনো তফাত খুঁজে পাননি। কিংবা ততটুকুই তফাত যতটুকু 'একটা দিশি পুতুল ও একটা বিলিতি পুতুলের'। এঁদের দেখেই ইউরোপ প্রবাসীর পত্রে (১৮৮১) তিনি লিখেছেন:

> আমাদের দেশে যেমন ছেলেবেলা থেকে মেয়েদের বিয়ের জন্যে প্রস্তুত করে, যথেষ্ট লেখাপড়া শেখায় না, কেননা মেয়েদের আপিস যেতে হবে না; এখানেও তেমনি মাগ্‌গি দরে বিকোবার জন্যে মেয়েদের ছেলেবেলা থেকে পালিশ করতে থাকে, বিয়ের জন্য যতটুকু লেখাপড়া শেখা দরকার ততটুকু যথেষ্ট। একটু গান গাওয়া, একটু পিয়ানো বাজানো, ভালো করে নাচা, খানিকটা ফরাসি ভাষা বিকৃত উচ্চারণ, একটু বোনা ও সেলাই করা জানলে একটি মেয়েকে বিয়ের দোকানের জানলায় সাজিয়ে রাখবার উপযুক্ত রঙচঙে পুতুল গড়ে তোলা যায়। ... আমাদের দিশি মেয়েদের পিয়ানো ও অন্যান্য টুকিটাকি শেখবার দরকার পরে না, বিলিতি মেয়েদেরও অল্পস্বল্প লেখাপড়া শিখতে হয়, কিন্তু দুই-ই দোকানে বিক্রি হবার জন্যে তৈরি। এখানেও পুরুষেরাই হর্তাকর্তা, স্ত্রীরা তাদের অনুগতা। স্ত্রীকে আদেশ করা, স্ত্রীর মনে লাগাম লাগিয়ে নিজের ইচ্ছেমত চালিয়ে বেড়ানো স্বামীরা ঈশ্বর নির্দিষ্ট অধিকার মনে করেন। (র র/১, পৃ. ৮২১)

এখানে দেখা যাচ্ছে পাশ্চাত্য সমাজেরও পুরুষতান্ত্রিক চেহারাটি রবীন্দ্রনাথ ঠিকই শনাক্ত করেছেন। আবার ওই সমাজেরও মধ্যবিত্ত শ্রেণির নারীদের অন্যরকম জীবনধারা তাঁর চোখে পড়েছে। এদের সম্পর্কে তাঁর মন্তব্য— "মধ্যবিত্ত গৃহস্থ মেয়েদের অনেকটা মেহনত করতে

হয়, বাবুয়ানা করলে চলে না।" (ওই, পৃ. ৮২১) এই প্রসঙ্গে সংসারের প্রয়োজনে তাদের উদয়াস্ত পরিশ্রমের একটি দীর্ঘ তালিকা তিনি দিয়েছেন। যদিও এই শ্রেণির নারীরাও পুরুষতন্ত্রের দ্বারা একইরকম নিগৃহীত, কিন্তু পূর্ববর্তীদের সঙ্গে তাদের কোথাও খানিকটা পার্থক্যও যেন আছে। রবীন্দ্রনাথ লিখলেন:

> এখানকার মধ্যবিত্ত শ্রেণীর মেয়েরা বিদ্যাচর্চার দিকে ততটা মনোযোগ দেন না, তাঁদের স্বামীরাও তার জন্যে বড়ো দুঃখিত নন, তাঁদের জীবন হচ্ছে কতকগুলি ছোটোখাটো কাজের সমষ্টি।... এখানকার মধ্যবিত্ত শ্রেণীর গিন্নিরা সাদাসিধে। যদিও তাঁরা ভালো করে লেখাপড়া শেখেননি, তবু তাঁরা অনেক বিষয়ে জানেন এবং তাঁদের বুদ্ধি যথেষ্ট পরিষ্কার। এদেশে কথাবার্তায় জ্ঞানলাভ করা যায়, তাঁরা অন্তঃপুরে বদ্ধ নন, বন্ধুবান্ধবদের সঙ্গে আলাপ করেন, আত্মীয়-সভায় একটা কোনো উচ্চবিষয় নিয়ে চর্চা হলে তাঁরা শোনেন ও নিজের বক্তব্য বলতে পারেন, বুদ্ধিমান ব্যক্তিরা একটা বিষয়ের কত দিক দেখেন ও কীরকম চক্ষে দেখেন তা বুঝতে পারেন। সুতরাং একটা কথা উঠলে কতকগুলো ছেলেমানুষি আকাশ-থেকে-পড়া প্রশ্ন জিজ্ঞাসা করেন না ও তাঁকে হাঁ করে থাকতে হয় না। বন্ধুবান্ধবদের সঙ্গে খুব সহজভাবে গল্পস্বল্প করতে পারেন, নিমন্ত্রণ সভায় মুখ ভার করে বা লজ্জায় অবসন্ন হয়ে থাকেন না, পরিচিতদের সঙ্গে অন্যায় গাঁ ঘেঁষাঘেঁষি নেই, কিংবা তাদের কাছ থেকে নিতান্ত অসামাজিকভাবে দূরেও থাকেন না।... (ওই, পৃ. ৮২১)

বেশ বোঝা যায়, ইংল্যান্ডের মধ্যবিত্ত নারীদের এই তুলনামূলক স্বাধীন চিত্ততা রবীন্দ্রনাথের মুগ্ধ দৃষ্টি আকর্ষণ করেছে। কারণ সমকালে ভারতীয় নারীদের মধ্যে এর কোনো সাদৃশ্য তিনি খুঁজে পাননি। তবে এই মুগ্ধতা নারীস্বাধীনতার পক্ষে তাঁকে কোনো স্থায়ী সিদ্ধান্ত গ্রহণে প্রণোদিত করেনি। বরং আমরা দেখি, নারীজীবনের সার্থকতা সম্পর্কে প্রথাগত ধারণার ছক থেকে বেরিয়ে আসতে না পারার ফলে, বিলেতি সমাজের তথাকথিত 'আইবুড়ো বা চিরকুমারী' মেয়েদের সম্পর্কে তাঁর কিঞ্চিৎ তাচ্ছিল্যের মনোভাবই যেন প্রকাশ পায় যখন তিনি লেখেন:

> এ দেশের চির-আইবুড়ো মেয়েরা কাজের লোক। টেম্‌পারেন্স মীটিং, ওয়াকিং মেনস্ সোসাইটি প্রভৃতি যতপ্রকার অনুষ্ঠানের কোলাহল আছে, সমুদয়ের মধ্যে তাদের কণ্ঠ আছে। পুরুষদের মতো তাঁদের আপিসে যেতে হয় না, মেয়েদের মতো ছেলেপিলে মানুষ করতে হয় না, এদিকে হয়তো এত বয়স হয়েছে যে 'বলে' গিয়ে নাচা বা ফ্লার্ট করে সময় কাটানো সংগত হয় না, তাই তারা অনেক কাজ করতে পারেন। তাতে উপকারও হয়তো আছে। (ওই, পৃ. ৮০৪)

ইংরেজ নারীর এই দাম্পত্য সম্পর্কহীন স্বাধীন বা একাকী জীবনযাপনের সমালোচনা রবীন্দ্রনাথ পরেও অন্যত্র যেমন তাঁর 'প্রাচ্য ও প্রতীচ্য' (১৮৯১) প্রবন্ধে করেছেন। তাদের চিরকুমারীত্বকে তিনি দেখেছেন 'দারুণ দূরদৃষ্টিতা' বলে। এ প্রসঙ্গে তাঁর মন্তব্য— "তাঁদের শূন্য হৃদয় ক্রমশ নীরস হয়ে আসে কেবল কুকুরশাবক পালন করে এবং সাধারণ-হিতার্থে সভা পোষণ ক'রে আপনাকে ব্যাপৃত রাখতে চেষ্টা করে।" (র র/৬, পৃ. ৫৪১) এ দেশীয় অন্তঃপুরবাসিনী এমনকী বালবিধবাদেরও বরং তাদের চেয়ে সুখী মনে হয়েছে তাঁর। নারীর পক্ষে বন্ধনের অপরিহার্যতা তুলে ধরে বলেছেন, বন্ধনহীন শূন্য স্বাধীনতা নারীর পক্ষে অতি ভয়ানক। (ওই, পৃ. ৫৪১)

দ্বিতীয় বার ইউরোপ ভ্রমণের অভিজ্ঞতা নিয়ে লেখা তাঁর *য়ুরোপ-যাত্রীর ডায়ারিতে* (১৮৯১) রবীন্দ্রনাথ এক নারী যাত্রাসঙ্গীর কথা বলেছেন, যিনি পূর্বেকার এক সমুদ্র-যাত্রায় কাপ্তেন বা কোনো কোনো পুরুষ যাত্রীর প্রতি 'কঠিন পরিহাস ও উৎপীড়ন' করতে তাঁদের চৌকিতে পিন ফুটিয়ে রাখতেন। মহিলার নিজ মুখে শোনা এই গল্পটির উল্লেখ করে রবীন্দ্রনাথের মন্তব্য— "দেখা যাচ্ছে, এখানে পুরুষদের প্রতি মেয়েরা অনেকটা দূর পর্যন্ত রূঢ়াচরণ করতে পারেন। ... পুরুষদের মুখের উপর রূঢ় সমালোচনা শুনিয়ে দেওয়া স্ত্রীলোকদের একটা অধিকারের মধ্যে। সেই লঘুগতি তীব্রতার দ্বারা তাঁরা পুরুষের শ্রেষ্ঠতাভিমান বিদ্ধ করে গৌরব অনুভব করেন।" (র র/১, পৃ. ৮৪৯) তবে ইউরোপীয় নারীর এই গৌরবানুভবের প্রয়াস রবীন্দ্রনাথের প্রীতি আকর্ষণ করেনি, সে ইঙ্গিতও তাঁর বক্তব্যে পাওয়া যায়।

সাধনা পত্রিকার মাঘ ১২৯৮ সংখ্যায় রবীন্দ্রনাথ একটি নিবন্ধ লেখেন 'স্ত্রী-মজুর' নামে। ইউরোপে শিল্পের বিকাশের ফলে স্ত্রী-পুরুষের কাজ বা মজুরির পার্থক্য যে কমে আসছে, এর ফল সমাজের জন্য কতটা কল্যাণপ্রদ কিংবা অশুভকর হতে পারে, তা-ই মূলত রচনাটির বিষয়। এ ব্যাপারে 'নিউ রিভিউ' পত্রিকায় প্রকাশিত ফরাসি লেখক জুল সিমঁর একটি প্রবন্ধের বক্তব্য উল্লেখ করে রবীন্দ্রনাথ যা লিখেছেন তা থেকে তাঁর নিজ দৃষ্টিভঙ্গিটিরও আঁচ পাওয়া যায়। যন্ত্র যে কেবল মানুষকে শ্রমদানে পরিণত করছে কিংবা মনুষ্যত্বের চেয়ে পণ্যকে দামি করে তুলেছে তা-ই নয়, এর ফলে নারী-পুরুষের স্বাতন্ত্র্য বা বৈশিষ্ট্যও লুপ্ত হতে বসেছে। 'স্ত্রী-মজুর এখন স্ত্রী নহে মাতা নহে কেবলমাত্র মজুর'— এ উদ্‌বেগটি জুলসিমঁর মতো রবীন্দ্রনাথকেও বিচলিত করেছে। নিবন্ধটির শেষাংশ থেকে কতকটা উদ্ধৃত করা যাক:

> লেখক বলিতেছেন, যখন গর্ভধারণ করিতে হয় তখন বাস্তবিকই পুরুষের সহিত স্ত্রীলোকের বৈষম্য আছে। কারখানার ডাক্তারদের জিজ্ঞাসা করিলে জানা যায় যে, স্ত্রী-মজুরদিগের প্রায়ই দুরারোগ্য রোগ বহন করিতে হয়।...
>
> কেবল আজীবন রোগ বহন এবং রুগ্ন সন্তান প্রসব করাই যে স্ত্রীলোকের অনিয়ন্ত্রিত খাটুনির একমাত্র কুফল, তাহা নহে। গৃহকার্যে অনবসর সমাজের পক্ষে বড়ো সামান্য অকল্যাণের কারণ নহে। পূর্ণ মাতৃস্নেহ হইতে শিশুদিগকে বঞ্চিত করিলে তাহা হইতে যে কত অমঙ্গলের উৎপত্তি হইতে পারে তাহা কে বলিতে পারে।
>
> ইহা হইতে যতদূর অনিষ্ঠ আশঙ্কা করা যায়, তাহা এখনও সম্পূর্ণ পরিণত হইবার সময় পায় নাই। কেবল দেখা যাইতেছে, পুরুষদের মধ্যে মদ্যপান এবং পাশবতা ক্রমশ দুর্দান্ত হইয়া উঠিতেছে এবং স্ত্রীলোকদের মধ্যে নারীসুলভ হৃদয়বৃত্তি শুষ্ক হইয়া মানসিক অসুখ এবং সন্তান পালনে অবহেলা উত্তরোত্তর বৃদ্ধি পাইতেছে। (র র/১৭, পৃ. ৬৮০-৮১)

জাপানের পথে রেঙ্গুনে পৌঁছোবার পর সেখানে বর্মি নারীদের ঘরের বাইরে 'পুরুষের কাজ প্রায় সমস্তই' করার দৃষ্টান্ত রবীন্দ্রনাথকে মুগ্ধ করে। 'এই কাজকর্মের হিলোলে মেয়েরা আরও যেন

বেশি করে বিকশিত হয়ে উঠেছে' বলে তাঁর মনে হয়। তোসামারু জাহাজে বসে তিনি লেখেন, ''কেবল বাইরে বেরতে পারাই যে মুক্তি তা নয়, অবাধে কাজ করতে পাওয়া মানুষের পক্ষে তার চেয়ে বড়ো মুক্তি। পরাধীনতাই সবচেয়ে বড়ো বন্ধন নয়, কাজের সংকীর্ণতাই হচ্ছে সবচেয়ে কঠোর খাঁচা।" (জাপান যাত্রী, র র/১০, পৃ. ৪০৪) বর্মি মেয়েরা এই খাঁচা থেকে মুক্তি পেয়েছে এবং তা তাদেরকে পূর্ণতা ও আত্মপ্রতিষ্ঠা দিয়েছে বলেও তাঁর মনে হয়। বর্মি নারীদের দেখে তাঁর নিজ দেশের সাঁওতাল রমণীদের কথা মনে পড়ে, জানিয়েছেন— 'কাজই যে মেয়েদের যথার্থ শ্রী দেয়, সাঁওতাল মেয়েদের দেখেই তিনি প্রথম বুঝতে পারেন। 'তাদের সকল প্রকার গতিভঙ্গিতে এমন একটা মুক্তির মহিমা' তিনি প্রকাশ পেতে দেখেছেন। কিন্তু এই মুগ্ধতা কি রবীন্দ্রনাথকে বাঙালি ভদ্রশ্রেণির নারীদের কাজের স্বাধীনতার ব্যাপারে তাঁর দৃষ্টিভঙ্গি পরিবর্তনে প্রবুদ্ধ করেছিল?

এমনকী সাময়িকপত্রের জন্য সংক্ষিপ্ত পুস্তকালোচনাগুলোতেও রবীন্দ্রনাথের পুরুষতন্ত্রী দৃষ্টিভঙ্গির প্রতিফলন ঘটেছে। যেমন সাহিত্য পত্রিকার আশ্বিন ১২৯৮ বঙ্গাব্দ সংখ্যায় কৃষ্ণভাবিনী দাসের 'শিক্ষিতা নারী' নামে একটি প্রবন্ধ প্রকাশিত হলে উক্ত প্রবন্ধে ব্যক্ত লেখিকার বক্তব্য নিয়ে একই পত্রিকার পৌষ ও মাঘ ১২৯৮ বঙ্গাব্দ সংখ্যায় রবীন্দ্রনাথ ও লেখিকার মধ্যে বিতর্ক বা জবাব-পালটা জবাব চলে, যা সাধনার মাঘ ও ফাল্গুন ১২৯৮ বঙ্গাব্দ সংখ্যা পর্যন্ত গড়ায়। কৃষ্ণভাবিনী তাঁর প্রবন্ধে নারীর অবরোধ ও অশিক্ষার 'মূলে' পুরুষের 'স্বার্থপরতা বা উৎপীড়ন'কে দায়ী করেন। এই 'মূল কথাটিতে আপত্তি জানিয়ে রবীন্দ্রনাথ সাধনার ফাল্গুন ১২৯৮ বঙ্গাধ সংখ্যায় লিখিত তাঁর আলোচনায় নারীর শারীরিক দুর্বলতাকেই তার অধীনতা বা পশ্চাৎপদতার জন্য দায়ী করেন। উদাহরণ দিয়ে তিনি বলেন, ''যদি আমরা বাঙালিরা বলি ইংরাজের স্বার্থপরতাই বাঙালির জাতীয় অধীনতার মূল তাহা হইলে তাহাতে দুর্বল প্রকৃতির বিবেচনাশূন্য কাঁদুনি প্রকাশ পায় মাত্র। ইংরাজ আপন স্বার্থপর প্রবৃত্তি আমাদের উপর খাটাইতেই পারিত না যদি আমরা গোড়ায় দুর্বল না হইতাম। অতএব স্বার্থপরতাকেই মূল না বলিয়া দুর্বলতাকেই মূল বলিয়া ধরা আবশ্যক। সকল প্রকার অধীনতারই মূলে দুর্বলতা" (র র/১৭, পৃ. ৬৪৬) পুরুষ যে নারীর তুলনায় শারীরিক দিক থেকে শক্তিশালী, অন্যত্র যেমন এই আলোচনাটিতেও রবীন্দ্রনাথ তাকে প্রকৃতি নির্ধারিত বলে মনে করে লিখেছেন, ''প্রকৃতির পক্ষপাতের জন্য পুরুষকে অপরাধী করা উচিত হয় না" (ওই, পৃ. ৬৪৬) রবীন্দ্রনাথের মতে বুদ্ধিচর্চা ও জ্ঞানোপার্জনও বলসাধ্য। আর ''দুইজন লোকের যদি সমান বুদ্ধি থাকে এবং তাহাদের মধ্যে একজনের শারীরিক বল অধিক থাকে তবে বলিষ্ঠ ব্যক্তি বুদ্ধি-সংগ্রামেও অন্যটিকে পরাভূত করিবে, শরীর ও মনের মধ্যে এমন ঘনিষ্ঠ যোগ আছে।" (ওই, পৃ. ৬৪৬) এমনকী নারীর ওপর পুরুষের অত্যাচারকেও কতক পরিমাণে স্বাভাবিক জ্ঞান করে রবীন্দ্রনাথের বক্তব্য—''যেখানে ক্ষমতা সেখানে প্রায়ই ন্যূনাধিক অত্যাচার আছেই। ক্ষমতাকে সম্পূর্ণ সংযত করিয়া চলা সর্বসাধারণের নিকট প্রত্যাশা করা যায় না।" (ওই, পৃ. ৬৪৬)। সুতরাং দোষ না 'মূল পাপ' যাই বলা হোক-না কেন তা এক্ষেত্রে 'পুরুষের নয় প্রকৃতির'। নারীকে সৌন্দর্যে 'পুরুষের অপেক্ষা শ্রেষ্ঠ' অভিহিত করে (যদিও এ প্রসঙ্গে রবীন্দ্রনাথ স্পষ্ট করেছেন, তিনি কেবল শারীরিক

সৌন্দর্যের কথা বোঝাচ্ছেন না) আপন মর্যাদার স্বীকৃতির জন্য তাকে 'লড়াই না করা'র পরামর্শ দিয়ে রবীন্দ্রনাথ লিখলেন :

> যিশুখৃষ্ট যেরূপ মৃত্যুর দ্বারা অমর হইয়াছেন সৌন্দর্য সেইরূপ উৎপীড়িত হইয়াই জয়ী হয়। অধৈর্য হইবার আবশ্যক নাই; নারীর আদর কালক্রমে আপনি বাড়িবে, সেজন্য নারীদিগকে কোমর বাঁধিতে হইব না, বরঞ্চ আরও অধিক সুন্দর হইতে হইবে।... ধৈর্য কঠিন প্রেম কোমল সৌন্দর্যের অলক্ষ্য প্রভাবে মনুষ্যত্ব বিকশিত হইতে থাকিবে এবং সেই মনুষ্যত্ব বিকাশের সঙ্গে সঙ্গে যথার্থ পৌরুষ যখন পরিণত হইয়া উঠিবে, তখন এই উদার হৃদয় পৌরুষই অনাদরের হাত হইতে সৌন্দর্যকে উদ্ধার করিবে। ... (সাময়িক সাহিত্য সমালোচনা, র. র/১৭, পৃ. ৬৪৭)

একই সাধনা পত্রিকার জ্যৈষ্ঠ ১৩০২ বঙ্গাব্দ সংখ্যায় শ্রীমতী মৃণালিনী 'নির্ঝরিণী' নামক এক গ্রন্থের আলোচনা করতে গিয়ে রবীন্দ্রনাথের সূচনাবাক্যটিই ছিল "মহিলা-প্রণীত গ্রন্থ সর্বতোভাবে নিরপেক্ষচিত্তে সমালোচনা করা কঠিন।" ('গ্রন্থ সমালোচনা', র র/১৭, পৃ. ৬২৮)। ভারতী পত্রিকার জ্যৈষ্ঠ ১৩০৫ বঙ্গাব্দের সংখ্যায় শ্রীহেমলতা দেবী রচিত 'ভারতবর্ষের ইতিহাস' গ্রন্থের আলোচনা শুরু করেছেন— "বিধাতা স্ত্রী জাতিকে এত কোমল করিয়াছেন, যে সেই কোমলতার অবশ্যসহচর দুর্বলতার দ্বারা তাহারা অসহায় এবং পরাধীন। তথাপি তাহা যুগ যুগান্তর চলিয়া আসিতেছে, তাহার কারণ ছেলেদের মানুষ করিবার জন্য এই কোমলতা অত্যাবশ্যক।" (ওই, পৃ. ৪৯০)। শিশুশিক্ষার ক্ষেত্রে নারীর স্বভাব পারংগমতার উল্লেখ করে কবিগুরুর অভিমত ছিল "বালকের স্বাভাবিক মুগ্ধতার প্রতি পুরুষের ধৈর্য নাই, শিশু চরিত্রের মধ্যে পুরুষের সস্নেহ প্রবেশাধিকার নাই।" (ওই, পৃ. ৪৯০)। কিন্তু তা মানুষ হিসেবে নারীর পূর্ণ যোগ্যতার প্রতি নয়, নারী হিসেবে তার বিশেষ উপযোগিতার স্বীকৃতি। গ্রন্থটির প্রশংসা করতে গিয়েও রবীন্দ্রনাথ লিখলেন "সমালোচ্য বাল্যপাঠ্য গ্রন্থখানি শিক্ষিত মহিলার রচনা বলিয়া আমরা বিশেষ আনন্দ লাভ করিয়াছি। পূর্বেই বলিয়াছি শিশুদিগকে শিক্ষা দান তাঁহাদের শিক্ষালাভের একটি প্রধান সার্থকতা। অধুনা আমাদের দেশের অনেক স্ত্রীলোক উচ্চশিক্ষা লাভ করিতেছেন, তাঁহাদের সেই শিক্ষা যদি তাঁহারা মাতৃভাষায় বিতরণ করেন তবে বঙ্গগৃহের লক্ষীমূর্তির সঙ্গে সঙ্গে তাঁহাদের সরস্বতীমূর্তি বিকশিত হইয়া উঠিবে।" (ওই, পৃ. ৪৯০)

ভাবাদর্শের স্তর থেকে রবীন্দ্রনাথ যেখানে বাস্তবের কাছাকাছি নেমে এসেছেন, যেমন তাঁর ছোটোগল্প ও উপন্যাসে, যেখানে নারীজীবনের বঞ্চনার দিকটি কখনো কখনো তাঁর রচনায় গভীর সহানুভূতির সঙ্গেই উঠে এসেছে। এমনকী পুরুষতন্ত্রের প্রতি সূক্ষ্ম ব্যঙ্গও সেখানে দুর্লক্ষ্য নয়। 'খাতা' (১৮৮৪) গল্পে "বালিকাবধূ উমার যা-ইচ্ছে-তাই লেখার গোপন খাতাটি স্বামী প্যারীমোহনেরও সূক্ষ্মতত্ত্ব কণ্টকিত বিবিধ প্রবন্ধপূর্ণ একখানি খাতা ছিল কিন্তু সেটি কাড়িয়া লইয়া ধ্বংস করে এমন মানবহিতৈষী কেহ ছিল না। (গল্পগুচ্ছ র.র/৯, পৃ. ৪০৫) কিংবা 'হৈমন্তী' (১৯১৪) গল্পে "জান তোমরা? যেদিন অযোধ্যার লোকেরা সীতাকে বিসর্জন দিবার দাবি করিয়াছিল তাহার মধ্যে আমিও যে ছিলাম। আর সেই বিসর্জনের গৌরবের কথা

যুগে যুগে যাহারা গান করিয়া আসিয়াছে আমিও যে তাহাদের মধ্যে একজন।" ইত্যাদি। তবে সমগ্র রবীন্দ্র কথাসাহিত্যে এমন উদাহরণ বেশি নেই। বাস্তব পরিবেশে যেমন, তেমনি রবীন্দ্রনাথের গল্প-উপন্যাসেও নারীকে বার বার পুরুষতন্ত্রের কাছে হার মানতে বা তার পদতলে আত্মোৎসর্গ করতে হয়। যার অন্যথা রবীন্দ্রনাথ করেননি। যদি করতেন তাহলে নিশ্চয় কোথাও কোথাও শিল্পের সত্য ক্ষুণ্ণ হত। কিন্তু সবখানেই কি? তা যে নয় তার প্রমাণ 'শাস্তি' (১৮৯৩) গল্পটি। গল্পের শেষে চন্দরার মুখে উচ্চারিত 'মরণ' শব্দটির মধ্য দিয়ে শুধু কি স্বামীর প্রতি এক গ্রাম্য নারীর অভিমান বা ক্ষোভ প্রকাশ পেয়েছে? পুরুষতন্ত্রের বিরুদ্ধে একটি প্রতিবাদও কি এর মধ্যে প্রচ্ছন্ন নেই? তবে এ হল ব্যতিক্রমের দৃষ্টান্ত। না কি জন-খাটা ছিদাম রুইয়ের স্ত্রী চন্দরার পক্ষে যা সংগত বা স্বাভাবিক, বড়োবাড়ির বউ মৃণাল কিংবা কুমুদিনীর জন্য তা নয়, এই বাস্তবতাবোধ রবীন্দ্রনাথকে পরিচালিত করেছিল? আবার 'স্ত্রীর পত্র' (১৯১৪) গল্পের মৃণাল বিয়ের পনেরো বছর পর পুরীর সমুদ্রতীরে দাঁড়িয়ে উপলব্ধি করে যে সংসারের মে-বউ ছাড়াও জগতের সঙ্গে তার 'অন্য সম্বন্ধও আছে'। বুঝেছে যে পুরুষশাসিত সমাজে নারীর বুদ্ধি থাকাটাই একরকম 'বালাই', আর যাকে বাধা মেনে চলতে হবে; সে যদি বুদ্ধিকে মেনে চলতে চায় তবে কপাল তার ভাঙবেই। তবু সেটা মেনে নিয়েই স্বামীকে সে 'সাহস করে' লিখতে পারে, "এ তোমাদের মেজ বউয়ের চিঠি নয়।" জানিয়ে দেয়, "আমি আর তোমাদের সেই সাতাশ নম্বর মাখন বড়ালের গলিতে ফিরব না।" কিন্তু মৃণালের সে-সাহস তার পরিণতি বা গন্তব্য খুঁজে পায় মীরাবাঈয়ের সাধন আদর্শে। *যোগাযোগ* (১৯২৯) উপন্যাসের নায়িকা কুমুদিনী। রবীন্দ্রনাথ এই চরিত্রটিকে তাঁর শিল্পীমনের সমস্ত সহানুভূতি ঢেলে সাজিয়েছেন এই চরিত্রটিতে। তার সৌন্দর্য এবং ব্যক্তিত্বকে গড়ে তুলেছেন। বিয়ের আগে সে স্বপ্ন দেখত কোনো এক রাজপুত্রের, যে এসে তাকে উদ্ধার করবে। অবশ্য বিয়ের পর এই কুমুকে আমরা বলতে শুনি— "এমন কিছু আছে যা ছেলের জন্যও খোয়ানো যায় না।" এবং "আমি ওদের বড় বউ তার কি কোনো মানে আছে যদি আমি কুমু না হই?" এই কুমুকেই আমরা সন্তানদানের জন্য আবার সেই স্বামীগৃহেই ফিরে যেতে দেখি, যে-স্বামীকে সে মন থেকে একদিনের জন্যও শ্রদ্ধা করতে পারেনি।

মৃণাল কিংবা কুমু— রবীন্দ্রনাথের এই নায়িকারা কেউ নোরা হতে পারেনি। ইবসেনের 'এডলস হাউস'-এর (১৮৭৯) নোরা স্বামীগৃহ ত্যাগ করার সময় স্বামী হেলমার তাকে স্মরণ করিয়ে দিয়েছিল, "অন্য সব কিছুর আগে তুমি একজন স্ত্রী ও মা।" জবাবে নোরা বলেছিল, "আমি আর তা বিশ্বাস করি না। আমি মনে করি সবার আগে আমি একজন মানুষ, ঠিক তোমারই মতো— কিংবা আমাকে অবশ্যই যে-কোনো মূল্যে তা হওয়ার চেষ্টা করতে হবে। হ্যাঁ টোরভাল্ট, আমি খুব ভালো করেই জানি যে বেশির ভাগ লোক তোমার মতকেই সমর্থন করবে, আর শাস্ত্রগ্রন্থগুলোতেও সব সেরকম কথাই লেখা আছে; কিন্তু লোকে যা বলে বা শাস্ত্রে যা লেখা আছে তা আমার কাছে যথেষ্ট নয়; আমাকে নিজেকেই এ বিষয়গুলো নিয়ে ভেবে দেখতে ও প্রশ্নের জবাব খুঁজে বের করতে হবে।" ('এডলস হাউস', ৩য় অঙ্ক) আমরা বুঝি যে রবীন্দ্রনাথের নায়িকার পক্ষে এমন কোনো কথা বলা সম্ভব নয়। উনিশ শতকের ইউরোপ ও বিশ শতকের প্রথম দিকের বাংলা বা

ভারতের সামাজিক অবস্থার পার্থক্যই একমাত্র কারণ নয় (এ প্রসঙ্গে আমাদের মনে রাখতে হবে, ইউরোপেও সমকালে নাটকটি যথেষ্ট বিতর্ক সৃষ্টি করেছিল। নাটকটির প্রথম মঞ্চায়ন হয়েছিল ইবসেনের নিজ দেশ নরওয়েতে নয়, ডেনমার্কে)। ইউরোপে নোরার মতো নারীদের এই বিদ্রোহ বা স্বাধীনতাস্পৃহা অবশ্য রবীন্দ্রনাথের মনোযোগ এড়ায়নি। তা থেকে ইউরোপীয় নারীদের দুরবস্থা বা তার কারণ তিনি তাঁর মতো করে ঠিকই উপলব্ধি করেছেন।

নরওয়ে দেশীয় প্রসিদ্ধ নাট্যকার ইবসেন-রচিত কতকগুলি সামাজিক নাটকে দেখা যায়, নাট্যোক্ত অনেক স্ত্রীলোক প্রচলিত সমাজবন্ধনের প্রতি একান্ত অসহিষ্ণুতা প্রকাশ করছে, অথচ পুরুষেরা সমাজ প্রথার অনুকূলে। এইরকম বিপরীত ব্যাপার পড়ে আমার মনে হল, বাস্তবিক, বর্তমান ইউরোপীয় সমাজে স্ত্রীলোকের অবস্থাই নিতান্ত অসংগত। পুরুষেরা না তাদের গৃহ প্রতিষ্ঠা করে দেবে, না তাদের কর্মক্ষেত্রে প্রবেশের পূর্ণাধিকার দেবে। (প্রাচ্য ও প্রতীচ্য) র র/৬, পৃ. ৫৩৯)

পরিপ্রেক্ষিতে ইউরোপীয় নারীদের তাঁর ভাষায় 'প্রলয়মূর্তি ধারণা'কে রবীন্দ্রনাথ স্বাভাবিক বলে মেনে নিতে পারলেও, তুলনায় এ দেশীয় যে 'গৃহলক্ষীরা' তাদের 'সুগোল কোমল দুটি বাহুতে দু-গাছি বালা প'রে সিঁথের মাঝখানটিতে সিঁদুরের রেখা কেটে সদাপ্রসন্ন মুখে স্নেহ প্রেম কল্যাণে আমাদের গৃহ মধুর করে রেখেছেন তাঁদেরকে তাঁর বরং সুখী বলেই মনে হয়েছে। অন্তত তাঁর মতে, "তাঁরা যে বড়ো অসুখী আছেন এমনতরো আমাদের কাছে তো কখনো প্রকাশ করেননি।" (ওই, পৃ. ৫৪০) বাঙালি বা ভারতীয় নারীদের এই সুখাবস্থার বিবরণ দিতে গিয়ে একই প্রবন্ধে তিনি আরও লিখলেন—

> আমরা আর যা-ই হই, আমরা গৃহস্থ জাতি। অতএব বিচার করে দেখতে গেলে আমরা আমাদের রমণীদের দ্বারেই অতিথি। তাঁরাই আমাদের সর্বদা বহু যত্ন আদর করে রেখে দিয়েছেন। এমনই আমাদের সম্পূর্ণ আয়ত্ত করে নিয়েছেন যে, আমরা ঘর ছেড়ে দু'দিন টিকতে পারিনে; তাতে আমাদের অনেক ক্ষতি হয় সন্দেহ নেই, কিন্তু তাতে করে নারীরা অসুখী হয় না (ওই, পৃ. ৫৪২)।

জীবনের শেষ পর্ব। কবির বয়স তখন পঁচাত্তর। লেখা প্রবন্ধ *কালান্তর* (১৯৩৭) গ্রন্থভুক্ত 'নারী'তেও (অক্টোবর ১৯৩৬) দেখা যায় আপাত দার্শনিক বা হেঁয়ালিপূর্ণ বক্তব্যের আড়ালে রবীন্দ্রনাথ কোথাও কোথাও নারীর অধীনতার বাস্তবটিকে প্রকারন্তরে সমর্থন জুগিয়েছেন। লিখলেন— "মেয়েদের নিজের স্বভাবেই বাঁধন-মানা প্রবণতা আছে।" (র র/১২, পৃ. ৬২২) নারীকে 'পুরাতনী', 'আদ্যাশক্তি' হিসেবে উল্লেখ করে এই প্রবন্ধেও তিনি নারীচরিত্রের তথাকথিত রহস্যময়তা, দুর্জ্ঞেয়তাকে মহিমান্বিত করেছেন। তবে এর পর পরই তিনি 'পৃথিবীর সকল দেশেই' নারীর 'আপন ব্যক্তিগত সংসারের গণ্ডি পেরুনো' এমনকী এশিয়াতেও তার লক্ষণ দেখতে পাওয়ার তথ্য দিতে গিয়ে নিজ অভিজ্ঞতা থেকে বাঙালিসমাজেও 'মৃদুপদে নয় দ্রুতপদে' পরিবর্তন সম্ভাবিত হয়ে ওঠার কথা বলেছেন। তাঁর মতে 'গৃহস্থালির ছোটো পরিধির মধ্যে জীবন আবদ্ধ' থাকায় 'মেয়েলি মনের স্বাভাবিক প্রবৃত্তিগুলি নিয়ে সহজেই তাদের কাজ চলে যেত' বলে এতদিন নারীর 'বিশেষ শিক্ষার দরকার ছিল না।' তাই স্ত্রীশিক্ষা নিয়ে এতদিন এত বিরুদ্ধতা ও

প্রহসনের সৃষ্টি হয়েছে। বর্তমানে 'কালের প্রভাবে নারীর পক্ষে' বিশেষ করে 'বুদ্ধির চর্চা, বিদ্যার চর্চা, একান্ত আবশ্যক' হয়ে উঠেছে। এই পরিবর্তনকে তিনি দেখেছেন অপ্রতিরোধ্য, অবশ্যম্ভাবী বলে। তবে তাঁর মতে এই পরিবর্তনটি ঘটছে 'আপনিই'। অর্থাৎ ভেতর থেকে স্বাভাবিক নিয়মে, 'এ নিয়ে কাউকে সভাসমিতি করতে হয়নি'। (ওই, পৃ. ৬২৩)। তিনি বিষয়টিকে ব্যাখ্যা করেছেন এভাবে, "প্রাকৃতিক কারণে নদীতে জলধারার পরিমাণ যদি বেড়ে যায় তবে তার তটভূমির সীমা আপনিই হটে যেতে থাকে। মেয়েদের জীবনে আজ সকল দিক থেকেই স্বতই তার তটের সীমা দূরে চলে যাচ্ছে।" (ওই, পৃ. ৬২৩)। "এই প্রণালীতেই আমাদের দেশের আধুনিক মেয়েদের মন ঘরের সমাজ ছাড়িয়ে প্রতিদিন বিশ্বসমাজে উত্তীর্ণ হচ্ছে।" "ঘরের মেয়েরা প্রতিদিন বিশ্বের মেয়ে হয়ে দেখা দিচ্ছে" ইত্যাকার মন্তব্য থেকে নারী প্রগতির প্রতি রবীন্দ্রনাথের ইতিবাচক মনোভঙ্গির পরিচয় পাওয়া যায়। রবীন্দ্রনাথ প্রবন্ধটি লিখেছিলেন নিখিলবঙ্গ মহিলা কর্মী সম্মিলনে পাঠের জন্য। হুমায়ুন আজাদের ধারণা পরিবেশগত এই বাধ্যতাই নারী প্রগতির প্রশ্নের এই প্রবন্ধটিতে রবীন্দ্রনাথের পরিবর্তিত অবস্থানের কারণ। বিষয়টির উল্লেখ করে হুমায়ুন আজাদ বলেছেন, 'মুক্ত বা মুক্তিপিপাসু' যে-নারীদের সম্মেলনে রবীন্দ্রনাথ গিয়েছিলেন, "তাঁদের আমন্ত্রণে তাঁদের সম্মেলনে এসে রবীন্দ্রনাথ তাঁদের সম্পূর্ণ বিরুদ্ধে বলবেন, এমন অরুচিকর স্বভাব ছিলো না তাঁর" (নারী, ঢাকা ১৯৯২, পৃ. ১২৬)। এ প্রসঙ্গে হুমায়ুনের আরও মন্তব্য— "কৃতজ্ঞবোধ করছি নিখিলবঙ্গ মহিলা-কর্মীদের প্রতি, কেননা তাঁরা নিজেদের সভায় আমন্ত্রণ করে উদ্ধার করেছিলেন পিতৃতান্ত্রিক রবীন্দ্রনাথকে। তাঁরা রবীন্দ্রনাথকে আমন্ত্রণ না-জানালে তাঁর তিরোধান ঘটত নারীমুক্তিবিরোধী পুরুষতন্ত্রের এক বড়ো পুরোহিতরূপে।" (ওই, পৃ. ১২৬)। হুমায়ুন আজাদের এই অনুমান বা ধারণা নিয়ে কোনো বিতর্কে না গিয়েও বোধ হয় বলা যায়, নারী প্রগতির প্রশ্নে রবীন্দ্রনাথের এই পরিবর্তিত অবস্থান চূড়ান্ত বিচারে তাঁর চিন্তার অগ্রসরমানতার পরিচায়ক। কিন্তু রবীন্দ্রনাথ নারী-পুরুষের সার্বিক সাম্যাবস্থার পক্ষে ছিলেন একথা বললে নিশ্চয় সত্যের অপলাপ হবে। বরং প্রকৃত তথ্য এই, নারীর স্বতন্ত্র বৈশিষ্ট্য বজায় রাখতে তিনি সমধিক আগ্রহী ছিলেন। তবে সংসারে নারীর পৃথক বা বিশেষ ভূমিকা বা কর্তব্যের ওপর গুরুত্ব দিয়েও তিনি বার বার তার মানুষ হওয়ার প্রয়োজনীয়তার কথা বলেছেন। তাঁর মতে নারীর পরিপূর্ণ নারী হয়ে ওঠার জন্যই সেটা জরুরি।

[১৪]

রবীন্দ্রনাথের মহাকাব্য ভাবনা

রবীন্দ্রনাথ আমাদের মহাকবি। তবে তা মহাকাব্য রচয়িতা অর্থে নয়, কবি হিসেবে প্রতিভার বিরাটত্বে ও মহত্ত্বে। রবীন্দ্রনাথ যখন সাহিত্যক্ষেত্রে আবির্ভূত হন, তখনও বাংলা সাহিত্যে মহাকাব্যের যুগ একেবারে শেষ হয়নি। প্রারম্ভিক রচনা *বনফুল* (১৮৭২) ও *সন্ধ্যাসঙ্গীত* (১৮৮২)-এর কথা বাদ দিলেও, উনিশ শতকে শেষ হওয়ার আগেই প্রকাশিত হয় রবীন্দ্রনাথের *সন্ধ্যাসঙ্গীত* (১৮৮২), *প্রভাতসঙ্গীত* (১৮৮৩), *ছবি ও গান* (১৮৮৫), *কড়ি ও কোমল* (১৮৮৪), *সোনার তরী* (১৮৯৪), *চিত্রা* (১৮৯৬), *কল্পনা* (১৯০০) প্রভৃতি কাব্যগ্রন্থ। এ ছাড়া *বাল্মীকি প্রতিভা* (১৮৮১), *বিসর্জন* (১৮৯০) ও *চিত্রাঙ্গদা*-র (১৮৯৪) মতো কাব্যনাট্য এবং অনেকগুলো ছোটোগল্প ও প্রবন্ধ। মাইকেলের *মেঘনাদবধ* (১৮৬১) যদিও কিছু আগের রচনা, কিন্তু উল্লিখিত কাল পর্বেই প্রকাশিত হয় হেমচন্দ্র বন্দ্যোপাধ্যায়ের মহাকাব্য *বৃত্রসংহার ১ম খণ্ড* (১৮৭৫), ২য় খণ্ড (১৮৭৭) এবং ও নবীনচন্দ্র সেনের মহাকাব্যধর্মী উপাখ্যান বৈরতক (১৮৮৭), *কুরুক্ষেত্র* (১৮৯৩) ও *প্রভাস* (১৮৯৬)। প্রায় একই সময়ে প্রকাশিত হয় আনন্দ চন্দ্র মিত্রের *হেলেনা কাব্য* (১ম খণ্ড ১৮৭৬, ২য় খণ্ড ১৮৭৮) ও *ভারতমঙ্গল* (১৮৯৪) কায়কোবাদের *মহাশ্মশান* প্রকাশিত হয় ১৯০৪ সালে। একই বছরে প্রকাশিত হয় মানকুমারী বসুর মাইকেল-প্রভাবিত দীর্ঘ আখ্যানকাব্য *বীরকুমার বধ*। মাইকেলের জীবনচরিত রচয়িতা যোগীন্দ্রনাথ বসুর দুটি মহাকাব্যধর্মী রচনা *পৃথ্বীরাজ* ও *শিবাজী* প্রকাশিত হয় যথাক্রমে ১৯১৫ ও ১৯১৮ খ্রিস্টাব্দে। রচনা হিসেবে সফল বা সার্থক না হয়েও এগুলোর কয়েকটি সমকালে কমবেশি জনপ্রিয়ও হয়েছিল। অথচ ওই সময়ে সাহিত্যসাধনায় ব্রতী হয়েও মহাকাব্য রচনার বাসনা রবীন্দ্রনাথকে কিছুমাত্র চঞ্চল করেনি। বালক বয়সে পিতার সঙ্গে শান্তিনিকেতনে অবস্থানকালে রবীন্দ্রনাথের 'পৃথ্বিরাজ পরাজয়' রচনার পেছনে মহাকবি হওয়ার কোনো বাসনা কাজ করেছিল, এমন প্রমাণ পাওয়া যায় না। বরং অনেক পরে জীবনস্মৃতিতে এই কৈশোরের রচনাটি সম্পর্কে তাঁর সকৌতুক মন্তব্য— "তাহার প্রচুর বীররসেও উক্ত কাব্যটাকে বিনাশের হাত হইতে রক্ষা করিতে পারে নাই।" (*রবীন্দ্র রচনাবলী*, ১ম খণ্ড, বিশ্বভারতী সংস্করণ ১৪১০ পৃ. ৪৪২)। অন্তত তাঁর দিক থেকে সেরকম কোনো প্রয়াসের কথা

জানা যায় না। বাংলা কাব্যসাহিত্যে তাঁর মহত্তম পূর্বসূরি, তখনও পর্যন্ত যিনি পাঠকপ্রিয়তার শীর্ষে, সেই মাইকেল মধুসূদন দত্তের চেয়ে তিনি বরং অনুপ্রাণিত হয়েছিলেন 'বিজনবাসী ভাবনিমগ্ন' কবি বিহারীলাল চক্রবর্তীর দ্বারা, 'যার কণ্ঠ সাধারণের নিকট তেমন সুপরিচিত ছিল না'। অথচ যাঁর অনুচ্চ কণ্ঠে রবীন্দ্রনাথ প্রথম 'কবির নিজের সুর' শুনতে পেলেন।[১] এই প্রসঙ্গে সাধনা পত্রিকার ১৩০১ বঙ্গাব্দ সংখ্যায় প্রকাশিত তাঁর 'বিহারীলাল' শীর্ষক প্রবন্ধে রবীন্দ্রনাথ লেখেন—

> আধুনিক বঙ্গসাহিত্যে এই প্রথম বোধ হয় কবির নিজের কথা। তৎসময়ে অথবা তৎপূর্বে মাইকেলের চতুর্দশপদীতে কবির আত্মনিবেদন কখনো কখনো প্রকাশ পাইয়া থাকিবে— কিন্তু তাহা বিরল এবং চতুর্দশপদীর সংক্ষিপ্ত পরিসরের মধ্যে আত্মকথা এমন কঠিন ও সংহত আসে যে, তাহাতে বেদনার গীতোচ্ছ্বাস তেমন স্ফূর্তি পায় না।
>
> বিহারীলাল তখনকার ইংরেজি ভাষায় নব্যশিক্ষিত কবিদিগের ন্যায় যুদ্ধবর্ণনা সংকুল মহাকাব্য, উদ্দীপনাপূর্ণ দেশানুরাগমূলক কবিতা লিখিলেন না, এবং পুরাতন কবিদিগের ন্যায় পৌরাণিক উপাখ্যানের দিকেও গেলেন না— তিনি নিভৃতে বসিয়া নিজের ছন্দে নিজের মনের কথা বলিলেন।... এইজন্য তাঁহার সুর অন্তরঙ্গরূপে হৃদয়ে প্রবেশ করিয়া সহজেই পাঠকের বিশ্বাস আকর্ষণ করিয়া আনিল।[২]

উদ্ধৃত বক্তব্যাংশ থেকে আর যা-ই হোক মাইকেল বা তাঁর অনুসারী কবিদের কাব্যচর্চা এবং সাধারণভাবে মহাকাব্য সম্পর্কে রবীন্দ্রনাথের অনুকূল মনোভাবের পরিচয় পাওয়া যায় না। রবীন্দ্রনাথ যে তাঁর সাহিত্যজীবনের সূচনায়ও কখনো মহাকাব্য রচনার স্বপ্ন দ্বারা আন্দোলিত হননি, তার পেছনে তাঁর মানস-প্রবণতা, আপন সামর্থ্য সম্পর্কে ধারণা কিংবা যুগ-সচেতনতা— যা আসলে প্রতিভারই একটি প্রধান বৈশিষ্ট্য— কোন কারণটি মুখ্যত কাজ করেছিল, বর্তমান আলোচনায় আমরা উত্তর খুঁজতে চেষ্টা করব।

কিশোর অবস্থায়, বয়স মাত্র ১৫ বছর। রবীন্দ্রনাথ জ্ঞানাঙ্কুর ও প্রতিবিম্ব পত্রিকায়[৩] (কার্তিক ১২৮৩) নবীনচন্দ্র মুখোপাধ্যায়ের *ভুবনমোহিনী প্রতিভা*, রাজকৃষ্ণ রায়ের *অবসর সরোজিনী* এবং হরিশচন্দ্র নিয়োগীর *দুঃখসঙ্গিনী*[৪]— এই তিনটি কাব্যগ্রন্থের একটি সমালোচনায় লেখেন। আমাদের জানা মতে এটিই রবীন্দ্রনাথ রচিত প্রথম সমালোচনা-নিবন্ধ। এই নিবন্ধে মহাকাব্য ও গীতিকবিতার তুলামূলক আলোচনাই প্রধান বা বড়ো অংশ জুড়ে আছে। গ্রন্থ সম্পর্কে আলোচনার ভাগ খুব সামান্যই রবীন্দ্রনাথ তাঁর নিবন্ধে লেখেন—

> মহাকাব্য যেমন পরের হৃদয় চিত্র করিতে উৎপন্ন হয়, তেমনি গীতিকাব্য নিজের হৃদয় চিত্র করিতে উৎপন্ন হয়। মহাকাব্য আমরা পরের জন্য রচনা করি এবং গীতিকবিতা আমরা নিজের জন্য রচনা করি। ... মহাকাব্য সংগ্রহ করিতে হয়, গঠিত করিতে হয়, গীতিকাব্যের উপকরণ সকল গঠিত আছে, প্রকাশ করিলেই হইল। নিজের মনোভাব প্রকাশ করা বড়ো সামান্য ক্ষমতা নহে।...

১। 'বিহারীলাল' আধুনিক সাহিত্য, র র, ৫ম খণ্ড, বি স ১৪০৯, পৃ. ৫৩৮-৩৯।

২। প্রাগুক্ত, পৃ. ৫৩৯।

৩। সম্পাদক, রামসর্বস্ব বিদ্যাভূষণ।

৪। প্রকাশকাল যথাক্রমে ১২৮২, ১২৮৩ ও ১২৮২ বঙ্গাব্দ।

গীতিকাব্য অকৃত্রিম, কেননা তাহা আমাদের নিজেদের হৃদয়কাননের পুষ্প, আর মহাকাব্য শিল্প, কেননা তাহা পর-হৃদয়ের অনুকরণ মাত্র। এই নিমিত্ত আমরা বাল্মীকি, ব্যাস, হোমর, ভার্জিল প্রভৃতি প্রাচীন কালের কবিদিগের ন্যায় মহাকাব্য লিখিতে পারিব না; গীতিকাব্য যেমন প্রাচীন কালের তেমনি এখনকার, বরং সভ্যতার সঙ্গে তাহা উন্নতি লাভ করিবে, কেননা সভ্যতার সঙ্গে সঙ্গে যেমন হৃদয় উন্নত হইবে, তেমনি হৃদয়ের চিত্রও উন্নতি লাভ করিবে।[৫]

সমসাময়িক কবিদের মধ্যে মহাকাব্য রচনার প্রবণতার সমলোচনা এবং সে-প্রচেষ্টার নিষ্ফলতা সম্পর্কে ভবিষ্যদ্‌বাণী করেন রবীন্দ্রনাথ তাঁর এ নিবন্ধে ‘‘আজকাল মহাকাব্যের এত বাহুল্য হইয়াছে যে, যিনিই এখন কবি হইতে চান তিনিই একখানি গীতি কাব্য লিখিয়াই একখানি করিয়া মহাকাব্য বাহির করেন, কিন্তু তাঁহারা মহাকাব্যে উন্নতি লাভ করিতে পারিতেছেন না ও পারিবেন না।’’ (প্রাগুক্ত, পৃ. ১৩০)-এ প্রসঙ্গে মাইকেল ও হেমচন্দ্রের মতো কবির বিরুদ্ধেও পরানুকৃতির অভিযোগ করেন তিনি— ‘‘এখনকার মহাকাব্যের কবিরা রুদ্ধহৃদয়ে লোকদের হৃদয়ে উঁকি মারিতে গিয়া নিরাশ হইয়াছেন ও অবশেষে মিল্টন খুলিয়া ও কখনো কখনো রামায়ণ ও মহাভারত লইয়া অনুকরণের অনুকরণ করিয়াছেন, এই নিমিত্ত মেঘনাদবধে, বৃত্রসংহারে ওই সকল কবিদিগের পদছায়া স্পষ্টরূপে লক্ষিত হইয়াছে।’’ (প্রাগুক্ত, পৃ. ১৩০)

এর কিছুকাল পরই ভারতী পত্রিকায় মাইকেলের *মেঘনাদবধ* কাব্যের সমালোচনা করে রবীন্দ্রনাথ একটি দীর্ঘ নিবন্ধ লেখেন। যা *মেঘনাদবধ* কাব্যের রবীন্দ্রনাথকৃত বিরূপ সমালোচনার দৃষ্টান্ত হিসেবে আজ বাংলা সাহিত্যের ইতিহাসে স্থান করে নিয়েছে। রচনাটি সম্পর্কে আমরা এখানে ‘বিরূপ সমালোচনা’ কথাটা ব্যবহার করলেও রবীন্দ্রনাথ কিন্তু তাঁর লেখায় রচনাটিকে ‘নিরপেক্ষ’ ও ‘রীতিমতো’ সমালোচনা বলে তৎকালে দাবি করেছিলেন (প্রাগুক্ত, পৃ. ১৩১ ও ১৩২)। যদিও পরবর্তীকালে *জীবনস্মৃতি* (১৩১৯) গ্রন্থে এ-রচনাটির উল্লেখ করে তিনি একে ‘অল্পবয়সে স্পর্ধার বেগে’ লেখা একটি ‘তীব্র’ ও ‘দাম্ভিক’ সমালোচনা বলে হয়তো বাতিলই করে দিতে চেয়েছেন (র র, ৯ম খণ্ড, বি স ১৪১৩, পৃ. ৪৬৬)। এর আগে নব্যভারত পত্রিকার জ্যৈষ্ঠ ও আষাঢ় ১২৯৯ সংখ্যায়ও নিজের এই কৈশোরের রচনাটি সম্পর্কে জনৈক লেখকের প্রতিবাদের উল্লেখ করে রবীন্দ্রনাথ লেখেন, ‘‘তিনি যদি জানতেন ভারতীয় সমালোচক তৎকালে একটি পঞ্চদশ বর্ষীয় বালক ছিল তবে নিশ্চয়ই উক্ত লোকবিস্মৃত সমালোচনার বিস্তারিত প্রতিবাদ বাহুল্য বোধ করিতেন।’’ (সাময়িক সাহিত্য সমালোচনা, র র, ১৭শ খণ্ড, বি সি ১৪১০, পৃ. ৬৫৪)।

ভারতীর শ্রাবণ ১২৮৪ থেকে ফাল্গুন ১২৮৪ পর্যন্ত মোট ছয় সংখ্যা জুড়ে (মাঝে অগ্রহায়ণ ও পৌষ সংখ্যা বাদ) ‘মেঘনাদবধ কাব্য’ শিরোনামে প্রকাশিত উক্ত দীর্ঘ রচনায় তিনি মহাকাব্যটির বিভিন্ন সর্গ ও প্রায় প্রতিটি প্রধান চরিত্র নিয়ে আলোচনা করে তার দোষত্রুটি নির্দেশ করেন। আলোচনার শুরুতে কাব্য হিসেবে সে-সময় মেঘনাদবধ-এর উত্তুঙ্গ জনপ্রিয়তার উল্লেখ করে রবীন্দ্রনাথ এই প্রসঙ্গে বাঙালি পাঠকের রুচিবোধ ও প্রচলিত সমালোচনারীতিকে একহাত নিতে দ্বিধা করেননি। কিঞ্চিৎ উদ্ধৃত করা যাক।

৫। ভুবনমোহিনী প্রতিভা, অবসর সরোজিনী ও দুঃখসঙ্গিনী, র র, ১৭শ খণ্ড, বি স ১৪০৭, পৃ. ১২৯।

> বঙ্গীয় পাঠকসমাজে যে কোনো গ্রন্থকার অধিক প্রিয় হইয়া পড়েন, তাঁহার গ্রন্থ নিরপেক্ষভাবে সমালোচনা করিতে কিঞ্চিৎ সাহসের প্রয়োজন হয়। তাঁহার পুস্তক হইতে এক বিন্দু দোষ বাহির করিলেই, তাহা ন্যায্য হউক বা অন্যায্যই হউক, পাঠকেরা অমনি ফণা ধরিয়া ওঠেন। ভীরু সমালোচকরা ইঁহাদের ভয়ে অনেক সময়ে আপনার মনের ভাব প্রকাশ করিতে সাহস করেন না।... এখনকার পাঠকদের স্বভাব এই যে, তাঁহারা ঘটনাক্রমে এক-একজন লেখকের অত্যন্ত অনুরক্ত হইয়া পড়েন, এরূপ অবস্থায় তাঁহারা সে লেখকের রচনার কোনো দোষ দেখিতে পান না, অথবা কেহ যদি তাহার কোনো দোষ দেখাইয়া দেয় সে দোষ বোধগম্য ও যুক্তিযুক্ত হইলেও তাঁহারা সেগুলিকে গুণ বলিয়া বুঝাইতে ও বুঝিতে প্রাণপণে চেষ্টা করিয়া থাকেন। আবার এমন অনেক ভীরু স্বভাব পাঠক আছেন, যাঁহারা খ্যাতনামা লেখকের রচনা পাঠকালে কোনো দোষ দেখিলে তাহাকে দোষ বলিয়া মনে করিতে ভয় পান, তাঁহারা মনে করেন এগুলি গুণই হইবে, আমি ইহার অর্থ বুঝিতে পারিতেছি না। (র র, ১৭শ খণ্ড, বি স ১৪০৭, পৃ. ১৩১-৩২)

পাঠকসমাজের এই রুচিদৃষ্টির জন্য তিনি কতকাংশে ইংরেজি শিক্ষাকেই দায়ী করেছেন। তাঁর মতে, ইংরেজি শিক্ষার ফলে বাঙালির পাঠকের রুচি, 'একাংশে যেমন উন্নত অপরাংশে তেমনি বিকৃতিপ্রাপ্ত' হয়েছে। এ প্রসঙ্গে দেশের প্রচলিত শিক্ষা ব্যবস্থার সমালোচনা করে নিবন্ধের অন্যত্র রবীন্দ্রনাথের মন্তব্য—

> বঙ্গদেশে এখন এমনই সৃষ্টিছাড়া শিক্ষাপ্রণালী প্রচলিত হইয়াছে যে তাহাতে শিক্ষিতেরা বিজ্ঞান-দর্শনের কতকগুলি বুলি এবং ইতিহাসের সাল-ঘটনা ও রাজাদিগের নামাবলী মুখস্থ করিতে পারিয়াছেন বটে, কিন্তু তাহাদের রুচিরও উন্নতি করিতে পারেন নাই বা স্বাধীনভাবে চিন্তা করিতেও শিখেন নাই। (প্রাগুক্ত, পৃ. ১৩৭)

বাঙালি পাঠকের এই রুচিবিকৃতি, স্বাধীন চিন্তা বা বিচারশক্তির অভাব কিংবা হীনমন্যতার প্রকাশ রবীন্দ্রনাথ লক্ষ করেছেন তাদের এই প্রবণতার মধ্যে যে, কাব্যের দোষও 'ইংরেজি গিলটিতে আবৃত করে' পাঠকের চোখে ধরলে তাঁরা 'অন্ধ হয়ে' যান (প্রাগুক্ত, পৃ. ১৩২)।

রামায়ণের সঙ্গে মেঘনাদবদ কাব্যের বিভিন্ন চরিত্র ও ঘটনা বর্ণনার তুলনা করে রবীন্দ্রনাথ শেষোক্ত রচনায় মহাকাব্যোচিত সমুন্নতি ও গাম্ভীর্যের অভাব লক্ষ করেছেন। এ-প্রসঙ্গে তাঁর মন্তব্য— "বাংলার একটি ক্ষুদ্র কাব্যের সহিত বাল্মীকির বিশাল কাব্যের তুলনা করিতে যাওয়াও যা, আর মহাদেবের সহিত একটা দ্বারবানের তুলনা করাও তা"। (প্রাগুক্ত পৃ. ১৩২)। তবু যে তিনি দুই কাব্যের তুলনামূলক আলোচনায় প্রবৃত্ত হয়েছেন তা এ জন্য যে, "কোনো কোনো পাঠকের চক্ষে অঙ্গুলি দিয়া না দেখাইলে তাঁহারা বুঝিবেন না (প্রাগুক্ত, পৃ. ১৩২)। বীরবাহুর মৃত্যুতে মাইকেল বর্ণিত রাবণের ক্রন্দনদৃশ্যের উল্লেখ করে রবীন্দ্রনাথ লিখেছেন, "ইহা পড়িলেই আমাদের মনে হয় গালে হাত দিয়া একটি বিধবা স্ত্রীলোক কাঁদিতেছেন। একজন সাধারণ নায়ক এরূপ কাঁদিতে বসিলে আমাদের গা জ্বলিয়া যায়, তাহাতে ইনি মহাকাব্যের নায়ক, যে-সে নায়ক নয়। তিনি বাহুবলে স্বর্গপুরী কাঁপাইয়াছিলেন, ... তাঁহাকে এইরূপ বালিকাটির ন্যায় কাঁদাইতে বসানো অতি ক্ষুদ্র কবির উপযুক্ত" (প্রাগুক্ত, পৃ. ১৩৩)। বিদ্যাসাগরের সীতার বনবাস প্রসঙ্গে বঙ্কিমচন্দ্র লিখেছিলেন, "রামের কান্না পড়িয়া আমাদিগের মনে হইয়াছিল যে, বাঙ্গালির মেমেরা স্বামী বা পুত্রকে বিদেশে চাকরি করিতে

পাঠাইয়া এইরূপ করিয়া কাঁদে বটে।" 'উত্তরচরিত' বিবিধ প্রবন্ধ (১ম খণ্ড, বঙ্কিম রচনাবলী, ২য় খণ্ড, কলকাতা ১৩৮৭, পৃ. ১৬৮)। একইভাবে মেঘনাদবধ প্রসঙ্গে রবীন্দ্রনাথের মন্তব্য— "রাবণের সভায় এত কান্না তো আর হস্য হয় না, পাত্র-মিত্র সভাসদ আদিকে এক-একটি খেলেনা দিয়া থামাইতে ইচ্ছা করে।" (র র, ১৭শ খণ্ড, বি স ১৩০৭, পৃ. ১৩৫)। রামায়ণকে তো বটেই, হেমচন্দ্রের বৃত্রসংহারকেও রচনা হিসেবে মেঘনাদবধের তুলনায় রবীন্দ্রনাথের কাছে সার্থক বলে মনে হয়েছে, যেহেতু তাঁর মতে, "রাবণের অপেক্ষা বৃত্রের মহান ভাব আছে।" (প্রাগুক্ত, পৃ. ১৩৬)। বাল্মীকির রামায়ণে রাবণের শোকসংবরণ দৃশ্যের বর্ণনায় যে-মহান ভাব প্রকাশ পেয়েছে, পাছে 'দেশীয় কবির লেখা' বলে তা 'ইংরেজি-পুথি-সর্বস্ব-পাঠকেরা বুঝতে না পারেন,' তাই রবীন্দ্রনাথ 'ইংরেজি কবি মিলটনের' রচনা থেকে তার আংশিক সাদৃশ্য উদ্ধৃত করে দেখিয়েছেন (প্রাগুক্ত, পৃ. ১৩৮)। বীরের বিলাপ কেমন হওয়া উচিত তা বোঝাতে গিয়ে উদ্ধৃত করেছেন শেক্সপিয়রের ম্যাকবেথ থেকেও (প্রাগুক্ত, পৃ. ১৪০)। এ সবেরই উদ্দেশ্য শেষপর্যন্ত মহাকাব্য হিসেবে মেঘনাদবধের উনতা প্রমাণ করা। সমগ্র মেঘনাদবধ কাব্যে রবীন্দ্রনাথ মহান ভাবোত্তেজক 'তিন-চারটি মাত্র' বর্ণনা খুঁজে পেয়েছেন (প্রাগুক্ত, পৃ. ১৩৯)। এমনকী কৈলাশ শিখরের বর্ণনায়ও কবিকল্পনার 'নীচতা' প্রকাশ পেয়েছে বলে রবীন্দ্রনাথের অভিমত (প্রাগুক্ত, পৃ. ১৪৪)। সনাতন পুরুষতন্ত্রী দৃষ্টিকোণ থেকে রবীন্দ্রনাথ কান্নাকে নারীর একান্ত বৈশিষ্ট্য হিসেবে বিবেচনা করেছেন। যে-কারণে তাঁর পক্ষে লেখা সম্ভব হয়েছে "রাজস্থানের বীরদিগের সহিত, স্পার্টার বীর-মাতাদের সহিত তুলনা করিলে কল্পনা-চিত্রিত রাবণকে তো স্ত্রীলোকের অধম বলিয়া মনে হয় (প্রাগুক্ত, পৃ. ১৪০)। এবং 'সাধারণ লোক যতখানি দুঃখ-কষ্ট পায় বীর তেমনই পাইবেন অথবা তদ্‌পেক্ষা অধিক পাইতেও পারেন, কিন্তু তাঁহার এতখানি মনের বল থাকা আবশ্যক যে, পুরুষের মতো, বীরের মতো তাহা সহ্য করিতে পারেন" (প্রাগুক্ত, পৃ. ১৪১) ইত্যাদি। মেঘনাদবধে যে 'দেবতা ও সাধারণ মনুষ্যের মধ্যে কিছুমাত্র বিভিন্নতা রক্ষিত হয়নি' এটাকেও রবীন্দ্রনাথের কাছে গ্রন্থটির একটি ত্রুটি বলে মনে হয়েছে (প্রাগুক্ত, পৃ. ১৪৩)। তবে রচনা হিসেবে মেঘনাদবধ-এর সবচেয়ে বড়ো যে দোষত্রুটির কথা রবীন্দ্রনাথ এই সমালোচনাটিতে উল্লেখ করেছেন তা হল তার 'কৌশলময়তা'র (প্রাগুক্ত, পৃ. ১৪৪)। অর্থাৎ কৃত্রিমতার সরলতার অভাবের। স্পষ্টভাবেই তিনি বলেছেন, "সমস্ত মেঘনাদবধ কাব্যে হৃদয়ের উচ্ছ্বাসময় কথা অতি অল্পই আছে, প্রায় সকলগুলিই কৌশলময় (প্রাগুক্ত, পৃ. ১৪৬)। এ প্রসঙ্গে রবীন্দ্রনাথের অভিমত; "কবিতা যতই সরল হয় ততই উৎকৃষ্ট" (প্রাগুক্ত, পৃ. ১৪৪)। এবং "হৃদয় হইতে যে ভাব সহজে উৎসারিত উৎস-ধারার ন্যায় উচ্ছ্বসিত হইয়া উঠে তাহার মধ্যে কৃত্রিমতা বাক্য-কৌশল প্রভৃতি থাকে না।" (প্রাগুক্ত, পৃ. ১৪৫)। কবি বলতে রবীন্দ্রনাথ তাঁকেই বোঝেন 'হৃদয়ের প্রত্যেক তরঙ্গ প্রতি-তরঙ্গ যাঁর কল্পনার নেত্র এড়াতে পারে না' (প্রাগুক্ত, পৃ. ১৪৮)। মাইকেলের কাব্যে হৃদয়ের এই উচ্ছ্বাস খুঁজেছেন রবীন্দ্রনাথ, এবং বলাবাহুল্য হতাশ হয়েছেন। তিনি লিখেছেন, "মেঘনাদবধে হৃদয়ের কবিতা নাই, ইহার বর্ণনা সুন্দর হইতে পারে, ইহার দুই-একটি ভাব নূতন হইতে পারে, কিন্তু কবিতার মধ্যে হৃদয়ের উচ্ছ্বাস অতি অল্প।" (প্রাগুক্ত, পৃ. ১৪৮)। তাঁর মতে মেঘনাদবধের যুদ্ধসজ্জা বর্ণনা 'সবগুলিই প্রায় একই রকম', তাতে 'বাক্যের ঘনঘটা আছে', কিন্তু 'বিদ্যুচ্ছটাকৃতি বিশ্বোজ্জ্বল ভাবচ্ছটা' নেই (প্রাগুক্ত, পৃ. ১৪৮)।

মহাকাব্য হিসেবে মেঘনাদবধে কথিত ব্যর্থতার প্রধান কারণ এই নয় যে তাতে পুরাণকে অনুসরণ করা হয়নি। বরং রবীন্দ্রনাথের অভিযোগ— মাইকেল বহুস্থানে 'অকারণে পুরাণ লঙ্ঘন' করেছেন, কিন্তু 'যেখানে পুরাণকে মার্জিত করবার সর্বাপেক্ষা প্রয়োজন ছিল' সেখানেই তিনি 'পুরাণের অনুসরণ করে গেছেন' (প্রাগুক্ত, পৃ. ১৫৪)। তারপরও মনে হয় যেখানে মাইকেলের কৃতিত্ব বা বৈশিষ্ট্য, রামায়ণের রাম-রাবণের সেই জনমানসে প্রতিষ্ঠিত ভাবমূর্তিকে ভেঙে উলটে দেওয়া, সেখানেই রবীন্দ্রনাথের প্রধান আপত্তিটা। তিনি না বলে পারেননি—

"রামায়ণের নায়ক মহাবীর রাম, মেঘনাদবধ কাব্যের কবি তাঁহার এ-কী দুর্দশা করিয়াছেন। তাঁহার চরিত্রে তিলমাত্র উন্নত-ভাব অর্পিত হয় নাই...। বাল্যকাল হইতে রামের প্রতি আমাদের এরূপ মমতা আছে যে, প্রিয়ব্যক্তির মিথ্যা অপবাদ শুনিলে যেরূপ কষ্ট হয়, মেঘনাদবধ কাব্যে রামের কাহিনী পড়িলে সেইরূপ কষ্ট হয়।" (প্রাগুক্ত, পৃ. ১৬০)

মেঘনাদবধে রামের চরিত্রটি কীভাবে অঙ্কিত হলে যথার্থ সুবিচার হত, এবং মহাকাব্য হিসেবেও গ্রন্থটি শিল্প-সার্থকতা পেত, তারও ইঙ্গিত আছে সমালোচক রবীন্দ্রনাথের নিম্নোক্ত বক্তব্যে।

> পৌরুষ ও স্ত্রীত্ব উভয় একাধারে মিশ্রিত হইলে তবে পূর্ণ মনুষ্য সৃজিত হয়, বাল্মীকি রামকে সেইরূপে করিতে চেষ্টা করিয়াছেন। মেঘনাদবধে রামের কোমলতা অংশটুকু অপর্যাপ্তরূপে বর্ণিত হইয়াছে, কিন্তু পাঠক, এমন একটি কথাও কি পাইয়াছেন, যাহাতে তাঁহাকে বীর বলিয়া মনে হয়? (প্রাগুক্ত, পৃ. ১৬০)

শুধু রাম কিংবা রাবণ নয়, লক্ষ্মণ, ইন্দ্র ইত্যাদি মেঘনাদবধের প্রায় চরিত্র অঙ্কনেই মাইকেলের বিরুদ্ধে একই অসার্থকতার অভিযোগ এনেছিলেন রবীন্দ্রনাথ—

> "... এ মহাকাব্যে এমন কে মহান চরিত্র আছেন, যাঁহার কাহিনী শুনিতে আমাদের হৃদয় স্তম্ভিত হয়, শরীর কণ্টকিত হয়, মন বিস্ফারিত হইয়া যায়?" (প্রাগুক্ত, পৃ. ১৬২)

বছর পাঁচেক পরে ভারতী পত্রিকারই ভাদ্র ১২৮৯ সংখ্যায় একই 'মেঘনাদবধ কাব্য' শিরোনামে রবীন্দ্রনাথ মেঘনাদবধ কাব্যের আরেকটি সমালোচনা লেখেন। অনতিদীর্ঘ এই-সমালোচনাটিতেও রবীন্দ্রনাথ কী চরিত্রনির্মাণ, কী ভাষা বা বর্ণনা কোনো ক্ষেত্রেই মেঘনাদবধ যথার্থ মহাকাব্যের শর্তপূরণ করতে পেরেছে বলে মনে করেননি। রচনাটির 'অঙ্গপ্রত্যঙ্গের' বদলে এ নিবন্ধে তাঁর ভাষায় 'মূল' অর্থাৎ 'প্রাণের আধার' নিয়ে বিচারবিশ্লেষণ করেছেন এবং শেষপর্যন্ত সিদ্ধান্তে পৌঁছেছেন, "দেখিলাম তাহার প্রাণ নাই। দেখিলাম তাহা মহাকাব্যই নয়।" (র র, ১৫৭ খণ্ড, বি স ১৪১০, পৃ. ৭০)। সাহিত্যের সৃজন ও গঠনের মধ্যেকার পার্থক্য (প্রথমটি আত্মপ্রকাশের প্রেরণাজাত ও পরেরটি ছাঁচানুসারী রচনা) এবং ট্র্যাজেডি এপিক ইত্যাদি সম্পর্কে আলোচনার পর, মেঘনাদবধ যে ট্র্যাজেডি বা মহাকাব্য কোনোদিক থেকেই সার্থকতা অর্জন করতে পারেনি, এ বক্তব্যের সপক্ষে তিনি তাঁর যুক্তিগুলো তুলে ধরেন। একমাত্র মৃত্যুতেই ট্র্যাজেডি রচিত হয়, কিংবা যুদ্ধবিগ্রহ ছাড়া এপিক বা মহাকাব্য রচিত হতে পারে না, লোকপ্রচলিত এই ধারণাকে নাকচ করে দিয়ে রবীন্দ্রনাথ তাঁর উক্ত আলোচনায় লেখেন—

ক. মহাভারতের অপেক্ষা মহান ট্র্যাজেডি কে কোথায় দেখিয়াছে? স্বর্গারোহণ কালে দ্রৌপদী ও ভীমার্জুন প্রভৃতির মৃত্যু হইয়াছিল বলিয়াই যে মহাভারত ট্র্যাজেডি তাহা নহে, কুরুক্ষেত্রের যুদ্ধে কর্ণ, দ্রোণ, এবং শত সহস্র রাজা ও সৈন্য মরিয়াছিল বলিয়াই যে মহাভারত ট্র্যাজেডি তাহা নহে— কুরুক্ষেত্রের যুদ্ধে যখন পাণ্ডবদিগের জয় হইল তখনি মহাভারতের যথার্থ ট্র্যাজেডি আরম্ভ হইল। তাঁহারা দেখিলেন জয়ের মধ্যেই পরাজয়।... কয়েক হস্ত জমি মিলিল বটে, কিন্তু হৃদয়ের দাঁড়াইবার স্থান তাহার পদতল হইতে ধসিয়া গেল, বিশাল জগতে এমন স্থান সে দেখিতে পাইল না যেখানে সে তাহার উপার্জিত উদ্যম নিক্ষেপ করিয়া সুস্থ হইতে পারে। ইহাকেই বলে ট্র্যাজেডি। (প্রাগুক্ত, পৃ. ৬৭)

খ. আমরা যতগুলি বিখ্যাত এপিক দেখিয়াছি তাহার প্রায় সবগুলিতেই যুদ্ধ আছে সত্য কিন্তু তাহাই বলিয়া এমন প্রতিজ্ঞা করিয়া বসা ভালো হয় না, যে যুদ্ধ ছাড়িয়া দিয়া যদি কেহ এপিক লেখে তবে তাহাকে এপিক বলিব না। (প্রাগুক্ত, পৃ. ৬৭-৬৮)

এপিক বা মহাকাব্যের কাছে পাঠকের প্রত্যাশা তবে কী হবে? রবীন্দ্রনাথ বলেছেন, মহাকাব্যে মহৎ চরিত্র ও 'সেই মহৎ চরিত্রের একটি মহৎ কার্য, মহৎ অনুষ্ঠান' আমরা দেখতে চাই।' (প্রাগুক্ত, পৃ. ৬৮-৬৯)। তাঁর মতে "মহাকাব্য পড়িয়া আমরা তাহার রচনাকালের যথার্থ উন্নতি অনুমান করিয়া লইতে পারি, আমরা বুঝিতে পারি সেই সময়কার উচ্চতম আদর্শ কী ছিল। কাহাকে তখনকার লোকেরা মহত্ত্ব বলিত।" (প্রাগুক্ত, পৃ. ৬৮)। 'যুদ্ধ বর্ণনা মাত্রকে' যেসব 'আনাড়ি' পাঠক মহাকাব্য বলে ভ্রম করেন, আর তার ফলে পলাশির যুদ্ধ যাঁদের কাছে মহাকাব্যের সমাদর পায় কিংবা 'যুদ্ধকেই মহাকাব্যের প্রাণ' জেনে এবং মহাকবি হবার 'প্রতিজ্ঞা' থেকে 'রাশি রাশি খটমট শব্দ সংগ্রহ করে একটা যুদ্ধের আয়োজন করতে পারলেই' যাঁরা মহাকাব্য রচনায় প্রবৃত্ত হন, তাঁদের সমালোচনা করে রবীন্দ্রনাথ লিখেছেন— "হেমবাবুর বৃত্রসংহারকে আমরা এইরূপ নাম-মাত্র-মহাকাব্য শ্রেণীতে গণ্য করি না, কিন্তু মাইকেলের মেঘনাদবধকে আমরা তাহার অধিক আর কিছু বলিতে পারি না।" (প্রাগুক্ত, পৃ. ৬৮)। অর্থাৎ আর এই দ্বিতীয় সমালোচনাটিতেও রবীন্দ্রনাথ হেমচন্দ্র বন্দ্যোপাধ্যায়ের বৃত্রসংহারকে মাইকেলের মেঘনাদবধের তুলনায় শিল্পসার্থক রচনা বলে গণ্য করেছেন। রবীন্দ্রনাথের মতে, মহাকাব্যের সর্বত্র কবিত্বের বিকাশ প্রত্যাশা করা যায় না "কারণ, আট-নয় সর্গ ধরিয়া, সাত-আটশো পাতা ব্যাপিয়া প্রতিভার স্ফুর্তি সমভাবে প্রস্ফুটিত হইতে পারেই না।" (প্রাগুক্ত, পৃ. ৬৮)। পরিবর্তে মহাকাব্যের কাছে যা প্রত্যাশিত তা হল 'চরিত্র বিকাশ, চরিত্র মহত্ত্ব' (প্রাগুক্ত, পৃ. ৬৮)। মেঘনাদবধে যার দারুণ অভাব রবীন্দ্রনাথ লক্ষ করেছেন। রবীন্দ্রনাথের মতে মেঘনাদবধের কোনো চরিত্রেই সেই 'অনন্য-সাধারণতা' ও 'অমরতা' নেই যার গুণে একে মহাকাব্য শ্রেণিতে গণ্য করা যেতে পারে (প্রাগুক্ত, পৃ. ৬৮)। পূর্বোল্লেখিত আলোচনাটির মতো এ আলোচনায়ও রবীন্দ্রনাথ মাইকেলের বিরুদ্ধে রামলক্ষ্মণ প্রভৃতি চরিত্রগুলোকে হীন করে দেখাবার অভিযোগ এনেছেন। এ ব্যাপারে কবির অধিকারের সীমা নিয়েও তিনি প্রশ্ন তুলেছেন। এখানে রবীন্দ্রনাথের সমালোচনা বা আপত্তির ভাষাটি 'খুবই তীব্র'। তিনি প্রশ্ন তুলেছেন—

'মহৎ চরিত্র যদি-বা নূতন সৃষ্টি করিতে না পারিলেন, তবে কবি কোন মহৎকল্পনার বশবর্তী হইয়া অন্যের সৃষ্ট মহৎ চরিত্র বিনাশ করিতে প্রবৃত্ত হইলেন? ... মহত্ত্ব দেখিয়া তাঁহার কল্পনা উত্তেজিত হয় না। নইলে তিনি কোন প্রাণে রামকে স্ত্রীলোক অপেক্ষা ভীরু ও লক্ষ্মণকে চোরের অপেক্ষা হীন করিতে পারিলেন। দেবতাদিগকে কাপুরুষের অধম ও রাক্ষসদিগকেই দেবতা হইতে উচ্চ করিলেন। (প্রাগুক্ত, পৃ. ৬৯)

রবীন্দ্রনাথের মতে এ ধরনের আচরণ 'প্রকৃতি বহির্ভূত'; আর এ আচরণ অবলম্বনে কোনো কাব্য অধিক দিন বাঁচতে পারবে না (প্রাগুক্ত, পৃ. ৬৯)। সাহিত্যের উপযোগবাদ সম্পর্কে কিঞ্চিৎ আস্থা থেকেই কি রবীন্দ্রনাথ এ পর্যায়ে মন্তব্য করেছিলেন "মেঘনাদবধ কাব্যের কোনো পাত্র আমাদের সুখ-দুঃখের সহচর হইতে পারেন না, আমাদের কার্যের প্রবর্তক নিবর্তক হইতে পারেন না।" (প্রাগুক্ত, পৃ. ৬৯)

> হোমর তাঁহার কাব্যারম্ভে যে সরস্বতীকে আহ্বান করিয়াছেন সেই আহ্বানসংগীত তাঁহার নিজ হৃদয়েরই সম্পত্তি, হোমর তাঁহার বিষয়ের গুরুত্ব ও মহত্ত্ব অনুভব করিয়া যে সরস্বতীর সাহায্য প্রার্থনা করিয়াছিলেন তাহা তাঁহার নিজের হৃদয় হইতে উত্থিত হইয়াছিল। মাইকেল ভাবিলেন, মহাকাব্য লিখিতে হইলে গোড়ায় সরস্বতীর বর্ণনা করা আবশ্যক, কারণ হোমর তাহাই করিয়াছেন, অমনি সরস্বতীর বন্দনা শুরু করিলেন। মাইকেল জানেন অনেক মহাকাব্যে স্বর্গ-নরক বর্ণনা আছে। অমনি জোর-জবরদস্তি করিয়া কোনো প্রকারে কায়ক্লেশে অতি সংকীর্ণ, অতি বস্তুগত, অতি পার্থিব, অতি বীভৎস এক স্বর্গ-নরক বর্ণনার অবতারণ করিলেন। মাইকেল জানেন কোনো কোনো বিখ্যাত মহাকাব্যে পদে পদে স্তূপাকার উপমার ছড়াছড়ি দেখা যায়; অমনি তিনি তাঁহার কাতর পীড়িত কল্পনার কাছ হইতে টানাহেঁচড়া করিয়া গোটাকতক দীনদরিদ্র উপমা ছিঁড়িয়া আনিয়া একত্র জোড়াতাড়া লাগাইয়াছেন। (প্রাগুক্ত, পৃ. ৭০)

এখানেই রবীন্দ্রনাথ ক্ষান্ত হননি। তিনি বলেছেন, 'ভাষাকে কৃত্রিম ও দুরূহ করবার জন্য যত প্রকার পরিশ্রম মানুষের সাধ্যায়ত্ত মাইকেল মেঘনাদবধে তার সবই করেছেন।' (প্রাগুক্ত, পৃ. ৭০)। আর কাব্যে এ ধরনের কৃত্রিমতাকে তিনি শুধু অসহ্যই মনে করেননি, তাঁর মতে, "সে কৃত্রিমতা কখনো হৃদয়ে চিরস্থায়ী বন্দোবস্ত করিতে পারে না" (প্রাগুক্ত, পৃ. ৭০)। হৃদয়ের ভাষা কাকে বলে, মহাকবির ভাষা কীরকম হওয়া উচিত, বাল্মীকির কাছ থেকে তার পাঠ নেওয়ার পরামর্শ দিয়ে রবীন্দ্রনাথ প্রশ্ন করেছেন, "যিনি পাঁচ জায়গা হইতে সংগ্রহ করিয়া, অভিধান খুলিয়া, মহাকাব্যের একটা কাঠামো প্রস্তুত করিয়া মহাকাব্য লিখিতে বসেন— যিনি সহজভাবে উদ্দীপ্ত না হইয়া, সহজ ভাষায় ভাবপ্রকাশ না করিয়া, পরের পদচিহ্ন ধরিয়া কাব্যরচনায় অগ্রসর হন— তাঁহার রচিত কাব্য লোকে কৌতূহলবশত পড়িতে পারে, বাংলা ভাষায় অনন্যপূর্ব বলিয়া পড়িতে পারে, বিদেশী ভাবের প্রথম আমদানী বলিয়া পড়িতে পারে, কিন্তু মহাকাব্য ভ্রমে পড়িবে কয় দিন?" (প্রাগুক্ত, পৃ. ৭০)। অর্থাৎ মোটকথা, মেঘনাদবধ রবীন্দ্রনাথের মতে বাংলা ভাষায় তেমনি একটি পরানুকারী, কৃত্রিম, বড়োজোর 'অনন্যপূর্ব' রচনা। কিন্তু এর স্থায়িত্ব কিংবা কালোত্তরে পাঠকভাগ্য নিয়ে রবীন্দ্রনাথের সংশয় বা ভবিষ্যদ্বাণী কতটা সঠিক ছিল? কিংবা তা একেবারে ভুলও প্রমাণিত হয়েছে কি?

তরুণ বয়সে লেখা এ আলোচনাটির সমাপ্তি টানেন রবীন্দ্রনাথ একথাগুলো দিয়ে— "হে বঙ্গকবিগণ। লড়াইবর্ণনা তোমাদের ভালো আসিবে না, লড়াই বর্ণনার তেমন প্রয়োজনও দেখিতেছি না। তোমরা কতকগুলি মনুষ্যত্বের আদর্শ সৃজন করিয়া দাও, বাঙালিদের মানুষ হইতে শিখাও।" (প্রাগুক্ত, পৃ. ৭০)। আপন সৃষ্টিশীলতার ক্ষেত্রে রবীন্দ্রনাথ বোঝা যায় সচেতনভাবেই সেই মনুষ্যত্ব সাধনার ব্রতটি গ্রহণ করেছিলেন। ভারতী পত্রিকায় শ্রাবণ ১২৮৮ সংখ্যায় প্রকাশিত 'কাব্যের অবস্থা-পরিবর্তন' প্রবন্ধটি শুরুই করেছেন রবীন্দ্রনাথ এ বাক্যটি দিয়ে— "য়ুরোপের সাহিত্যে মহাকাব্য লিখিবার কাল চলিয়া গিয়াছে" (প্রাগুক্ত, পৃ. ৮৭)। একে তিনি আধুনিক সভ্যতার স্বাভাবিক বা অনিবার্য লক্ষণ হিসেবে চিহ্নিত করেছেন। 'গণতন্ত্র' শব্দটি ব্যবহার না করেও তিনি বলতে চেয়েছেন, যুগটা গণতন্ত্রের, ব্যক্তির একাধিপত্যের পরিবর্তে সমষ্টির প্রাধান্যের। কোনো একজনকে দিয়ে নয়, সবাইকে নিয়েই এখানে একটি যুগের পরিচয়। তাঁর রচনা থেকেই উদ্ধৃত করা যাক:

> সভ্যতার একটা লক্ষণ এই যে, দেশের সভ্য অবস্থায় একজন ব্যক্তিই সর্বেসর্বা হয় না। দেশ বলিলেই একজন বা দুইজন বুঝায় না, শাসনতন্ত্র বলিলে একজন বা দুইজন বুঝায় না। ব্যক্তি নামিয়া আসিতেছে ও মণ্ডলী বিস্তৃত হইতেছে। এখন একজন ব্যক্তিই লক্ষ লোকের সমষ্টি নহে। এখন শাসনতন্ত্র আলোচনা করিতে হইলে একটি রাজার খেয়াল শিক্ষা ও মনোভাব আলোচনা করিলে চলিবে না, এখন অনেকটা দেখিতে হইবে, অনেককে দেখিতে হইবে (প্রাগুক্ত, পৃ. ৮৭)।

সাহিত্যে এই যুগের প্রভাব রবীন্দ্রনাথের মতে অজস্র কবির হাতে অসংখ্য খণ্ড বা সাহিত্যে এই যুগের গীতিকবিতা সৃষ্টিতে। কিংবা অন্যভাবে বললে, সেসব খণ্ডকে নিয়েই যুগের অখণ্ড সৃষ্টি, এক নতুন ধরনের মহাকাব্য। বিষয়টিকে তিনি এভাবে ব্যাখ্যা করেছেন:

> সভ্য দেশের কবিতা এখন যদি তুমি আলোচনা করিতে চাও তবে একটা কাব্য, একটি কবির দিকে চাহিয়ো না। এক মহাভারত বা এক রামায়ণ পড়িলেই তুমি প্রাচীন সাহিত্যের সমস্ত ভাবটি পাইলে। কিন্তু এখন সেদিন গিয়াছে। এখন একখানা কবিতার বইকে আলাদা করিয়া পড়িলে পাঠের অসম্পূর্ণতা থাকিয়া যায়। মনে করো ইংলন্ড। ইংলন্ডে যত কবি আছে সকলকে মিলাইয়া লইয়া এক বলিয়া ধরিতে হইবে। ইংলন্ডে যে কবিতা-পাঠক-শ্রেণী আছেন, তাঁহাদের হৃদয়ের এক-একটা মহাকাব্য রচিত হইতেছে, অনেকদিন হইতে অনেক কবি তাহার একটু একটু করিয়া লিখিয়া আসিতেছেন। পাঠকেরাই এই মহাকাব্যের বেদব্যাস (প্রাগুক্ত, পৃ. ৮৮)।

রবীন্দ্রনাথ বলেছেন, "এখনকার উপযোগী মহাকাব্য একজনে লিখিতে পারে না, একজনে লিখেও না।" (প্রাগুক্ত, পৃ. ৮৮)

আধুনিক যুগটাকে রবীন্দ্রনাথ দেখেছেন 'শ্রমবিভাগের কাল' হিসেবে (প্রাগুক্ত, পৃ. ৮৮)। তাঁর মতে 'সভ্যতার প্রধান ভিত্তিভূমি শ্রমবিভাগ। কবিতাতেও শ্রমবিভাগ আরম্ভ হইয়াছে। শ্রমবিভাগের আবশ্যক হইয়াছে।' (প্রাগুক্ত, পৃ. ৮৮)। কবিতায় এই শ্রমবিভাগের আবশ্যকতা থেকেই 'খণ্ডকাব্য গীতিকাব্যের সৃষ্টি' বলে রবীন্দ্রনাথ মন্তব্য করেছেন (প্রাগুক্ত, পৃ. ৯০)। এ যুগে অ্যারিস্টট্লের মতো 'জানেন না এমন বিষয় নেই' পণ্ডিতের আবির্ভাবকে যেমন, তেমনি মহাকাব্য রচয়িতা মহাকবির আবির্ভাবকেও অসম্ভব জ্ঞান করেছেন তিনি। বলেছেন, বিদ্যার জগতে

একান্নবর্তিতার অবসান তথা বিদ্যার 'বংশবিস্তারের সঙ্গে সঙ্গে সাহিত্যে মহাকাব্যের কালও গত হয়েছে। (প্রাগুক্ত, পৃ. ৮৮-৮৯)

মোট কথা রবীন্দ্রনাথের মতে মহাকাব্য হল সামন্ত যুগের ফসল। পক্ষান্তরে বর্তমান কালটি সাধারণতন্ত্রের। যুগ পরিবর্তনের প্রভাব সাহিত্যের আঙ্গিকের ক্ষেত্রেই শুধু নয়, ভাব ও বিষয়বস্তুর ক্ষেত্রেও পড়তে বাধ্য। কাব্যে এই যুগ-প্রভাবের বিষয়টি এসেছে মহাকাব্যের শর্ত বা ধরাবাঁধা ছাঁচের বাইরে গিয়ে, নিতান্ত সাধারণ বা তুচ্ছ বিষয় ও সূক্ষ্মাতিসূক্ষ্ম ব্যক্তিক অনুভূতিকেও গুরুত্ব দেওয়া ও তাকে মহিমান্বিত করে তোলার মধ্যে। রবীন্দ্রনাথ কথাটা এভাবে বলেছেন—

> কবিতার রাজ্য অত্যন্ত বিস্তৃত হইয়া উঠিয়াছে। বৃহত্তম অনুভব হইতে অতি সুক্ষতম অনুভাব, জটিলতম অনুভাব হইতে অতি বিশদতম অনুভাব— সকল কবিতার মধ্যে আসিয়া পড়িয়াছে।... প্রাচীন কালে কবিতায় কেবল নলিনী-মালতী-মল্লিকা, যুঁথি, জাতি প্রভৃতি কতকগুলি বাগানের ফুল ফুটিত, আর কোনো ফুলকে যেন কেহ কবিতার উপযুক্ত বলিয়াই মনে করিত না, আজকাল কবিতায় অতি ক্ষুদ্রকায়া, সাধারণ চক্ষুর অগোচর, তৃণের মধ্যে প্রস্ফুটিত সামান্য বনফুলটি পর্যন্ত ফুটে। (প্রাগুক্ত, পৃ. ৮৮)

পরিণত বয়সে লেখা ও 'প্রবাসী'র বৈশাখ ১৩৩৫ (১৯২৮) সংখ্যায় প্রকাশিত 'সাহিত্যরূপ' প্রবন্ধে রবীন্দ্রনাথ অবশ্য সাহিত্যে নতুন একটি 'রূপের প্রতিষ্ঠা', নতুন 'পথ খোলা'র সাহস ও 'নতুন লেখকদের উৎসাহ' দেওয়ার দিক থেকে মধুসূদন প্রতিভার ইতিবাচক মূল্যায়ন করেছেন (র র, ১২শ খণ্ড, বি স ১৪০২, পৃ. ৫১২)। এমনকী মধুসূদনের হাতেই যে আধুনিক বাংলা কাব্যসাহিত্যের সূচনা, সেকথাও তিনি স্বীকার করেছেন। তবে এ প্রবন্ধেও রবীন্দ্রনাথের মন্তব্য— ‘‘নতুন সে পথে তাঁরই (মধুসূদনের— মোশহা) একটি মাত্র মহাকাব্যের রথ চলেছিল।" (প্রাগুক্ত, পৃ. ৫১২) এবং ‘‘মাইকেল তাঁর নবসৃষ্টির রূপটিকে সাহিত্যে চিরপ্রতিষ্ঠা দেননি" (প্রাগুক্ত, পৃ. ৫১২)। অর্থাৎ দিতে পারেননি। না পারার কারণ, মাইকেল 'বাংলা ভাষার স্বভাবকে মেনে চলেননি' (প্রাগুক্ত, পৃ. ৫১২)। আর ‘‘তাই তিনি যে ফল ফলালেন তাতে বীজ ধরল না; তাঁর লেখা সন্ততিহীন হল, উপযুক্ত বংশাবলী সৃষ্টি করল না।" (প্রাগুক্ত, পৃ. ৫১২)। একই কথা প্রবন্ধটিতে রবীন্দ্রনাথ আরেকভাবেও বলেছেন, ‘‘বাংলা সাহিত্যে মেঘনাদবধ কাব্য তার দোহার পেল না। সম্পূর্ণ একলা রয়ে গেল।" (প্রাগুক্ত, পৃ. ৫১২)। মেঘনাদবধ বিষয়ক তাঁর পূর্ববর্তী নিবন্ধ দুটিতে রবীন্দ্রনাথ মহাকাব্য রচনায় মাইকেলের অসার্থকতা বোঝাতে যেভাবে হেমচন্দ্র বন্দ্যোপাধ্যায়ের বৃত্রসংহারের উচ্চ মূল্যায়ন করেছেন, এ প্রবন্ধে অবশ্য তা করেননি। বৃত্রসংহার ও নবীন সেনের বৈরতক-এর প্রসঙ্গ টেনে তিনি এ দুটিকে মেঘনাদবধের তুলনায় স্বতন্ত্র রূপের মহাকাব্য বলে উল্লেখ করেছেন, (প্রাগুক্ত, পৃ. ৫১২)। যদিও এ দুটি রচনারও শৈল্পিক উৎকর্ষ ও রসোত্তীর্ণতা নিয়ে এ প্রবন্ধে রবীন্দ্রনাথকে যথেষ্ট সংশয়ী বলে মনে হয়।

তাঁদের মহাকাব্যও রূপের বিশিষ্টতার দ্বারা উপযুক্তভাবে মূর্তিমান হয়েছে কি না, এবং তাঁদের এই রূপের ছাঁদ ভাষায় চিরকালের মতো রয়ে গেল কি না, সে তর্ক এখানে করতে চাইনে— কিন্তু রূপের সম্পূর্ণতা-বিচারেই তাঁদেরও কাব্যের বিচার চলবে। তাঁরা চিন্তাক্ষেত্রে অর্থনীতি, ধর্মনীতি বা রাষ্ট্রনীতি সম্বন্ধে কোন কোঠা খুলে দিয়েছেন সেটা কাব্যসাহিত্যের মুখ্য বিচার্য নয়। বিষয়ের গৌরব বিজ্ঞানে দর্শনে, কিন্তু রূপের গৌরব রসসাহিত্যে। (প্রাগুক্ত, পৃ. ৫১২)

[১৫]

রবীন্দ্রনাথের অধ্যাত্মচেতনা

ক্ষণিকার ক্ষণিক জীবনের অনুভূতি বর্তমানের পটভূমিতে করিতে আনন্দ দিলেও, 'শুধু অকারণ পুলকে' ক্ষণিকের গান গাইতে চাইলেও, এই কাব্যেও শেষের দিকে কবি উপলব্ধি করলেন, তাঁর বয়স হয়েছে, চুলে পাক ধরেছে এবং জীবন থেকে চল্লিশ বিদায় নিচ্ছে। তাই ক্ষণিক আনন্দের শেষে ক্ষণিকার শেষ কয়েকটি কবিতায় অধ্যাত্মচেতনায় স্রষ্টার উপলব্ধি তাঁর মনকে বিশেষভাবে আলোড়িত করল। ইতিমধ্যে কবি জীবন দেবতার তাত্ত্বিক পর্যায় অতিক্রম করে এসেছেন। এখন যাঁকে তিনি অনুভব করতে শুরু করলেন, তিনি জীবনদেবতা নন, তিনি পরম আরাধ্য পরমাত্মা, তথা পরম স্রষ্টা। তিনি সর্বত্র বিরাজমান। তিনি সীমার মাঝে অসীম। তিনি সৃষ্টিকর্তা। তাঁকে 'অন্তরতম' কবিতায় অনুভব করতে গিয়ে কবি বললেন—

তোমার পথ যে তুমি চিনায়েছ,
সেকথা বলিনে কাহারে
সবাই ঘুমালে জনহীন রাতে
একা আসি তবু দুয়ারে।
স্তব্ধ তোমার উদার আলয়
বাণীটি বাজাতে মনে করি ভয়,
চেয়ে থাকি শুধু নীরবে
চকিতে তোমার ছায়া দেখি যদি
ফিরে আসি তবে গরবে।

আর 'সমাপ্তি' কবিতায় কবি বুঝতে পারলেন—

পথে যতদিন ছিল, ততদিন
অনেকের সনে দেখা,

সব শেষ হলো যেখানে সেথায়
তুমি আর আমি একা।

'শেষ হিসাব' কবিতায় কবি জীবনসায়াহ্নে এসে আবার অনুভব করলেন—

সন্ধ্যা হয়ে এল এবার
সময় হল হিসাব নেবার।

কবি এই তুমি, 'পরম স্রষ্টা'। এই স্রষ্টাকে নিয়েই লীলা চলেছে 'বলাকা'র আগ পর্যন্ত। কবিতায় আরও স্পষ্টভাবে এই অধ্যাত্মচেতনা প্রকাশ পেয়েছে। যেমন—

বেঁচিবারে যাহা বেঁচা হয়ে গেছে
কিনিবার যাহা কেনা,
আমি তো চুকিয়ে দিয়েছি নিয়েছি
সকল পাওনা দেনা।
দিন না ফুরাতে ফিরিব এখন
প্রহরী চাহিছ পসরার পন,
ভয় নাই ওগো, আছে আছে কিছু
রয়েছে বাকি,
আমারো ভাগ্যে ঘটেনি ঘটেনি
কেবল ফাঁকি।

'ক্ষণিকা'র শেষ পর্যায়ে যে অধ্যাত্মচেতনার রেশ ফুটে উঠেছিল, তারই পূর্ণ প্রকাশ ঘটল *নৈবেদ্য* কাব্যে। এই কাব্য সম্পর্কে রবীন্দ্রনাথ নিজেই বলেছেন, 'নৈবেদ্য'কে আমি আমার অন্যান্য বইয়ের মতো দেখি না। লোকে যদি বলে কিছুই বুঝিতে পারিতেছি না বা ভালো হয় নাই, তবে তাহাতে আমার হৃদয় স্পর্শ করে না। 'নৈবেদ্য' যাহাকে দিয়াছি, তিনি যদি উহাকে সার্থক করেন, তবে করিবেন আমি উহা হইতে লোকস্তুতি বা লোকনিন্দার কোন দাবিই রাখি না।" — এই বক্তব্যের মধ্য দিয়ে সেই সময়ের কবির মনের অবস্থা ও অধ্যাত্মচেতনার ঐকান্তিকতা প্রকাশ পেয়েছে। 'উপনিষদ', 'গীতা'র ব্রহ্মচেতনাই নতুন এক উপলব্ধিতে 'নৈবেদ্য' কাব্যে প্রতিফলিত হয়েছে। স্রষ্টার সান্নিধ্য লাভ করার বাসনা এবং সত্য পথে চলার প্রার্থনা 'নৈবেদ্য'র সংক্ষিপ্ত এবং আঁটসাঁট কবিতার মধ্যে দিয়ে ফুটে উঠেছে। এখানে স্রষ্টার কাছে আত্মনিবেদনের কথাও আছে। কিন্তু তা কঠোর সংযম এবং তেজস্বিতার মধ্য দিয়ে স্রষ্টাকে পাওয়ার উপলব্ধির সঙ্গে মিলনের আকাঙ্ক্ষাও আছে। কিন্তু আবেগের আকৃতি নেই, নিরাভরণ ভাষায় অতি সহজভাবে কবির এই মনোভাব 'নৈবেদ্য'র কবিতাগুলিতে ফুটে উঠেছে। যেমন—

প্রতিদিন আমি হে জীবন স্বামী
দাঁড়াব তোমার সম্মুখে,

করি জোড় কর হে ভুবনেশ্বর
দাঁড়াব তোমার সম্মুখে।

এই কাব্যে সাধক কবি রবীন্দ্রনাথ স্রষ্টার কাছে প্রার্থনা এবং আরাধনার জন্য নৈবেদ্য সাজালেও তিনি স্রষ্টার কাছে কামনা করেছেন, বর চেয়েছেন নিজের ও দেশের জন্য পূর্ণ মনুষ্যত্ব। কবি জানেন, সত্যের পথে, ন্যায়ের পথে, কল্যাণের পথে এবং ধর্মের পথে চলাটা খুব কঠিন। কিন্তু কবি তবু চান সমস্ত কষ্ট দুঃখ অতিক্রম করে তিনি যেন সেই পথে চলতে পারেন— পরম স্রষ্টার কাছে সেই কামনাই করেছেন। চিরাচরিত আচার, ধর্মের সংস্কারের বেড়াজাল থেকে মুক্তি চেয়েছেন। লিখলেন—

যেথা তুচ্ছ আচারের মরুবালিরাশি
বিচারের স্রোতঃপথ ফেলে নাই গ্রাসি—
পৌরষেরে করেনি শতধা, নিত্য যেথা
তুমি সর্বকর্ম চিন্তা আনন্দের নেতা,
নিজ হস্তে নির্দয় আঘাত করি, পিতঃ
ভারতেরে সেই স্বর্গে করো জাগরিত।

তিনি পরম স্রষ্টার কাছে প্রার্থনা করেছেন যে—

এ দুর্ভাগা দেশ হতে হে, মঙ্গলময়
দূর করে দাও তুমি সব তুচ্ছ ভয়,
লোকভয়, রাজভয়, মৃত্যুভয় আর
দীনপ্রাণ দুর্বলের এ পাষাণ ভার,'

তিনি বৈরাগ্য সাধনের মুক্তিলাভের চিন্তা করতে চাননি। অসংখ্য বন্ধনের মাঝেই তিনি মুক্তি পেতে চেয়েছেন। উপনিষদের সেই অধ্যাত্মবাদের আদর্শকে তিনি নতুন করে উপলব্ধি করতে চেয়েছেন। আত্মসমর্পণ নয়, আত্মশক্তিতে যেন বলীয়ান হতে পারা যায় সেই প্রার্থনা করেছেন তিনি। বলেছেন—

তোমার পতাকা যারে দাও, তারে
বহিবারে দাও শকতি;
তোমার সেবার মহৎ প্রয়াস
সহিবারে দাও ভকতি।

এই শক্তি ও ভক্তি দিয়ে কবি উপলব্ধি করেছেন যে তাঁর সমস্ত কিছু দিয়ে বিশ্বজীবনকে অনুভব করেছেন বলেই পরমস্রষ্টা তাঁর চিত্তে এসে আসন বিছাতে পেরেছেন। তাই কবি আত্মবোধে বুঝতে পেরেছেন তাঁর জীবনের একটি বেলাও কোনো একটি মুহূর্তে ব্যর্থ হয়নি। কেননা—

নষ্ট হয় নাই প্রভু সে সকল ক্ষণ,
আপনি তাদের তুমি করেছ গ্রহণ
ওগো, অন্তর্যামী দেব।

অপরদিকে রবীন্দ্রনাথের নারী ও বিচিত্র ভাবনা— বার বার সেই কথাই ফুটে উঠেছে— বিশ্বের অপরূপ সীমার মধ্যে স্রষ্টার অপরূপ সৌন্দর্যকে কবি উপলব্ধি করে আত্মহারা। চমকিত হয়ে বলে উঠেছেন—

দেহে আর মনে প্রাণে হয়ে একাকার,
এ কী অপরূপ লীলা এ অঙ্গে আমার।

তিনি স্বীকার করেছেন—

তোমার ভুবন মাঝে ফিরি মুগ্ধসম
হে বিশ্বমোহন নাথ।

তিনি স্রষ্টার কাছে এই প্রার্থনা জানিয়েছেন যে—

তব কাছে এই মোর শেষ নিবেদন
সকল ক্ষীণতা মম করহ ছেদন।
দৃঢ় বলে, অন্তরের অন্তস্থ হইতে
প্রভু মোর।

নৈবেদ্যর পর *স্মরণ* কাব্যে শোকাহত কবির আত্মোপলব্ধির প্রকাশ ঘটেছে। স্ত্রীর বিয়োগবেদনার কাব্য হিসেবে 'স্মরণ' স্মরণীয়। এখানে স্রষ্টার কাছে দুঃখ সহ্য করার ক্ষমতা কামনা করেছেন। অধ্যাত্মচেতনার রেশ এখানেও বিদ্যমান। যেমন —

প্রেম এসেছিল, চলে গেল সে যে খুলি দ্বার,
আর কভু আসিবে না,
বাকি আছে শুধু আরেক অতিথি আসিবার
তারি সাথে শেষ চেনা।
সে আসি প্রদীপ নিভাইয়া দিবে একদিন
তুলি লবে মোরে রথে,
নিয়ে যাবে মোরে গৃহ হতে কোন গৃহহীন,
গ্রহ তারকার পথে।

নৈবেদ্যর পর *খেয়া* কাব্যে আধ্যাত্মিকতার ও স্মৃতি বেদনার পথ পরিক্রমণ করে সমকালীন বাংলাদেশে কবি আমাদেরও নিয়ে এসেছেন। কিন্তু তা সত্ত্বেও কবি অধ্যাত্মচেতনা থেকে বিচ্যুত

হননি। বরং পরবর্তী কাব্যের রেশ ধরেই পরম স্রষ্টার কাছে অন্তরের আকাঙ্ক্ষা প্রকাশ করেছেন। তাঁর সঙ্গে মিলনের কথাও ব্যক্ত করেছেন; যেমন—

'তোমার বীণার তারে আমি
সুর দিয়ে যে যাব,
তারে তারে খুঁজে বেড়াই
সে সুর কোথা পাব।'

বুঝতেই পারা যায়, কবির সমস্ত বিচিত্র সুন্দরের উৎস যে পরম আত্মা, সেই পরম স্রষ্টা, তাঁকে পাওয়ার জন্য কবি ব্যাকুল। তাই বলেন—

'এখন কেবল একটি পেলেই বাঁচি,
এসেছি তাই ঘাটের কাছাকাছি,
এখন শুধু আকুল মনে যাঁচি,
তোমার পারে খেয়ার তরী ভাসা।'

বোঝা যায় 'খেয়া' কাব্যেও কবি স্রষ্টার সঙ্গে মিলনের অধীরতায় প্রতীক্ষায় আছেন। আর সে প্রতীক্ষা শেষে হলে তিনি দেখেন, সেই পরম স্রষ্টা এসেছেন, এসেছেন নতুন রূপে, সৌন্দর্যের মধ্য দিয়ে। তাই কবিকে বলতে শোনা যায়—

'আমার নয়ন ভুলানো এলে,
আমি কী হেরিলাম নয়ন মেলে।
শিউলি তলার পাশে পাশে
ঝরা ফুলের রাশে রাশে
শিশির ভেজা ঘাসে ঘাসে।

তারপর তিনি পর পর তিনটি গীতিকাব্য রচনা করেন। এই তিনটি কাব্যেই কবি তাঁর অধ্যাত্মচেতনা আরও গভীরভাবে প্রকাশ করেছেন। স্রষ্টার সান্নিধ্য কামনা করেছেন। পাশাপাশি স্রষ্টার কাছে ধৈর্য, শৌর্য, সংযম, সাহস, সহ্যশক্তি ইত্যাদি কামনা করেছেন এখানেও আত্মনিবেদন আছে, কিন্তু আত্মসমর্পণের আকুতি নেই। সমস্ত বিশ্বচরাচরের মধ্যে স্রষ্টাকে উপলব্ধি করেছেন। আবার কখনো একেবারে নিজের মধ্যে তাঁর সন্ধান পেয়েছেন। রূপরূপের সীমা অসীমের দ্বন্দ্ব ঘুচিয়ে কবি বিশ্ব ব্যাপ্তির মাঝে অনুভব করেছেন এই তিনটি কাব্যের কিছু কিছু কবিতা, ও 'শিশু' কাব্যের কয়েকটি কবিতা নিয়ে ইংরেজি 'গীতাঞ্জলি' সংকলিত হয়েছিল। বলাবাহুল্য সেই 'গীতাঞ্জলি' বিশ্ববাসীর কাছে একজন ভারতীয় যোগী কবির কবিতা হিসাবে উল্লেখিত হয়েছিল। পরমাত্মাকে পাওয়ার জন্য, তাঁর সান্নিধ্য লাভের জন্য, তাঁর সঙ্গে মিলনের জন্য, তাঁর কাছ থেকে শক্তি সঞ্চয়ের জন্য যে প্রার্থনা জানানো হয়েছে, তা-ই এই তিনটি কাব্যের মূল সুর। বিশ্ববাসী

পড়েছেন। এইসব কাব্যের নতুন ভাবে ও ভঙ্গিতে আত্মনিবেদনে আত্মহারা হয়েছেন। এমনভাবে স্রষ্টার উপলব্ধি ও তাঁর আত্মনিবেদনের প্রকাশ পাশ্চাত্যের পাঠকবর্গের কাছে অভিনব বলে মনে হয়েছে। এ প্রসঙ্গে রবীন্দ্র বিশেষজ্ঞ আবু সায়ীদ আয়ুব বলেন— 'রবীন্দ্রনাথের ধর্ম বিশ্বাস বলতে কোন পূর্বযুগাগত ধর্মমতের প্রতি আনুগত্য বোঝায় না। বোঝায় তাঁর আপন আলোকে ধৌত অন্তরে অন্তরে পাওয়া কঠিন সত্যের প্রতি শ্রদ্ধা ও আস্থা। দ্বিতীয়ত, তিনি যেমন কোনো প্রাচীন বা প্রচলিত ধর্মমতকে সম্পূর্ণ নিজের বলে স্বীকার করতে পারেননি, তেমনি তাঁরও জীবনের তথ্য কাব্যের কোনো-এক পর্যায়ে অভিব্যক্ত ধর্ম-চিন্তা বা আধ্যাত্মিক উপলব্ধিকে তাঁর সমস্ত জীবনের পক্ষে ধ্রুব বলে মেনে নিতে তাঁর প্রবল আপত্তি ছিল।' তবে 'গীতাঞ্জলি' পর্বে কবি ভগবৎ চেতনায় আচ্ছন্ন। ব্রহ্মার তথা স্রষ্টার কাছে নিজের অভিব্যক্তি প্রকাশ করেছেন। বহুধাবিভক্ত দেবতা নয়— এক ঈশ্বরবাদের তত্ত্বই প্রকাশ পেয়েছে এই গ্রন্থগুলিতে। অসহায় দুর্বলের মতো নয় সরল সতেজ, দীপ্ত দৃঢ়তায় তিনি প্রার্থনা জানিয়েছেন, বলেছেন—

বিপদে মোরে রক্ষা করো, এ নহে মোর প্রার্থনা,
বিপদে আমি না যেন করি ভয়,
দুঃখ তাপে ব্যথিত চিতে নাই বা দিলে সান্ত্বনা
দুঃখ যেন করিতে পারি জয়।

পরমাত্মাকে পাওয়ার আশায় তিনি রূপসাগরে ডুব দিয়েছেন। আর যখন তাঁকে সুন্দররূপে অবলোকন করেছেন, তখন বলে উঠেছেন—

সুন্দর তুমি এসেছিলে আজ প্রাতে,
অরুণ বরণ পারিজাত লয়ে হাতে।

সৃষ্টিকর্তাকে তিনি জিজ্ঞাসা করেন—

হে মোর দেবতা, ভরিয়া এ দেহপ্রাণ,
কী অমৃত চাহ করিবারে তুমি পান।

যে প্রাচীন ভারতবর্ষ একই মন্ত্রে সবাইকে দীক্ষিত করে মহামিলনের গান গেয়েছিল— সেই মন্ত্রে আবার বর্তমান ভারতবর্ষকে তিনি জাগিয়ে তুলতে চান। আর তাই বলেন—

সেই সাধনার, সেই আরাধনার, যজ্ঞশালার মেলা আজি দ্বার,
হেথায় সবারে হবে মিলিবারে আনত শিরে,
এই ভারতের মহা মানবের সাগরতীরে।

সীমার মাঝে অসীম রূপে পরমস্রষ্টাকে তিনি অনুভব করেছেন, বলেছেন—

অরূপ তোমার রূপের লীলায় জাগে হৃদয়পুর,
আমার মধ্যে তোমার প্রকাশ এমনি সুমধুর।

অন্যত্র বলেছেন—

বিশ্বরূপের খেলা ঘরে যতই গেলাম খেলে,
অপরূপকে দেখে গেলেম দুটি নয়ন মেলে।

ভজনপূজন সাধন আরাধনা চিরকাল যে রীতিতে চলে এসেছে, তিনি তাঁর বিরুদ্ধে প্রতিবাদ করে বলেছেন—

ভজন পূজন সাধন আরাধনা সমস্ত থাক পড়ে,
রুদ্ধ দ্বারে দেবালয়ের কোণে কেন আছিস ওরে।

নয়ন মেলে দেখতে গিয়ে বলেছেন, 'তিনি দেবালয়ে নেই। গেছেন তাদের মধ্যে, যারা কাজ করে খায়। আর তাই 'কর্মযোগে তার সাথে এক হয়ে ধর্ম পড়ুক ঝরে'। তিনি উপলব্ধি করেছেন স্রষ্টা সকলের মধ্যেই বিরাজমান। আর তিনি যেখানে সেখানে—

যেথায় থাকে সবার অধম দীনের হতে দীন
সেইখানেতে চরণ তোমার রাজে
সবার পিছে, সবার নীচে, সবহারাদের মাঝে।

'গীতাঞ্জলিতে' কবি তাঁর শেষ আকুতি জানিয়েছেন, এইভাবে—

একটি নমস্কারে, প্রভু, একটি নমস্কারে,
সকল দেহ লুটিয়ে পড়ুক তোমার এ সংসারে।

'গীতিমাল্য' ও 'গীতাঞ্জলি'তেও এই অধ্যাত্মচেতনা আরও প্রবলবেগে প্রকাশ পেয়েছে। এ দুটি কাব্যে কবি পরমাত্মার সঙ্গে মিলেছেন এবং একাকার হয়ে গেছেন। তবে 'গীতাঞ্জলি'তে প্রকৃতির মধ্য দিয়ে স্রষ্টাকে অবলোকন করেছেন কবি। স্রষ্টার মহিমা দেখে আনন্দিত হয়েছেন কবি। স্রষ্টার কাছে নিজেকে নিবেদন করে ধন্য হয়েছেন। নিজের অপারগতায় ক্ষমা চেয়েছেন। স্রষ্টার সৌন্দর্য অবলোকন করে মুগ্ধ আবেগে বলেছেন—

সুন্দর বটে তব অঙ্গদখানি তারায় তারায় খচিত;
স্বর্ণ-রত্নে শোভন জানি বর্ণে বর্ণে খচিত।

তিনি বার বার বলেছেন—

এই জীবনের আলোকেতে পারি তোমায় দেখে যেতে
পরিয়ে যেতে পারি তোমায় আমার গলার মালা,
সাঙ্গ যবে হবে ধরার পালা।

পরমস্রষ্টাকে নিজের মধ্যে পাওয়ার আকাঙ্ক্ষায় বলে উঠেছেন—

বাতাস বহে মরি মরি আর বেঁধে রেখো না তরী,
এসো এসো পার হয়ে মোর হৃদয় মাঝারে।

নিজেকে স্রষ্টার কাছে নিবেদন করতে গিয়ে বলেন—

আমার যে সব দিতে হবে, সে তো আমি জানি,
আমার যত বিত্ত, প্রভু আমার যত বাণী—
আমার চোখের চেয়ে দেখা, আমার কানের শোনা,
আমার হাতের নিপুণ সেবা, আমার আনাগোনা,
সব দিতে হবে।

আর নিজেকে নিবেদন করে যাকে পাওয়া যাবে, সেই পাওয়ার আনন্দে কবিকণ্ঠে ধ্বনিত হয়—

এই তোমারি পরশ রাগে চিত্ত হলেন বঞ্চিত,
এই তোমারি মিলন-সুধা হইল প্রাণে সঞ্চিত।

জীবনপথের পথ চলার সঙ্গী হিসেবে পরমাত্মাকে পাওয়ার জন্য সাধনা, পেয়ে আনন্দ আর না-পাওয়ার বেদনা নিয়ে রচিত 'গীতালি'। 'গীতালি'তে প্রকৃতির মধ্যেও স্রষ্টাকে অনুভব করেছেন। স্রষ্টার রূপে মুগ্ধ হয়ে বলেছেন—

তোমার মোহন রূপে কে রয় ভুলে,
জানি না কি মরণ, নাচে গো ওই চরণমূলে।
শরৎ আলোর আঁচল টুটে, কিসের ঝলক নেচে উঠে,
ঝড় এনেছ এলো চুলে,
মোহন রূপে কে রয় ভুলে?

পথিক কবি স্রষ্টাকে পান্থজনের সখা বলেছেন। আর এই পথ চলতে গিয়ে কবি যদি পিছিয়ে পড়েন, তবে তাঁকে যেন ক্ষমা করা হয়। তাঁকে বার বার নিজের ভালোবাসার আকুতি জানিয়ে বলেন—

পথের সাথি নমি বারম্বার,
পথিক জনের লহ নমস্কার।

তারপর সমস্ত দুঃখ বেদনার পর তিনি পেয়েছেন তাঁর পরমস্রষ্টাকে; তাই বলেছেন—

প্রভাত সূর্য এসেছ রুদ্র সাজে
দুঃখের মাঝে তোমার তুর্য বাজে,

[১৬]

রবীন্দ্রনাথের ছড়া ও শিশুসাহিত্য ভাবনা

রবীন্দ্রনাথ ঠাকুরই প্রথম অলক্ষে বেড়ে ওঠা লোকসাহিত্যের অমূল্য রত্নসম্ভারের সঙ্গে আমাদের পরিচয় করিয়ে দিলেন। কবিগান, মেয়েলি গান, জারি গান, ছেলে ভুলানো ছড়া ইত্যাদি রবীন্দ্রনাথের দৌলতে আধুনিক পাঠক নতুন করে উপলব্ধি করতে সক্ষম হন। রবীন্দ্রনাথ নিজেও আমাদের প্রাচীন ছড়াসাহিত্যের দ্বারা বিশেষভাবে মুগ্ধ হয়েছিলেন। ছড়ার যে আলাদা এক ধরনের আবেদন আছে তা তিনি বুঝতে ও বোঝাতে সক্ষম হন। এ প্রসঙ্গে কবি বলেন—" 'বৃষ্টি পড়ে টাপুর টুপুর নদী এল বান' এই ছড়াটি বাল্যকালে আমার কাছে মোহমন্ত্রের মতো ছিল এবং সেই মোহ এখনো আমি ভুলতে পারি নাই।" পারেন নাই যে তার প্রমাণ এই ছড়াটির অনুকরণে তিনি 'কড়ি-কোমল' কাব্যে 'বৃষ্টি পড়ে টাপুর টুপুর' নামে আশ্চর্য সুন্দর এক ছড়া লিখেছেন। তিনি সেখানে উল্লেখ করেছেন—

> বাদল হাওয়ায় মনে পড়ে ছেলেবেলার গান,
> বৃষ্টি পড়ে টাপুর টুপুর নদেয় এল বান।

ছড়া প্রসঙ্গে বলতে গিয়ে তিনি আরও বলেছেন— "এই সকল ছড়ার মধ্যে একটা চিরত্ব আছে। কোনোটির কোনো কালে কোনো রচয়িতা ছিল বলিয়া পরিচয় মাত্র নাই, এবং কোন শকের কোন তারিখে কোনটা রচিত হইয়াছিল এমন প্রশ্ন কাহারও মনে উদয় হয় না। এই স্বাভাবিক চিরত্ব গুণে ইহার আজ রচিত হইলেও পুরাতন এবং সহস্র বৎসর পূর্বে রচিত হইলেও নতুন।"

লোকসাহিত্যের এই ছড়াগুলি বেশিরভাগই রচিত হয়েছিল শিশুদের মনোরঞ্জনের জন্য। তাই এগুলির নামকরণ তিনি করেছিলেন 'ছেলে ভুলানো ছড়া'। এই ছড়ায় বর্ণিত শিশুদের প্রসঙ্গে বলতে গিয়ে তিনি উল্লেখ করেছেন— "ভালো করিয়া দেখিতে গেলে শিশুর মতো পুরাতন আর কিছুই নাই। দেশ কাল শিক্ষা প্রথা অনুসারে বয়স্ক মানবের কত নতুন পরিবর্তন হইয়াছে। কিন্তু শত সহস্র বৎসর পূর্বে যেমন ছিল অবজও তেমনি আছে; সেই অপরিবর্তনীয় পুরাতন বারংবার মানবের ঘরে শিশুমূর্তি ধরিয়া জন্মগ্রহণ করিতেছে অথচ সর্বপ্রথম দিন সে যেমন নবীন, যেমন

সুকুমার, যেমন মূঢ়, যেমন মধুর ছিল, আজও তেমনি আছে। এই নবীন চিরত্বের কারণ এই যে, শিশু প্রকৃতির সৃজন; কিন্তু বয়স্ক মানুষ বহুল পরিমাণে মানুষের নিজকৃত রচনা। তেমনি ছড়াগুলিও শিশুসাহিত্য; তাহারা মানবমনে আপনি জন্মিয়াছে।

অসুস্থ হয়ে ঘরে পড়ে থাকা এই নারী জানালা দিয়ে বাইরের পৃথিবীকে অনুভব করে বলে উঠেছে—

প্রথম আমার জীবনে এই বাইশ বছর পরে
বসন্তকাল এসেছে মোর ঘরে।

আর তখনই নিজের নারীসত্ত্বাকে নতুন করে আবিষ্কার ও উপলব্ধি করে বলে উঠেছে—

আমি নারী আমি মহিয়সী,
আমার সুরে সুর বেঁধেছে জ্যোৎস্নাবীণার নিদ্রাবিহীন শশী
আমি নইলে মিথ্যে হত সন্ধ্যা তারা ওঠা,
মিথ্যে হত কাননে ফুল ফোঁটা।

‘ফাঁকি’ কবিতায় এই সহজ-সরল সাধারণ নারীকে প্রবঞ্চিত ও ফাঁকি দেওয়ার ব্যর্থতার জ্বালা অনুভব করেছে মেয়েটির স্বামী। অসুস্থ স্ত্রী বিনুকে নিয়ে তার স্বামী হাওয়া বদলে যাচ্ছিল। স্টেশনের যাত্রীঘরে গাড়ির অপেক্ষায় থাকার সময় বিনুর সঙ্গে এক নিম্ন শ্রেণির হিন্দুস্থানি মেয়ে রুক্মিণীর পরিচয় হয়। তার মেয়ের বিয়েতে তাকে পঁচিশ টাকা দিতে হবে। বিনুর স্বামী শুনে অবাক হয় নীচু জাতের এই মেয়েটিকে পঁচিশ টাকা দিতে হবে ভেবে। আড়ালে ডেকে নিয়ে রুক্মিণীকে ধমকায় এবং দু-টাকা দিয়ে বিদায় করে। আর বিনুকে জানায় সে রুক্মিণীকে পঁচিশ টাকা দিয়েই বিদায় করেছে। বিনু খুশি হয়। কিন্তু দু-মাস পরেও হাওয়া বদল করে একা ফিরে আসে বিনুর স্বামী। বিনু মারা গেছে। অথচ বিনুকে যে সে মিথ্যে বলেছিল সেই মর্মজ্বালায় ফেরার পথে বিলাশপুর নেমে রুক্মিণীর খোঁজ করেও কোনো সন্ধান পায় না সে। তাই আত্মনিপীড়নে বিনুর স্বামী বলে—

ওগো অন্তর্যামী,
বিনুরে আজ জানাতে চাই আমি
সেই দু'মাসের অর্ঘ্যে আমার বিষম বাকি
পঁচিশ টাকার ফাঁকি।
দেহ যদি আজ রুক্মিনীকে লক্ষ টাকা।
তবুও তো ভরবে না সেই ফাঁকা।

স্ত্রীকে ফাঁকি দিয়ে বিনুর স্বামী বুঝতে পারে—

রয়ে গেলেম দায়ী,
মিথ্যা আমার হল চিরস্থায়ী।।

এই কাব্যের আর একটি উল্লেখযোগ্য ও দীর্ঘ কবিতা ‘নিষ্কৃতি’। এই কবিতাটিতেও কবি দেখিয়েছেন আমাদের এই সংসারজীবনে পুরুষ শাসিত এই সমাজে নারীর কোনো মূল্যই নেই। স্ত্রীকে পুরুষ স্বামী পাত্তাই দেয় না। মেয়েকেও নিজের ইচ্ছামতো এক বুড়োর সঙ্গে বিয়ে দিতে

চায়। তাকে বাঁধা দিলে সে তেলে বেগুনে জ্বলে ওঠে। এই স্বামীই আবার স্ত্রীর মৃত্যুর পর মেয়ে মঞ্জুলী-তাকে দ্বিতীয় বিয়েতে বাধা দিলে খেপে যায়। আর মেয়ে মঞ্জুলী অনুভব করে—

হোক না মৃত্যু তবু,
এ বাড়ির এই হাওয়ার সঙ্গে বিরহ তাঁর ঘটে নাই তো কভু।
কল্যাণী সেই মূর্তিখানি সুধা মাখা
এ সংসারের মধ্যে ছিল আঁকা।
সাধ্বীর সেই সাধন-পূণ্য ছিল ঘরের মাঝে,
তাঁরি পরশ ছিল সকল কাজে।
এ সংসারে তাঁর হবে আজ পরম মৃত্যু, বিষম অপমান
সেই ভেবে যে মঞ্জুলিকার ভেঙে পড়ল প্রাণ।

কিন্তু মঞ্জুলিকার বাবা মেয়ের কোনো কথাই না শুনে বিয়ে করতে যায়। ফিরে এসে দেখে মঞ্জুলিকা প্রেমিক পুলিনের হাত ধরে নিজের ঘর বাঁধতে চলে গেছে। আর তাই দেখে, 'আগুন হয়ে বাপ বারে বারে দিলেন অভিশাপ'। মুক্তির নারী, ফাঁকির বিনু যা পারেনি, নিষ্কৃতির মঞ্জুলিকা তা পেরেছে। সামান্য হলেও সে বাবার বিরুদ্ধে প্রতিবাদ করেছে।

আর কাব্যজীবনের শেষের দিকে 'পুনশ্চ' কাব্যে 'সাধারণ মেয়ে' কবিতায় কবি নারীকে আরও একটু আধুনিক ও বিদ্রোহিণী করে তুলেছেন। সাধারণ মেয়ে মালতী নিজেকে প্রকাশ করেছে এমনিভাবে—

তাকে নাম দিয়ো মালতী
ওই নামটা আমার
ধরা পড়বার ভয় নেই।
যারা সবাই সামান্য মেয়ে,
তারা ফরাসি জার্মান জানে না;
কাঁদতে জানে।

কিন্তু এই মালতী অতি সহজে হার মানতে রাজি নয়। তাই শরৎবাবুকে উদ্দেশ্য করে বলে—

বলা বাহুল্য রবীন্দ্রনাথ এই 'ছেলে ভুলানো ছড়া'র দ্বারা যে দারুণভাবে আকৃষ্ট হয়েছিলেন তার প্রমাণ পাওয়া যায় 'বালক' পত্রিকার জন্য লেখা ছড়াসমূহে। তাই সত্যেন্দ্রনাথের পত্নি ইন্দিরা দেবীর মা ও রবীন্দ্রনাথের বউদি জ্ঞানদা নন্দিনী 'বালক' নামে মাসিক পত্রিকা প্রকাশের উদ্যোগ নেন। এই পত্রিকার প্রধান ও অন্যতম লেখক হয়ে ওঠেন রবীন্দ্রনাথ। গল্প, উপন্যাস, প্রবন্ধ রচনার পাশাপাশি শিশুদের জন্য লিখেছেন শিশুতোষ একঝাঁক ছড়া। এগুলির সঙ্গে পরবর্তীতে আরও কিছু ছড়া একত্রিত করে সংকলন করা হয় *শিশু* নামের ছড়াগ্রন্থে। রাজনীতির তর্কজালে এবং জটিল কর্মপদ্ধতি থেকে মুক্তি নিয়ে ষাট বছরের রবীন্দ্রনাথ লিখলেন শিশুদের জন্য আর একটি গ্রন্থ *শিশু ভোলানাথ*। এই গ্রন্থ রচনার ব্যাখ্যা দিতে গিয়ে তিনি বলেছেন— ''এই কবিতা লিখবার একমাত্র তাগিদ ছিল বয়স্ক লোকদের দায়িত্ববোধের জীবনকে ক্ষণকালের জন্য মন থেকে সরিয়ে

দেবার ইচ্ছায়।" মূলত 'শিশু' ও 'শিশু ভোলানাথ' গ্রন্থেও শিশু কোনো এক বিশেষ গোত্র, সমাজ বা দেশ কালের নয়; এই শিশু সর্বকালের দেশের শিশুদের প্রতিভূ। প্রমথনাথ বিশীর কথায় 'দি চাইল্ড, শিশুসত্ত্বা।'

শিশু গ্রন্থের 'জন্ম কথা' কবিতায় কবি শিশুমনের চিরকালীন প্রশ্ন তুলে ধরেছেন—

খোকা মাকে শুধায় ডেকে   এলেম আমি কোথা থেকে
কোনখানে তুই কুঁড়িয়ে পেলি আমারে?
মা শুনে কয় হেসে কেঁদে   খোকারে তার বুকে বেঁধে
ইচ্ছা হয়ে ছিলি মনের মাঝারে।

মা আরও বলেন—

ছিলি আমার পুতুল খেলায়   প্রভাতে রোজ পূজার বেলায়
তোরে আমি ভেঙেছি আর গড়েছি;
তুই আমার ঠাকুর সনে   ছিলি পূজার সিংহাসনে
তারি পূজায় তোমার পূজা করেছি।

'খেলা', 'রবিবার', 'পুতুল খেলা', 'বীরপুরুষ', 'লুকোচুরি', 'কেন মধুর', 'পরিচয়', 'উপহার', 'বিদায়' ইত্যাদি কবিতায় কবি শিশুমনের বিচিত্র দিক সুন্দরভাবে ফুটিয়ে তুলেছেন। 'বিদায়' কবিতায় কবি বলেছেন যে শিশু ও মায়ের মধ্যে এমনই নিবিড় সম্পর্ক যে মৃত্যুর পরেও শিশু তার মায়ের সঙ্গে ছায়ার মতো থাকে। তাই সে বলে—

হাওয়ার সঙ্গে হাওয়া হয়ে   যাব মা তোর বুকে বয়ে
ধরতে আমায় পারবি নেতো হাতে,
জলের মধ্যে হব না ঢেউ   জানতে আমায় পারবে না কেউ
স্নানের বেলা খেলব তোমার সাথে।

শুধু তাই নয়—

পূজার কাপড় হাতে করে   মাসি যদি শুধায় তোরে
খোকা তোমার কোথায় গেল চলে,
বলিস খোলা সে কি হারায়   আছে আমার চোখের তারায়
মিলিয়ে আছে আমার বুকে কোলে।

শিশু কাব্যগ্রন্থের মতো *শিশু ভোলানাথ* কাব্যের কবিতাগুলিতেও শিশুমনের নানা চিন্তা চেতনা নানাভাবে প্রকাশ পেয়েছে। 'মনে পড়ে' কবিতায় মাকে হারানোর পরও শিশু কীভাবে তাকে মনে করবে তার বর্ণনা দিতে গিয়ে কবি শিশুর জবানিতে বলেছেন—

মাকে আমার পড়ে না মনে।
শুধু যখন খেলতে গিয়ে হঠাৎ অকারণে
একটা কি সুর গুনগুনিয়ে কানে আমার বাজে

মায়ের কথা মিলায় যেন আমার খেলার মাঝে
মা বুঝি গান গাইতো আমার দোলনা ঠেলে ঠেলে
মা গিয়েছে যেতে যেতে গানটি গেছে ফেলে।

'খেলা ভোলা' কবিতায় শিশু মাকে নিয়ে কল্পনায় অনেক দূরে চলে যেতে চায়। তাই সে বলে—

খেলার কথা যায় যে ভেসে, মনে ভাবি কোন কালে সে
কোন দেশে তোর বাড়ি ছিল কোন সাগরের কূলে।
ফিরে যেতে ইচ্ছে করে অজানা সেই দ্বীপের ঘরে
তোমায় আমায় ভোর বেলাতে নৌকাতে পাল তুলে

'ইচ্ছামতি' কবিতায় শিশু জানায়—

যখন যেমন মনে করি তাই হতে পাই যদি
আমি তবে এক্ষণি হই ইচ্ছামতি নদী।

'অন্য মা' কবিতায় শিশু মাকে নিয়ে মজার খেলা খেলেছে, বলেছে—

আমার মা না হয়ে তুমি আর কারো মা হলে—
ভাবছ তোমায় চিনতাম না, যেতেম না ওই কোলে?
মজা আরো হত ভারী—
দুই জায়গায় থাকত বাড়ি
আমি থাকতেম এই গাঁয়েতে তুমি পাশের গাঁয়ে
এইখানেতেই দিনের বেলা
যা কিছু সব হতো খেলা
দিন ফুরালেই তোমার কাছে পেরিয়ে যেতাম নায়ে।

এমনই অনেক ছড়া এই দুটি গ্রন্থে আছে যার মধ্যে কবি শিশুমনের এক অদ্ভুত জগৎ মেলে ধরেছেন। আর বয়স্কদের জন্য ভাবনার খোরাক জুগিয়েছেন।

এ ছাড়াও *খাপছাড়া* ও *ছড়ার ছবি* কাব্যেও ছড়ার ছন্দে কবি বেশ কয়েকটি কবিতা রচনা করেছেন। এগুলি অবশ্য শিশুতোষ কবিতা নয়, তবে রঙ্গ ও ব্যঙ্গ কৌতুকে ছড়াগুলি ছড়ার ছন্দে সরস ও আকর্ষণীয় হয়ে উঠেছে। যেমন 'খাপছাড়ার' রঙ্গ কবিতা—

এ তো বড় রঙ্গ জাদু এ তো বড় রঙ্গ—
চার মিথ্যে দেখাতে পারো যাব তোমার সঙ্গ।
মিথ্যে ভেলকি, ভূতের হাঁড়ি, মিথ্যে কাঁচের পান্না
তাহার অধিক মিথ্যে তোমার নাকি সুরের কান্না।

তেমনি *ছড়ার ছবি* কাব্যে 'বর এসেছে বীরের ছাঁদে' আর একটি ব্যঙ্গ ও কৌতুক ছড়া—

'বর এসেছে বীরের ছাঁদে বিয়ের লগ্ন আটটা,
পিতল আঁটা লাঠি কাঁধে, গলেতে খান গাট্টা,

শ্যালীর সঙ্গে ক্রমে ক্রমে আলাপ যখন উঠল জমে
রায় বেশে নাচ নাচে ঝোঁকে, মাথায় মারলে গাট্টা
শ্বশুর কাঁদে মেয়ের শোকে বর হেসে কয় ঠাট্টা।

'ছড়া' নামে একটি কাব্য শেষজীবনে রচনা করেন তিনি। এখানেও ছড়ার ছন্দে সমসাময়িক পারিপার্শ্বিকতা নিয়ে রঙ্গব্যঙ্গ করেছেন কবি। এ প্রসঙ্গে প্রভাতকুমার মুখোপাধ্যায় রবীন্দ্রনাথের জীবনকথা বর্ণনা করতে গিয়ে বলেছেন— 'দেশের মধ্যে ক্ষুদ্র দলাদলি, রেষারেষি, সাম্প্রদায়িক দাঙ্গা, নারীহরণ ও নারী উৎপীড়ন, দেশের বাইরে বিশ্বব্যাপী যুদ্ধ— এসব খবর নিত্যই শোনেন আর আহত মনটাকে হালকা করবার জন্য ছড়া কেটে বিদ্রুপ করে বললেন—

সিন্ধু পারে মৃত্যু নাটে চলছে নাচানাচি
বাংলাদেশের তেঁতুল বনে চৌকিদারের হাঁচি।

ছড়া গ্রন্থের 'শ্রাদ্ধ', 'মামলা' ইত্যাদি ছড়া রঙ্গব্যঙ্গে সুখপাঠ্য। 'শ্রাদ্ধ' ছড়াটিতে কোন এক খেদুবাবুকে নিয়ে ব্যঙ্গ করলেও তার সঙ্গে জুড়ে দিয়েছেন সমসাময়িক কালের ইংরেজ জাপানিদের যুদ্ধের ঘটনা। যেমন—

ওই শোনা যায় রেডিওতে বোঁচা গোঁফের হুমকি
দেশ বিদেশে শহর গ্রামে গলা কাটার ধূম কী।
খাঁচায় পোষা নন্দনাটা ফড়িঙে পেট ভরে,
সকাল থেকে নাম করে গান 'হরে কৃষ্ণ হরে'।

'মামলা' ছড়াটিতে ছড়ার ছন্দে তৎকালীন জজ, উকিল, মোক্তারদের নিয়ে রঙ্গ করেছেন। যেমন—

শুনি নাকি দুই ভাই উকিলের তাকাদায়
বলে গেছে, আমাদের বুঝি বেঁচে থাকা দায়।
কণ্ঠে এমনি ফাঁস এঁটে দিল জড়িয়ে
মোক্তার কী করিবে সাক্ষীরে পড়িয়ে।

এমনই অনেক ছড়া লিখেছেন রবীন্দ্রনাথ। সব যে শিশুতোষ ছড়া তাও নয়। এসবের মধ্যে শিশুদের কথা তিনি বললেও বড়োদের ভাবনা ঢুকিয়ে দিয়েছেন। তাই বড়োরাও এই ছড়া পড়ে এক ধরনের আনন্দ পায়। এই ছড়াগুলির মধ্য দিয়ে আমরা কাব্যরস আস্বাদন করতে পারি। এই ছড়াগুলি রচনার মধ্য দিয়ে তিনি প্রমাণ করেছেন যে ছড়া কাব্য হিসেবে মোটেই নিকৃষ্ট নয়। একথাও সত্য যে রবীন্দ্রনাথের রচিত এই ছড়াসাহিত্য পরবর্তী কালের কবিদের ছড়া লিখতে উৎসাহিত করেছে। কাজী নজরুল ইসলাম, সুকান্ত ভট্টাচার্য, অন্নদাশঙ্কর রায় প্রমুখের রচিত ছড়াসাহিত্য তারই স্বাক্ষর বহন করে।

[১৭]
গীতাঞ্জলির মানবভাবনা

'থাকো স্বর্গ হাস্যমুখে, কারো সুধাপান/দেবগণ। স্বর্গ তোমাদেরি সুখস্থান' (স্বর্গ হইতে বিদায়:চিত্রা) বলে কল্পিত স্বর্গ হইতে বিদায়বেলায় ২৪ অগ্রহায়ণ ১৩০২ বঙ্গাব্দে শিলাইদহে বসে রবীন্দ্রনাথ মর্তপ্রীতির আকুলতা প্রকাশ করেছিলেন। এই অনুভবের সাত বছর আগে ১৮৮৯ খ্রিস্টাব্দের নভেম্বর মাসে তিনি প্রথম পূর্ববাংলায় আসেন। তখন থেকেই তিনি পূর্ববাংলার মানুষ ও প্রকৃতিকে এমন নিবিড়ভাবে আত্মস্থ করেছিলেন যে, একালের তাঁর সকল সৃষ্টির মাঝে এসবের স্থায়ী রূপ দিয়ে গেছেন। এই শিলাইদহে বসেই কবি ১৩১৬ বঙ্গাব্দের ৩০ আশ্বিন গীতাঞ্জলির ৪৪ সংখ্যক গানে সেই মর্তপ্রীতি আর মানবপ্রেমের বাণী উচ্চারণ করলেন—

জগতে আনন্দ যজ্ঞে আমার নিমন্ত্রণ।
ধন্য হল ধন্য হল মানবজীবন।

দেবতা সেজে দেবলোকে থেকে নয় বরং মানবজীবন লাভ করে নিজেকে ধন্য মনে করেছেন কবি; আর ইহজাগতিক আনন্দযজ্ঞে নিমন্ত্রিত হয়ে সকৃতজ্ঞ শ্লাঘা বোধ করেছেন।

গীতাঞ্জলি-পর্ব বিশেষত এর আগের ও পরের কাব্যগুলোকে কিছু সমালোচক রবীন্দ্র প্রতিভার নির্বাসনকাল কিংবা অরূপ সাধনার প্রধান ভাবনা ভগবৎ রসলীলা যুগ হিসেবে উল্লেখ করেছেন। আমরা তাঁদের ভাবনাগুলোকে স্বীকার করে নিয়ে বলব 'গীতাঞ্জলি'র ১৫৭টি কবিতা ও গানের মধ্যে মাত্র ৫৩টিকে বেছে নিয়েছিলেন ইংরেজি গীতাঞ্জলি বা Song offerings -এর জন্য। অবশিষ্ট ১০৩টিকে তাতে সংযোজন করেননি। নিয়েছেন গীতাঞ্জলির আগের ও পরের কাব্য থেকে।

যে কবি *কড়ি ও কোমল* কাব্যের প্রথম কবিতা 'প্রাণ'-এ আকুতি প্রকাশ করেছিলেন মানবের মাঝে আমি বাঁচিবারে চাই বলে। সেই কবি 'আপন হৃদয় গহন দ্বারে' ফিরে গেলেন কেন? আমরা জানি দার্শনিক হেগেলের ডায়ালেকটিক প্রসেসে যে অ্যান্টিথিসিসের কথা বলা হয়েছে *গীতাঞ্জলি*-পর্বে তার প্রতিফলন এখানে লক্ষণীয় হয়ে উঠবে বলে ফিরে গেছেন। জীবনের

আনন্দময় ক্ষণ থেকে ব্যক্তিগত শোক কবিকে ত্যাগের মহিমা ও বিশ্বনিয়ন্তায় আশ্রয়ের পথে নিয়ে যাবে। এটা অবাস্তব নয়। বরং সে-ভাবনায় কিছুদিনের জন্য সমাহিত না হলেও হত অবাস্তব। জনক, দারা, পুত্র-কন্যার তিরোধানে বেদনার পারাবারে অবগাহিত হয়ে সমকালে স্রষ্টায় নিবেদিতপ্রাণ হলেও মানুষকে তিনি ভোলেননি। তাই গীত কেবল স্রষ্টাকে অঞ্জলি দেননি মানুষকেও নিবেদন করেছেন। এ ভাবনা স্মরণে এবার আমরা গীতাঞ্জলি কাব্যে কবির 'গীতরসধারা' মানব ভাবনায় কতটুকু স্থান পেয়েছে তার সন্ধান করব।

গীতাঞ্জলি-তে গানের সংখ্যা ৮৫ এবং কবিতার সংখ্যা ৭২। সাময়িকপত্রে প্রকাশের সময় এর অনেক শিরোনাম যুক্ত থাকলেও গ্রন্থাকারে প্রকাশিত হবার সময় (১৩১৭ বঙ্গাব্দ) শিরোনামে রক্ষিত হয়নি। ১ থেকে ১৫৭ পর্যন্ত ক্রমধারা অনুসারে গান ও কবিতা চিহ্নিত হয়েছে। আমরা এ কাব্যের মনোভাবনার দিকগুলো আলোচনা করার সময় ক্রম সংখ্যাই উল্লেখ করব।

প্রসঙ্গত বলে রাখি, রবীন্দ্রনাথের প্রেম এবং পূজার গানগুলো পৃথক করা সহজ নয়। কারণ অনেক গান আছে যা আপাতদৃষ্টিতে নিবেদনের রচিত। অথচ সে-বিষয়টিকে পাঠক মানবীয় ভাবনায় রূপান্তর করলেও তার মাহাত্ম্য খর্ব হয় না। কেননা কবির ভাষায় 'যারে বলে ভালোবাসা তারে বলে পূজা'। অবশ্যি এটি আমাদের আলোচ্য বিষয় নয়। আমরা খুঁজে দেখব 'গীতাঞ্জলি'তে কবির মানবভাবনা।

গীতাঞ্জলির ১ম সংখ্যক বহুশ্রুত গানটি স্পষ্টতই স্রষ্টায় নিবেদিত। তা হলেও এখানে নিরহংকার বিনম্র একজন মানুষের সন্ধান মিলবে। যে মানুষ নিজেকে উচ্চাসনে রেখে অপরাপর মানুষ থেকে বিচ্ছিন্ন রাখতে চায় না। তাই তো তিনি বলতে পারেন 'নিজেরে করিতে গৌরবদান নিজেরে কেবলি করি অপমান'। তাঁর সাধনা— 'সবার পিছে, সবার নীচে/সবহারাদের মাঝে' (১০৭) থেকে 'সবার সঙ্গে' যুক্ত হয়ে 'মুক্ত কর হে বন্ধ' (৫) সংস্কৃতির।

আমরা বলছিলাম ব্যক্তিগত শোক কিংবা ভিন্ন ক্যানভাসে জীবনকে প্রত্যক্ষ করার ফলশ্রুতিতে কাব্যভাবনার সুরে জীবনের কোলাহল থেকে কিছুটা দূরে ছিলেন কবি 'গীতাঞ্জলি' পর্বের একটি দশক। তাই বলে যাপিত জীবনের মূল ধারা থেকে তিনি বিচ্যুত হননি। আমরা লক্ষ করব ১০৮ সংখ্যক কবিতায় দেশের অবহেলিত মানুষের জন্য তিনি সরব থেকেছেন। ১৩১৭ সালের ২০ আষাঢ় রচিত এই স্বল্পদীর্ঘ কবিতায় মানবভাবনার স্পষ্ট বাণী ঝংকৃত হয়েছে। *চিত্রা* কাব্যের 'এবার ফিরাও মোর' কবিতায় ১৩০০ সালের ২৩ ফাল্গুন রামপুর বোয়ালিয়া তথা রাজশাহিতে উপেক্ষিত মানুষের পক্ষ হয়ে বলেছিলেন—

স্ফীতকায় অপমান...
অক্ষমের বক্ষ হতে রক্তশুষি করিতেছে পান
লক্ষ মুখ দিয়া; বেদনারে করিতেছে পরিহাস
স্বার্থোদ্ধত অবিচার;

এই মানবভাবনা রবীন্দ্র সৃষ্টিধারায় ঐশ্বর্যপর্বের উচ্চারণ। কবির এই চেতনা কখনো তাঁকে ছেড়ে যায়নি। ব্যক্তিগত শোকসন্তপ্ততার মাঝেও উদ্দীপ্ত থেকেছে। লক্ষণীয়, ১০৮ সংখ্যক

কবিতায় নেই কোনো রাজনৈতিক অভিসন্ধি, নেই ধর্মীয় উন্মাদনা কিংবা সাম্প্রদায়িক চেতনা। আছে ক্ষমতা ও বিত্ত বৈভবের গর্বে মানুষকে দূরে ঠেলে ফেলার অশুভ সংস্কৃতির মানবতাহীন কর্মকাণ্ডের প্রতি আক্ষেপপূর্ণ চেতনার অভিব্যক্তি। এর আগের ১০৭ সংখ্যক গানে যে-ভাবের অভ্যুদয়, তার অনেকটা পূর্ণতা পেয়েছে আলোচ্য 'অপমান' তথা ১০৮ সংখ্যক কবিতায়। কবিতাটি আমরা পড়ে দেখি।

হে মোর দুর্ভাগা দেশ, যাদের করেছ অপমান,
অপমানে হতে হবে তাহাদের সবার সমান!
মানুষের অধিকারে
বঞ্চিত করেছ যারে
সম্মুখে দাঁড়ায়ে রেখে তবু কোলে দাও নাই স্থান,
অপমানে হতে হবে তাহাদের সবার সমান।

দেশ তথা দেশের জনগণের উন্নাসিক অংশ যারা মনুষ্যত্বের যথাযথ মূল্য দেয় না, যারা সাধারণ মানুষের শ্রমের ফসল ভোগ করে অথচ তাহাদেরই অপাঙ্‌ক্তেয় ভেবে দূরে ঠেলে দেয়, তাদের অচিরেই কঠিন অপমানের মুখোমুখি হতে হবে। মানুষের প্রতি কবির এই নিবিড় ভালোবাসার অকুণ্ঠ বিশ্বাস ধ্বনিত হয়েছে এইভাবে—

যারে তুমি নীচে ফেল সে তোমারে বাঁধিবে যে নীচে
পশ্চাতে রেখেছ যারে সে তোমারে পশ্চাতে টানিছে
অজ্ঞানের অন্ধকারে
আড়ালে ঢাকিছ যারে
তোমার মঙ্গল ঢাকি গড়িছে সে ঘোর ব্যবধান (ওই)

এই ঘোর ব্যবধান যতকাল বিদ্যমান থাকবে, ততকাল মানবসভ্যতার পূর্ণতা আসতে পারে না। মনে হতে পারে এ যেন অনাগত সমাজতান্ত্রিক ভাবাদর্শের প্রতি কবির প্রচ্ছন্ন ইঙ্গিত, আসলে তা নয়। তিনি মতবাদী ছিলেন না। সমাজসচেতন কবি মনুষ্যত্ব ও সম্প্রীতিময় মানব উন্নয়নের মাঝে জীবনকে তুলে ধরতে চেয়েছেন এবং তেমনি দৃষ্টিতে মানুষকে সম্মান দিতে কুণ্ঠিত হননি। 'গীতাঞ্জলি' প্রকাশের দেড় যুগ পরে ১৯৩০ সালে রাশিয়া ভ্রমণের সময় সে অনুভবের বিস্তার লক্ষ করা যাবে।

"অধিকাংশ মানুষকে তলিয়ে রেখে, অমানুষ করে রেখে, তবেই সভ্যতা সমুচ্চে থাকবে একথা অনিবার্য বলে মেনে নিতে গেলে মনে ধিক্কার আসে।" (রাশিয়ার চিঠি)। কবির বিশ্বাস মানবসৃষ্ট অপমান অবহেলা থেকে মুক্তির সুবাতাস প্রবাহিত হবে, ভেদবুদ্ধির অন্ধকার যাবে কেটে।

২১ আষাঢ় ১৩১৭ বঙ্গাব্দ ১০৯ সংখ্যক গানে সেই অভয়—

ছাড়িস নে ধরে থাক এঁটে,
ওরে হবে তোর জয়।

অন্ধকার যায় বুঝি কেটে,
ওরে আয় নেই ভয়—

এই ভয় কাটাবার অন্যতম পন্থা কর্মজীবী মানুষের কাতারে শামিল হওয়া। কীভাবে শামিল হতে হবে তার একটা সরল পন্থাও কবির অজানা নয়। ২৭ আষাঢ় ১৩১৭ বঙ্গাব্দে লেখা ১১৯ সংখ্যক গানে তার প্রতিধ্বনি শোনা যায়:

... যেথায় মাটি ভেঙে
করছে চাষা চাষ—
পাথর ভেঙে কাটছে যেথায় পথ,
খাটছে বারো মাস।

এদেরই কবি অকৃত্তিম ভালোবাসা দিয়ে সম্মান জানাতে চেয়েছেন।

গীতাঞ্জলি-র ১০৬ সংখ্যক কবিতাটির রচনাকাল ১৮ আষাঢ় ১৩১৭ বঙ্গাব্দ। এটি অবিভক্ত বৃহত্তম ভারতের পটভূমিতে লেখা। এদেশে কীভাবে নানা দেশের নানা জাতি-ধর্মের মানুষ আশ্রয় নিয়েছে এবং নির্ভরযোগ্য বাসস্থান বলে বেছে নিয়েছে, তার একটি ধারাবাহিক ফিরিস্তি আছে। কবিতাটি রচনাকালে এর নাম ছিল মাতৃ অভিষেক। পরবর্তী সময়ে শিরোনাম হয় ভারততীর্থ কিন্তু গ্রন্থাকারে প্রকাশিত *গীতাঞ্জলি*তে ১০৬ সংখ্যক ক্রমিকে এর স্থান হয়েছে। মানুষকে তিনি যে অচ্ছুত ভাবেননি তার প্রমাণ আছে এই কবিতায়—

কেহ নাহি জানে কার আহ্বানে
কত মানুষের ধারা
দুর্বার স্রোতে এল কোথা হতে
সমুদ্রে হল হারা
হেথায় আর্য, হেথা অনার্য
হেথায় দ্রাবিড়, চীন
শক-হুণ-দল পাঠান মোগল
একদেহে হলো লীন।

এই একদেহে লীন হয়ে যাওয়া মানুষকে তিনি জগতে আনন্দযজ্ঞে মিলিত হয়ে সমাজজীবনের সার্থকতার অনুসন্ধান করেছেন। তাই তো তিনি একই কবিতার শেষ স্তবকের প্রথম চার চরণে মানবমিলনের বাণী উচ্চারণ করতে পারলেন—

এসো হে আর্য, এসো অনার্য
হিন্দু-মুসলমান
এসো এসো আজ তুমি ইংরাজ,

থেকে ইন্দিরাকে লেখা পত্রে কবির সে অনুভব জানা যাবে। ... 'এ গানটি কেবল অস্থানেই হাস্যজনক, কিন্তু দেশকাল পাত্র-বিশেষে এর যথেষ্ট সৌন্দর্য আছে। আমার অজ্ঞাতনামা গ্রাম্য কবি

ভ্রাতার রচনাগুলিও এই গ্রামের লোকের সুখ দুঃখের পক্ষে নিতান্ত আবশ্যক, আমার গানগুলি সেখানে কম হাস্যকর নয়।' পত্রের কথা যখন এল তখন একটু খোঁজ নিয়ে দেখা যাবে, কোনো ব্যক্তিগত আনন্দ উপলব্ধির কথা তিনি পত্রে উল্লেখ করেননি, এদেশের পিছিয়ে-পড়া মানুষ সম্পর্কে তাঁর উদ্‌বেগ এবং বিপর্যস্ত অবস্থা থেকে উত্তরণের সদিচ্ছাও তাতে আছে। কেননা তিনি মনে-প্রাণে চাইতেন মানবকল্যাণ।

রবীন্দ্রনাথ মানুষের আনন্দ উজ্জ্বল পরমায়ু রচনার পরিকল্পনায় সচেষ্ট ছিলেন। তাই 'আনন্দলোকে মঙ্গলালোকে' আনন্দযজ্ঞে নিমন্ত্রিত হয়েছিলেন, যেন ভুবনে আনন্দধারা প্রবাহিত হয়। বিরোধ নয়, মিলনকেই তিনি প্রাধান্য দিয়েছেন কর্মে, চিন্তায় এবং রসসৃষ্টিতে। আমরা তাঁকে স্মরণ করে আমাদের নানামুখী বিড়ম্বিত জীবনে যতটুকু আনন্দলাভ করতে পারি, এই আনন্দের আকালের দিনে তাই-বা কম কীসের। এখানেই রবীন্দ্রস্মরণের যথার্থতা এবং নিজেদের ঋদ্ধ করার পথ খোঁজা।

[১৮]

রবীন্দ্রনাথের ছুটিভাবনা, আমাদের ছুটি সংস্কৃতি

চিরপ্রয়াণের ৭ মাস ১৭ দিন আগে ১৯৪১ খ্রিস্টাব্দের ২১ জানুয়ারি জন্মদিনে কাব্যের ১ম সংখ্যক কবিতায় রবীন্দ্রনাথ বলেছিলেন, 'বিপুলা' এ পৃথিবীর কতটুকু জানি। না জানার বেদনা প্রকাশ করতে গিয়ে সবিনয়ে উচ্চারণ করেছিলেন নিজের 'সুরের অপূর্ণতা'র কথা। অথবা তিনি মানুষের যাপিত জীবনের সকল অনুষঙ্গকে এমন গভীর অনুরাগে প্রোথিত করতে পেরেছিলেন যে, আমাদের সুকুমার ভাবনার এমন একটি বিষয় নেই যা তাঁর সৃষ্টিশীল অনুভূতিকে ছুঁয়ে যায়নি। আমরা বলছিলাম আমাদের যাপিত জীবনের অনুষঙ্গের কথা। প্রসঙ্গত ছুটি নিয়ে যে-ভাবনা তিনি আমাদের জন্য রেখে গেছেন, তার আংশিক খোঁজ আমরা নেবার চেষ্টা করব।

ছুটির বাঁশি বাজলো যে ওই নীল গগনে।
আমি কেন একলা বসে এই বিজনে।

গীতবিতানের প্রেম পর্যায়ের ২৩ সংখ্যক এই গানটিতে রবীন্দ্রনাথ মূলত শরতের 'অমল ধবল পালে' লাগা নির্মল প্রকৃতির 'শুভ্র কাশের আন্দোলনে'র সাথে একাত্মতা ঘোষণা করেছেন। এখানে প্রকৃতিপ্রীতির ভেতর দিয়ে ছুটির আনন্দ উপভোগের জন্য তিনি উদ্‌বেলিত। নিজেদের অজান্তে আমরাও যেন সেই আনন্দঘন ছুটির সাথে একাত্ম হয়ে যাই।

কাজের তাড়াহীন ছুটির দিনগুলো প্রিয় মানুষের সাথে একান্তে কাটাবার বাসনা-কামনা মনে জাগ্রত হয়। ঘরে ছুটির সময় পার হয়ে গেলে মিলনোন্মুখ হৃদয় যখন বঞ্চিত হয়, তখন একটা বিরহবিধুর যন্ত্রণা হৃদয়তন্ত্রীতে অনুরণিত হতে থাকে অনুক্ষণ। ছুটির ভাবনাকে সামনে রেখে একই প্রেমপর্বের ২৮৮ সংখ্যক গানে সেই অনুভব তুলে ধরেছেন রবীন্দ্রনাথ—

তুমি আমায় ডেকেছিলে ছুটির নিমন্ত্রণে,
তখন ছিলেম বহুদূরে কীসের অন্বেষণে।

লেখা বাহুল্য এটিও শরৎকেন্দ্রিক গান। কীসের অন্বেষণে থাকার জন্য 'ছুটি ফুরিয়ে গেছে কখন অন্যমনে'। এই ছুটি ফুরিয়ে যাবার বেদনায় আক্ষেপ করা ছাড়া কবির কিছুই করার থাকে না।

কারণ ছুটির আমেজ ছাড়া যে মিলনের আনন্দ নিরঙ্কুশ হয় না। গীতবিতানের প্রকৃতি পর্বের ১৪২ সংখ্যক গানে ওই শরৎকে সামনে রেখে অনেকটা শিশুতোষ ভাবনায় ছুটির প্রসঙ্গ উঠে এসেছে। এটি ১৯০৮ সালের ২০ সেপ্টেম্বর প্রকাশিত শারদোৎসবের নাটকের সূচনা সংগীত। নাটকখানি ছুটিকেন্দ্রিক। গানটি আমরা পড়ে দেখি—

মেঘের কোলে রোদ হেসেছে বাদল গেছে টুটি, আহা, হাহা, হা।
আজ আমাদের ছুটি ও ভাই, আজ আমাদের ছুটি। আহা, হাহা, হা।

এই ছুটির আনন্দ উপভোগের জন্য কবি সকল ছেলে মিলে মাঠে মাঠে ছুটে বেড়াতে চেয়েছেন। ইচ্ছা প্রকাশ করেছেন, 'রাখাল ছেলের সঙ্গে ধেনু, চরাব আজ বাজিয়ে বেণু'। তবে রবীন্দ্রকথিত সেই 'অবারিত মাঠ গগন ললাট' আর 'ছায়া সুনিবিড় শান্তির নীড়' কই? 'পল্লবঘন আম্রকানন' এখনও আছে, কিন্তু 'রাখালের খেলা গেহ' কোথায় যেন হারিয়ে গেছে। হারিয়ে গেলেও একটা স্মৃতিকাতরতা আমাদের 'ছুটির বাঁশি' বাজার আহ্বান জানিয়ে যায়।

মনে জাগতে পারে রবীন্দ্রনাথ ছুটির ভাবনা গ্রন্থিত করতে গিয়ে শরৎকালকে বেছে নিলেন কেন। আমরা জানি কৃষিপ্রধান এই বাংলায় একদা কৃষককুল শরৎকালে কিছুটা হলেও কর্মভারহীন অবকাশের আনন্দ উপভোগ করতেন। সুনীল আকাশ আর মাঝে মাঝে সাদা মেঘের ভেলার উদাস-করা প্রকৃতি যেন সবাইকে আনন্দ উদ্‌যাপনের জন্য আহ্বান করে। বাংলার প্রকৃতি আর মানুষের সুদীর্ঘকালের অভিজ্ঞতার কথা স্মরণে রেখে কবি শরৎকেই ছুটির আনন্দ উপভোগের প্রকৃষ্ট সময় হিসেবে বেছে নিয়েছেন। রবীন্দ্রনাথ নিজেই তার বর্ণনা দিয়েছেন 'যেতে নাহি দিব' কবিতায়:

'গিয়েছে আশ্বিন-পূজার ছুটির শেষে
ফিরে যেতে হবে আজি বহুদূর দেশে...'

দূর দেশে ফিরে যাবার সময়—

চলিতে চলিতে পথে হেরি দুই ধারে
শরতের শস্যক্ষেত্র নত নস্যভারে
রৌদ্র পোহাইছে।...

কেবল তা-ই নয়, চঞ্চল মেঘমালাও যেন—

সদ্যোজাত সুকুমার গোবৎসের মতো
নীলাম্বরে 'শুয়ে' আছে।

রবীন্দ্রনাথ প্রকৃতির অবকাশ যাপনকে মানবজীবনের অবকাশের সাথে মিলিয়ে দেখেছেন, তাই শরৎকেই ছুটির নির্ভরযোগ্য সময় ভেবেছেন।

শারদ্যোৎসবের পরে অবিস্মরণীয় প্রতীকী নাটক 'ডাকঘর' একটু পড়ে দেখি— ১৯১২ খ্রিস্টাব্দে প্রকাশিত এই নাটকে অমলের মনে ছুটি তথা মুক্তির আকুলতা প্রত্যক্ষ করি। সে

পণ্ডিতদের মতো ঘরে বন্দি থাকতে নারাজ। মাধব দত্ত তাকে বলেছেন, 'অমলবাবু, তুমিও বড়ো হলে পণ্ডিত হবে।' জবাবে সে বলেছে, 'নানা পিশেমশায় তোমার পায়ে পড়ি, আমি পণ্ডিত হব না।' তার মনের একান্ত বাসনা, উদার শরতের নীল আকাশের নীচে উন্মুক্ত নীল পাহাড়ে হয়তো তার মুক্তি মিলবে। তারপর 'অসংখ্য বন্ধন-মাঝে মহানন্দময় মুক্তির স্বাদ' লাভ করবে। অমলের মুক্তি আকাঙ্ক্ষার সাথে আমরা 'ছুটি' গল্পের ফটিকের মর্মস্পর্শী ছুটি প্রাপ্তির বিষয়টি মিলিয়ে নিতে পারি। গল্পটি শরৎকালের পরিবেশকে সামনে রেখে রচিত। বিশ্বম্ভরবাবু কলকাতা থেকে যখন বিধবা বোনের বাড়ি আসেন তখন শরৎকাল গল্পে শারদ-প্রকৃতির আভাস উপস্থাপন করতে গিয়ে কবি লিখেছেন 'ফটিক গোটাকতক কাশ উৎপাটন করিয়া লইয়া গলুই এর উপর চড়িয়া বসিয়া চুপচাপ করিয়া কাশের গোড়া চিবাইতে লাগিল।' 'ছুটি গল্পটি শারদোৎসব' রচনার সমকালীন 'প্রথম প্রকাশ' পৌষ ১২৯৯। গল্পের শেষে ফটিকের কণ্ঠে যে করুণ রাগিণী ঝংকৃত হয়েছে, তা চিরকালের মানবহৃদয়কে গভীর বেদনায় আর্দ্র করে— 'মা, এখন আমার ছুটি হয়েছে মা, এখন আমি বাড়ি যাচ্ছি।' ক্ষুদ্র একটি বাক্যে চিরপ্রস্থানযাত্রী ফটিক দু-বার মাকে স্মরণ করে অনাদর অবহেলায় কণ্টকিত জীবন শেষে অনন্তকালের ছুটির দেশে মিশে যেতে চেয়েছে।

প্রস্তাবনায় গানগুলোতে ছুটির আনন্দের যে আবহ ছিল, গল্পে তা নিবিড় বেদনায় রূপান্তরিত হয়েছে। এ ছুটি চিরবিদায়ের ছুটি। রবীন্দ্রনাথ যেন গান, নাটক এবং গল্পের মাধ্যমে আনন্দ বেদনাকে একই সূত্রে আবদ্ধ করতে চেয়েছেন।

ছুটি নিয়ে রবীন্দ্রনাথের কিছু গান, নাটক ও গল্পের মাঝে বিচরণের উদ্দেশ্য হল আজকের বাংলাদেশের ঘোষিত-অঘোষিত ছুটির সংস্কৃতি। উন্নত দেশগুলোতে দেখা যায়, কাজের দিন আর অবকাশের দিন দুই মেরুর। কাজের দিনগুলোতে উন্নত দেশের মানুষ যেমন প্রাণমন দিয়ে দায়িত্বে আত্মনিয়োগ করে, তেমনি ছুটির দিনের অবকাশটুকু নিজের মতো করে মধুর আনন্দে উচ্ছলিত হয়ে গা ভাসিয়ে দেয়। আমাদের দেশে ব্যক্তিমালিকানার প্রতিষ্ঠানে কর্মীবৃন্দের বাধ্য হয়ে নির্দিষ্ট সময়েরও বেশি সময় ধরে কাজ করতে হয়। পক্ষান্তরে অনেক সরকারি প্রতিষ্ঠানে কোথাও কোথাও 'কেন বেতন পাই' এমন অবস্থা। ফলে কেউ কেউ অবসাদে নুয়ে পড়ে আবার অনেকে কর্মজীবনের প্রায় সবটাই দায়িত্বহীন অবকাশে কাটায়। তাই ছুটির মেজাজে আনন্দ উপভোগের পরিবেশ থেকে তারা বঞ্চিত থাকে।

আমাদের দেশে সাপ্তাহিক ছুটি ছাড়াও নির্বাহী আদেশে ছুটির সংখ্যা সামনে রেখে বাড়তি ছুটির সুযোগ কম নয়। এ অবস্থা দীর্ঘদিন ধরে চলে আসছে। এ নিয়ে বিতর্কের অবকাশ বেশি নেই। তবে কিছু কিছু ছুটির দিন, সেগুলো কি কেবল ছুটি হিসেবেই থাকবে এবং ছুটিভোগীরা অখণ্ড দিবস ইত্যাদি নির্বাহী আদেশে ছুটির দিন। স্বাধীনতা দিবস, বিজয় দিবস, ভাষা দিবস ইত্যাদি নির্বাহী আদেশে ছুটির। আপাতদৃষ্টিতে এসব দিনে নিয়মিত কর্মকাণ্ড থেকে বিরত থাকার সুযোগ থাকলেও কর্মের চেয়েও অধিকতর সচেতনতা সৃষ্টির লক্ষ্যই হল এসব ছুটির প্রতিপাদ্য বিষয়। ফলে

জাতীয় দিবসগুলোর তাৎপর্য সম্পর্কে পরস্পরের ভাব বিনিময় এবং শিশু-কিশোর-তরুণ যারা আগামী দিনের দেশ পরিচালনায় গুরুত্বপূর্ণ ভূমিকা পালন করবে, তাদের মানসভূমি তৈরির জন্য প্রতিটি প্রতিষ্ঠানের সকল সদস্যকে অনুষ্ঠানাদিতে অংশগ্রহণ করা উচিত বলে আমরা মনে করি। এ কারণে কর্মদিবসের চেয়ে এসব দিবসের দায়িত্ব অনেক বেশি। অথচ সংশ্লিষ্ট ব্যক্তিদের অনুষ্ঠানে উপস্থিত থাকার আহ্বান জানানো হলে অনেকেই বিরক্তি বোধ করেন। তাঁরা বুঝেন না হয়তো এ জাতীয় কার্যক্রমে উপস্থিত থাকলে নিজেদের ইতিহাস-ঐতিহ্য চারণ করে আনন্দ অনুভূতি লাভ করা যায়। অনুমান করা বোধ করি কঠিন হয় যে, এঁরা সংস্থিতির মূল চেতনা সম্পর্কে অবহিত নয়।

নির্বাহী আদেশে ছুটির দিন আমাদের আরও আছে। যেমন জাতীয় নেতার জন্ম-মৃত্যু দিবস। এ ব্যাপারে আমরা ঐকমত্যে পৌঁছোতে পারিনি। অথচ বাংলাদেশের মানুষের জাতীয় জীবন থেকে চার দশকেরও বেশি সময় অতিবাহিত হয়ে গেছে। পৃথিবীর উন্নত দেশগুলোতে এমন বিব্রতকর পরিস্থিতি নেই। একটা সত্য অবশ্যই স্বীকার করতে হয়, একটি জাতির মুক্তির জন্য একাধিক নেতার অবদান থাকতে পারে। কাল পরম্পরায় আরও স্মরণীয় ব্যক্তিত্ব সংযোজিত হয় সে ধারায়। তাই বলে তাদের জন্ম-মৃত্যুর দিনটিকে ছুটির দিন হিসেবে গণ্য হতে থাকলে বছরের পরিধি ৩৬৫ থেকে দীর্ঘতর করতে হবে। যা অসম্ভব। প্রসঙ্গত রবীন্দ্রনাথ স্মরণীয় ব্যক্তিবর্গের সমাধিস্তম্ভ নির্মাণ প্রসঙ্গে বলেছেন, 'আমাদের একমাত্র রক্ষা এই যে, ইহাদের সংখ্যা অল্প। নহিলে কেবল সমাধিস্তম্ভে সামান্য ব্যক্তিদের কুটিরের স্থান থাকিত না (পনেরো আনা, বিচিত্র প্রবন্ধ)।' রবীন্দ্রনাথের এই আশঙ্কা বিশ্বের সবচেয়ে জনবহুল দেশ চীন টের পেতে শুরু করেছে। সমাধিক্ষেত্রের আধিক্যে ভূমি সংকুচিত হয়ে পড়ার আশঙ্কায় তারা সাগরে শবদেহ সমাহিত করার কথা ভাবতে শুরু করেছে। ছুটির কথা বলতে গিয়ে সময় এবং ভূপৃষ্ঠের কথা এসে পড়ায় আমাদের এই উদাহরণ বোধ করি অযৌক্তিক নয়।

বাংলাদেশের জনসমষ্টির বৃহৎ একটা অংশ ধর্মীয় আচার-অনুষ্ঠানের মাঝে সংস্কৃতির আনন্দ অনুভব করেন। সব ধর্মের বিশেষ বিশেষ দিনগুলোতে নির্বাহী আদেশে ছুটি দেওয়া হয়। এর সাথে উপরে বর্ণিত ছুটিগুলোর পার্থক্য আছে। তা ছাড়া বাংলাদেশে মুসলমান ছাড়াও হিন্দু, বৌদ্ধ, খ্রিস্টান ইত্যাদি ধর্মের মানুষ আছেন। তাঁদের ধর্মের বিশেষ দিনও এক নয়। তাঁরা নিজেদের ধর্মের অনুষ্ঠান নিজেদের মতো করে পালন করেন এবং তার মাধ্যমে যাপিত একঘেয়ে জীবনে একটা নতুনত্বের স্বাদ পান। এতে খানিকটা ছুটির আমেজ পাওয়া যায়। এ ছুটিতে চাকরি বা কর্মের সাথে সম্পর্ক থাকে না বলে আনুষ্ঠানিকতার অংশটুকু ছাড়া বাকি সময় আনন্দ উপভোগে বিঘ্ন হয় না।

আমরা সংক্ষেপে ঘোষিত ছুটির কথা বললাম, এবার অঘোষিত ছুটি সম্পর্কে কিছুটা আলোচনা করা যাক। বাংলাদেশে প্রায় সর্বত্র যোগাযোগ ব্যবস্থা অনেক উন্নত হয়েছে এবং যাপিত জীবনে কোথাও কোথাও শহর ও গ্রামের পার্থক্য প্রকট নয়। তবুও কর্মক্ষেত্রে যাঁদের শহর থেকে কিছুটা দূরে নিয়োগ দেওয়া হয়, তাদের অনেকেই নিয়মিত অনুপস্থিত থাকেন। অত্যাবশ্যক সেবামূলক

প্রতিষ্ঠানে পালা করে অনুপস্থিত থাকার সংস্কৃতি তাঁরা তৈরি করে নিয়েছেন। এ অবস্থায় ছুটি তাঁদের জন্য কোন বার্তা বয়ে আনবে। সরকারি ব্যয়ে পরিচালিত উচ্চশিক্ষা প্রতিষ্ঠানে ক্লাস নিতে হবে, সেটা যেন কোনো কোনো শিক্ষকের মর্জির ব্যাপার, দায়িত্ব নয়। ছুটির মেজাজে তাদের বোঝার কথা নয়। অথচ পঞ্চাশ-ষাট বছর আগে এমনটি ছিল না। কোনো শিক্ষক একটি মাত্র ক্লাস নিতে পারছেন না, এ খবর জানতে পেরে 'কী করি আজ ভেবে না পাই' আনন্দে আমতলা-বটতলায় কিছুক্ষণের জন্য শিক্ষার্থীরা বাঁধভাঙা আনন্দ উপভোগ করেছে। সেই ছুটির উচ্ছলতা হারিয়ে গেছে অনভিপ্রেত ছুটির তালিকা বৃদ্ধি পাবার জন্য। এই অনভিপ্রেত ছুটি হল হরতাল সংস্কৃতি ৩/১৩-তে হরতাল আর অন্যান্য কী ছুটি ২২/২৩ কর্মদিবস নষ্ট হয়েছে। ৪/১৩-তেও সেই ধারাবাহিকতার তাণ্ডব থামেনি। এই অনভিপ্রেত অঘোষিত ছুটির কারণে জনজীবন ওষ্ঠাগত এবং ছুটির আনন্দ লজ্জায় মুখ লুকিয়েছে। এই অবস্থায় 'মেঘের কোলে রোদ হাসার মতো' হরতাল না থাকলে শিক্ষার্থীরা ছুটির আনন্দে উদ্‌বেল হয়ে শিক্ষা প্রতিষ্ঠানে ছুটে যায়।

[১৯]

রবীন্দ্রনাথের বিজ্ঞানভাবনা

রবীন্দ্রনাথ তাঁর মৃত্যুর মাত্র কয়েক বছর আগে ছিয়াত্তর বছর বয়সে লিখেছিলেন বিজ্ঞান বিষয়ে লেখা তাঁর একমাত্র বই *বিশ্বপরিচয়*। বাংলা ভাষায় বিজ্ঞান বিষয়ে লেখা অন্যতম সেরা বই এটি প্রথম প্রকাশের পর এখন পর্যন্ত সত্তর বছরেরও অধিক সময় অতিক্রান্ত হলেও এ বইটির আবেদন, বিষয়বস্তু ও ভাষা— উভয় বিবেচনাতেই এখনও বিন্দুমাত্র কমেনি। রবীন্দ্রনাথ শিশু বয়সেই বিজ্ঞানের প্রতি আকৃষ্ট হয়েছিলেন চারপাশের জীবন ও প্রকৃতির রহস্যের অবগুণ্ঠন উন্মোচনের ইচ্ছা, অনুসন্ধিৎসা ও কৌতূহলের কারণে। জীবনস্মৃতিতে উল্লেখ রয়েছে তাঁর—

> তখনকার দিনে এই পৃথিবী বস্তুটার রস কী নিবিড় ছিল, সেই কথাই মনে পড়ে। কী মাটি, কী জল, কী গাছপালা, কী আকাশ, সমস্তই তখন কথা কহিত— মনকে কোনো মতেই উদাসীন থাকিতে দেয় নাই। পৃথিবীকে কেবলমাত্র উপরের তলাতেই দেখিতেছি, তাহার ভিতরের তলাটা দেখিতে পাইতেছি না, ইহাতে কতদিন যে মনকে ধাক্কা দিয়াছে তাহা বলিতে পারি না। কী করিলে পৃথিবীর উপরকার এই মেটে রঙের মলাটটাকে খুলিয়া ফেলা যাইতে পারে, তাহার কতই প্ল্যান ঠাওরাইয়াছি। মনে ভাবিতাম, একটার পর আর একটা বাঁশ যদি ঠুকিয়া ঠুকিয়া পোঁতা যায়, এমনি করিয়া অনেক বাঁশ পোঁতা হইয়া গেলে পৃথিবীর খুব গভীরতম তলাটাকে হয়তো একরকম করিয়া নাগাল পাওয়া যাইতে পারে। ... আর যেখানে আকাশের নীলিমা তাহারই পশ্চাতে আকাশের সমস্ত রহস্য, সে চিন্তাও মনকে ঠেলা দিত। যেদিন বোধোদয় পড়াইবার উপলক্ষে পণ্ডিত মহাশয় বলিলেন, আকাশের নীল গোলকটি কোনো একটা বাধামাত্রই নহে, তখন সেটা কী আশ্চর্যই মনে হইয়াছিল। তিনি বলিলেন, "সিঁড়ির উপর সিঁড়ি লাগাইয়া উপরে উঠিয়া যাও না, কোথাও মাথা ঠেকিবে না।" আমি ভাবিলাম, সিঁড়ি সম্বন্ধে বুঝি তিনি অনাবশ্যক কার্পণ্য করিতেছেন। আমি কেবলই সুর চড়াইয়া বলিতে লাগিলাম, "আরো সিঁড়ি, আরো সিঁড়ি, আরো সিঁড়ি— শেষকালে যখন বুঝা গেল, সিঁড়ির সংখ্যা বাড়াইয়া কোনো লাভ নাই তখন স্তম্ভিত হইয়া বসিয়া ভাবিতে লাগিলাম এবং মনে করিলাম, এটা এ মন একটা আশ্চর্য খবর যে, পৃথিবীতে যাঁহারা মাস্টারমশায় তাঁহারাই কেবল এটা জানেন, আর কেহ নয়।

যে আশ্চর্য খবরের সন্ধান জানার জন্যে বালক রবীন্দ্রনাথের মনে ঔৎসুক্য ও চঞ্চলতা সৃষ্টি হয়েছিল সে-খবর ধীরে ধীরে একটু একটু করে প্রকাশ হতে শুরু করে বয়স বাড়ার সঙ্গে সঙ্গে। ওরিয়েন্টাল সেমিনারিতে অল্পকাল পড়ার পর বালক রবি ভরতি হয়েছিল নর্মাল ইস্কুলে। নর্মাল ইস্কুলের শিক্ষক শ্রীযুক্ত নীলকমল ঘোষাল ঠাকুর বাড়ির ছোটো ছেলেদের পড়াতেন।

> সকাল ছয়টা থেকে সাড়ে নয়টা পর্যন্ত আমাদের শিক্ষাভার তাঁহার উপর ছিল। চারুপাঠ, বস্তুবিচার, প্রাণিবৃত্তান্ত হইতে আরম্ভ করিয়া মাইকেলের মেঘনাদবধ কাব্য পর্যন্ত ইহার কাছে পড়া আমাদিগকে বিচিত্র বিষয়ে শিক্ষার দিবার জন্য সেজ দাদার বিশেষ উৎসাহ ছিল। ইস্কুলে আমাদের যাহা পাঠ্য ছিল বাড়িতে তাহার চেয়ে অনেক বেশি পড়িতে হইত। ভোরে অন্ধকার থাকিতে উঠিয়া লংটি পরিয়া প্রথমেই এক কানা পালোয়ানের সঙ্গে কুস্তি করিতে হইত। তাহার পর সেই মাটি মাখা শরীরের উপরে জামা পরিয়া পদার্থবিদ্যা, মেঘনাদবধ কাব্য, জ্যামিতি, গণিত, ইতিহাস, ভূগোল শিখিতে হইত...

নীলকমল ঘোষাল ছাড়াও—

> প্রায় মাঝে মাঝে সীতানাথ দত্ত মহাশয় আসিয়া যন্ত্রতন্ত্র যোগে প্রাকৃত বিজ্ঞান শিক্ষা দিতেন। এই শিক্ষাটি আমার কাছে বিশেষ ঔৎসুকজনক ছিল। জ্বাল দিবার সময় তাপসংযোগ পাত্রের নীচে জল পাতলা হইয়া উপরে উঠে উপরের ভারী জল নীচে নামিতে থাকে, এবং এইজন্যই জল টগবগ করে— ইহাই যেদিন তিনি কাচপাত্রে জলে কাঠের গুঁড়ো দিয়া আগুনে চড়াইয়া প্রত্যক্ষ দেখাইয়া দিলেন সেদিন মনের মধ্যে যে কিরূপ বিস্ময় অনুভব করিয়াছিলাম তাহা আজও স্পষ্ট মনে আছে। দুধের মধ্যে জল জিনিসটা যে একটা স্বতন্ত্র বস্তু, জ্বাল দিলে সেটা বাষ্প আকারে মুক্তিলাভ করে বলিয়াই দুধ গাঢ় হয়, এ কথাটাও যেদিন স্পষ্ট বুঝিলাম সেদিনও ভারি আনন্দ হইয়াছিল। যে রবিবারে সকালে তিনি না আসিতেন, সে রবিবার আমার কাছে রবিবার বলিয়াই মনে হইত না।
>
> ইহা ছাড়া, ক্যাম্বেল মেডিকেল স্কুলের একটি ছাত্রের কাছে কোনো-এক সময়ে অস্থিবিদ্যা শিখিতে আরম্ভ করিলাম। তার দিয়া জোড়া একটি নরকঙ্কাল কিনিয়া আনিয়া আমাদের ইস্কুলঘরে লটকাইয়া দেওয়া হইল।

ছেলেবেলায় সাহিত্যের সঙ্গে বিজ্ঞানের নানা বিষয় পড়ার কারণে বালক রবির মনে জগৎরহস্যের প্রতি কৌতূহল যেমন জাগ্রত হয়েছিল, তেমনি বৈজ্ঞানিক সত্যানুসন্ধানের জন্য মানুষের চেষ্টার মধ্যে যে অসীম সম্ভাবনা নিহিত তার চিত্রটিও তিনি দেখতে পেয়েছিলেন।

> অক্ষয়কুমার দত্ত রচিত *চারুপাঠ* প্রথম ভাগ ১৮৫৩, দ্বিতীয় ভাগ ১৮৫৪ ও তৃতীয় ভাগ ১৮৫৯ খ্রিস্টাব্দে প্রকাশিত হয়েছিল। পুস্তকাকারে প্রকাশিত হওয়ার পূর্বে চারুপাঠ-এর অধিকাংশ প্রবন্ধ তত্ত্ববোধিনী পত্রিকায় প্রকাশিত হয়। বইটি সেকালের বিদ্যালয়ের পাঠ্যপুস্তক হিসেবে ব্যবহৃত হত। চারুপাঠের সমস্ত প্রবন্ধের মধ্যে বিজ্ঞান বিষয়ক প্রবন্ধের সংখ্যাই বেশি। আবার এতে পদার্থবিজ্ঞান, জ্যোতির্বিদ্যা, ভূগোল, উদ্ভিদবিজ্ঞান, প্রাণীবিজ্ঞান বিষয়ক বিভিন্ন রচনা থাকলেও প্রাণীবিজ্ঞান বিষয়ের রচনার সংখ্যাই অধিক। চারুপাঠ ছাড়াও রামগতি ন্যায়রত্নের *বস্তুবিচার* এবং অক্ষয়কুমার দত্তের

পদার্থবিদ্যা বইটি রবীন্দ্রনাথের ছেলেবেলার পাঠ্য ছিল। আধুনিক বিজ্ঞানের প্রতি কবির আকর্ষণ ও আগ্রহ সৃষ্টির পেছনে এ বইগুলোর বিশেষ ভূমিকা ছিল নিঃসন্দেহে। এ ছাড়াও পিতা মহর্ষি দেবেন্দ্রনাথ ঠাকুরের সঙ্গে বালক বয়সে হিমালয়-যাত্রা তাঁর মনে বিশেষ প্রভাব রেখেছিল। ডালহৌসি পাহাড়ে ডাকবাংলোয় পৌঁছানোর পর 'পিতৃদেব বাংলার বাহিরে চৌকি লইয়া বসিতেন। সন্ধ্যা হইয়া আসিলে পর্বতের স্বচ্ছ আকাশে তারাগুলো আশ্চর্য সুস্পষ্ট হইয়া উঠিত এবং পিতা আমাকে গ্রহতারকা চিনাইয়া দিয়া জ্যোতিষ্ক সম্বন্ধে আলোচনা করিতেন।'

"গাছের বীজের মধ্যে যে অঙ্কুর প্রচ্ছন্ন ও মাটির নীচে যে-রহস্য অনাবিষ্কৃত, তাহার প্রতি যেমন একটি একান্ত কৌতূহলবোধ করিতাম", সে কৌতূহল আরও গভীর ও ঘনীভূত হয়েছিল শৈশবের শিক্ষার আয়োজনে। কিন্তু প্রচলিত স্কুল ব্যবস্থার শিক্ষা রবীন্দ্রনাথকে কখনো আকর্ষণ করতে পারেনি। ওরিয়েন্টাল সেমিনারি থেকে নর্মাল ইস্কুল, সেখান থেকে বেঙ্গল অ্যাকাডেমি এবং সেখান থেকে অন্যান্য স্কুলের শিক্ষার নিয়মের মধ্যে যে স্থিরতার ও নিশ্চলতার বাঁধন থাকে সেগুলো বালক রবির চিত্তকে কখনো আনন্দে আপ্লুত করতে পারত না। কারণ, ... "তবু হাজার হইলেও ইহা ইস্কুল। ইহার ঘরগুলো নির্মম, ইহার দেয়ালগুলো পাহারাওয়ালার মতো— ইহার মধ্যে বাড়ির ভাব কিছুই নাই, ইহা খোপওয়ালা একটি বড় বাক্স। কোথাও কোনো সজ্জা নাই, ছবি নাই, রঙ নাই, ছেলেদের হৃদয়কে আকর্ষণ করিবার লেশমাত্র চেষ্টা নাই। ছেলেদের যে ভালো-মন্দ লাগা বলিয়া একটা মস্ত জিনিস আছে, বিদ্যালয় হইতে সে চিন্তা একেবারে নিঃশেষে নির্বাসিত। সেইজন্য বিদ্যালয়ের দেউড়ি পার হইয়া তাহার সংকীর্ণ আঙিনার মধ্যে পা দিবা মাত্র তৎক্ষণাৎ সমস্ত মন বিমর্ষ হইয়া যাইত— অতএব, ইস্কুলের সঙ্গে আমার সেই পালাইবার সম্পর্ক আর ঘুচিল নাই।"

স্কুলের বাঁধাধরা শিক্ষার সঙ্গে ক্ষণস্থায়ী বা চিরস্থায়ী কোনো সম্পর্ক তৈরি না হলেও গল্পের বই, সংস্কৃত কাব্য, মাসিকপত্র ইত্যাদি সোৎসাহে পড়তে বালক রবির মনে কোনো ক্লান্তি আসত না। সেকথা আছে জীবনস্মৃতির নানা অংশে। তারই একটি অংশের উল্লেখ করা হল—

রাজেন্দ্রলাল মিত্র মহাশয় বিবিধার্থ সংগ্রহ বলিয়া একটি ছবিওয়ালা মাসিকপত্র বাহির করিতেন। তাহারই বাঁধানো, একভাগ সেজদাদার আলমারির মধ্যে আমাদের শোবার ঘরের তক্তাপোশের উপর চিত হইয়া তিনি সংসার বিবরণ, কাজির বিচারের কৌতুকজনক গল্প কৃষ্ণকুমারীর উপন্যাস পড়িতে পড়িতে কত ছুটির দিনের মধ্যাহ্ন কাটিয়াছে।

ছেলেবেলা থেকেই এভাবে বিচিত্র ও নানা বিষয় রবীন্দ্রনাথের পড়ার মধ্যে ঢুকে পড়েছিল। তার মধ্যে বড়ো কিংবা ছোটোদের পাঠোপযোগী বলে কোনো বিভেদ ছিল না। যা-কিছু মনকে আকর্ষণ করত, প্রাণের সঙ্গে নিবিড়ভাবে যোগ দিতে চাইত, সবই তাঁর পড়ার বিষয় হয়ে উঠেছিল। বিজ্ঞানও তার বাইরে ছিল না।

রবীন্দ্রনাথ যে-কালে জন্মেছিলেন সে-কালটি ছিল বাংলার চিত্তপ্রসারণের যুগ। বাংলা ভাষায় আধুনিক বিজ্ঞান নিয়ে আলোচনা ও বিজ্ঞান শিক্ষার মাধ্যমে দেশের মানুষের মানসিক ও জাগতিক

উন্নতিসাধনের প্রয়াস শুরু হয়েছিল ঊনবিংশ শতাব্দীর সূচনালগ্ন থেকেই। এ প্রয়াসের একটি লক্ষ্য ছিল যেমন ইউরোপের তথা ইংল্যান্ডের বিজ্ঞানচর্চার সঙ্গে পরিচয় নিবিড়তর করে তোলা, তেমনি অপর একটি লক্ষ্য ছিল জ্ঞানবিজ্ঞান চর্চার মাধ্যমে বিজ্ঞানের ফলিত জ্ঞান আয়ত্ত করা। তবে বাংলা ভাষায় প্রথম পূর্ণাঙ্গ বিজ্ঞান গ্রন্থ রচনার কৃতিত্ব কোনো বাঙালির নয়, একজন বিদেশির। তিনি শ্রীরামপুর মিশনের প্রতিষ্ঠাতা উইলিয়াম কেরির পুত্র ফেলিক্স কেরি। তাঁর রচিত বইটির নাম 'ব্যবচ্ছেদ বিদ্যা'। এটি মুদ্রিত হয়েছিল শ্রীরামপুর মিশন ছাপাখানায়। সন ১৮২০। ফেলিক্স কেরি ইংরেজি এনসাইক্লোপিডিয়ার অনুসরণে বাংলায় একটি বিশ্বকোষ রচনা ও প্রকাশের পরিকল্পনা করেছিলেন। পরিকল্পিত বিশ্বকোষের নাম দিয়েছিলেন তিনি বিদ্যাহারাবলীর প্রথম খণ্ড। এই বইটি ছিল মূলত এনসাইক্লোপিডিয়া ব্রিটানিকার পঞ্চম সংস্করণের বঙ্গানুবাদ। অনুবাদে ভাষা ও পরিভাষার ব্যাপারে তাঁকে সাহায্য করেছিলেন শ্রীকান্ত বিদ্যালঙ্কার ও শ্রীকবিচন্দ্র তর্কশিরোমণি। অনুবাদ পরিমার্জনা করেছিলেন উইলিয়াম কেরি।

ফেলিক্স কেরির এই প্রয়াসের পর বাংলা ভাষায় বিজ্ঞানের বই রচনায় এগিয়ে এসেছিলেন আরও কয়েক জন ইংরেজ। ছিলেন বেশ কিছু উৎসাহী বাঙালি লেখক। সে-কালের সাময়িকপত্রগুলোতে বিজ্ঞান বিষয়ক অনেক লেখা তখন প্রকাশিত হত। যা এইকালে অতিশয় দুর্লভ বিষয়ে পরিণত হয়েছে। বাংলা ভাষায় প্রকাশিত প্রথম মুদ্রিত সাময়িকপত্র দিগদর্শন-এর (এপ্রিল ১৮১৮) নবম সংখ্যা (ডিসেম্বর ১৮১৮) প্রকাশিত রচনাটির নাম 'অয়কান্ত অথবা চুম্বকমণি'। এ ছাড়া 'সমাচার দর্পণ' (১৮১৮), 'সংবাদ ভাস্কর', 'জ্ঞানান্বেষণ' (১৮৩১), 'জ্ঞানোদয়' (১৮৩১), 'বিজ্ঞানসেবধি' (১৮৩২), 'বিজ্ঞানসার সংগ্রহ' (১৮৩৩) প্রভৃতির প্রথম সংখ্যা প্রকাশিত হয়েছিল। এর পর পরই তত্ত্ববোধিনী পত্রিকা প্রকাশিত হয় (প্রথম সংখ্যা প্রকাশিত হয়েছিল ১৮৪৩ খ্রিস্টাব্দে)। পত্রিকাটিতে বিজ্ঞান বিষয়ক রচনা প্রায় নিয়মিত প্রকাশিত হত। এসব রচনার অধিকাংশেরই লেখক ছিলেন বাংলা ভাষায় প্রথম সার্থক বিজ্ঞানগ্রন্থ রচয়িতা তত্ত্ববোধিনী পত্রিকার সম্পাদক অক্ষয়কুমার দত্ত নিজে। রবীন্দ্রনাথ তাঁর শৈশবে অক্ষয়কুমার দত্তের *চারুপাঠ* এবং *পদার্থবিদ্যা* পাঠ করেই বিজ্ঞানের নানা বিষয়ের সঙ্গে পরিচিত হয়েছিলেন। এই পরিচয় একদিকে যেমন তাঁর কৌতূহলী ও অনুসন্ধিৎসু মনের সহগামী হয়েছিল, অন্যদিকে তেমনি তাঁর মধ্যে বিজ্ঞানপিপাসু একটি মানসলোকও তৈরি করে দিয়েছিল।

'বঙ্গদর্শন' সাময়িকপত্রের প্রথম সংখ্যা প্রকাশিত হয় ১২৭৯ বঙ্গাব্দের (১৮৭২ খ্রি.) বৈশাখে। বঙ্কিমচন্দ্র পত্রিকাটির দ্বিতীয় সংখ্যাতেই (জ্যৈষ্ঠ, ১২৭৯) 'বিজ্ঞানকৌতুক' নাম দিয়ে এতে বিজ্ঞান আলোচনার সূত্রপাত করেন। রবীন্দ্রনাথের বয়স তখন এগারো বছর। বঙ্কিমচন্দ্র প্রথম থেকেই তাঁর সম্পাদিত বঙ্গদর্শন পত্রিকার মাধ্যমে বিজ্ঞানের অগ্রগতি ও আবিষ্কার সম্পর্কে জনসাধারণকে অবহিত করার উদ্যোগ নিয়েছিলেন। তিনি স্বয়ং বিজ্ঞান বিষয়ে একাধিক প্রবন্ধ লেখেন এবং বিজ্ঞান বিষয়ে অন্যদের লেখা রচনাও প্রকাশ করেন। বঙ্গদর্শনে প্রকাশিত বঙ্কিমচন্দ্রের বিজ্ঞান বিষয়ক

রচনাসমূহ নিয়ে বিজ্ঞানরহস্য বইটি প্রকাশিত হয় ১৮৭৫ খ্রিস্টাব্দে। রবীন্দ্রনাথ তখন চৌদ্দ বছর বয়সের তরুণ। উত্তরকালে রবীন্দ্রনাথ নিজেও বঙ্গদর্শন সাময়িক ১৩০৮ বঙ্গাব্দের আষাঢ় ও শ্রাবণ সংখ্যায় দুটি প্রবন্ধ লিখেছিলেন, যথাক্রমে— 'আচার্য জগদীশের জয়বার্তা' এবং 'জড় কি সজীব নামে'? ১৩০৮ বাংলার শ্রাবণ মাসের 'বঙ্গদর্শন'-এ রবীন্দ্রনাথের 'জড় কি সজীব?' রচনাটি প্রকাশিত হওয়ার পর জগদীশচন্দ্র ১৯০১ খ্রিস্টাধের ২৫ জুলাই লন্ডন থেকে রবীন্দ্রনাথকে এক চিঠিতে লিখেছিলেন, "তুমি যে এত সহজ ও বৈজ্ঞানিক সত্য স্থির রাখিয়া এরূপ সুন্দর লিখিতে পার ইহাতে আমি আশ্চর্য্য হইয়াছি। আমি অনেক সময় মনে করিয়াছি যে বাঙলা কোন কোন মাসিক পত্রে আমার এই নূতন কার্য্য সম্বন্ধে কয়েকটি প্রবন্ধ লিখিব, কিন্তু কথা জুটিয়া পাই না বলিয়া সে ইচ্ছা মনেই রহিয়াছে। যদি তুমি সেগুলি কোনদিন প্রস্ফুটিত করিতে পার তাহা হইলে সুখী হইব।" (অব্যক্ত, কলকাতা, ২০০৭, প্রসঙ্গ-কথা) প্রসঙ্গত উল্লেখ্য, সে-যুগের পত্রপত্রিকায় বিজ্ঞানের নানা বিষয় নিয়ে যেসব রচনা প্রকাশিত হত তার মধ্যে প্রাণীবিজ্ঞান এবং জ্যোতির্বিজ্ঞান বিষয়ক রচনার সংখ্যাই ছিল অধিক।

বঙ্গদর্শনে জগদীশচন্দ্র বসুর গবেষণা ও আবিষ্কার নিয়ে লেখা প্রবন্ধ দুটি রচনার পূর্বেও রবীন্দ্রনাথ বিজ্ঞান বিষয়ে আরও কিছু রচনা লিখেছিলেন। তার মধ্যে একটি হল তত্ত্ববোধিনী পত্রিকার ১৮৭৪ খ্রিস্টাব্দের ডিসেম্বর সংখ্যায় প্রকাশিত রচনা 'গ্রহগণ জীবের আবাসভূমি' এবং অপর একটি হল ভারতী পত্রিকার ১২৮৫ বঙ্গাব্দের বৈশাখ সংখ্যায় প্রকাশিত রচনা 'সামুদ্রিক জীব'।

শুধু রবীন্দ্রনাথ নন, জোড়াসাঁকো ঠাকুর পরিবারের অনেকেই বিজ্ঞান বিষয়ক রচনা লিখেছেন। কারো কারো বিজ্ঞান গ্রন্থও সে-সময় প্রকাশিত হয়েছিল। ঠাকুর বাড়ির *বিজ্ঞান-ভাবনা* বইটির ভূমিকায় বিশিষ্ট রবীন্দ্র বিশেষজ্ঞ লেখক পার্থজিৎ গঙ্গোপাধ্যায় লিখেছেন—

> 'তীক্ষ্ণ বাণিজ্যবুদ্ধি ও কর্মকুশলতার জোরেই প্রিন্স দ্বারকানাথ পৌঁছেছিলেন উচ্চতার শিখরে। তাঁর সমাজ কল্যাণমূলক কাজের কথাও আমাদের অজানা নয়। দ্বারকানাথ মেডিকেল কলেজের উন্নতিসাধনে সক্রিয় হয়েছিলেন। ১৮৩৫-এ কলকাতায় প্রতিষ্ঠিত হয় এই কলেজ। প্রতিষ্ঠার সূচনালগ্ন থেকেই দ্বারকানাথ চিকিৎসা-শিক্ষার এই প্রতিষ্ঠানটি নিয়ে নিয়ত ভেবেছেন। ছাত্রদের উৎসাহিত করার জন্য একাধিক পারিতোষিক প্রবর্তন করেছেন। গোঁড়া হিন্দু পরিবার থেকে আগত ছাত্রদের মধ্যে শবব্যবচ্ছেদ নিয়ে বিচিত্র দ্বিধা ছিল। সংস্কারাচ্ছন্ন ছাত্রদের উৎসাহিত করার বাসনায় বাৎসরিক দুই হাজার টাকার অনুদান দিয়ে বৃত্তি দেবার ব্যবস্থা করেছিলেন দ্বারকানাথ। চিকিৎসাবিজ্ঞান নিয়ে গভীর অধ্যয়নের জন্য মেডিকেল কলেজের দুজন ছাত্রকে তিনি নিজে বিলেতে নিয়ে গিয়েছিলেন। তাদের যাওয়া-আসা, লন্ডন শহরে থাকা ও পড়াশোনার যাবতীয় খরচ দ্বারকানাথই বহন করেছিলেন। মেডিকেল কলেজের উন্নতিসাধন তথা এদেশের চিকিৎসাবিজ্ঞানচর্চার অগ্রগতির ক্ষেত্রে দ্বারকানাথের এই সক্রিয়তা, আন্তরিক প্রয়াস তাঁর বিজ্ঞানমনস্কতারই পরিচয় বহন করে। ঠাকুর বাড়িতে বিজ্ঞানবোধ ও বিজ্ঞানচেতনার বীজ দ্বারকানাথই রোপন করেছিলেন, এ কথা বললেও বুঝি অত্যুক্তি হয় না। দ্বারকানাথ পুত্র

দেবেন্দ্রনাথের মধ্যে বিজ্ঞানবোধের অভাব ছিল না। পুত্র-কন্যাদের মধ্যে বিজ্ঞান বিশেষত জ্যোতির্বিজ্ঞান সম্পর্কে আগ্রহ-কৌতূহল তিনিই জাগিয়ে তুলেছিলেন। দেবেন্দ্রনাথের সন্তানসন্ততিদের প্রতিভা সতত বিচ্ছুরিত হয়েছে। প্রভুত প্রতিভার অধিকারী। তাঁরা রবীন্দ্র-মহীরুহের আড়ালে রয়েছেন কেউ কেউ, অথচ তাঁরাও কৃতিত্বের স্বাক্ষর রেখেছেন যথেষ্ট। তাঁরা বাংলা সাহিত্যকে সমৃদ্ধ করেছেন। আধুনিকতার আলোয় যে পরিবার আমাদের আলোকিত করেছিল, প্রগতির চাকা যাঁরা ঘুরিয়েছিলেন, তাঁরা তো হবেনই বিজ্ঞানমনস্ক, সেটাই স্বাভাবিক। শুধু বিজ্ঞানমনস্ক নয়, বিজ্ঞানের প্রতি প্রবল অনুরাগ ছিল তাঁদের, বিজ্ঞান-বিষয়ক গ্রন্থ রবীন্দ্রনাথ তো লিখেছেনই। লিখেছেন স্বর্ণকুমারী দেবী, হেমেন্দ্রনাথ ঠাকুর ও কবিপুত্র রথীন্দ্রনাথ। প্রবন্ধ লিখেছেন ঠাকুর বাড়ির অনেকেই। এমনকি গৃহবধূ, তাঁর নাম নরেন্দ্রবালা দেবী। নরেন্দ্রবালার কথা বাঙালি মনে রাখেনি। তিনিই বাংলা ভাষার প্রথম ছোটোদের বিজ্ঞান লেখিকা।

'বালক' পত্রিকা প্রথম প্রকাশিত হয় ১৮৮৫ সালে। রবীন্দ্রনাথের সেজোদাদা সত্যেন্দ্রনাথ ঠাকুরের পত্নী জ্ঞানদানন্দিনী দেবী ছিলেন পত্রিকাটির সম্পাদক। কিন্তু আসলে লেখা নির্বাচন ও সম্পাদনের যাবতীয় দায়িত্বপালন করতেন রবীন্দ্রনাথ। এই 'বালক' পত্রিকার প্রথম (বৈশাখ, ১২৯২ বঙ্গাব্দ) সংখ্যাতেই ছাপা হয় নরেন্দ্রবালা দেবীর প্রবন্ধ 'সূর্যের কথা'। পত্রিকাটির দ্বিতীয় সংখ্যায় (আষাঢ় ১২৯২) প্রকাশিত হয়েছিল নরেন্দ্রনাথের আরও একটি লেখা 'সূর্যকিরণের ঢেউ'। দুঃখের বিষয় ১৮৮৫ খ্রিস্টাব্দেই নরেন্দ্রবালার কন্যার মৃত্যু হয়। 'বালক' কিংবা অন্য কোনো পত্রিকায় এরপর তাঁর আর কোনো লেখা প্রকাশিত হয়নি। সম্ভবত সন্তানের মৃত্যুর শোক তাঁর লেখনীকে স্তব্ধ করে দিয়েছিল।

রবীন্দ্রনাথের বড়োদাদা দ্বিজেন্দ্রনাথ ঠাকুর, সেজোদাদা হেমেন্দ্রনাথ ঠাকুর, নতুন দাদা জ্যোতিরিন্দ্রনাথ ঠাকুর এবং অগ্রজ স্বর্ণকুমারী দেবী সকলেই বিজ্ঞান বিষয়ে লিখেছেন। দ্বিজেন্দ্রনাথের প্রবন্ধ 'জ্যামিতির নূতন সংস্করণ' তিন কিস্তিতে 'ভারতী' পত্রিকায় (বৈশাখ ১২৮৭, অগ্রহায়ণ ১২৮৮ ও পৌষ ১২৮৮) প্রকাশিত হয়েছিল। তাঁর লেখা অপর দুটি প্রবন্ধ 'নিউটনের দুইটি প্রসিদ্ধ সিদ্ধান্ত হইতে একটি নূতন সিদ্ধান্তের ব্যাবকলন' এবং 'অভিব্যক্তির ধরাত্রয়' যথাক্রমে বঙ্গদর্শন (শ্রাবণ ১৩০৮) ও সাধনা (অগ্রহায়ণ ১২৯৯) পত্রিকায় প্রকাশিত হয়। হেমেন্দ্রনাথ ঠাকুরের প্রাকৃতিক বিজ্ঞানের স্থূল মর্ম দুটি প্রবন্ধ 'মনোবৃত্তির সহিত মস্তিষ্কের সম্বন্ধ' এবং 'আধুনিক মস্তিষ্কতত্ত্ব ও ফ্রেনলজি' প্রকাশিত হয় যথাক্রমে ভারতী (ভাদ্র ১২৮৯) ও সাধনা (আষাঢ় ১২৯৯) পত্রিকায়। স্বর্ণকুমারী দেবীর 'পৃথিবীর উৎপত্তি', 'সূর্য ও সৌর পরিবার' প্রবন্ধত্রয় প্রকাশিত হয় যথাক্রমে তত্ত্ববোধিনী পত্রিকা (পৌষ ১৮০২ শকাব্দ) ভারতী ও বালক (আশ্বিন ও অগ্রহায়ণ ১২৯৫) এবং তত্ত্ববোধিনী পত্রিকায় (বৈশাখ ১৮০৩ শকাব্দ) 'ভারতী' পত্রিকায় প্রকাশিত হয় 'প্রলয়' (আশ্বিন ১২৮৯)। 'অন্যান্য গ্রহগণ জীবের আবাসভূমি কিনা' (জ্যৈষ্ঠ ১২৯১) 'মঙ্গলে জীব থাকিতে পারে কিনা' (বৈশাখ ১২৯২) এবং 'পদার্থের চতুর্থ অবস্থা ও কিরণ্ড পদার্থ' (শ্রাবণ ১২৯৯) তাঁর বিজ্ঞান বিষয়ক গ্রন্থের নাম 'পৃথিবী' (১৮৮২)।

জোড়াসাঁকোর ঠাকুর পরিবারের আরও যাঁরা বিজ্ঞান বিষয়ে প্রবন্ধ বা বই লিখেছিলেন তাঁরা হলেন— দেবেন্দ্রনাথ ঠাকুরের জ্যেষ্ঠা কন্যা সৌদামিনী দেবীর পুত্র সত্যপ্রসাদ গঙ্গোপাধ্যায় (ভূমিকম্প, বালক, আশ্বিন ও কার্তিক ১২৯২) স্বর্ণকুমারী দেবীর জ্যেষ্ঠা কন্যা হিরন্ময়ী দেবী 'উদ্ভিদের জীবনরক্ষার নবাবিষ্কৃত উপায়' (ভারতী, শ্রাবণ ১২৯৪) পাস্টের আবিষ্কৃত চিকিৎসা (ভারতী, আষাঢ়, ১২৯৫ বঙ্গাব্দ) হেমেন্দ্রনাথ ঠাকুরের দ্বিতীয় পুত্র ক্ষিতীন্দ্রনাথ ঠাকুর (অভিব্যক্তিবাদের আপত্তি খণ্ডন, পুণ্য, পৌষ ১৩০৭), মহর্ষি দেবেন্দ্রনাথের চতুর্থ পুত্র বীরেন্দ্রনাথের একমাত্র সন্তান বলেন্দ্রনাথ ঠাকুর (অভিব্যক্তির নতুন অঙ্গ, সাধনা, চৈত্র ১২৯৮), স্বর্ণকুমারী দেবীর দ্বিতীয়া কন্যা সরলা দেবী (বৈজ্ঞানিক কৃষিকার্য, ভারতী, চৈত্র ১৩৩১), দেবেন্দ্রনাথের দ্বিতীয় পুত্র সত্যেন্দ্রনাথ ঠাকুরের জ্যেষ্ঠপুত্র সুরেন্দ্রনাথ ঠাকুর (প্রাণ ও প্রাণী, সাধনা, অগ্রহায়ণ ১২৯৮) এবং রবীন্দ্রনাথের জ্যেষ্ঠ পুত্র রথীন্দ্রনাথ ঠাকুর (গাছের কথা, পার্বণী-বাংলা ভাষার প্রথম পূজাবার্ষিকী, ঠাকুর বাড়ির জামাতা নগেন্দ্রনাথ গঙ্গোপাধ্যায় সম্পাদিত, ১৩২৫ বঙ্গাব্দ) প্রাণতত্ত্ব (বিশ্বভারতী কর্তৃক প্রকাশিত গ্রন্থ, কার্তিক ১৩৪৮) অভিব্যক্তি (বিশ্বভারতী কর্তৃক প্রকাশিত গ্রন্থ, চৈত্র ১৩৫২)।

ঠাকুর বাড়ির বিজ্ঞানচর্চা, বিজ্ঞানভাবনা রবীন্দ্রনাথকে যথেষ্ট প্রভাবিত করেছিল তাতে সন্দেহ পোষণের কোনো কারণ নেই। ঠাকুর বাড়িকে কেন্দ্র করে প্রকাশিত সেকালের বেশ কয়েকটি সুখ্যাত সাময়িকপত্রের সম্পাদন ও প্রকাশনার সঙ্গে রবীন্দ্রনাথ সরাসরি যুক্ত ছিলেন। এ প্রসঙ্গে 'বঙ্গ সাহিত্যে বিজ্ঞান' গ্রন্থে বুদ্ধদেব ভট্টাচার্য লিখেছেন—

> 'বালক', 'সাধনা' প্রভৃতি পত্রপত্রিকাকে কেন্দ্র করে রবীন্দ্রনাথ বিজ্ঞানালোচনায় প্রথম উদ্যোগী হন। উল্লিখিত দুটি পত্রিকারই অধিকাংশ বিজ্ঞান সংবাদ তাঁর লেখা। রবীন্দ্রনাথের লেখনী স্পর্শে অধিকাংশ সংবাদই এখানে সাহিত্যের পর্যায়ে উন্নীত। এই প্রসঙ্গে উল্লেখযোগ্য, রবীন্দ্রনাথের প্রথম ধারাবাহিক রচনা বিজ্ঞান-সংবাদকে কেন্দ্র করে।
>
> রবীন্দ্রনাথের কিছু কিছু বৈজ্ঞানিক রচনা 'পাঠপ্রচয়' নামক গ্রন্থে ছড়িয়ে আছে। এই শ্রেণীর রচনার মধ্যে উল্লেখযোগ্য পাঠপ্রচয়-২য় ভাগের (১৩৩৬) 'সূর্যের কথা', 'একটি অপূর্ব্ব বাড়ি', 'বৃষ্টি' এবং ৩য় ভাগের (১৩৩৬) 'রোগশত্রু' ও 'ছায়াপথ'। ছোটদের জন্যে লেখা হলেও রচনাগুলো বৈজ্ঞানিক তথ্যসমন্বিত এবং সুখপাঠ্য। তবে বঙ্গসাহিত্য বিজ্ঞানে রবীন্দ্রনাথের সর্বাপেক্ষা উল্লেখযোগ্য অবদান 'বিশ্ব-পরিচয়' (আশ্বিন ১৩৪৪) বাংলা বিজ্ঞানসাহিত্যের একটি বিশিষ্ট নিদর্শন এই গ্রন্থটি।

রবীন্দ্রনাথের জন্মের প্রায় আট বছর পূর্বে ভারতে তথা এশিয়ায় প্রথম রেল চলাচল শুরু করেছিল। সে সময়ে বম্বে থেকে থানে পর্যন্ত ২১ মাইল দীর্ঘ রেলপথে প্রথম যাত্রীবাহী রেল চলেছিল ১৮৫৩ সালের ১৬ এপ্রিল তারিখে। এর ঠিক ১৫ মাস পর ১৮৫৪ সালের ১৫ আগস্ট তারিখে হাওড়া থেকে হুগলি পর্যন্ত ২৩ মাইল দীর্ঘ রেলপথে রেল চলাচল শুরুর মাধ্যমে বাংলায় নিয়মিত রেল চলাচলের সূচনা ঘটে। এই রেল যোগাযোগ শুরু হয়েছিল ইস্ট ইন্ডিয়ান রেলওয়ে কোম্পানি নামে একটি বেসরকারি কোম্পানির ব্যবস্থাপনায় ও মালিকানায়।

বাংলায় তখনকার পূর্ববঙ্গের দিকে রেললাইন বসানো হয় হাওড়ায় রেললাইন বসানোর কয়েক বছর পর। কলকাতায় শিয়ালদহ থেকে রেললাইন বসানো হয়েছিল দু-দিকে। একটি কলকাতা থেকে ক্যানিং পর্যন্ত। অপর লাইনটি দর্শনা হয়ে গিয়েছিল কুষ্টিয়ার জগতি পর্যন্ত। এই দুটি লাইনের রেল চলাচল শুরু হয় ১৮৬২ সালের ১৫ নভেম্বর। তবে কুষ্টিয়া পর্যন্ত রেল চলাচল ১৮৬৪ সালের ১৬ ফেব্রুয়ারি। গড়াই সেতু নির্মিত হওয়ার পর রেললাইন সম্প্রসারিত হয় কুমারখালি ও পাংশা হয়ে গোয়ালন্দ ঘাট পর্যন্ত। এই রেললাইন বসিয়েছিল ইংরেজ সরকার। এই রেলপথের নাম দিয়েছিল "ইস্টার্ন বেঙ্গল স্টেট রেলওয়ে" (EBSR)। গোয়ালন্দ ঘাট পর্যন্ত রেল চলাচল শুরু হয়েছিল ১৮৬৭ বঙ্গাব্দে।

ইউরোপে মধ্যযুগের অন্ধকার থেকে বেরিয়ে আসার প্রয়াস সূচিত হয় একাদশ ও দ্বাদশ শতকে। এই সময়ে আরবীয় বিজ্ঞান ও গ্রিক বিজ্ঞানকে সম্বল করে ইউরোপবাসীরা নতুন কারিগরি জ্ঞানের সন্ধান করতে শুরু করে। ইউরোপ জুড়ে শিক্ষা ব্যবস্থাকে আরও বেশি সংগঠিত রূপ দেয়ার চেষ্টাও চলতে থাকে অব্যাহত গতিতে। এর ফলেই ১১৬০ খ্রিস্টাব্দে প্যারিস ও বোলোগনা বিশ্ববিদ্যালয়। ১১৬৭ খ্রিস্টাব্দে অক্সফোর্ড বিশ্ববিদ্যালয় ১২০৯ খ্রিস্টাব্দে কেমব্রিজ বিশ্ববিদ্যালয় ও ১২১২ খ্রিস্টাব্দে পাদুয়া বিশ্ববিদ্যালয় প্রতিষ্ঠিত হয়। তবে এসব বিশ্ববিদ্যালয়ে পড়ানো হত ল্যাটিন ভাষায় আর পড়ানোর মধ্যে বেশিরভাগই ছিল তত্ত্ববিদ্যার কচকচি। কিন্তু তার মধ্যেও নিরীক্ষাধর্মী বিজ্ঞানচর্চার প্রসার ঘটে ত্রয়োদশ শতাব্দীতেই। রজার বেকন (১২১৪-৮৪) পরকলা অর্থাৎ লেন্স এবং বারুদ নিয়ে বিভিন্ন পরীক্ষানিরীক্ষা চালিয়ে যান। তিনি বলেন, দুই উপায়ে বিজ্ঞানের চর্চা করা যায়— এক, যুক্তির সাহায্যে এবং দুই, হাতে-কলমে পরীক্ষানিরীক্ষার সাহায্যে। যেখানে যুক্তি শেষ হয়, সেখানে হাতে-কলমে পরীক্ষানিরীক্ষা চালিয়ে বাস্তব পর্যবেক্ষণের ভিত্তিতে অগ্রসর হওয়া যেতে পারে। তৎকালীন সমাজ অবশ্য এই যুক্তিবাদিতা ও বিজ্ঞানচর্চার জন্য রজার বেকনকে কোনো পুরস্কার দেয়নি, রেহাইও দেয়নি। চৌষট্টি বছর বয়সে সন্দেহজনক কর্মতৎপরতার অভিযোগে অভিযুক্ত হন তিনি।

বিজ্ঞানের ইতিহাসে নবযুগের সূচনা ঘটে পঞ্চদশ শতাব্দীতে। দার্শনিক তত্ত্বজ্ঞানের কঠিন নিগড় থেকে মুক্তি পেয়ে বিজ্ঞানচর্চার প্রসার ঘটল দ্রুত। কারিগরিবিদ্যা ও প্রযুক্তির সঙ্গে যুক্ত হল বিজ্ঞানের তত্ত্ব। ইতিহাসবিদগণ এই সময়কালকেই ইউরোপের রেনেসাঁ বা নবযুগ নামে আখ্যায়িত করেছেন। কোপার্নিকাসের সূর্যকেন্দ্রিক সৌরজগৎ মতবাদ, গিলবার্টের ভৌতচৌম্বকতত্ত্ব, ফ্রান্সিস বেকন কর্তৃক ভৌতবিজ্ঞানচর্চায় গণিতের ব্যবহার, জ্যোতির্বিদ্যায় গ্যালিলিয়োর নব নব আবিষ্কার গণিত ও পদার্থবিদ্যায় নিউটনের মৌলিক অবদান, শারীরবিদ্যায় হার্ভের মৌলিক পর্যবেক্ষণ— এসব ঘটনা ইউরোপে আধুনিক বিজ্ঞানের সূচনা ও জয়যাত্রার পথ সুগম করেছিল। এই বৈজ্ঞানিক পদ্ধতি ও চিন্তাধারার নবতরঙ্গ ভারতের উপকূলে আছড়ে পড়ার মাঝে ছিল শুধু সময়ের প্রতীক্ষা। ইস্ট-ইন্ডিয়া কোম্পানিগুলোর মাধ্যমেই এই যোগাযোগ সম্পন্ন হয় এবং কলকাতা ছিল তার প্রধান গ্রহণকেন্দ্র এবং পালনকেন্দ্রও। কলকাতা শহর থেকেই আধুনিক বিজ্ঞানের ভাবধারা ক্রমশ সারা ভারতে ছড়িয়ে পড়ে।

রবীন্দ্রনাথ জন্মেছিলেন এই কলকাতা শহরেই। তাঁর জন্মের প্রায় ৭৪ বছর আগেই ১৭৮৭ খ্রিস্টাব্দে হুগলি নদীর তীরে ইন্ডিয়ান বটানিক্যাল গার্ডেনের গোড়াপত্তন হয়েছিল। ১৮১৭ খ্রিস্টাব্দের ২০ জানুয়ারি রাজা রামমোহন রায় প্রতিষ্ঠিত মহাবিদ্যালয় ২০ জন ছাত্র নিয়ে যাত্রা শুরু করে। এতে অত্যন্ত যত্নের সঙ্গে ইংরেজি ভাষা, ন্যাচারাল সায়েন্স, কেমিস্ট্রি, গণিত ও দর্শন শেখানো হত। কিছুকাল পর এই স্কুলটিই হিন্দু কলেজে রূপান্তরিত হয়। ১৮৫৫ খ্রিস্টাব্দে এর নামকরণ করা হয় প্রেসিডেন্সি কলেজ। ১৮৩৫ সালে প্রতিষ্ঠা করা হয় কলকাতা মেডিকেল কলেজ। ১৮৫৭ সালের জানুয়ারি মাসে প্রতিষ্ঠিত হয় কলকাতা বিশ্ববিদ্যালয়। ১৮৫১ খ্রিস্টাব্দে টমাস ওল্ডহ্যামের নেতৃত্বে জিয়োলজিক্যাল সার্ভে অব ইন্ডিয়ার কাজ শুরু হয়। ১৮৫১ খ্রিস্টাব্দে ভারতে সর্বপ্রথম কলকাতার আলিপুর থেকে রাজঘাট পর্যন্ত ১৫ মাইল দীর্ঘ টেলিগ্রাফ লাইন স্থাপিত হয়। এ প্রসঙ্গে উল্লেখ্য, ১৮৪৩ খ্রিস্টাব্দে হিন্দু কলেজে প্রাকৃতিক দর্শন বা ন্যাচারাল ফিলসফি এবং সিভিল ইঞ্জিনিয়ারিং বিভাগ চালু করা হয়। এ সময়ে এ দুটি বিভাগে অধ্যাপক পদ সৃষ্টি করা হয় এবং শর্ত আরোপ করা হয় যে, শ্রেণি ও ধর্ম নির্বিশেষে সমস্ত ছাত্র এই ক্লাসগুলোতে যোগ দিতে পারবে। ১৮৪১-এ কলেজ পরিচালনায় কিছু পরিবর্তন হয়। পাঠ্যতালিকার ধীরে ধীরে বিস্তার ঘটে এবং স্বাভাবিকভাবে বিজ্ঞানের বিবিধ বই সে-তালিকায় যুক্ত হয়। এখানে সিনিয়ার বিভাগের সবচেয়ে উঁচু ক্লাসের ছাত্রদের যেসব বিজ্ঞানের বই পড়তে হত, তার একটি তালিকা দেওয়া হল। এই তালিকায় ইংরেজি, ইতিহাস এবং সাহিত্য পাঠের তুলনায় বিজ্ঞানের বই কম ছিল না। এসব বইয়ের মধ্যে বীজগণিত, অন্তরকলন এবং সমাকলন, গোলীয় ত্রিকোণমিতি, জ্যোতির্বিজ্ঞান, মেকানিক্স, হাইড্রোস্ট্যাটিক্স, হাইড্রোলিক্স, নিউম্যাটিক্স, অপটিক্স ছিল। তা ছাড়া ড্রয়িং (দর্শনানুপাত অনুযায়ী), মেকানিক্যাল এবং আর্কিটেকচারাল ড্রয়িং এবং প্র্যাকটিক্যাল সার্ভেয়িং বিষয়ের বইও সিলেবাসের অন্তর্ভুক্ত করা হয়।

স্থলপথে রেল চলাচল শুরুর অনেক আগেই এদেশে কলের জাহাজের চলাচল শুরু হয়েছিল। তবে কলকাতার কলের ইতিহাসে ইউলিয়াম কেরির শ্রীরামপুর মিশনের কাগজ তৈরির কল যে গুরুত্বপূর্ণ ভূমিকা নিয়েছিল তা কেউ অস্বীকার করতে পারবে না। সিদ্ধার্থ ঘোষ তাঁর *কলের শহর কলকাতা* বইটিতে এর বিবরণ দিয়েছেন চমৎকারভাবে:

> বই ছাপার উপযোগী কাগজের অভাব থেকেই শ্রীরামপুরের কাগজের কলের জন্ম। ইংলন্ড থেকে আমদানি করা কাগজের যেমন দাম তেমনই অনিশ্চিত সরবরাহ। অন্যদিকে স্থানীয় কাগজ, 'পাটনা' কাগজ অমসৃণ, পোকা লাগত সহজে। ১৮০৪ সাল থেকেই তাই শুরু হয় তোড়জোড়। ১৮০৯-এ সীমিতভাবে কাগজ উৎপাদন শুরু হয়। এরপর ১৮১১ ও ১৮১৪ সালে ক্রমশ আরও বড় আকারের দুটি কল বসানো হয়। শ্রীরামপুরের ছাপাখানা ও হরফ ঢালাইয়ের কারখানার মতো কাগজের কলেরও অধ্যক্ষ ছিলেন কেরীর সহযোগি উইলিয়াম ওয়ার্ড। শেষোক্ত কাগজের কলটি ট্রেড মিল গোত্রের। মজদুররা পায়ের চাপে যন্ত্রের চাকা ঘোরাতেন। গ্রীষ্মের এক অসহনীয় দুপুরে শ্রান্ত এক কর্মী দুর্ঘটনায় পড়ে প্রাণ হারাবার পর উদ্বিগ্ন হয়ে পড়েন মিশনারীরা। বাষ্পশক্তি ব্যবহার করার তখনই চিন্তা করেন তাঁরা। পরামর্শ নেন কলকাতার বিশেষজ্ঞ মিস্টার জোনসের।

১৮২০ খ্রিস্টাব্দের ১৮ জানুয়ারি শ্রীরামপুর থেকে পুত্র জাবেশকে লেখা একটি চিঠিতে কেরি জানিয়েছিলেন যে, ইংল্যান্ড থেকে একটি স্টিম ইঞ্জিন পৌঁছেছে এবং স্থাপন করার খরচ সমেত এর দাম কুড়ি হাজার টাকার কম হবে না। এই বাষ্পের কলের নির্মাতা ছিল বেস্টনের থোয়েটস হিক অ্যান্ড রথওয়েলস কোম্পানি। এটি ছিল বারো অশ্বশক্তির একটি ইঞ্জিন। ১৮২০ খ্রিস্টাধের ২৭ মার্চে এটি চালু করা হয়। বয়লারের নীচে চুল্লিতে গনগনে আঁচ। চিমনি দিয়ে ধোঁয়া বেরোচ্ছে। জল ফুটে বাষ্প হয়ে ফোঁস ফোঁস শব্দে যন্ত্রের চাকা ঘোরাচ্ছে। এই দৃশ্য দেখে লোকে ইঞ্জিনটির নাম দিল 'আগুনের কল'।

ভারতের নদীতে প্রথম যে স্টিমারটি চলেছিল সেটির মালিক ছিলেন অযোধ্যার নবাব গাজিউদ্দিন হায়দার। এটি ছিল অত্যন্ত ছোটো একটি স্টিমার— পঞ্চাশ ফিট লম্বা, সর্বাধিক প্রস্থ নয় ফিট এবং উচ্চতা চার ফিট। ১৮১১ খ্রিস্টাব্দে নবাবের এই খেলনা স্টিমারটি গোমতী নদীতে প্রথম জলবিহারে নেমেছিল। বয়লারে কয়লার বদলে কাঠ পুড়িয়ে বাষ্প উৎপন্ন করা হত এতে। ঘণ্টায় সাত বা আট মাইল জোরে চলতে পারত এই নৌকাটি। দুটি ঘুরন্ত কামানও বসানো হয়েছিল এতে। তবে এই স্টিমার বা নৌকাটি নির্মিত হবার তিন বছর পর কলকাতার জলপথে প্রথম যে বাষ্পীয় জাহাজটি দেখা গিয়েছিল তার নাম 'প্লুটো'। সেটি যাত্রী বহন কিংবা মালামাল পরিবহণ কোনো কাজেই লাগানো হয়নি, 'প্লুটো' ব্যবহৃত হয়েছিল গঙ্গাবক্ষের পলিমাটি অপসারণ তথা ড্রেজিংয়ের কাজে। বেঙ্গল ইঞ্জিনিয়ার্সের ক্যাপ্টেন ডেভিডসন বামিংহোমের ইগল ফাউন্ডিতে উইলিয়াম ব্রাস্টনের তৈরি একটি আট অশ্বশক্তির ইঞ্জিন কলকাতায় আমদানি করেছিলেন ১৮১৭ বা ১৮১৮ খ্রিস্টাব্দের দিকে। কিন্তু সেটি কাজে না-লাগানোর ফলে দীর্ঘকাল গুদামেই পড়েছিল। কিড অ্যান্ড কোম্পানি এই ইঞ্জিন সংযুক্ত একটি ড্রেজিং জাহাজ তৈরি করে ১৮২২-এ। সেটিই পরে 'প্লুটো' নামে পরিচিত হয়। এই কিড কোম্পানিই মাত্র এক বছর পর ভারতের প্রথম যাত্রীবাহী স্টিমার নদীপথে চালাতে সক্ষম হয়েছিল। সে-কাহিনির বর্ণনাও রয়েছে সিদ্ধার্থ ঘোষের বইটিতে—

> জে. টি. রবার্টস নামে ক্যাপ্টেনের কারখানার এক পরিচালক ১৯২২ খ্রীস্টাব্দে ইংল্যান্ড থেকে মড্সলি অ্যান্ড কোম্পানির তৈরি দুটি ষোল অশ্বশক্তির ইঞ্জিন একটি তামার বয়লার ও অন্যান্য যন্ত্রাংশ চীনে আমদানি করেন, উদ্দেশ্য ১১০ টনের একটি বাষ্পীয় তরী নির্মাণ। কিন্তু হঠাৎ শারীরিক বিপত্তি ঘটায় সব যন্ত্রাংশ তিনি কলকাতায় পাঠিয়ে দেন। প্রথমে পঁয়ষট্টি হাজার টাকা দামে হেস্টিংস সরকারকে সেগুলো কিনে নেওয়ার জন্য আবেদন জানানো হয়। কিন্তু কোনো সাড়া পাওয়া যায় না। কলকাতার ব্যবসাদাররা তখন অগ্রণী হন এবং এক হাজার টাকা দামের পঁয়ষট্টিটি শেয়ার বিভিন্ন এজেন্সি কিনে নেয়। এর মধ্যে স্টিমারের নতুন খোল বানানোর জন্য ধার্য হয় পনের হাজার টাকা। কারণ, ওক কাঠের তৈরি মূল খোলটি ততদিনে ব্যবহারের অযোগ্য হয়ে গিয়েছে। এরপরে আরও পাঁচ হাজার টাকা তুলতে হয় শেয়ার হোল্ডারদের কাছ থেকে। ১৮২৩ এর ১২ জুলাই খিদিরপুরে কীড অ্যান্ড কোম্পানীর জাহাজঘাটা থেকে 'ডায়না' জলস্পর্শ করে। মূল জাহাজের খোলে দেবী ডায়নার যে ফিগার হেড ছিল, তারই খাতিরে স্টিমারটির নামকরণ।

ডায়নার পরিচালক নিযুক্ত হন ক্যাপ্টেন জে. আন্ডারসন। ইংল্যান্ড থেকে চীনে মেশিনপত্র আমদানি এবং তারপরে কলকাতাতেও নির্মাণপর্বে তদারকি— প্রথম থেকেই এই কাজে নিযুক্ত ছিলেন অ্যান্ডারসন।

ডায়নার দুধারে স্টিম ইঞ্জিন চালিত প্যাডেল হুইল লাগানো থাকলেও পাল খাটানোর ব্যবস্থাও ছিল। পালের বিন্যাস অনুসারে এটি 'কাটার' গোত্রে পড়ে। ডায়নার চিমনি ছিল পঁয়তাল্লিশ ফিট উঁচু। ডেকের ওপর তেত্রিশ ফিট লম্বা বসার কেবিন ছিল যার আগাগোড়া খড়খড়ি বসানো। ডেকে নীচে বসার জায়গাটা দুটি কেবিনে বিভক্ত করা হয়। প্রধানত মহিলা যাত্রীদের জন্য।

রবীন্দ্রনাথের পিতামহ জোড়াসাঁকোর ঠাকুর বাড়ির সিংহপুরুষ পিতামহ দ্বারকানাথ ঠাকুর 'ক্যালকাটা স্টিম টাগ অ্যাসোসিয়েশন' প্রতিষ্ঠা করার মাত্র মাস খানেক আগে কিনেছিলেন রাণীগঞ্জের কয়লাখনি। সময়টা ১৮৩৬ খ্রিস্টাব্দ। রাণীগঞ্জের এই কয়লাখনিকে কেন্দ্র করেই কার টেগোর অ্যান্ড কোম্পানির সমৃদ্ধি আরও বিস্তৃত হয়েছিল। বাষ্পীয় জাহাজ চলাচল বৃদ্ধি পাওয়ায় এবং কলকারখানায় বাষ্পীয় ইঞ্জিন ব্যবহার শুরু হওয়ায় কয়লার চাহিদাও তখন বেড়ে গিয়েছিল। ১৮৩৯ খ্রিস্টাব্দে দ্বারকানাথের ২৯৪ টনের প্রাইভেট স্টিমার 'দ্বারকানাথ' তৈরি হয়েছিল খিদিরপুরে। ১৮৪২ খ্রিস্টাব্দে দ্বারকানাথ যখন প্রথম বার ইংল্যান্ডে যান, সে-সময় সেখানকার কয়লাখনি অঞ্চল এবং ইস্পাত ও জাহাজনির্মাণের কারখানাগুলোয় তিনি ব্যাপকভাবে ঘুরে বেড়িয়েছিলেন। আধুনিক যন্ত্রবিজ্ঞানের সাহায্যে শিল্পকারখানা পরিচালনার ব্যাপারে তাঁর গভীর উৎসাহ ছিল। পরবর্তীকালে ঠাকুর বাড়িতে তাঁর এই উদ্যোগ ও উদ্যমের উত্তরাধিকার লাভ করেছিলেন শুধু একজন— তিনি জ্যোতিরিন্দ্রনাথ ঠাকুর। নিলামে সাত হাজার টাকায় জাহাজের খোল কিনে এনে সেটিকে পূর্ণাঙ্গ একটি জাহাজে রূপান্তরিত করেছিলেন জ্যোতিরিন্দ্রনাথ। সেটির নাম রাখা হয়েছিল 'সরোজিনী'। সরোজিনীর প্রথম যাত্রার বিবরণ দিয়েছেন রবীন্দ্রনাথ তাঁর 'সরোজিনী প্রয়াণ' রচনায়। জীবনস্মৃতির 'জাহাজের খোল' শীর্ষক অংশেও রবীন্দ্রনাথের জ্যোতিদাদার এই নৌযান-বাণিজ্য উদ্যোগের বর্ণনা আছে—

> কাগজে কী-একটা বিজ্ঞাপন দেখিয়া একদিন মধ্যাহ্নে জ্যোতিদাদা নিলামে গিয়া ফিরিয়া আসিয়া খবর দিলেন যে, তিনি সাত হাজার টাকা দিয়া একটা জাহাজের খোল কিনিয়াছেন। এখন ইহার উপরে ইঞ্জিন জুড়িয়া কামরা তৈরি করিয়া একটা পুরা জাহাজ নির্মাণ করিতে হইবে।
>
> দেশের লোকেরা কলম চালায়, রসনা চালায় কিন্তু জাহাজ চালায় না। বোধ করি এই ক্ষোভ তাঁহার মনে ছিল দেশে দেশলাই কাঠি জ্বালাইবার জন্য তিনি একদিন চেষ্টা করিয়াছিলেন, দেশলাইকাঠি অনেক ঘর্ষণেও জ্বলে নাই, দেশে তাঁতের কল চালাইবার জন্যও তাঁহার উৎসাহ ছিল কিন্তু সেই তাঁতের কল একটি মাত্র গামছা প্রসব করিয়া তাহার পর হইতে স্তব্ধ হইয়া আছে। তাহার পরে স্বদেশি চেষ্টায় জাহাজ চালাইবার জন্য তিনি হঠাৎ একটা শূন্য খোল কিনিলেন, সে-খোল একদা ভরতি হইয়া উঠিল শুধু কেবল এঞ্জিনে এবং কামরায় নহে— ঋণে এবং সর্বনাশে। কিন্তু তবু এ কথা মনে রাখিতে হইবে, এই সকল চেষ্টার ক্ষতি যাহা সে একলা তিনিই স্বীকার করিয়াছেন আর ইহার লাভ যাহা তাহা নিশ্চয়ই এখনো তাঁহার দেশের খাতায় জমা হইয়া আছে।

রবীন্দ্রনাথের বিজ্ঞানভাবনার সঙ্গে দ্বারকানাথ ঠাকুরের কয়লাখনির ব্যাবসা কিংবা দেশীয় জাহাজ শিল্পের প্রসার ঘটানোর উদ্যোগের কোনো প্রত্যক্ষ সম্পর্ক হয়তো নেই। কিন্তু উনবিংশ শতাব্দীতে বিজ্ঞান ও প্রযুক্তি এবং যন্ত্রশিল্পের ক্ষেত্রে যেসব নিত্যনতুন আবিষ্কার ও উদ্ভাবন ঘটে চলছিল তার অভিঘাত রবীন্দ্রমানসে যে বিপুল প্রতিক্রিয়ার সৃষ্টি করেছিল তাতে সন্দেহপোষণের কোনো কারণ থাকতে পারে না। বিজ্ঞানী আচার্য জগদীশচন্দ্র বসুর সঙ্গে গভীর হৃদ্যতার সম্পর্ক কেবল বন্ধুত্বের আকর্ষণেই গড়ে ওঠেনি, উনবিংশ ও বিংশ শতাব্দীর সূচনাকালের বিজ্ঞানচর্চার প্রতি রবীন্দ্রনাথের কৌতূহল ও আগ্রহও তার পিছনে বিশেষভাবে সক্রিয় ছিল। সে-কৌতূহল ও আগ্রহ আরও বেশি উদ্দীপ্ত হয়েছিল রবীন্দ্রনাথের নিজের জীবনকালে কলকাতার কয়েকটি প্রতিষ্ঠান ও শিক্ষা প্রতিষ্ঠানকে কেন্দ্র করে অনেক প্রতিভাবান বাঙালি বিজ্ঞানীর বিজ্ঞানচর্চাকে ঘিরে। চিকিৎসাবিজ্ঞানে যেমন ডা: মহেন্দ্রলাল সরকার ছিলেন বৈজ্ঞানিক গবেষণা আন্দোলনের অন্যতম পথিকৃৎ। ১৮৭৬ খ্রিস্টাব্দে তাঁরই উদ্যোগে যাত্রা শুরু করেছিল ভারতবর্ষীয় বিজ্ঞানসভা 'Indian Association for the Cultivation of Science'। সংস্থাটি প্রতিষ্ঠার মূল উদ্দেশ্য ছিল 'ভারতীয় নাগরিকদের বিজ্ঞানের যাবতীয় বিষয়ে মৌলিক গবেষণার সুযোগ দান এবং সেই গবেষণালব্ধ ফলের বিভিন্ন প্রয়োগে জীবনের স্বাচ্ছন্দ্যকরণ'। তৎকালে বিজ্ঞানের অনেক যশস্বী অধ্যাপক এই বিজ্ঞানসভার সঙ্গে যুক্ত হয়েছিলেন এবং প্রশিক্ষণ কার্যক্রমের সঙ্গে যুক্ত হয়েছিলেন। এঁদের মধ্যে পদার্থবিজ্ঞানের ক্লাস নিতেন মহেন্দ্রলাল সরকার স্বয়ং এবং ফাদার লাফোঁ। ১৮৮৫ খ্রিস্টাব্দে কেমব্রিজ থেকে ফেরার পর পরই জগদীশচন্দ্র বসুকে আমন্ত্রণ জানানো হয়েছিল পদার্থবিদ্যার প্র্যাকটিক্যাল ক্লাস নেওয়ার জন্য। এঁদের সঙ্গে পরে আরও যুক্ত হয়েছিলেন মহেন্দ্রনাথ রায়, শ্যামাদাস মুখোপাধ্যায়, রাজেন্দ্রনাথ চট্টোপাধ্যায় এবং অমৃতলাল সরকার। আশুতোষ মুখোপাধ্যায় ভারতীয় বিজ্ঞানসভার সঙ্গে যুক্ত হন ১৮৯১ খ্রিস্টাব্দে। বিশুদ্ধ গণিত এবং ফলিত গণিতে প্রশিক্ষণের ব্যবস্থা করে আশুতোষ পদার্থবিদ্যার ক্ষেত্রকে পূর্ণাঙ্গ করে তোলায় গুরুত্বপূর্ণ ভূমিকা নিয়েছিলেন। বিজ্ঞান সভায় রসায়ন, জ্যোতির্বিদ্যা, ভূবিদ্যা, উদ্ভিদবিদ্যা, জীববিদ্যা ইত্যাদি বিষয়ের প্রশিক্ষণ দানের ব্যবস্থা করা হয়েছিল। আর অ্যাসোসিয়েশনের বিজ্ঞান ক্লাসে কলকাতার বিভিন্ন কলেজের ছাত্র-ছাত্রীরা উপস্থিত থাকত। প্রতিষ্ঠান শুরুর সময় ১৫ বা ২০ জনের বেশি ছাত্র-ছাত্রী পাওয়া যেত না, ১৫ বছর বাদে সেই উপস্থিতির হার এসে দাঁড়িয়েছিল ২০০-তে। মাদ্রাজের কৃতী ছাত্র সি ভি রামন ১৯০৭ খ্রিস্টাব্দে এতে যোগ দেন, ১৯২৮ খ্রিস্টাব্দে এই প্রতিষ্ঠানের গবেষণাগারে কাজ করেই তিনি বিখ্যাত 'রামন এফেক্ট' আবিষ্কার করেন এবং ১৯৩০-এ এই আবিষ্কারের জন্যই নোবেল পুরস্কারে ভূষিত হন।

বাংলায় আধুনিক বিজ্ঞানের চর্চার এই আয়োজনের মধ্যে সেকালের বিদ্বৎসমাজের যথেষ্ট আগ্রহ ছিল, কিন্তু দেশব্যাপী ব্যাপক সাড়ার উদ্দীপনা তাতে ছিল না। সেটি থাকার কথাও নয়। বিজ্ঞানের সাধনা নগদ লাভের সাধনা নয়, তাতে যে পরিমাণ উদ্যম, পরিশ্রম ও মেধা ব্যয়িত হয়, তার তুলনায় প্রাপ্তি নিতান্তই তুচ্ছ। বিজ্ঞানসভা সম্পর্কে দেশবাসীর ঔদাসীন্য নিয়ে মহেন্দ্রলাল

সরকার তাই যে ক্ষোভ প্রকাশ করেছিলেন, সে-প্রসঙ্গে রবীন্দ্রনাথ ১৩০৫ বঙ্গাব্দের বৈশাখ সংখ্যা 'ভারতী'তে 'প্রসঙ্গ কথা'য় লিখেছিলেন, 'বিজ্ঞান যাহাতে দেশের সর্বসাধারণের নিকট সুগম হয় সে-উপায় অবলম্বন করিতে হইলে একেবারে মাতৃভাষায় গোড়াপত্তন করিয়া দিতে হয়।...বাংলায় বৈজ্ঞানিক গ্রন্থ প্রচার, সাময়িকপত্র প্রকাশ, স্থানে স্থানে যথাস্থানে বক্তৃতা দিবার ব্যবস্থা করা আবশ্যক। রবীন্দ্রনাথের বিজ্ঞানভাবনার একটি গুরুত্বপূর্ণ বিষয় ছিল বাংলা ভাষায় বিজ্ঞানের তত্ত্ব ও প্রাসঙ্গিক অন্যান্য আলোচনা প্রকাশ করা এবং তা সাধারণের বোধগম্য করার প্রয়াস গ্রহণ। তাঁর ঘনিষ্ঠ সুহৃৎ বরেণ্য বাঙালি বিজ্ঞানী আচার্য জগদীশচন্দ্র বসু নিজের গবেষণার অনেক বিবরণ বাংলা ভাষায় লিখে প্রচার করেছিলেন। এসব রচনার মধ্যে 'আকাশ-স্পন্দন ও আকাশ-সম্ভব জগৎ', 'গাছের কথা', 'উদ্ভিদের জন্ম-মৃত্যু', 'অদৃশ্য আলোক' 'বিজ্ঞানে সাহিত্য', 'নির্বাক জীবন', 'আহত উদ্ভিদ', 'স্নায়ু সূত্রে উত্তেজনা' ইত্যাদি তাঁর *অব্যক্ত* বইটিতে সংকলিত হয়েছিল। *অব্যক্ত* প্রথম প্রকাশিত হয় ১৩২৮ বঙ্গাব্দের আশ্বিন মাসে। *অব্যক্ত* প্রকাশিত হবার পর ২৪ নভেম্বর ১৯২১ তারিখে লেখা একটি চিঠিতে রবীন্দ্রনাথ বন্ধু জগদীশচন্দ্রকে লিখেছিলেন—

> তোমার 'অব্যক্ত'র অনেক লেখাই আমার পূর্ব পরিচিত যদিও এগুলি পড়িয়া অনেকবারই ভাবিয়াছি যে, যদিও বিজ্ঞান বাণীকেই তুমি তোমার সুয়োরানী করিয়াছ তবু সাহিত্য সরস্বতী সে পদের দাবী করিতে পারিত— কেবল তোমার অনবধানেই সে অনাদৃত হইয়া আছে।

জগদীশচন্দ্রের প্রয়াণের (২৩.১১.১৯৩৭) পর রবীন্দ্রনাথ লিখেছিলেন—

> বিজ্ঞান ও রস সাহিত্যের প্রকোষ্ঠ সংস্কৃতির ভিন্ন ভিন্ন মহলে কিন্তু তাদের মধ্যে যাওয়া-আসার দেনা পাওনার পথ আছে। জগদীশচন্দ্র ছিলেন সেই পথের পথিক। সেইজন্যে বিজ্ঞানী ও কবির মিলনের উপকরণ দুই মহল থেকেই জুটত। আমার অনুশীলনের মধ্যে বিজ্ঞানের অংশ বেশি ছিল না। কিন্তু ছিল তা আমার প্রবৃত্তির মধ্যে। সাহিত্য সম্বন্ধে তাঁর ছিল অনুরূপ অবস্থা। সেই জন্যে আমাদের বন্ধুত্বের কক্ষে হাওয়া চলত দুই দিকের খোলা জানালা দিয়ে।

বিজ্ঞান যে তাঁর প্রবৃত্তির মধ্যেই ছিল রবীন্দ্রনাথ এখানে তা যেমন অকপটে স্বীকার করেছেন তেমনি জগদানন্দ রায়, চারুচন্দ্র ভট্টাচার্য প্রমুখ বিজ্ঞান লেখকের সাধনার প্রেরণাদাতাও ছিলেন তিনি। বিজ্ঞান লেখক ও বিজ্ঞান শিক্ষক জগদানন্দ রায় রবীন্দ্রনাথের আহ্বানে ১৩০৮ বঙ্গাব্দের শ্রাবণ মাসে (১৯০৯ খ্রিস্টাব্দে) শান্তিনিকেতনে আসেন। রবীন্দ্রনাথ যখন সাধনা পত্রিকার সম্পাদনার ভার গ্রহণ করেন সে-সময়েই জগদানন্দ নিয়মিত বিজ্ঞান বিষয়ক লেখা লিখতেন। শান্তিনিকেতনে ব্রহ্মচর্যাশ্রম প্রতিষ্ঠিত হবার পর জগদানন্দ রায় সে-বিদ্যালয়ে গণিত ও বিজ্ঞান পড়াতে শুরু করেন। শান্তিনিকেতনে এসে সেখানকার অনুকূল পরিবেশে তাঁর সাহিত্যসাধনা অব্যাহত থাকে এবং তিনি নিজেকে পরিপূর্ণরূপে বিকশিত করে তোলার সুযোগ লাভ করেন। জগদানন্দ রায়ের প্রথম গ্রন্থ *প্রকৃতি পরিচয়* প্রকাশিত হয় তিনি শান্তিনিকেতনে আসার দশ বছর পরে ১৯১১ খ্রিস্টাব্দে। সে-বইটির ভূমিকায় রামেন্দ্রসুন্দর ত্রিবেদি লিখেছিলেন— ''গ্রন্থকার বাংলা

সাহিত্যে এতই সুপরিচিত যে, তাঁহাকে চেনাইবার ভার আমাকে লইতে হইবে না। আজকাল বাংলা মাসিক সাহিত্যে বৈজ্ঞানিক প্রবন্ধ দেখিলেই পাঠক বুঝিয়া লন যে, প্রবন্ধের নীচে জগদানন্দবাবুর স্বাক্ষর দেখা যাইবে। বাস্তবিক পাশ্চাত্য দেশেই হউক বা স্বদেশেই, বিজ্ঞানের যে-সকল উচ্চ তত্ত্ব আজকাল আবিষ্কৃত হইতেছে, এ দেশে সাধারণ পাঠকের নিকট তাহার ঘোষণার ভার একা জগদানন্দবাবুর উপরই পড়িয়াছে, অথবা তিনি তাহাই জীবনের ব্রত বলিয়া গ্রহণ করিয়াছেন।"

রবীন্দ্রনাথের জীবৎকালেই বাংলা বিজ্ঞানসাহিত্য অনেক মূল্যবান সম্পদে পরিপূর্ণ হয়ে উঠেছিল, যা আজও আমাদের বিজ্ঞানসাহিত্য চর্চার ক্ষেত্রে অনুকরণীয় অপরিহার্য বিবেচিত হয়ে আসছে। বিজ্ঞান বিষয়ক রচনা ও বই লেখার কাজটিকে রবীন্দ্রনাথ বিজ্ঞানসাধনার অংশ হিসেবে দেখতেই অভ্যস্ত হয়ে উঠেছিলেন এবং আধুনিক মানুষের জীবনচর্চার মধ্যে বিজ্ঞানের অবস্থান কোনোভাবেই যে নিতান্ত প্রাত্যহিকতার একটি উপাদান নয় সেটি তিনি হৃদয়ংগম করেছিলেন। তাঁর পঠনপাঠনের মধ্যে বিজ্ঞানেরও একটি বিশিষ্ট স্থান ছিল। উজ্জ্বলকুমার মজুমদারের লেখা রবীন্দ্রনাথের পড়াশোনা বইটিতে আমরা তারই কিছুটা হদিশ পাই, অত্যন্ত সংক্ষিপ্তভাবে হলেও—

> তবে বিজ্ঞান সম্পর্কে তাঁর কৌতুহল কিন্তু আজীবন। সেই ডালহৌসি পাহাড়ে গিয়ে নক্ষত্র-পরিচয় থেকে শুরু, কিংবা তারও আগে, যেদিন বোধদয় পড়তে গিয়ে শিক্ষক বলেছিলেন, আকাশের নীল রঙটা আসলে শূন্য, সেই দিনটি থেকে। বিজ্ঞান ও প্রযুক্তি তাঁকে চিরকাল ভাবিয়েছে। সীলির প্রাকৃতিক নিয়ম কিংবা ওয়ালেসের ডারইউনিজমের কথা আগেই বলেছি। শান্তিনিকেতন বিদ্যালয়ে বিজ্ঞান পড়াবার পদ্ধতির কথা তো অনেকেই জানেন। পুত্রকেও তিনি কৃষি বিজ্ঞান পড়তেই পাঠিয়েছিলেন বিদেশে। শান্তিনিকেতন বিশ্বভারতীর উৎসবে হলকর্ষণ ও বৃক্ষরোপণ আধুনিক কালে Eco-system সম্পর্কে সচেতনতার অনেক আগেকার কথা। আর দেশি-বিদেশি বিজ্ঞানীদের সঙ্গে তাঁর মেলামেশার কথা তো সকলেই জানেন। হার্ভার্ডে বক্তৃতা দেবার সময়ে পরিচিত ১৯১৫ সালের নোবেল পুরস্কার প্রাপ্ত রসায়নিক, T. W. R. Richard তাঁর সঙ্গে চিঠিপত্রে বহুদিন যোগাযোগ রেখেছেন। এই সমস্ত কৌতুহল ও সংগ্রহের ফলেই বিশ্বপরিচয় (১৯৩৭) বইটির জন্ম। এই বই লেখার সুত্রেই তিনি নতুন করে বিজ্ঞানের ইতিহাস পড়তে শুরু করেন। কিছু বই তাঁর সংগ্রহে এখনও রয়েছে। কিছু উল্লেখ তার থেকে করা গেল।

1) Essays Scientific Political and Speculative by Herbert Spencer 1883.
2) Popular lectures on Scientific subjects by Helmholtz 1898.
3) The Grammar of Science by Kari Pearson 1892.
4) The Story of the Heavens by Robert Ball 1891.
5) In Starry Realms by Robert Ball 1892.
6) The Stary of the Sun by Robert Ball 1893.
7) The World of Space by J E Gore 1894.
8) New World Pictures by George Grey 1836.
9) The Universe Surveyed by Harold Ricards.

এসব বই ছাড়াও পরিশিষ্ট অংশে রবীন্দ্রনাথের পড়াশোনা বইটিতে আচার্য জগদীশচন্দ্র বসু রচিত আরও দুটি বিজ্ঞানের বইয়ের উল্লেখ রয়েছে।

Live Movement in Plants by J C Bose 1918.

The Nervous Mechanism of Plants by J C Bose 1926.

দুই বিশ্বযুদ্ধের মধ্যবর্তী পর্বে শশধর সিংহ নামে বিশ্বভারতীর এক প্রাক্তন ছাত্র উচ্চশিক্ষার জন্য ইংল্যান্ড গিয়েছিলেন। তিনি ১৯৩৫ থেকে ১৯৪২ পর্যন্ত নতুন এবং পুরাতন বই বিক্রেতা হিসেবে The Bibliphite নামে একটি দোকান চালাতেন। রবীন্দ্রনাথের কর্মসচিব অনিলচন্দ্র তাঁর কাছে গুরুদেবের জন্য যেসব বই চেয়ে পাঠিয়েছিলেন তার মধ্যে বিজ্ঞানের অনেক বই ছিল। তারই একটি নির্বাচিত তালিকা অরূপরতন ভট্টাচার্য তাঁর *বাঙালির বিজ্ঞানভাবনা* ও *সাধনা* গ্রন্থে তুলে ধরেছেন। সে-তালিকা হল—

1) Mathematics for the Millions—Lancelot Hogben.
2) Birth Control methods— Norman Haire.
3) You and the Universe— Paul Karlson .
4) Scientific Progress— James Jeans and others.
5) How to cure liver— Kidney and Bladder troubles .
6) Astronomy—Robert H. Baker.
7) Know the Body— The Wonder within us.
8) Science and Physical Phenomena— G N M Tyreel.
9) At home among the Atoms— James Kendall.
10) Exploring the Universe— Clyde Fisher.
11) Nature and Treatment of Asthma— A C Auld.
12) The Renaissance of Physics—Karl K Dorrow.
13) The Nature and Treatment of Asthma—A C Auld.
14) The Soil and Plants—S Rivers— Smith and W K Spencer.

বিশ্ব পরিচয় লেখার আগে এবং পরে রবীন্দ্রনাথ যে বিজ্ঞানের বিভিন্ন শাখার গ্রন্থ সম্পর্কে বিশেষভাবে উৎসাহী হয়ে উঠেছিলেন তা উল্লিখিত তালিকা থেকে বেশ কিছুটা অনুমেয়।

কবিগুরুর জীবনের বিভিন্ন ঘটনা এবং রচনাশৈলী সম্পর্কে কৌতূহলী ব্যক্তি মাত্রেই জানা থাকার কথা যে, বইটি তিনি ঘটনাক্রমে লিখেছিলেন, পূর্বপরিকল্পনা হিসেবে করেননি।

আচার্য জগদীশচন্দ্র বসুর সঙ্গে রবীন্দ্রনাথের গভীর হৃদ্যতা ছিল না সেকথা আমরা তাঁদের উভয়ের লেখা থেকেই জানতে পাই। অপর বাঙালি বিজ্ঞানী সতেন্দ্রনাথ বসুকে বিশ্বপরিচয় বইটি উৎসর্গ করেছিলেন রবীন্দ্রনাথ। সে-সময়কার বিশ্বখ্যাত বিজ্ঞানী আইনস্টাইনের সঙ্গে রবীন্দ্রনাথের প্রথম সাক্ষাৎ-পরিচয় ঘটে যখন তিনি জার্মানিতে

বেড়াতে যান ১৯২৬ সালে। তবে ১৯১৯ সালে ফরাসি ঔপন্যাসিক ও মানবহিতৈষী চিন্তাবিদ রমঁ্যা রলাঁ ইউরোপের অনেক শিল্পী-সাহিত্যিক এবং বুদ্ধিজীবীকে নিয়ে 'মানবমনের স্বাধীনতা সংক্রান্ত ঘোষণা' (La declalion Pour I'independence de l'espirit) শীর্ষক যে দলিল প্রকাশ করেন তাতে আইনস্টাইন এবং রবীন্দ্রনাথ দুজনেরই স্বাক্ষর ছিল। এর পরে ১৯২০ খ্রিস্টাব্দে রবীন্দ্রনাথ তাঁর ইংল্যান্ড ভ্রমণের সময় যখন গ্রিনিচ মানমন্দিরে যান তখন তৎকালীন রাজ-জ্যোতির্বিদ (Astronomer Royal) স্যার ফ্রাঙ্কসন তাঁকে ১৯১৯ সালের সূর্যগ্রহণের সময়ে তোলা সেই প্রসিদ্ধ ছবির প্লেটগুলি দেখান, যেগুলি আইনস্টাইনের তত্ত্ব প্রতিষ্ঠার ক্ষেত্রে প্রথম সমর্থকসূচক ভূমিকা রেখেছিল।

আইনস্টাইন ১৯১৫ খ্রিস্টাব্দে তাঁর আপেক্ষিকতার সাধারণ তত্ত্বে যেকথা বলেছিলেন তাঁর প্রতিপাদ্য ছিল, 'মহাকর্ষণের (gravitation) প্রভাবে আলোর গতিপথ ঈষৎ বেঁকে যায়। সুতরাং সূর্যের পাশ দিয়ে আসবার সময় দূরাগত নক্ষত্রের আলোর গতিপথও বেঁকে যাওয়ার কথা। আইনস্টাইন বললেন, এটা পরীক্ষা করা যাবে যদি সূর্যগ্রহণের সময় এমন কোনো নক্ষত্রের ছবি তোলা যায় আকাশে যার কৌণিক অবস্থান সূর্যের কাছাকাছি। নক্ষত্রটির আলো সরলরেখার পথে এলে যেদিক থেকে আসত দেখা যাবে তার থেকে বস্তুত ১.৭৪″ সেকেন্ড কোণ বেঁকে গেছে। ফলে নক্ষত্রটির কৌণিক অবস্থানও ছবিতে ওই পরিমাণে সরে যাবে। ১৯১৯ সালের মে মাসে এই সূর্যগ্রহণের সময় ইংল্যান্ড থেকে জ্যোতির্বিজ্ঞানীদের দুটি দল পাঠানো হয় যথাক্রমে ব্রেজিল এবং স্প্যানিশ গিনির উপকূলের নিকটবর্তী প্র্যাঁসিপ দ্বীপে। প্রথমটির নেতৃত্ব দেন গ্রিনিচ মানমন্দিরের অ্যান্ড্রু ক্রমেলিন। আর দ্বিতীয়টির আর্থার এডিংটন। দুটি দলেরই সিদ্ধান্ত এই ছিল যে, তাঁদের তোলা ছবি আইনস্টাইনের তত্ত্বকে সমর্থন করে।

১৯২৬ খ্রিস্টাব্দে রবীন্দ্রনাথের সঙ্গে আইনস্টাইনের প্রথম সাক্ষাতের পর ১৯৩০ সালের ১৪ জুলাই রবীন্দ্রনাথ বার্লিনের বাইরে পটসডামের কাছে কাপুস নামক ছোটো একটি শহরে আইনস্টাইনের বাড়িতে যান। সে-বছরই ১৯ আগস্ট ও সেপ্টেম্বরের শেষের দিকে বার্লিন শহরে তাঁদের মধ্যে আবার দু-বার দেখাসাক্ষাৎ হয়। আর ডিসেম্বরের মাঝামাঝি (১৯৩০) দেখা হয় আমেরিকার নিউ ইয়র্ক শহরে। কাপুর শহরের বাড়িতে আইনস্টাইনের সঙ্গে রবীন্দ্রনাথের দীর্ঘ বাক্যালাপ হয়েছিল এবং জগদ্‌বিখ্যাত এই দুই ব্যক্তির— বিজ্ঞানী ও কবি— মধ্যে একটি হৃদ্যতার সম্পর্কও গড়ে উঠেছিল সে-সময়। আইনস্টাইনের সঙ্গে সাক্ষাৎ ও আলোচনা বিষয়ে 'My Memories of Einstein' শীর্ষক একটি লেখায় রবীন্দ্রনাথ লিখেছেন—

"When I again visited Germany in the Summer of the last year, I was invited to come to see Einstein. His time in his own house in Kapulh, a short distance from Berlin. The professor had a very beautiful retreat there, built high on a hill. He come down to the road to meet me. His stock of white hair. His burning eyes, his warm manner again impressed me with the human character of this man who dealt so abstractly with the laws of geometry and mathematics. Together we walked slowly up the hill, and on his balcony we had afternoon tea. Between us there was a simpatly which only the barriers of language made awkard his mastery of English is not enough for conversation and I cannot speak German. The interpreter between us must have had a not too easy task.

My mind was full of the matter contained in my Hibbert lectures which I had just delivered in Oxford during May, 1930 and was now putting into book shape under the title of "The Religion of Man". Einstein's daughter Margaret, who is an artist accompanied us to Russia. Later in the summer the professor and I met again, at the hsoue of Dr. Mendek, who is occupied with the investigation in the field of cancer. Once more I was able, in Einstein to note the innate modesty of the man. He has a vitally acquisitive mind and while I haven't much training to meet him on mathematical grounds, we had many discussions together which approached the boundary line of human and abstract conceptions of Reality.

I could easily seen that Einstein believed my Universe was limited by human conception, and he was convineed that there was some truth which was independent of human mind. I claim that the individual has relationship with the Divine Man, who is within as well as beyond us, our religion is not cosmic, but it concerrs our being which lives and has its amoral or aesthetic nature, and deals with one factor of existance, science has nothing to do with personality. On the other hand religion has nothing to do with mere knowledge of abstract truth."

আইনস্টাইন ছাড়াও ইউরোপের অপর যে দুই প্রখ্যাত বিজ্ঞানীর সঙ্গে রবীন্দ্রনাথের সাক্ষাৎ ও আলাপ হয়েছিল তাঁদের একজন হাইজেনবার্গ ও অপরজন জোমারফেল্ট। হবার্নার হাইজেনবার্গ (Werner Heiseuberg) অনির্দেশ্যতার নীতি (Principle of Indeterminacy) উদ্ভাবন করেন ১৯২৫ সালে। এটি সাধারণভাবে অনিশ্চয়তার নীতি নামেও পরিচিত। এই নীতির প্রতিপাদ্য হচ্ছে— একদিকে অবস্থান আর অন্যদিকে বেগ এই দুটো জিনিসের একটাকে যত সূক্ষ্মভাবে মাপতে যাব, অন্যটার সম্বন্ধে আমাদের জ্ঞান ততই অস্পষ্ট হয়ে যাবে। কোয়ান্টাম বলবিদ্যা উদ্ভাবনের জন্য হাইজেনবার্গ ১৯৩২ সালে নোবেল পুরস্কার পান। ১৯২৮ সালের সেপ্টেম্বরে জাপান যাওয়ার পথে জোমারফেল্ট কলকাতায় এসেছিলেন। তিন সে-সময়ে শান্তিনিকেতনে রবীন্দ্রনাথের সঙ্গে সাক্ষাৎ করেন। প্রায় একই সময়ে জাপানগামী হাইজেনবার্গও রবীন্দ্রনাথের সঙ্গে দেখা করেন জোড়াসাঁকোর ঠাকুর বাড়িতে গিয়ে। হাইজেনবার্গের মতো খ্যাতিমান বিজ্ঞানীর কলকাতায় এসে রবীন্দ্রনাথের সঙ্গে সাক্ষাৎ করতে চাওয়া নিশ্চয়ই একটি উল্লেখযোগ্য ঘটনা।

এসময় তাঁদের মধ্যে কী বিষয়ে অলোচনা হয়েছিল তার কোনো বিবরণ আজ আমাদের কাছে লভ্য নয়। তবে এসব ঘটনা রবীন্দ্রনাথের জীবনে বিজ্ঞানের প্রতি আবাল্য আকর্ষণের পরিমাণ যে বাড়িয়ে দিয়েছিল সেকথা নিশ্চয়ই স্বীকার করতে হবে।

ঢাকা বিশ্ববিদ্যালয়ের পদার্থবিজ্ঞানের মেধাবী ছাত্র প্রমথনাথ সেনগুপ্ত ১৯৩৩ খ্রিস্টাব্দের জুলাই মাসে বিশ্বভারতীতে যোগ দিয়েছিলেন পদার্থবিদ্যার অধ্যাপক হিসাবে। সত্যেন্দ্রনাথ বসু এবং জ্ঞানচন্দ্র ঘোষ শান্তিনিকেতনে চাকরির জন্য তাঁর নাম সুপারিশ করেন। রবীন্দ্রনাথ বিশ্বভারতীতে প্রমথনাথের পড়ানোর দক্ষতা ও কৌশল দেখে 'লোকশিক্ষা গ্রন্থমালা'র প্রথম বই বিশ্বপরিচয় লেখার ভার প্রথমে তাঁকেই দিয়েছিলেন। তিনি বলেছিলেন, ''লোকশিক্ষা গ্রন্থমালা'র প্রথম বইটি হবে বিশ্বপরিচয়। 'লোকশিক্ষা গ্রন্থমালা'র বইগুলোর ভাষা হবে সহজসরল ও যথাসম্ভব পরিভাষাবর্জিত অথচ রচনার মধ্যে বিষয়বস্তু দৈন্য থাকবে না।" রবীন্দ্রনাথ আরও বলেছিলেন, ''আমি বিজ্ঞানের সাধক নই, তবে বিজ্ঞানের সঙ্গে প্রথম পরিচয় ঘটিয়ে দেবার কাজে সাহিত্যের সহায়তা কীভাবে গ্রহণ করিতে হবে ও কীভাবে লোকশিক্ষাদান সংকল্পকে সার্থক করে তুলতে পারা যায় সে-বিষয়ে নিঃসঙ্কোচে আমার সাহায্য নিতে পার।'

প্রমথনাথ বিশ্বপরিচয় বইটির পাণ্ডুলিপি প্রস্তুত করে সেটি তুলে দিয়েছিলেন রবীন্দ্রনাথের হাতে। যদি খসড়া পাণ্ডুলিপিটি তিনি প্রকাশনা বিভাগের অধ্যক্ষ চারুচন্দ্র ভট্টাচার্যের হাতে তুলে দিতেন তাহলে রবীন্দ্রনাথ বিশ্বপরিচয় আদৌ লিখতেন কি না তা নিয়ে সংশয় প্রকাশ করেছেন রবীন্দ্রজীবনীকার প্রভাতকুমার মুখোপাধ্যায়ও। রবীন্দ্রজীবনীর চতুর্থ খণ্ডে তিনি লিখেছেন— 'খসড়া প্রস্তুত করিয়া কবির হাতে না দিলে কবির লেখনী হইতে এই অপরূপ রচনা আমরা আশা করিতে পারিতাম না। আদ্যন্ত পাঠ করিয়া কবির মনে হইল, ভাষার দিক হইতে জটিল বিষয়গুলোকে আরও সরল করা প্রয়োজন। তজ্জন্য স্থির করিলেন পাণ্ডুলিপিকে নূতন রূপ দেবেন। কিন্তু আধুনিক বিজ্ঞান সহজবোধ্য নহে, তদ্‌বিষয়ক গ্রন্থগুলোও সহজ ও সুখপাঠ্য নহে। কবি পশ্চাৎপদ না হইয়া স্বয়ং আধুনিক বিজ্ঞান বিষয়ক গ্রন্থসমূহ পাঠে প্রবৃত্ত হইলেন। জটিল তত্ত্বসমূহ প্রমথনাথের সহিত আলোচনা করিতেন। অতঃপর স্থির করিলেন আলমোড়া বাসকালে স্বয়ং বিশ্বপরিচয় নূতন করিয়া লিখিবেন।'

প্রমথনাথের লেখার প্রথম সংশোধন রবীন্দ্রনাথ শান্তিনিকেতনেই শেষ করেছিলেন। ১৯৩৭-এর গ্রীষ্মের ছুটিতে আলমোড়ায় থাকার সময় তার ব্যাপক পরিমার্জন ঘটল, আদি পাণ্ডুলিপির সঙ্গে তার আর কোনো মিলই রইল না।

আলমোড়ার নিভৃত অবকাশে বইটি লেখার কাজ শেষ হলে কবি তাঁর 'স্নেহাস্পদ বন্ধু' বশী সেনকে সেটি পড়ার জন্য দিয়েছিলেন। বশী সেনের আসল নাম বশীশ্বর সেন। তিনি ছিলেন আলমোড়ার বিবেকানন্দ ল্যাবরেটরির প্রতিষ্ঠাতা। বশী সেন তাঁর গবেষণাজীবনের প্রথম দিকে

জগদীশচন্দ্রের সংস্পর্শে আসেন। আচার্য জগদীশচন্দ্র সে-সময় বশী সেনকে তাঁর নিজের সহায়তার জন্য নিয়োগ করেছিলেন। বশী সেন ছিলেন একজন উদ্ভিদবিজ্ঞানী। তিনি তাঁর কৃষি গবেষণায় গম, ভুট্টা, জোয়ার ও বাজরার মতো শস্যের সফল সংকরায়ণ ঘটান। নিজের গবেষণাগার থেকে উন্নত প্রজাতির শস্য উদ্ভাবন ছাড়াও কৃত্রিম সার থেকে ছত্রাক তৈরির প্রয়াসেও তিনি সফল হয়েছিলেন। রবীন্দ্রনাথ *বিশ্বপরিচয়*-এর শ্রীযুক্ত সতেন্দ্রনাথ বসু প্রীতিভাজনেষু শীর্ষক উৎসর্গ অংশে ভূমিকা স্বরূপ লিখেছিলেন, 'আলমোড়ায় নিভৃতে এসে লেখাটাকে সম্পূর্ণ করতে পেরেছি। মস্ত সুযোগ হলো আমার স্নেহাস্পদ বন্ধু বশী সেনকে পেয়ে। তিনি যত্ন করে এই রচনার সমস্তটা পড়েছেন। পড়ে খুশি হয়েছেন, এইটেতেই আমার সবচেয়ে লাভ।'

বিশ্বপরিচয় ছিল 'লোকশিক্ষা গ্রন্থমালা'র প্রথম বই। 'দেশের প্রাণের ধারার সঙ্গে শিক্ষার যোগসাধন যাতে পূর্ণ ও অবিচ্ছেদ্য হয়ে ওঠে সে লক্ষ্যেই 'মাতৃভাষার ভিতর দিয়ে ব্যাপকভাবে জনসাধারণের মধ্যে বর্তমান যুগের বিজ্ঞান শিক্ষার ভূমিকা করে দেওয়া একান্ত আবশ্যক' বলে রবীন্দ্রনাথ গভীরভাবে বিশ্বাস করতেন। তিনি বলেছিলেন, 'একে পুণ্য কাজ বলেই গ্রহণ করতে হবে।'

বিশ্বপরিচয় প্রথম প্রকাশিত হয় ১৩৪৪-এর আশ্বিন মাসে। সংশোধিত ও পরিবর্ধিত আকারে দ্বিতীয় সংস্করণ প্রকাশিত হয় সে-বছরই পৌষ মাসে, মাত্র তিন মাসের ব্যবধানে। দ্বিতীয় সংস্করণের পুনর্মুদ্রণ হয় মাত্র এক মাস পরে, মাঘ মাসে। মাত্র ছয় মাসের মধ্যে আবার সংশোধিত ও পরিবর্ধিত আকারে তৃতীয় সংস্করণ প্রকাশিত হয় ১৩৪৫-এর শ্রাবণ মাসে। এক বছর পর আবার সংশোধিত ও পরিবর্ধিত আকারে পঞ্চম সংস্করণ প্রকাশিত হয় ১৩৪৬-এর পৌষে। এই পঞ্চম সংস্করণের ভূমিকায় (১.১.১৯৪০ তারিখে লেখা) রবীন্দ্রনাত লিখেছেন, 'এই গ্রন্থে যে সকল ত্রুটি লক্ষ্য গোচর হয়েছে সে সমস্তই অধ্যাপক শ্রীযুক্ত প্রমথনাথ সেনগুপ্ত বিশেষ মনোযোগে সংশোধন করেছেন। তাঁর কাছে কৃতজ্ঞতা স্বীকার করি।'

রবীন্দ্রনাথের জীবিতাবস্থায় একবার পুনর্মুদ্রণ-সহ কবির লেখা একমাত্র বিজ্ঞান গ্রন্থের পাঁচটি সংস্করণ প্রকাশিত হওয়া, তাও আবার মাত্র চার বছরের মধ্যে, কম কথা নয়। বাংলা ভাষায় লেখা অপর কোনো বিজ্ঞানের বইয়ের ক্ষেত্রে এমনটি ঘটেছে, বলে আমাদের জানা নেই। কিন্তু সে কেবল বিশ্বকবি বা গুরুদেবের লেখা বলেই ঘটেছে, একথা ভাবারও কোনো কারণ নেই। *বিশ্বপরিচয়* তার আপন গুণেই ভাস্বর। বিজ্ঞানের অনেক জটিল বিষয়ও যে ভাষার প্রসাদগুণে এমন সরসভাবে পরিবেশিত হতে পারে, এমন আকর্ষণীয় হতে পারে— সেকথা ভাবাই যায় না।

তবে একথা নতুন করে বলার অপেক্ষা রাখে না যে, কেবল *বিশ্বপরিচয়* রচনার মধ্যেই রবীন্দ্রনাথের বিজ্ঞানচর্চা বা বিজ্ঞানভাবনা সীমাবদ্ধ ছিল না। আধুনিক বিজ্ঞানের সঙ্গে নিবিড়তর পরিচয় এবং হাতে-কলমে বিজ্ঞানচর্চা ব্যতীত যে দেশের উন্নতি ঘটবে না সেকথা রবীন্দ্রনাথ একেবারে জীবনের প্রথম থেকেই হৃদয়ংগম করতে পেরেছিলেন। সেজন্যই আধুনিক বিজ্ঞানের চর্চার প্রতি তাঁর আগ্রহ ও কৌতূহল সারা জীবন ধরে অটুট ছিল। বিজ্ঞান লেখক আবদুল্লাহ আলমূতী লিখেছেন:

> রবীন্দ্রনাথের জীবনকাল (১৮৬১-১৯৪১) বিস্তৃত ছিল আট দশকের ওপরে। এই দীর্ঘ জীবনের প্রায় সবটা জুড়েই তিনি আমাদের উপহার দিয়েছেন। বহু বিচিত্র বিপুল সৃষ্টির সম্ভার। তাঁর জীবনের মোটামুটি অর্ধেক কেটেছে উনিশ শতকে, বাকি অর্ধেক বিশ শতকে। কিন্তু তাঁর চিন্তা চেতনায় বিশ শতকের আধুনিক মানুষের রূপ অতি স্পষ্ট হয়ে ধরা দিয়েছে। এর প্রধান কারণ হয়তো এই যে, শৈশবের শিক্ষার অঙ্গ হিসেবেই বিজ্ঞানের প্রকৃতি ও পদ্ধতির সঙ্গে তাঁর একটি নিবিড় আত্মীয়তা গড়ে উঠেছিল। এজন্য তাঁর কাব্যে গল্প উপন্যাসে বা অন্যান্য রচনায় প্রকৃতির বর্ণনায় ও মানবচরিত্র বিশ্লেষণে একজন সুস্থ প্রকৃতি-প্রেমিকের পরিচয় যেমন পাওয়া যায়, তেমনি পাওয়া যায় একটি যুক্তিবাদী বিজ্ঞান-ঘনিষ্ঠ দৃষ্টিভঙ্গির ছাপ।

জনসমাজকে আধুনিক বিজ্ঞানের সঙ্গে পরিচিত করে দেশকে অশিক্ষা, কুশিক্ষা, অন্ধসংস্কার, অন্ধবিশ্বাস ইত্যাদি থেকে মুক্ত করার যে চিন্তা রবীন্দ্রনাথের বিজ্ঞানভাবনার মূল বিষয় ছিল তা আজও আমাদের সমাজজীবন ও মানসিকতা থেকে অপসৃত হয়নি। সেজন্যই রবীন্দ্রনাথের বিজ্ঞানভাবনার সঙ্গে আমাদের পরিচয় নিবিড়তর হওয়া প্রয়োজন।

[২০]

রবীন্দ্রনাথের নাটক, নাটকের রবীন্দ্রনাথ

শৈশবেই মঞ্চের সঙ্গে নিবিড় সম্পর্ক গড়ে উঠেছিল। জীবনে অনেক বার মঞ্চে অভিনয় করেছেন। অভিনয় করেছেন কৈশোর এবং তারুণ্যে।

বরাবরই মঞ্চপ্রীতি ছিল রবীন্দ্রনাথ ঠাকুরের। কবির একটি বিশেষ সত্তা ছিল নাটকে। তিনি ছিলেন একজন বিদগ্ধ নট ও নাট্যকার। জোড়াসাঁকো ঠাকুর বাড়ির পারিবারিক নাট্যমঞ্চে মাত্র ষোলো বছর বয়সে অগ্রজ জ্যোতিরিন্দ্রনাথ ঠাকুর রচিত 'হঠাৎ নবাব' নাটকে অভিনয় করেছিলেন। 'ভগ্ন হৃদয়' কবিতার বইয়ের উৎসর্গ পাতায় রবীন্দ্রনাথ লিখেছিলেন 'শ্রীমতি হে-কে'। নতুন বউঠান কাদম্বরী দেবীকে একান্তে হেমাঙ্গিনী এবং হেকেটি নামে ডাকতেন তরুণ রবীন্দ্রনাথ। জ্যোতিরিন্দ্রনাথ ঠাকুরের লেখা ও নির্দেশিত 'অলীকবাবু' নাটকে জুটি বেঁধে অভিনয় করেছিলেন রবীন্দ্র-কাদম্বরী। কাদম্বরী অভিনিত চরিত্রের নাম হেমাঙ্গিনী। রবীন্দ্রনাথ অভিনয় করেছিলেন অলীকবাবুর চরিত্রে। অলীকবাবু চরিত্রটি ফরাসি নাটক থেকে নিয়েছিলেন জ্যোতিরিন্দ্রনাথ। কিন্তু অভিনয়ের পূর্বে রবীন্দ্রনাথ এই চরিত্রটিকে অনেক অদলবদল করেছিলেন। এ প্রসঙ্গে রবীন্দ্রনাথের বন্ধু প্রিয়নাথ সেনের মন্তব্য তুলে ধরেছেন প্রভাতকুমার মুখোপাধ্যায়— 'এমন সুন্দর অভিনয় কখনও দেখি নাই। যাঁহারা রবিবাবুর অভিনয় দেখিয়াছেন— তাহারা জানেন যে কবিবর শুধু আধুনিক বঙ্গ সাহিত্যের শিরোমণিই নহেন, নট চূড়ামণিও বটে।' 'মানময়ী' নাটকে রবীন্দ্রনাথ 'মদন' চরিত্রে, জ্যোতিরিন্দ্রনাথ 'ইন্দ্র' এবং কাদম্বরী দেবী 'উর্বশী' চরিত্রে অভিনয় করেন। এসব অভিনয়ের সূত্রে নতুন বউঠান কাদম্বরীর সঙ্গে বন্ধুত্ব গাঢ় হয়, সম্পর্ক নিবিড় হয়।

ঠাকুর বাড়ির পরিবেশ ছিল সাহিত্যসংস্কৃতির অনুকূল। অধিকাংশ মানুষ ছিল সাহিত্য অনুরাগী। এ বাড়ির মানুষেরা গাইত, লিখত, পত্রিকা প্রকাশ করত। ছেলেবেলায় কবির মনে এ বাড়ির পরিবেশ যে-প্রভাব রেখেছিল তার বর্ণনা মেলে, *ছেলেবেলা* গ্রন্থে, 'সদর দরজার কাছে থেকে দাদাদের কেউ কেউ অতিথিদের উপরে আগিয়ে নিয়ে যাচ্ছেন। গোলাপপাশ থেকে গায়ে গোলাপজল ছিটিয়ে দিচ্ছেন, হাতে দিচ্ছেন ছোটো একটি করে তোড়া। নাটকের থেকে কুলীন

মেয়ের ফুঁপিয়ে কান্না কখনও কখনও আসে,— তার মর্ম বুঝতে পারিনে। বোঝবার ইচ্ছে হয় প্রবল।' ছেলেবেলায় নাটকের সঙ্গে এমনি করে যোগাযোগ হয়েছিল তাঁর। এই দৃশ্যাবলি এবং বাড়ির পরিবেশ থেকেই রবীন্দ্রনাথের মনে নাটকের বীজ উপ্ত হয়েছিল। *ছেলেবেলা* গ্রন্থে তিনি লেখেন, 'আমাদের বাড়িতে যাত্রাগান হয়েছে মাঝে মাঝে। কিন্তু রাস্তা নেই, ছিলুম ছেলেমানুষ। আমি দেখতে পেয়েছি তার গোড়াকার যোগাড় যন্তর।'

ঠাকুর বাড়িতে পারিবারিকভাবে নাটক মঞ্চায়ন হত। সে নাটকে পরিবারের সদস্যরা অভিনয় করতেন। আত্মীয়স্বজন, বন্ধুবান্ধব ছিলেন সেই নাটকের দর্শক।

একটু বড়ো হবার পর থেকে এইসব নাটকে নিয়মিত অভিনেতা ছিলেন রবীন্দ্রনাথ। অগ্রজদের লেখা নাটকে অভিনয় করতে করতেই নাটকের প্রতি আকৃষ্ট হন তিনি। ঠাকুর বাড়ির নিজস্ব নাটকের প্রায় সবগুলোতেই তিনি অভিনয় করেছেন। নিজের লেখা 'বাল্মীকি প্রতিভা', 'বিসর্জন', 'রাজা-রানী', 'চিরকুমার সভা'য় অভিনয় করেছেন। অভিনয় করেছেন স্বর্ণকুমারী দেবী ও জ্যোতিরিন্দ্রনাথের লেখা নাটকেও। সে-যুগে চলচ্চিত্র থাকলে হয়তো চলচ্চিত্রেও অভিনয় করতেন। রবীন্দ্রনাথের অভিনয়প্রতিভা ছিল অসাধারণ।

'বিদ্বজ্জন সমাগম সভা' নামে একটি প্রতিষ্ঠানের জন্ম হয় ১৮৮১ বঙ্গাব্দের ৬ বৈশাখ। সংগঠনটি আত্মপ্রকাশের পর থেকে সারা বছর কোনো-না-কোনো অনুষ্ঠানের আয়োজন করত। সংগঠনটির বার্ষিক অনুষ্ঠানে জ্যোতিরিন্দ্রনাথ ঠাকুর রচিত 'পুরুষবিক্রম' নাটক করে উপস্থিতিদের মোহিত করে ফেলেন তিনি।

১৮৮২ খ্রিস্টাব্দে রামায়ণের এক করুণ উপাখ্যান নিয়ে রবীন্দ্রনাথ লেখেন 'কালমৃগয়া' নাটক। অন্ধমুনির কিশোর ছেলে নদীতে জল আনতে গেছে। কলসিতে জল ভরার শব্দ পেয়ে অরণ্যে শিকাররত রাজা দশরথ ভাবলেন বুঝি বুনো জন্তু জলপান করছে। শব্দ শুনে লক্ষ্যভেদ করার ক্ষমতা ছিল রাজা দশরথের। তিনি তির ছুঁড়লেন। কিশোর ছেলেটির বুকে বিদ্ধ হল মরণ বাণ। এদিকে দৃষ্টিহীন মুনি অপেক্ষা করছেন পাতার কুটিরে কখন তার একমাত্র সন্তান জল নিয়ে আসবে। এই নাটকে অন্ধ বৃদ্ধ মুনির চরিত্রে অভিনয় করেন যুবক রবীন্দ্রনাথ। ঠাকুর বাড়ির তিনতলার ছাদে এই নাটকটি প্রদর্শনের আয়োজন করা হয়। কলকাতার বহু সম্ভ্রান্ত ও গণ্যমান্য ব্যক্তির সামনে প্রদর্শিত এই নাটকে 'অন্ধমুনি' চরিত্রে রবীন্দ্রনাথের অভিনয় ছিল অনবদ্য।

রবীন্দ্রনাথের লেখা প্রথম গীতিকাব্য 'বাল্মীকি প্রতিভা' মঞ্চস্থ হয় ১৮৮১ খ্রিস্টাব্দে। রামায়ণের মূল প্রণেতা আদিকবি বাল্মীকির জীবনের অংশ নিয়ে এই গীতিনাট্য রচিত। এতে বাল্মীকির ভূমিকায় অভিনয় করেছিলেন তিনি। 'বাল্মীকি প্রতিভা' নাটকে অভিনয়ের মাধ্যমে রবীন্দ্রনাথের অভিষেক ঘটে পরিবারের বাইরে সাধারণ দর্শকদের সামনে। ব্যাপকভাবে দর্শকনন্দিত হন রবীন্দ্রনাথ।

ত্রিপুরার রাজবংশের প্রাচীন ইতিহাস অবলম্বনে রবীন্দ্রনাথ লেখেন 'বিসর্জন'। নাটকটি ঠাকুর বাড়ির মঞ্চে অভিনীত হয়। ত্রিপুরার রাজা বীরচন্দ্র মাণিক্য ১৮৯০ খ্রিস্টাব্দে জোড়াসাঁকোর ঠাকুর বাড়িতে আতিথ্য নেন। তখন তাঁর সম্মানে এই নাটক আবার মঞ্চস্থ হয়। বৃদ্ধ পুরোহিত রঘুপতির

ভূমিকায় অনবদ্য অভিনয় করেন যুবক রবীন্দ্রনাথ। এর অনেক পরে ১৯২৩ খ্রিস্টাব্দে বৃদ্ধ বয়সে এই নাটকে যুবক জয়চন্দ্রের অভিনয় করে সবাইকে অবাক করে দেন তিনি। ১৮৮৯ সালে 'রাজা ও রাণী' নাটকে বিক্রমদেবের ভূমিকায় অভিনয় করেছিলেন রবীন্দ্রনাথ। 'রাজা ও রাণী' রবীন্দ্রনাথের বিখ্যাত নাটক। এ নাটকের ভূমিকায় রবীন্দ্রনাথ উল্লেখ করেন, 'সুমিত্রা ও বিক্রমের মধ্যে একটি বিরোধভাব আছে। সুমিত্রার মৃত্যুতে সেই বিরোধের সমাধান হয়। বিক্রমের যে প্রচণ্ড আসক্তি পূর্ণভাবে সুমিত্রাকে গ্রহণ করবার অন্তরায় ছিল। সুমিত্রার মৃত্যুতে সেই আসক্তির অবসান হওয়াতে সেই শান্তির মধ্যে সুমিত্রার সত্য উপলব্ধি বিক্রমের পক্ষে সম্ভব হল।' এ নাটকে রবীন্দ্রনাথ মনস্তত্ত্ব বিশ্লেষণে সচেষ্ট হয়েছিলেন বললে বোধ করি ভুল হবে না।

রবীন্দ্রনাথের লেখা অনেক নাটক কলকাতার সাধারণ রঙ্গমঞ্চে অভিনীত হয়েছে। ক্লাসিক থিয়েটারে 'রাজা ও রাণী', 'বিসর্জন' অভিনীত হয়ে জনপ্রিয়তা পায়। মিনার্ভা ও স্টারেও তাঁর নাটক অভিনীত হয়। কাব্যনাট্য পর্বে রবীন্দ্রনাথের আরও দুটি উল্লেখযোগ্য নাটক হল 'চিত্রাঙ্গদা' (১৮৯২) ও 'মালিনী' (১৮৯৬)।

রবীন্দ্রনাথ তাঁর লেখা নাটকের মহড়ায় অনেক সময় উপস্থিত থাকতেন। নিজে নির্দেশনাও দিয়েছেন কিছু কিছু ক্ষেত্রে। পারিবারিক মঞ্চে অনেক সময়ই নাটকের নির্দেশনা দিয়েছেন তিনি। নিজের লেখা নাটকে সাধারণত তিনি নিজেই নির্দেশকের ভূমিকায় থাকতেন, পাশাপাশি অভিনয়ও করতেন। ১৮৯৭ খ্রিস্টাব্দে হাস্যরসাত্মক নাটক 'বৈকুণ্ঠের খাতা'তে কেদার চরিত্রে অভিনয় করে খুব প্রশংসিত হন তিনি।

কাব্যনাট্যের পর রবীন্দ্রনাথ প্রহসন রচনায় মনোনিবেশ করেন। প্রহসনমূলক নাটক রচনায় রবীন্দ্রনাথের রয়েছে প্রভূত খ্যাতি। বিশুদ্ধ হাস্যরস সৃষ্টির উদ্দেশ্যেই তিনি রচনা করেন 'চিরকুমার সভা' নাটকটি। তিনি নিজে যেমন কথায় কথায় মানুষের মনে রস সঞ্চার করতেন তেমনি সৃষ্টি দিয়েও মানুষকে উজ্জীবিত করতেন। রূপকথার আশ্রয়ে তিনি 'তাসের ঘর' নাটক রচনা করেন। এই পর্বে 'চিরকুমার সভা' ছাড়াও প্রকাশিত হয় 'গোড়ায় গলদ' (১৮৯২), 'বৈকুণ্ঠের খাতা' (১৮৯৭), 'হাস্যকৌতুক' (১৯০৭) ও 'ব্যঙ্গকৌতুক' (১৯০৭)। 'বৈকুণ্ঠের খাতা' নাটকে রবীন্দ্রনাথ কেদারের ভূমিকায় অভিনয় করেছিলেন। ১৯২৬ সালে তিনি *প্রজাপতির নির্বন্ধ* উপন্যাসটিকে 'চিরকুমার সভা' নামে একটি প্রহসনমূলক নাটকের রূপ দেন।

১৯০৮ খ্রিস্টাব্দ থেকে রবীন্দ্রনাথ রূপক-সাংকেতিক তত্ত্বধর্মী নাট্যরচনা শুরু করেন। ইতিপূর্বে 'প্রকৃতির প্রতিশোধ' (১৮৮৪) নাটকে তিনি কিছুটা রূপক সাংকেতিক আঙ্গিক ব্যবহার করেছিলেন। কিন্তু ১৯০৮ খ্রিস্টাব্দের পর থেকে একের-পর-এক নাটক তিনি এই আঙ্গিকে লিখতে শুরু করেন। শান্তিনিকেতন প্রতিষ্ঠার পর রবীন্দ্রনাথ অনেক নাটক লেখেন। এই সময়ে তাঁর লেখা উল্লেখযোগ্য নাটক 'শারদোৎসব' (১৯০৮), 'রাজা' (১৯১০), 'ডাকঘর' (১৯১২), 'অচলায়তন' (১৯১২), 'ফাল্গুনী' (১৯১৬), 'মুক্তধারা' (১৯২২ঃ, 'রক্তকরবী' (১৯২৬), 'তাসের দেশ' (১৯৩৩), 'কালের যাত্রা' (১৯৩২) ইত্যাদি। রবীন্দ্রনাথ নিজেই শান্তিনিকেতনের ছাত্র-ছাত্রীদের অভিনয় শেখাতেন, শিখিয়ে তাদের দিয়েই অভিনয় করাতেন। তিনি প্রধানত শান্তিনিকেতনে মঞ্চ তৈরি

করে ছাত্র-ছাত্রীদের নিয়ে অভিনয়ের দল গড়ে মঞ্চস্থ করতেন। তাঁর নির্দেশনায় কলকাতাতেও শান্তিনিকেতনের ছাত্র-ছাত্রীরা নাটকে অভিনয় করে। নিজের লেখা এই নতুন নাটকগুলিতেও। বিভিন্ন চরিত্রে সে-সময় অভিনয় করেন রবীন্দ্রনাথ। ১৯১১ খ্রিস্টাব্দে 'শারদোৎসব' নাটকে সন্ন্যাসী এবং 'রাজা' নাটকে রাজা ও ঠাকুরদাদার যুগ্ম ভূমিকায় অভিনয় করেছিলেন তিনি। ১৯১৪ সালে 'অচলায়তন' নাটকে অদীনপুণ্যের ভূমিকায় ১৯১৫ সালে 'ফাল্গুনী' নাটকে অন্ধ বাউলের ভূমিকায়, ১৯১৭ খ্রিস্টাব্দে 'ডাকঘর' নাটকে ঠাকুরদা, প্রহরী ও বাউলের ভূমিকায় অভিনয় করেছিলেন রবীন্দ্রনাথ।

নাটক রচনার পাশাপাশি এই পর্বে ছাত্র-ছাত্রীদের অভিনয়ের প্রয়োজনে রবীন্দ্রনাথ পুরানো নাটকগুলি সংক্ষিপ্ত সংস্করণ করে নতুন নামে প্রকাশ করেন। 'শারদোৎসব' নাটকটি হয় 'ঋণশোধ' (১৯২১), 'রাজা' হয় 'অরূপরতন' (১৯২০), 'অচলায়তন' হয় 'গুরর' (১৯১৮) বা 'গোড়ায় গলদ' হয় 'শেষরক্ষা' (১৯২৮), 'রাজা ও রাণো' হয় 'তপতী' (১৯২৯) এবং 'প্রায়শ্চিত্ত' হয় 'পরিত্রাণ' (১৯২৯)।

রবীন্দ্রনাথ পাশ্চাত্য নাটকের আদলে বাংলা নাটকের পূর্ণাঙ্গ রূপ দেন। তিনি বালকদের অভিনয়ের চিন্তা মাথায় রেখে রচনা করেন হেঁয়ালিনাট্য। এসব নাটকের মধ্য দিয়ে ব্যঙ্গ, বিদ্রূপ ও শ্লেষ প্রচণ্ডভাবে প্রকাশিত হয়। নারী উন্নয়নের চিন্তা করে রচনা করেন 'মায়ার খেলা' নাটকটি। তৎকালীন সম্ভ্রান্ত পরিবারের নারীরাও নাটকে প্রথম অভিনয় করেন। নাটকটি সম্পর্কে ইন্দিরা দেবী উল্লেখ করেন, 'মায়ার খেলার অভিনয় তখনকার দিনে নিশ্চয় বেশ একটি স্মরণীয় ঘটনা, সম্ভ্রান্ত ঘরের মেয়েরা বোধ হয় এই প্রথম সংঘবদ্ধভাবে অভিনয়ে নামেন। তৎকালীন সময়ে ওই নাটকটি নারীদের একটি সামাজিক বিপ্লব হিসেবে চিহ্নিত। এ নাটকটি প্রত্যক্ষভাবে ইংরেজি নাটকের প্রভাবে রচিত। রচনার রীতি, প্রকরণ ও সংলাপে যেমন শেক্সপিয়রের অমিত্রাক্ষর ছন্দের বুনন রয়েছে তেমনি নাটকের ভাববিচারেও শেক্সপিয়রের বিখ্যাত নাটক 'ম্যাকবেথ'-এর রয়েছে সাদৃশ্য।

১৯২৮ খ্রিস্টাব্দে 'নটীর পূজা' নাটকে প্রথম অভিনয়ের সঙ্গে সঙ্গে নাচ ও গানের প্রয়োগ ঘটান রবীন্দ্রনাথ। এই ধারাটিই তাঁর জীবনের শেষ পর্বে 'নৃত্যনাট্য' নামে পূর্ণবিকাশ লাভ করে। 'নটীর পীজা' নৃত্যনাট্যের পর রবীন্দ্রনাথ একে একে রচনা করেন 'শাপমোচন' (১৯৩১), 'তাসের দেশ' (১৯৩৩), নৃত্যনাট্য 'চিত্রাঙ্গদা' (১৯৩৬), নৃত্যনাট্য 'চণ্ডালিকা' (১৯৩৮) ও 'শ্যামা' (১৯৩৯) এগুলিও শান্তিনিকেতনের ছাত্র-ছাত্রীরাই প্রথম মঞ্চস্থ করেছিলেন।

পরিণত বয়সে রচিত অধিকাংশ নাটকের আখ্যানভাগ রচনায় রবীন্দ্রনাথ মহাভারত থেকে উপাখ্যান সংগ্রহ করতেন। এক্ষেত্রে পৌরাণিক কাহিনির মর্যাদা ধরে রেখেই নিজের রচনা সমৃদ্ধ করতেন। মহাভারতের অর্জুনের কাহিনি নিয়ে রচিত 'চিত্রাঙ্গদা' কাব্যনাট্যের মূল সুর মিলন-ব্যাকুলতা।

'মালিনী' নাটকটি বৌদ্ধ সাহিত্যের উপাদান নিয়ে রচনা করেন। 'নটীর পূজা', 'রাজা', 'চন্ডালিকা', 'অরূপরতন', 'শাপমোচন' নাটকও বৌদ্ধ সাহিত্য ও সমাজ-পরিবেশ নির্ভর।

রবীন্দ্রনাথের নাটক অন্যরকম। ঘটনার ভারে ভারাক্রান্ত নয়, বরং তাঁর নাটকের মূল বিষয় মানবমনের জটিল ঘূর্ণাবর্ত। টানাপোড়েন এবং চরিত্রগুলোর ভিতর দিয়ে আত্মজিজ্ঞাসা, আন্তঃসম্পর্ক। তাঁর নাটকগুলো দার্শনিক ভাবধারার। রূপক নাটকের ধারারও তিনি পথিকৃৎ। বলতে গেলে বাংলা সাহিত্যের অন্যান্য ধারার মতো নাটকও বিশ্বমানে উন্নীত হয় রবীন্দ্রনাথের প্রতিভার স্পর্শেই।

রবীন্দ্রনাথ জীবনের প্রথম দিকে রচনা করেন 'রুদ্রচণ্ড' নাটকটি। ক্ষুদ্র এই নাট্যকাব্য অমিত্রাক্ষর ছন্দে লিখেছেন তিনি। নাটকটি সম্পর্কে রবীন্দ্র জীবনীকার প্রভাতকুমার মুখোপাধ্যায়ের কথা স্মরণযোগ্য। তিনি 'রবীন্দ্রজীবনী' ১ম খণ্ডে উল্লেখ করেছেন, ''আমাদের মনে হয় রবীন্দ্রনাথ বাল্যকালে বোলপুরে আসিয়া 'পৃথ্বীরাজ পরাজয়' নামে যে কাব্য রচনা করেন এই রুদ্রচণ্ড তাহারই নাটকীয় রূপান্তর।" রবীন্দ্রনাথ 'আপনি আচরি ধর্ম জীবেরে শিখাও' নীতিতে বিশ্বাস করতেন, এজন্য তাঁর সৃষ্টি ও ব্যক্তিচরিত্র ছিল পরিপূরক। তিনি যেমন বাহ্যজগৎ সম্পর্কে নিজে সজাগ থাকতেন তেমনি রচনার মধ্য দিয়েও অসত্য প্রতিষ্ঠা করতেন। বিশ্বস্রষ্টার রহস্যময় অপূর্ব কীর্তি প্রকৃতির সান্নিধ্যে একাত্ম হয়ে 'বাউল' মননের খোঁজ করতেন। 'প্রকৃতির প্রতিশোধ' নাটকটিতে তিনি 'বাউল দর্শন' তুলে ধরেছেন। রবীন্দ্রনাথের বাউল চরিত্রের বিশেষত্ব এই যে, এ চরিত্রটি মনের মধ্যে মনের মানুষ খুঁজে বেড়ায় না, বরং তার পরিবর্তে পার্থিব জীবনের মানবিক সম্পর্কের প্রত্যক্ষ বন্ধনের ভেতর দিয়ে ঈশ্বরের অস্তিত্ব সন্ধান করে।

নাটক, কথাসাহিত্য ও প্রবন্ধের মাধ্যমে তিনি সমাজ, রাজনীতি ও রাষ্ট্রনীতি সম্পর্কে নিজ মতামত প্রকাশ করেছিলেন। গ্রামীণ উন্নয়ন ও গ্রামীণ জনসমাজে শিক্ষা বিস্তারের মাধ্যমে সার্বিক সমাজকল্যাণের তত্ত্ব প্রচার করতেন তিনি। পাশাপাশি সামাজিক ভেদাভেদ, অস্পৃশ্যতা, ধর্মীয় গোঁড়ামি ও ধর্মান্ধতার বিরুদ্ধেও তীব্র প্রতিবাদ জানিয়েছিলেন রবীন্দ্রনাথ।

সাহিত্য সংস্কৃতির বিভিন্ন শাখার পাশাপাশি রবীন্দ্রনাথ প্রবর্তন করেছিলেন নাটকের নতুন ধারা। রবীন্দ্রনাথের সময়পর্বে বাংলা নাটকের ইতিহাস মাত্র তিরিশ বছরের। তৎকালীন নাটকের ইতিহাস পর্যালোচনায় জানা যায়, ১৭৯৫ সালে গেরাসিম লেবেদেভ নামে জনৈক রুশ দেশীয় আগন্তুক কলকাতায় 'বেঙ্গল থিয়েটার' প্রতিষ্ঠা করেন। এই রঙ্গমঞ্চে "The Disguise Love is the best Doctor" সর্বপ্রথম অভিনীত হয়। বাংলায় অনূদিত এ দুটি নাটকের মাধ্যমে লেভেদেভের নাম বাংলায় ছড়িয়ে পড়ে। এরপর প্রসন্নকুমার ঠাকুরের আগ্রহে ১৮৩১ সালে প্রতিষ্ঠিত হয় 'হিন্দু থিয়েটার'। প্রকৃতপক্ষে ১৮৩৫ সালে নবীনচন্দ্র সেনের বাড়িতে 'বিদ্যাসুন্দর'-এর অভিনয়ের পর থেকে বাংলা নাটকের সূচনা বলে মনে করেন অনেকে।

তবে বাংলা নাটকের উন্মেষ পর্বে, যোগেন্দ্রনাথ গুপ্ত, কালিপ্রসন্ন সিংহ, রামনারায়ণ তর্করত্ন, তারাচরণ শিকদার, হরিশচন্দ্র ঘোষ প্রমুখ নাট্যকারের অবদান অনস্বীকার্য। আবার বাংলা নাটকের বিকাশপর্বে মাইকেল মধুসূদন দত্ত ও দীনবন্ধু মিত্রের নামও স্মরণীয়। মাইকেল মধুসূদন দত্ত পাশ্চাত্য আদলে নাটক রচনা করেন। বাংলা নাটকের পরিণতিপর্বে ন্যাশনাল থিয়েটার স্থাপন ও গিরিশচন্দ্র ঘোষের বাংলা নাট্যমঞ্চ আবির্ভাব সমসাময়িক ঘটনা হলেও গিরিশচন্দ্র ঘোষকে

প্রথমদিকে মধুসূদন ও দীনবন্ধু মিত্রের নাটকে অভিনয় করতে হয়। এ সময় সাহিত্যসম্রাট বঙ্কিমচন্দ্র চট্টোপাধ্যায়ের কিছু উপন্যাসের নাট্যরূপ দেওয়া হয়। বাংলা নাটকের পরিণতিপর্বে পেশাদার নাট্যগোষ্ঠীর আবির্ভাবেও শৌখিন নাট্যচর্চা থেমে থাকেনি বরং পেশাদার নাট্যগোষ্ঠী তৎকালীন মধ্যবিত্ত শিক্ষিত চিত্তের চাহিদা পূরণে ব্যর্থ হয়। ফলে ঠাকুর বাড়ির শখের থিয়েটার চর্চা যেমন বন্ধ হয়নি, তেমনি ঠাকুর পরিবারের থিয়েটার-চাহিদা ও অভিনয়ে প্রশংসারও ঘাটতি পড়েনি।

মধ্যবিত্ত শিক্ষিত যুবকদের সান্ধ্য বিনোদনের কেন্দ্র হিসেবে জ্যোতিরিন্দ্রনাথ ঠাকুরের উদ্যোগে ১২৯৯ বঙ্গাব্দে 'সঙ্গীত সমাজ' প্রতিষ্ঠিত হয়। সংগীত সমাজের উদ্যোগে জ্যোতিরিন্দ্রনাথের নাটক অভিনীত হলেও রবীন্দ্রনাথ সংগঠনটির সঙ্গে জন্মলগ্ন থেকে জড়িত ছিলেন। প্রভাতকুমার মুখোপাধ্যায় বলেন, 'এই সময় অভিনীত নাটকের অধিকাংশ নায়ক-নায়িকার উচ্চারণ, বাচনভঙ্গি, অঙ্গভঙ্গি ভালো ছিল না। এসব দেখার দায়িত্ব রবীন্দ্রনাথের উপর বর্তেছিল।' গীতিনাট্য, কাব্যনাট্য, গীতিকাব্য, হেঁয়ালি নাট্য, একক নাট্য, নাটিকা, গদ্য-নাটক, প্রহসন ছিল রবীন্দ্র নিরীক্ষার বিষয়।

রবীন্দ্রনাথ নাটকের মাধ্যমে তৎকালীন সমাজ ব্যবস্থার বাস্তবতা যেমন তুলে ধরেছেন তেমনি পাশ্চাত্য সংস্কৃতির প্রবেশ ঘটিয়েছেন বাংলা সাহিত্যে। নাটকগুলিতে কৌতুক ও সংকতের মাধ্যমে প্রয়োজনীয় বার্তা পৌঁছে দিতে সচেষ্ট থেকেছেন। ঐতিহাসিক, পৌরাণিক, উপাদান-উপকরণ প্রয়োগ এবং সাংগীতিক বাণী ভঙ্গের আশ্রয়ে তত্ত্ব প্রচার করেছেন। নাটকের মধ্যে জীবনাকার ও নানামুখী সামাজিক বৈষম্য ও এসবের ব্যাখ্যা তুলে ধরেছেন।

রবীন্দ্রনাথের নাট্য বা সাংকতিক নাটকের ভাষা যেমন শানিত তেমনি যুগজীবনের নানা জটিল জিজ্ঞাসাও মাথা তুলে দাঁড়ায় প্রতিটি চরিত্রের সংলাপের মধ্য দিয়ে। রবীন্দ্রনাট্যের প্রধান বৈশিষ্ট্যই হল সংগীতাত্মক বাণীভঙ্গির আশ্রয়ে 'কাব্য ও তত্ত্বে'র মিলিত রূপ।

রবীন্দ্রনাথের নাটকে মানব-মানবীর প্রবল প্রণয়াকাঙ্ক্ষা যেমন দুর্লঙ্ঘ্য নয়, তেমনি বিস্ময় বৈচিত্র্যের উপস্থিতিও তীব্রভাবে লক্ষ করা যায়। নাট্য বিশেষজ্ঞ নন্দগোপাল সেনগুপ্ত 'রবীন্দ্রসংস্কৃতি' গ্রন্থে উল্লেখ করেছেন, 'যারা পৃথিবীতে শুধু নাট্যকাররূপেই প্রসিদ্ধ, যেমন শেক্সপীয়র, মলেয়ার, ইবসেন, শ্য রচনার বৈচিত্র্যে ও পরিমাণে তাঁরাও কেউ রবীন্দ্রনাথের প্রতিদ্বন্দ্বী হতে পারে না।'

রবীন্দ্রনাথ নাটক রচনা, নির্দেশনা, অভিনয়, মঞ্চের পেছনের কাজ সব কিছুতেই ছিলেন সমান পারদর্শী। অভিনয়ের ক্ষেত্রে যথার্থ বাণীভঙ্গি, সঠিক সাজ ও চরিত্রের অন্তর্নিহিত বক্তব্য যথাযথভাবে ফুটিয়ে তুলতে পারতেন বলেই তাঁর অভিনীত নাটক তৎকালীন সময়ে খুব জনপ্রিয় হয়েছিল। তিনি নাটকের নির্দেশনা, প্রযোজনা, গান-গাওয়া সহ বহুবিধ ভূমিকা পালন করতেন। 'সঙ্গীত সমাজ' আয়োজিত বিভিন্ন নাটকে নেপথ্যের কাজ করতেন দক্ষভাবে। আবার নির্দেশক হিসেবে সাজসজ্জা, আলোক প্রক্ষেপণ থেকে শুরু করে মঞ্চনির্মাণ, সংগীতায়োজন, সংলাপ, নৃত্য, সংগীত ও বাদ্যযন্ত্রের বহুমাত্রিক ব্যবহারে নাট্যাঙ্গনকে বহুমাত্রিকতা ও বিশিষ্টতা দান করেছেন।

তিনি বিশিষ্ট ব্যক্তিদের সঙ্গে একই মঞ্চে অভিনয় করেছেন। আবার বিখ্যাত ব্যক্তিরা তাঁর দর্শকও ছিলেন। ১৩০৩ বঙ্গাব্দে 'সঙ্গীত সমাজ' আয়োজিত 'বৈকুণ্ঠের খাতা' নাটকে রবীন্দ্রনাথ

কেদারের ভূমিকায় অভিনয় করেন। এই নাটকে নাটোরের মহারাজা জগদিন্দ্রনাথ অভিনয় করেছিলেন। কেদারের সাজপাট, মেক-আপ ও অভিনয়ে রবীন্দ্রনাথ যথার্থ কেদার হয়ে উঠতে পেরেছিলেন।

এ ছাড়া শান্তিনিকেতনে অভিনীত প্রহসন নাটক 'বিনে পয়সার ভোজ' নাটকে তাঁর অভিনয় দর্শকদের অভিভূত করেছিল। রবীন্দ্রনাথের ৬৫তম জন্মবার্ষিকী উপলক্ষ্যে নৃত্যনাট্য 'নটীর পূজা' অভিনীত হয় শান্তিনিকেতনে। এ নাটকে 'ভূপালি' চরিত্রে অভিনয় করেন তিনি। এ নাটকের দর্শক হিসেবে আমন্ত্রিত হয়েছিলেন কবি কাজী নজরুল ইসলাম। ১৯২২ সালে কলকাতার আলফ্রেড ও ম্যাডান রঙ্গমঞ্চে 'শারদোৎসব' নাটকে সন্ন্যাসীর ভূমিকায় রবীন্দ্রনাথের অভিনয়ে মুগ্ধ হয়ে আশুতোষ ভট্টাচার্য বলেন, "শারদোৎসব এর অভিনয়াঙ্গিকের মধ্যেই রবীন্দ্রনাথের নাট্যাভিনয় ক্ষেত্রে পরবর্তীকালে যে যুগান্তকারী পরিবর্তন সাধিত হইয়াছিল, 'শারদোৎসব' অভিনয়ের মধ্য দিয়েই তাহার প্রথম সূচনা দেখা দিয়াছিল।"

রবীন্দ্রনাথের নাটকের কলাকৌশল অনেকটাই ছিল ইউরোপের আদর্শে গড়া। শেষজীবনে তিনি নৃত্যনাট্যের ওপর জোর দিয়েছিলেন। নৃত্যকলার মাধ্যমে দেহের প্রতিটি অঙ্গকে কীভাবে অভিনয়ের সঙ্গে সম্পৃক্ত করা যায় সেদিকে মনোনিবেশ করেছিলেন। এ প্রসঙ্গে নৃত্যশিল্পী শান্তিদেবী ঘোষ বলেছিলেন— "নাটকের বিভিন্ন চরিত্রের অভিনয় একা তিনি শিখিয়েছেন পাখী পড়ানোর মতো করে। প্রত্যেকটি কথার সঙ্গে কোথায় কিভাবে ঝোঁক দিতে হবে, কিভাবে স্বরের বৈচিত্র্য আসবে, সবই তিনি পুঙ্খানুপুঙ্খরূপে দেখিয়েছেন।"

'বাল্মীকি প্রতিভা' নাটকে রবীন্দ্রনাথ অভিনয় করেন ২০ বছর বয়সে। এই নাটকে একাধারে সুরযোজনা ও নির্দেশনার কাজ করেন তিনি। 'বাল্মীকি প্রতিভা' নাটকের দর্শকসারিতে উপস্থিত ছিলেন বঙ্কিমচন্দ্র চট্টোপাধ্যায়, স্যার গুরুদাস বন্দ্যোপাধ্যায়, হরপ্রসাদ শাস্ত্রী প্রমুখ। ১৮৮৯ সালে রবীন্দ্রনাথ 'রাজা ও রাণী' নাটকে বিক্রমদেব চরিত্রে অভিনয় করেন। এই নাটকে তাঁর অংশগ্রহণ ও নাটকের বিবরণ দেন অবনীন্দ্রনাথ ঠাকুর। তিনি বলেন, "দেবদত্ত সেজেছিলেন মেজো জ্যাঠামশায়, সুমিত্রা সেজ জ্যাঠাইমা, রাজা রবিকাকা, ত্রিবেদী অক্ষয় মজুমদার, কুমার প্রমথ চৌধুরী, ইলা প্রিয়ম্বদা, সেনাপতি নিতুদা, যেমনি লম্বা চওড়া ছিলেন স্টেজে ঢুকলে মনে হত যেন মাথায় যাবে।"

১৮৯০ খ্রিস্টাব্দে 'বিসর্জন' নাটকে রবীন্দ্রনাথের রঘুপতির চরিত্রে অভিনয় সম্পর্কে অবনীন্দ্রনাথ ঠাকুর জানান, বড়ো মাটির মূর্তি দু-হাতে উপরে তুলে মঞ্চের একপাশ থেকে অন্যপাশে যান। এই কালীমূর্তি তোলার বিষয়টি নাটকের উপস্থাপনায় ছিল না। মহড়ায় অনুশীলন না করা সত্ত্বেও কেন তিনি এর ইম্প্রোভাইজেন করলেন সেটি সম্পর্কে তিনি নিজেই বলেন, "কী জানি কী হল, ভাবলুম মূর্তিটাকে তুলে একেবারে উইংসের ভিতর ছুঁড়ে ফেলে দিব। উত্তেজনার মুখে মূর্তি তো তুলে নিলুম, ছুঁড়তে গিয়ে দেখি ও পাশে বিবি না কে যেন হারমোনিয়াম বাজাচ্ছে। এই মাটির মূর্তি চাপা পড়লে তবে আর রক্ষে নেই। হঠাৎ সামলে তো নিলুম, কিন্তু কোমর ধরে গেল।"

এই নাটকে তাঁর অভিনয় মুগ্ধ করেছিল ত্রিপুরার রাজা বীরচন্দ্র মাণিক্য ও কবি যতীন্দ্রমোহন বাগচীকে।

১৯০৯ খ্রিস্টাব্দে শান্তিনিকেতনে 'প্রায়শ্চিত্ত' অভিনীত হয়। পরের বছর আরও দু-বার মঞ্চস্থ হয় নাটকটি। এই তিন বারের মধ্যে দু-বার রবীন্দ্রনাথ নাটকটিতে ধনঞ্জয় বৈরাগীর ভূমিকায় অভিনয় করেছিলেন। এই চরিত্রে অভিনয়ের সময় তিনি গান ও নাচের অপূর্ব মেলবন্ধন ঘটিয়েছিলেন যাতে বাউল ভাবটি প্রকাশিত হয়।

১৯১০ খ্রিস্টাব্দে শান্তিনিকেতনে মঞ্চস্থ হয় 'রাজা'। এখানে তিনি অভিনয় করেন ঠাকুরদার ভূমিকায়। যাঁদের 'রাজা' নাটকটি পাঠ করা আছে, তাঁরা নিশ্চয়ই জানেন— ঠাকুরদা একইসঙ্গে নাচ ও গানের ডালি নিয়ে ঘুরে বেড়ান, 'রাজা' নাটকের স্মৃতিচারণে সীতা দেবী জানাচ্ছেন, "রাজা অভিনয় দেখিয়া একেবারে বিস্মিত ও মুগ্ধ হইয়া গেলাম। রবীন্দ্রনাথ ঠাকুরদা সাজিয়াছিলেন। আড়াল হইতে রাজার ভূমিকায় তিনিই অভিনয় করিয়াছিলেন। একটা জিনিস আমার সর্বদা মনে হইত। যখনই তাঁহার অভিনয় দেখিতাম তিনি যে ভূমিকায় অবতীর্ণ হোন, তিনি যে রবীন্দ্রনাথ ইহা কিছুতেই ভুলিতে পারিতাম না। আত্মগোপন করা তাঁহার পক্ষে অসম্ভব ছিল। যদিও তিনি অতি উৎকৃষ্ট প্রথম শ্রেণির অভিনেতা ছিলেন।"

১৯১১ খ্রিস্টাব্দে 'শারদোৎসব' নাটকে সন্ন্যাসীর ভূমিকায় অভিনয় করেন তিনি। ১৯১৪ খ্রিস্টাব্দে রবীন্দ্রনাথের জন্মদিনে শান্তিনিকেতনে মঞ্চস্থ হয় নাটক 'অচলায়তন'। এই নাটকে গুরুর ভূমিকায়ও অভিনয় করেছিলেন তিনি নিজেই। জন্মদিনে নাটক মঞ্চায়নের সময় তিনি দর্শক আসনে বসে থাকতেন না। সক্রিয় অভিনয়ের মধ্য দিয়ে জন্মদিনের আনন্দ উদ্‌যাপন করতেন।

১৯১৬ খ্রিস্টাব্দে অভিনীত 'ফাল্গুনী' নাটকে তিনি বাউলের চরিত্রে অভিনয় করেন। তাঁর অভিনয়ে মুগ্ধ অবনীন্দ্রনাথ ঠাকুর কবিগুরুর বাউল মূর্তি এঁকেছিলেন। ৫৫ বছর বয়সি রবীন্দ্রনাথ নাচ-গান ও অভিনয়ের ত্রিবেণি সংগমে দর্শকের উপর ব্যাপক প্রভাব রেখেছেন। ১৯১৭ সালে মঞ্চস্থ হয় 'ডাকঘর'। একই বছর লিখিত এই নাটকের প্রথম মঞ্চায়ন হয় শান্তিনিকেতনে। পরে কলকাতায় মঞ্চস্থ হয় নাটকটি। এই নাটকে তিনি ঠাকুরদার ভূমিকায় অভিনয় করেন। একই নাটকে তিনি প্রহরীর ভূমিকায়ও অভিনয় করেন। 'নটীর পূজা' নাটকটি জোড়াসাঁকোর ঠাকুর বাড়িতে ১৯২৬ খ্রিস্টাব্দে মঞ্চস্থ হয়। এতে তিনি উপালি চরিত্রে অভিনয় করে দর্শকের আগ্রহ সৃষ্টি করেন।

রবীন্দ্রনাথের ৬২ বছর বয়সে এম্পায়ার থিয়েটারে মঞ্চস্থ হয়েছিল 'বিসর্জন'। ১৯২৩ সালে মঞ্চস্থ এই নাটকে রাজা সেজেছিলেন রবীন্দ্রনাথ ঠাকুর। রঘুপতির ভূমিকায় দিনেন্দ্রনাথ এবং জয়সিংহের ভূমিকায় কবি নিজেই অভিনয় করেছেন। তাঁর অভিনয় প্রসঙ্গে অহীন্দ্র চৌধুরী লিখেছেন, "এত বয়সে তিনি মঞ্চে এমন সহজ নমনীয় ভঙ্গিতে চলাফেরা করতে লাগলেন যে কেউ ভাবতেও পারেননি তাঁর এতখানি বয়স হয়েছে।"

১৯৩৫ খ্রিস্টাব্দে শেষ বারের মতো মঞ্চে দাঁড়ান অভিনেতা রবীন্দ্রনাথ। কলকাতার নিউ এম্পায়ার মঞ্চে ১২ ও ১৩ ডিসেম্বর 'অরূপরতন' মঞ্চস্থ হয়েছিল। নাট্যকার নির্দেশক ও অভিনেতা রবীন্দ্রনাথকে এভাবেই পেয়েছে বাংলার পাঠক, বাংলার দর্শক।

[২১]

অখণ্ড বোধ ভাবনায় রবীন্দ্রনাথ

রবীন্দ্রনাথকে মানবতাবাদী, দার্শনিক ও মানবদরদি হিসেবে অনেকেই আখ্যা দিয়ে থাকেন। কিন্তু তাঁর মানবতাবাদের প্রকৃত অর্থ কী, সে-সম্পর্কে একটা ধূম্রজাল আছে বই কী! সকল মানুষের অন্তরে যে একক ধারণা আছে সেই একককে তিনি উপলব্ধি করেছিলেন, প্রকাশও করেছিলেন সাহিত্যের বিভিন্ন অঙ্গে। সেই একক কী? সম্ভবত এই প্রশ্নের মধ্যেই লুকিয়ে আছে তাঁর মানবতাবাদী চিন্তার গভীর রহস্য। রবীন্দ্রনাথের কবিতায় ও গানে একটা বিশেষ ভাব লক্ষণীয়। বিশেষ ভাবটা হল, এই নিখিল বিশ্বের এ প্রান্ত থেকে ও-প্রান্ত অবধি যে সুরের রাগিণী প্রবাহিত হয়ে চলেছে সেই সুরের মধ্যে একটা ঐক্য আছে, আছে অদ্ভুত এক মিল। এই মিলের ধরনটা বুঝলেই ঐক্যের খবর মিলবে। পথ চলেছিল একটানা বাইরের দিকে, তার নিজের মধ্যে নিজের অর্থ ছিল না।" যেই সে-পথ নিজের ঘরে এসে পৌঁছোল তখনই অর্থ মিলল। শুরু হল ভেতরের লীলা। সেই লীলার খবর আমরা জানতে পারি জীবরহস্যের মধ্যে। রবীন্দ্রভাবনায় এর উত্তর খুঁজলে আমরা পেতে পারি তাঁর মানবতাবাদের কাঠামো।

ব্যক্তিমানুষের শুরুটা ছিল নিতান্ত জৈবিক প্রক্রিয়ার এক জটিল সমীকরণ। সেখানে সে নিতান্তই জীব। নিছক কিছু তাগিদ পূরণ ছাড়া তার কোনো অন্য কাজ নেই। তাঁর চারিদিকে ছিল এক বেড়া আর দুর্ভেদ্য এক খোলস, কিন্তু যখন সে দেখেছে সেই খোলসের মাঝে শুধু অন্ধকার তখন সেখান থেকে বেরিয়ে পড়তে চেয়েছে। ডিমের ভেতরে যেমন পাখির ছানা ঘুমিয়ে থাকে এবং সে যেমন ডিমের বাইরের দেওয়াল ভেঙে বের হয়ে দুই পাখা মেলে উড়াল দেয়, তখন পাখির অস্তিত্ব সার্থক হয়ে ওঠে। মানুষের অবস্থাও ঠিক তাই। সৃষ্টির আদিকালে মানুষ যখন শুধু জীববৃত্তির ঘেরাটোপের মধ্যে বন্দি ছিল তখন তার না ছিল জগৎরহস্য জানার তাগিদ; না ছিল সর্বজনীন মনকে নিজের ভেতর উপলব্ধি করার কোনো বৌদ্ধিক প্রচেষ্টা। কবির কথায়— "এই সর্বজনীন মনকে উত্তরোত্তর বিশুদ্ধ করে উপলব্ধি করাতেই মানুষের অভিব্যক্তির উৎকর্ষ। মানুষ আপন উন্নতির সঙ্গে সঙ্গে ব্যক্তিসীমাকে পেরিয়ে বৃহৎ মানুষ হয়ে উঠেছে। তার সমস্ত শ্রেষ্ঠ

সাধনা এই বৃহৎ মানুষের সাধনা। এই বৃহৎ মানুষ অন্তরের মানুষ। বাইরে আছে নানা দেশের নানা সমাজের নানা জাত, অন্তরে আছে এক মানব।” রবীন্দ্রনাথ মানুষের ধর্ম। মুক্তি কোথায়? মুক্তি মিলেছে বিশ্বমানবলোকে। সেই লোকের মধ্যেই তার আদি পরিচয়, সেখানেই তার শ্রী, সেখানেই তার বাণী। যখন ঘোষণা হল, ‘দ্রব্যময় যজ্ঞের চেয়ে জ্ঞান যজ্ঞই শ্রেয়’— তখনই বিশ্বমানব চিত্তের উদ্‌বোধন হল। ‘‘অন্তর সত্তার বোধ দৈহিক সত্তার ভেদ সীমা ছাড়িয়ে দেশে কালে সকল মানুষের মধ্যে ঐক্যের দিকে প্রসারিত।” (প্রাগুক্ত)

মানুষের দুটো ভাব— একটা জীবভাব অন্যটা বিশ্বভাব। জীবভাবের উপস্থিতি তাকে সংকীর্ণ করেছে। তাকে চাল, ডাল, আলু-পটোলের ভাবনায় অস্থির করেছে। সেটা দেহ চালানোর জন্য খুব জরুরি কিন্তু সেখানেই নিমগ্ন থাকলে তো সমুদ্রে যাওয়ার পথে মাঝপথে নৌকাডুবির মতন। তাহলে কোথায় গন্তব্য? কোথায় পূর্ণতা? ঋগ্‌বেদে সেই বিশ্বমান সবের কথা লিখেছে এভাবে— ‘‘পাদোহস্য বিশ্বা ভূতানি ত্রিপাদস্যা মৃতং দিবি।” অসীমে, নিঃসীমে, জীবলোকের বাইরে যে অসীম আলোকের দিকে বিশ্বভূমি প্রসারিত সেখানে। বিজ্ঞান দাবি করেছে যতটুকু প্রত্যক্ষযোগ্য সেটা নিতান্তই ক্ষুদ্র, নিতান্তই অকিঞ্চিৎকর। ওখানে শুধু ইন্দ্রিয়ের সীমা কিন্তু অতীন্দ্রিয়ের যে সীমানা নেই। সত্য তাহলে কি নিরুদ্দেশে?

মানুষের শরীরে আছে অগণিত জীবকোষ। এই জীবকোষগুলো প্রত্যেকেই স্বতন্ত্র, প্রত্যেকেই নিজ নিজ কাজ করে চলেছে আপন উদ্যোগে। কারও কাজের সাথে কারও কাজের মিল নেই। কিন্তু আশ্চর্যের ব্যাপার, তারা প্রত্যেকেই একটা গভীর আদেশ মেনে চলেছে যেটা হচ্ছে সমস্ত শরীরের অভিন্ন স্বার্থ। একটা ঐক্য, একটা পরম রহস্যময় আবেদন। যেখানে তারা প্রত্যেকে নিজেরই স্বতন্ত্র জীব সীমায় বর্তমান সেখানে তার মধ্যে রহস্য কিছুই নেই। কিন্তু যেখানে তারা নিজের জীব সীমাকে অতিক্রম করে সমস্ত দেহের জীবনে সত্য সেখানে তারা আশ্চর্য, সেখানে তারা আপন স্বতন্ত্র জন্ম-মৃত্যুর মধ্যে বদ্ধ নয়। সেইখানেই তাদের স্বার্থকতা। প্রাগুক্ত মানুষের ধর্মই তাই সার্থক হয়ে ওঠে যখন এই ব্যক্তি আমি বিশ্ব আমির সাথে অখণ্ড যোগ স্থাপিত হয়।

দার্শনিক রবীন্দ্রনাথ এক বিরল কৃতিত্বের অধিকারী। বহুমুখী ও বিচিত্র ভাবনার মানুষ ছিলেন তিনি, যাঁর চিন্তার মাত্রা শুধু কবিত্বের নিভৃত গণ্ডির মধ্য সীমাবদ্ধ ছিল না। যদিও তিনি প্রধানতম অর্থে ছিলেন কবি। তাঁর মানবতাবাদী ভাবনার নানাবিধ প্রকাশ ঘটেছে তাঁর কর্মে ও লেখনীতে। যখন তিনি একটা প্রথাগত ধর্ম থেকেও সকল মানুষের চূড়ান্ত সার্থকতা বা ফাইনাল একচুয়ালাইজেশন নিয়ে ভাবেন তখন তাঁকে শ্রেষ্ঠ মানবতাবাদী না বলে উপায় কী? এ কথার সুরধ্বনি প্রকাশিত হয়েছে তাঁর চিন্তার ছত্রে ছত্রে:

ভজন পূজন সাধনা আরাধনা
সমস্ত থাক পড়ে
রুদ্ধদ্বারে দেবালয়ের কোণে
কেন আছিস ওরে

অন্ধকারে লুকিয়ে আপন মনে,
কাহারে তুই পুজিস সংগোপনে,
নয়ন মেলে দেখ দেখি তুই চেয়ে
দেবতা নাই ঘরে
তিনি গেছেন যেথায় মাটি ভেঙে
করছে চাষা চাষ—
পাথর ভেঙে কাটছে যেথায় পথ
খাটছে বারো মাস।
রৌদ্র জলে আছে সবার সাথে
ধূলা তাঁহার লেগেছে দুই হাতে।

পরিবেশে উল্লেখ্য রবীন্দ্রনাথের মানবতাবাদ তাঁর অধ্যাত্মবাদের সঙ্গে গভীরভাবে সম্পর্কিত। Kaiser Hag Tagore's কাজেই এ দুটো প্রত্যয়কে আলাদাভাবে দেখার সুযোগ নেই। তাঁর জীবনদেবতাকে সম্পূর্ণভাবে উপলব্ধি করতে হলে বিশ্বাত্মার সাথে ব্যক্তি আত্মার সম্পর্কের ধারণা জরুরি। কারণ যে সর্বাত্মা এই জগৎকে পরিব্যাপ্ত করে আছে তার প্রকাশ যে আমার নিজের মধ্য দিয়ে। William Raclice যথার্থভাবে মন্তব্য করেছেন, "Just as God governs and penetrates and harmonizes all aspects of an endlessly varied universe. So this Jibon-debata governed and penetrated and harmonized Tagore's own varied creative activities.

[২২]

রবীন্দ্রনাথের রাজনৈতিক ভাবনা

রবীন্দ্রনাথের জাতীয়তাবাদী চিন্তার সামগ্রিক চিত্র উদ্ঘাটন করতে বিচ্ছিন্নভাবে তাঁকে বুঝলে চলবে না। তাঁর চিন্তা যে-সিঁড়ি বেয়ে উপরে উঠেছে তাকে ধাপে ধাপে অনুসরণ না করলে এক ধরনের 'স্পষ্ট ভুল' হবে যেটাকে গিলবার্ট রাইলের ভাষায় বলা হয় ক্যাটিগোরিক্যাল মিস্টেক। অনেকেই সেটা করেছেন, এমনকী রবীন্দ্র জীবদ্দশায়ও। ওপার বাংলায় বিশিষ্ট রবীন্দ্র বিশেষজ্ঞ অধ্যাপক সিরাজুল ইসলাম চৌধুরী লিখেছেন, "রবীন্দ্রনাথ জাতীয়তাবাদের বিরুদ্ধে বলেছেন। কিন্তু সেটা একটা বিশেষ ধরনের জাতীয়তাবাদ: সেটির চরিত্র পুঁজিবাদী, আচরণ সাম্রাজ্যবাদী। আরেক প্রকার জাতীয়তাবাদ আছে; সেটি আত্মপরিচয়ের ও আত্মরক্ষার। এই জাতীয়তাবাদ কেবল রাজনৈতিক নয়, অর্থনৈতিকও। রবীন্দ্রনাথ সারাজীবন এর পক্ষে কাজ করেছেন। বাঙালির জাতীয় সত্তার বিকাশ জাতীয় পরিচয় সুসংহতকরণ এবং অর্থনৈতিক স্বাবলম্বন অর্জনের ক্ষেত্রে তার ভূমিকা তুলনাবিহীন।" সিরাজুল ইসলাম চৌধুরী 'রবীন্দ্রনাথ কেন জরুরী' সম্পর্কে মত পোষণ করলেন যে, আসলে জাতীয়তাবাদ ও আন্তর্জাতিকতাবাদ নিয়ে তাঁর অবস্থানের মাঝে বিশেষ কোনো অস্পষ্টতা নেই। কারণ একজন ইউটিলিটারিয়ান প্যাসিফিস্ট হিসেবে তিনি সকল মানবজাতি নিয়ে চিন্তা করেছেন যেখানে ক্ষুদ্রদৈশিক সীমানা খুব বেশি গুরুত্ব পায়নি। তাঁর নিজের কথায় পরিষ্কার হবে এটা উপলব্ধি করলে "I have no hesitation in saying that those who are gifted with the moral power of love and vision of spiritual unity, who have the least feeling of enmity against aliens, and the sympathetic insight to place themselves in the position of others will be the fittest to take their permanent place in the age that is lying before us, and those who are constantly developing their instinct of fight and intolerance of aliens will be eliminated." Tagore, "Nationalism in India" in Nationalism.

এক সময়ের রবীন্দ্রভারতী বিশ্ববিদ্যালয়ের উপাচার্য ড. পবিত্র সরকার লিখেছেন, "'জাতীয়তাবাদ' শব্দটা ভয়ানক গোলমেলে। কারণ বিশেষ কোনো সংজ্ঞার ভেতরে এর মর্মার্থ পাওয়া যায় না। এক এক পরিস্থিতিতে এর ব্যবহার হয়ে থাকে এক এক রকম। যেমন সামন্তবাদের

একটা চেহারা, উপনিবেশবাদের অন্যটা। অস্ট্রেলিয়া ও আমেরিকাতে উপনিবেশের যে প্রকৃতি ভারতবর্ষ ও চীনে তার চেহারা আলাদা। এজন্য অধ্যাপক সরকার মনে করেন, এক এক দেশের ব্র্যান্ড অনুযায়ী জাতীয়তাবাদের চেহারাও অন্যরকম হয়ে ওঠে।" Pabitra Sarkar, 'Tagore's idea of Nationalism', May 9, 2022। তবে বেশিরভাগ ক্ষেত্রে রবীন্দ্রনাথের বিরুদ্ধে এক ধরনের আক্রমণ এসেছে যে তিনি জাতীয়তাবাদের বিরোধিতা করেছেন ইংরেজ শাসনের সপক্ষ গ্রহণ জন্য। আবার এর বিপরীতটা কম না। এ ব্যাপারে তিনি নিজেও সজাগ ছিলেন। তিনি নিজে একটা পরিস্থিতি বর্ণনা করেছেন এভাবে— "আমার সঙ্গে এই ছোটো-ইংরেজের যে একটা বিরোধ ঘটিয়াছি সে কথা বলি। বিনা বিচারে শত শত লোককে বন্দী করার বিরুদ্ধে কিছুদিন আগে একখানি ছোট চিঠি লিখিয়াছিলাম। ইহাতে ভারতজীবী কোনো ইংরেজি কাগজ আমাকে মিথ্যুক ও extremist বলিয়াছিল। ইহারা ভারত শাসনের তকমাহীন সচিব। সুতরাং আমাদিগকে সত্য করিয়া জানা ইহাদের পক্ষে অনাবশ্যক, অতএব আমি ইহাদিগকে ক্ষমা করিব। এমন-কি আমাদের দেশের লোক, যারা বলেন আমার পদ্যেও অর্থ নাই, গদ্যেও বস্তু নাই, তাঁদের মধ্যেও যে দুই-একজন ঘটনাক্রমে আমার লেখা পড়িয়াছেন, তাঁহাদিগকে অন্তত এ কথাটুকু কবুল করিতেই হইবে যে, স্বদেশী উত্তেজনার দিন হইতে আজ পর্যন্ত আমি অতিশয়-পন্থার বিরুদ্ধে লিখিয়া আসিতেছি।" 'কালান্তর, ছোট ও বড়, রচনাবলী ১২, পৃ. ৫৯৩'। ইঙ্গিতটা নিশ্চয় সুস্পষ্ট। স্বদেশি আন্দোলনের জন্য যাঁরা অস্ত্র হাতে মরিয়া হয়ে উঠেছেন কিংবা তথাকথিত স্বরাজের পক্ষে সোনার পাথরবাটির খোঁজ করেছেন তাঁদের পক্ষে তিনি নেই। তবে তাঁর স্বরাজ আলাদা। সেটা ভাষণ দর্শনিক বোধে উদ্দীপ্ত সর্বজনীন মানবতাবাদ যার একদিকে আছে ভারতবর্ষের চিরকালীন অধ্যাত্মচেতনা, অন্যদিকে উদার মানবতার মুক্ত বাতায়ন। শুনি তাঁর কথা, "India has never had a real sense of nationalism. Even though from childhood I had been thought that the idolatry of Nation is almost better than reverence for God and humanity. I believe I have outgrown that teaching, and it is my conviction that my countrymen will gain truly their India by fighting against that education which teaches them that a country is greater than the ideals of humanity." Tagore, Nationalism, P. 27.

রবীন্দ্রচেতনার বিকাশ যে সময়ের হাত ধরে উপরে উঠেছে তার কাল-পার্বিক উত্তরণ লক্ষ করার মতো বিষয়। কারণ ঊনবিংশ শতকের শেষ পাদে যে রবীন্দ্রনাথ ছিলেন ভারতের একটা প্রাদেশিক জমিদারি ভূমি ব্যবস্থাপক তিনি বিশ শতকের মাঝামাঝি এসে বিশ্বযাত্রীর পথে উদার একজন মানবতাবাদী। একজন ভারতীয় নাগরিক থেকে বিশ্ব নাগরিক। এর মাঝে কেটে গেছে অন্তত পাঁচ দশকের ইংরেজ শাসন ও বিশ্বযুদ্ধ পরবর্তীতে পরিবর্তিত গ্লোবাল এক্সটানালিজম। খুব সংগত কারণে অনেকেই তাঁর অবস্থানকে 'অ্যান্টিনামিক্যাল প্যারাডক্স' হিসেবে ভেবে বসেন। একটা কথা স্বীকার করতেই হবে, রবীন্দ্রনাথের জাতীয়তাবাদ বিরোধিতা কিন্তু সর্বাংশে অ্যান্টিপ্যাট্রেটিজম নয়। এর একটা সুন্দর ব্যাখ্যা আমরা পাই এস গোপালকৃষ্ণানের সাথে আশিস নন্দীর এক সাক্ষাৎকারে। অধ্যাপক আশিস বলেছেন, "আমি তাঁর স্বদেশপ্রেম ও জাতীয়তাবাদী

চিন্তার মাঝে একটা পার্থক্য টানতে চাই। রবীন্দ্রনাথ ছিলেন একজন দেশপ্রেমিক। দেশপ্রেমিক মানে যিনি নিজের দেশকে ভালোবাসেন। এটা এক ধরনের সীমানাকেন্দ্রিক ব্যাপার। এ বিষয়টা শুধুমাত্র মানুষের মধ্যেই সীমাবদ্ধ নয়। মনুষ্য প্রজাতি ব্যতীত অন্যান্য প্রাণীদের মধ্যে এটা দেখা যায়। কুকুর-বিড়ালের ভেতরও এমন অনুভূতি আছে। অনেকসময় সংবাদ আদানপ্রদানে পাখির ব্যবহারও দেখা যায়। একসময় এই পদ্ধতির চল ছিল। এটাকে বলা হয় আঞ্চলিকতা। দেশপ্রেম হচ্ছে এই ধরনের একটা আঞ্চলিকতা। একটা মানুষ যেখানে জন্মেছে, বেড়ে উঠেছে, যাকে ঘিরে তৈরি হয়েছে স্মৃতি সেই মাতৃভূমির প্রতি তার থাকে একটা আবেগ। জাতীয়তাবাদ সেখানে অন্যকিছু। জাতীয়তাবাদ কোনো আবেগের সঙ্গে জড়িত বিষয় নয়। এটা একটা মতাদর্শ, একটা জাতি ধারণার সাথে এটা সংযুক্ত।

রবীন্দ্রনাথের বিশ্বাস ছিল ভারতবর্ষ গঠিত হয়েছে সম্প্রদায়কেন্দ্রিকতার উপর ভিত্তি করে, কোনো জাতি ধারণার ওপর নয়। কাজেই ভারতবর্ষে কোনো জাতি গঠন করার মানে হচ্ছে সুইট্‌জারল্যান্ডে নৌবাহিনী গঠনের মতো ব্যাপার। কারণ জাতি বা জাতীয়তাবাদ হচ্ছে দেশের সকল মানুষের একটা অভিন্ন জাতি হিসেবে গণ্য করা।" (সাক্ষাৎকার)

ভারতীয় জাতীয়তাবাদ ও তৎপরবর্তী রাজনৈতিক পারিপার্শ্বিকতা নিয়ে রবীন্দ্রনাথের অবস্থান বেশ সুস্পষ্ট। কারণ তাঁর কৈশোর থেকে শুরু হয়ে বয়ঃপ্রাপ্তির প্রায় প্রতিটা ধাপ ভারতীয় রাজনীতিতে ও বৈশ্বিক প্রেক্ষাপটে ছিল অতি ঘটনাবহুল। দু-দুটো বিশ্বযুদ্ধের অভিজ্ঞতা তিনি অর্জন করেছিলেন। তা ছাড়া আরও গুরুত্বপূর্ণ বিষয় হচ্ছে ইংরেজদের ভারতশাসনের শেষ পঞ্চাশ বছরের সাক্ষী ছিলেন তিনি, যার প্রতিটা মুহূর্ত ছিল উত্তেজনায় পরিপূর্ণ। অনেকের মতে কারণ রবীন্দ্রনাথ কাব্যজগতে যেমন শ্রেষ্ঠ তেমনি রাজনৈতিক ভুবনেও প্রচণ্ড সচেতন একজন অরাজনৈতিক ব্যক্তি। তাঁর চিন্তার পরিণতির সাথে সাথে তিনি শুধু ভারতবর্ষ নয়, সমগ্র বিশ্ব নিয়ে ভেবেছেন, লিখেছেন এবং মতামত রেখেছেন। এমনকী প্রথম বিশ্বযুদ্ধের পর পরই প্রতীচ্য দেশে বক্তৃতা দিয়েছেন জাতীয়তাবাদের ওপর। এক্ষেত্রে ১৯১৭ সালে প্রকাশিত Nationalism বইটা সবার কাছে অতি পরিচিত।

রবীন্দ্রনাথের রাজনৈতিক মতামত নিয়ে আলোচনার আগে একটু ইতিহাস উলটে নিতে চাই। ১৯২৯ সালে ড. শচীন সেন নামে এক প্রসিদ্ধ সাংবাদিক The political thought of Tagore নামে একটা বই লেখেন। রবীন্দ্রনাথের জীবদ্দশায় তাঁর রাজনৈতিক দর্শনের ওপর লেখা বইয়ের প্রতি খুব সংগত কারণেই তাঁর বিশেষ আগ্রহ জন্মে। অতি মনোযোগের সাথে তিনি বইটা পড়েন এবং বাংলা ১৩৩৬ বঙ্গাব্দে 'রবীন্দ্রনাথের রাজনৈতিক মত' শিরোনামে প্রবাসী-তে একটা লেখা ছাপেন। এটা পরবর্তীতে কালান্তরে অন্তর্ভুক্ত হয়। তিনি লিখেছেন, "বইখানি আমাকে পড়তে হল। কেননা, আমার রাষ্ট্রনৈতিক মত কোনো পাঠকের কাছে কিরকম প্রতীত হয়েছে তা জানবার কৌতুহল সামলাতে পারিনি। কিন্তু বইখানি পড়ে আমি নিজের মতের ঠিক চেহারাটা পেলুম না। মন বাধা পেল।" শচীন সেন অবশ্য পরবর্তী সংস্করণে রবীন্দ্রনাথের এই কথার জন্য খুশি হয়েছেন এবং লিখেছেন, "The book received wide appreciation and the poet himself wrote a long appreciative review of it in the Bengali monthly Prabasi."

তবে শচীন সেন রবীন্দ্র জীবদ্দশায় এই বইয়ের দ্বিতীয় সংস্করণ প্রকাশ করেননি। করেছেন কবি মারা যাবার পর ১৯৪৬ খ্রিস্টাব্দে। আমরা দেখব রবীন্দ্রনাথের রাজনৈতিক চিন্তা সম্পর্কে শচীন সেন কী লিখেছিলেন। তৎপরবর্তীতে রবীন্দ্রনাথ সেটা পড়ার পর কী প্রতিক্রিয়া ব্যক্ত করেছেন বা তিনি নিজে তাঁর রাজনৈতিক চিন্তা সম্পর্কে কী জানিয়েছেন ইত্যাদি।

শচীন সেন লিখেছেন, ‘‘রবীন্দ্রনাথের জন্ম ভারতীয় ইতিহাসের অত্যন্ত গুরুত্বপূর্ণ সময়ে। মাত্র কয়েক বছর আগে ইংরেজদের বিরুদ্ধে সিপাহী বিদ্রোহ হয়ে গেল। এ সময় ভারতবর্ষে ইংরেজদের শাসন ও শিক্ষা বলতে গেলে গেঁড়ে বসেছে। অন্যদিকে রাজা রামমোহনের উদারনৈতিক চিন্তা এই স্রোতধারার সাথে সাথে মিশে তৈরি হয়েছে এক নতুন সমাজবোধ। কিন্তু এর বিপরীতে শ্রেণী শাসনের গভীরে যে জাতি বৈরি সমাজকে গভীর পঙ্কে ভাসিয়েছে সেটা কিছুতেই ভুলবার নয়। এর প্রেক্ষিতে শাসক ও সাধারণের মাঝে তৈরি হয়েছে ব্যাপক ফাটল। ভারতবর্ষে ইংরেজ শাসনের বিভিন্ন ধাপে লক্ষ করা গেছে ইংরেজদের প্রতি সাধারণ মানুষের ব্যাপক ক্ষোভ ও অনীহা। ‘স্বাদেশিকতা’ রবীন্দ্রস্মৃতি কথায় এভাবে প্রকাশ পেয়েছে—

> বাহির হইতে দেখিলে আমাদের পরিবারে অনেক বিদেশী প্রথার চলন ছিল কিন্তু আমাদের পরিবারের হৃদয়ের মধ্যে একটা স্বদেশাভিমান স্থির দীপ্তিতে জাগিতেছিল। স্বদেশের প্রতি পিতৃদেবের যে একটি আন্তরিক শ্রদ্ধা তাঁহার জীবনের সকল প্রকার বিপ্লবের মধ্যেও অক্ষুণ্ণ ছিল, তাহাই আমাদের পরিবারস্থ সকলের মধ্যে একটি প্রবল স্বদেশপ্রেম সঞ্চার করিয়া রাখিয়াছিল। বস্তুত, সে সময়টা স্বদেশপ্রেমের সময় নয়। তখন শিক্ষিত লোকে আমাদের বাড়িতে দাদারা চিরকাল মাতৃভাষার চর্চা করিয়া আসিয়াছেন। আমার পিতাকে তাঁহার কোনো নূতন আত্মীয় ইংরেজিতে পত্র লিখিয়াছিলেন, সে-পত্র লেখকের নিকটে তখনই ফিরিয়া আসিয়াছিল।

এটা অস্বীকারের উপায় নেই ভারতে ব্রিটিশ শাসনের অতি ভয়াবহতায় মানুষ ক্লান্ত ও পরিশ্রান্ত হয়ে পড়ে। বিশেষ করে ১৮৩৩ সালে নতুন এক আইনের মধ্য দিয়ে শাসনযন্ত্র পাকাপোক্ত করে তোলার আয়োজন করা হয়। এর প্রেক্ষিতে ভারতে ইংরেজ শাসন অবাধ ও নিরাপদ করে তোলার আয়োজন করা হয়। এর প্রেক্ষিতে ভারতে ইংরেজ শাসন অবাধ ও নিরাপদ করে তোলার প্রয়াস পায়। কিন্তু এটা ঠিক ইংরেজদের বিরুদ্ধে সাধারণের বিক্ষোভ ভারতীয়দের প্রতি অত্যাচার ও নির্দয়তার মাত্রা বাড়িয়ে দেয়। শচীন সেন লেখেন— ‘‘এবং সত্যিকার অর্থে ভারতবর্ষে ইংরেজ শাসকরা হয়ে ওঠেন দাম্ভিক, হৃদয়হীন, এবং এতোটাই সাঙ্ঘাতিক যে ১৮৮৫ খ্রিস্টাব্দে যে ভারতীয় জাতীয় কংগ্রেস গঠিত হয় সেটা কোনভাবেই সম্ভব হতো না যদি কিনা এর প্রধান হিসেবে একজন ইংরেজকে না নেওয়া হতো।’’ মিস্টার এলেন অক্টোভিয়ান হিউম নামে অবসরে-যাওয়া একজন ইংরেজ জনপ্রশাসক কংগ্রেসের প্রধান উদ্যোক্তা হিসেবে কাজ করেন। এরপর দায়িত্ব নেন লর্ড ডুফেরিন। ডুফেরিন ছিলেন ভাইসরয়। মনে রাখা দরকার ১৮৫২ সালে ব্রিটিশ ইন্ডিয়া অ্যাসোসিয়েশনের সম্মানিত সদস্য হন প্রিন্স দ্বারকানাথ। এই অ্যাসোসিয়েশন অবশ্য ব্রিটিশ পার্লামেন্টকে একটা পিটিশন পাঠায় যে, ভারতীয়রা প্রত্যেক ক্ষেত্রে ব্রিটিশ শাসক কর্তৃক বঞ্চিত হচ্ছেন। অন্যদিকে ব্রিটিশ শাসকেরা অব্যাহত ভাবে বলে চলছে ভারতে তাদের শাসন

শুধুমাত্র এখানকার জীবনমান উন্নত করার জন্যই। উদারনৈতিক বলে কথিত ব্রিটিশ প্রধানমন্ত্রী উইলিয়াম গ্ল্যাডিস্টোন বলেছিলেন, "Our little to be in India depends on a first condition, namely, that our being there is profitable to the Indian people, and on a second condition, that we can make Indian themselves both see and understand it to be profitable."

তরুণ বয়স থেকেই রবীন্দ্রনাথের ভাবনায় স্বদেশচেতনা জাগে। বাংলার ১২৭৩-এর চৈত্র সংক্রান্তিতে রবীন্দ্র পরিবারের নেতৃত্বে হিন্দুমেলা বলে একটা মেলার আয়োজন করা হয়। ওই মেলায় রবীন্দ্রনাথের দাদা গান লিখলেন, ''মিলে সবে ভারত সন্তান''। এই মেলায় দেশাত্মবোধক গান, স্তব গান, ব্যায়াম পদ্ধতি ইত্যাদির আয়োজন করা হয়। ওই সময় কিশোর রবীন্দ্রনাথ স্বদেশ নিয়ে ইংরেজদের বিরুদ্ধে লিখলেন ১৮৭৭ খ্রিস্টাব্দে। এ ছাড়াও তিনি লিখলেন 'হিন্দুমেলায় উপহার'। হিন্দুমেলার নেপথ্যে ছিলেন রাজনারায়ণ বসু। কিন্তু একজন অখ্যাত তরুণের লেখায় খুব বেশি ইংরেজ-প্রতিক্রিয়া আসেনি। তাঁর নিজের কথায়— ''টাইমস পত্রেও কোনো পত্রলেখক এই বালকের ধৃষ্টতার প্রতি শাসনকর্তাদের ঔদাসীন্যের উল্লেখ করিয়া ব্রিটিশ রাজত্বের সাহিত্য সম্বন্ধে গভীর নৈরাশ্য প্রকাশ করিয়া অত্যুষ্ণ দীর্ঘ নিঃশ্বাস প্রকাশ করেন নাই।''

১৮৮৩ লেখা *প্রভাত সঙ্গীতা*-এর মধ্য দিয়ে রবীন্দ্রনাথের সমাজজীবনে আত্মপ্রকাশ ঘটে। তখন তিনি বাইশ বছরের যুবক। তিনি লিখলেন—

হৃদয় আজিকে মোর কেমনে গেল খুলি,
জগৎ আসি সেথা করিছে কোলাকুলি।
প্রভাত হল যেই কী জানি হল একি,
আকাশ-পানে চাই কী জানি কারে দেখি।।

ওঠো হে ওঠো রবি, আমারে তুলে লও,
তরুণ তরী তব পুরবে ছেড়ে দাও।
আকাশ পারাবারে বুঝি হে পার হবে
আমারে লও তবে, আমারে লও তবে।।

কবি 'জীবনস্মৃতি'-তে এর একটা ব্যাখ্যা দিচ্ছেন। *প্রভাত সঙ্গীতে* তিনি লিখছেন, ''সামান্য কিছু কাজ করিবার সময়ে মানুষের অঙ্গে প্রত্যঙ্গে যে-গতিবৈচিত্র্য প্রকাশিত হয় তাহা আগে কখনো লক্ষ্য করিয়া দেখি নাই, এখন মুহুর্তে মুহুর্তে সমস্ত মানবদেহের চলনের সঙ্গীত আমাকে মুগ্ধ করিল। এ-সমস্তকে আমি স্বতন্ত্র করিয়া দেখিতাম না, একটা সমষ্টিকে দেখিতাম। এই মুহুর্তেই পৃথিবীর সর্বত্রই নানা লোকালয়ে, নানা কাজে, নানা আবশ্যকে, কোটি কোটি মানব চঞ্চল হইয়া উঠিতেছে, সেই ধরনীব্যাপী সমগ্র মানবের দেহ চাঞ্চল্যকে সুবৃহৎভাবে এক করিয়া দেখিয়া আমি একটা মহাসৌন্দর্য নৃত্যের আভাস পাইতাম।''

১৮৯০ খ্রিস্টাব্দের পর রবীন্দ্রনাথ প্রায়ই উত্তর বাংলায় জমিদারি দেখাশোনার কাজে আসতেন। তিনি কটকেও যেতেন একই কাজে। এ সময়ের রাজশাহির বেঙ্গল ডিস্ট্রিক্ট গেজেট থেকে জানা

যায় সেখানকার জমিদারির কাজের সাথে সাথে শিক্ষাপ্রসারে দারুণ এক ভূমিকা রাখেন তিনি। বাৎসরিক ১২৫০ টাকা অনুদান দেওয়ার সাথে সাথে দুঃস্থ ও অন্ধদের জন্য তিনি ২৫০ টাকা করে দিতেন। ওই সময়ে তিনি একটা কৃষিব্যাঙ্ক স্থাপন করে দরিদ্র মানুষকে ঋণের ব্যবস্থা করতেন। কবির বন্ধুদের কাছ থেকে মূলত টাকা সংগ্রহ করে তিনি এই ব্যাঙ্ক চালাতেন। ব্যাঙ্কের মূলধন থেকে প্রায় ৯০ হাজার টাকা ঋণ বিতরণ করা হত। জমিদারির সুবাদে পূর্ববাংলার অতি সাধারণ মানুষের সাথে তাঁর যোগাযোগ ও তাদেরকে জানার সুযোগ তৈরি হয়। 'স্ত্রী মঞ্জুর' নামে ওই সময়ে লেখা তাঁর এক ছোট্ট প্রবন্ধ ভীষণ সাড়া ফেলে। সেখানে কবি লিখলেন "... স্ত্রীলোক এবং বালকও প্রাপ্তবয়স্ক পুরুষের সহিত দলে দলে মজুরী কার্যে প্রবৃত্ত হইতেছে। কিন্তু কেবল কলের কাজ দেখিলেই চলিবে না; সমাজের উপরেও উহার ফলাফল আছে।" অনেকেই মনে করেন, সাধারণ মানুষের প্রতি তাঁর এই চেতনা, ভাগোন্নয়নে সাহায্যের প্রচেষ্টাতেই তিনি অন্যান্যদের থেকে আলাদা। চিত্রা কাব্যে ১৮৯৪ খ্রিস্টাব্দে লেখা তাঁর সাড়া-জাগানো কবিতা "এবার ফিরাও মোরে" রবীন্দ্রচিন্তার এক নতুন প্যারাডাইস। তিনি লিখলেন—

ওরে, তুই ওঠ আজি,
আগুন লেগেছে কোথা! কার শঙ্খ উঠিয়াছে বাজি
জাগাতে জগত-জনে! কোথা হতে ধ্বনিছে ক্রন্দনে
শূন্যতল! কোন অন্ধ কারা-মাঝে জর্জর বন্ধনে
অনাথিনী মাগিছে সহায়।

কী গাহিবে, কী শুনাবে! বলো, মিথ্যা আপনার সুখ,
মিথ্যা আপনার দুঃখ। স্বার্থমগ্ন যে জন বিমুখ
বৃহৎ জগত হতে, সে কখনো শেখে নি বাঁচিতে।
মহাজীবনের তরঙ্গেতে নাচিতে নাচিতে
নির্ভয়ে ছুটিতে হবে সত্যেরে করিয়া ধ্রুবতারা

রবীন্দ্রনাথ গভীরভাবে উপলব্ধি করেছেন অন্তরের একান্তে ব্যক্তির মাঝে যে মুক্তচেতনা লুকিয়ে থাকে এবং তা যখন বিশ্বযোগের দিকে ধাবিত হয় সেটাই দর্শন। অপরদিকে রাজনৈতিক দর্শন হচ্ছে সেগুলোকে শুধু উপলব্ধি করাই নয়, সেই উপলব্ধ চেতনা যখন সামাজিক ও রাষ্ট্রীয় যন্ত্রে প্রয়োগ করা হয় সেটা। কাজেই সুনির্দিষ্ট অধ্যাত্মবোধের মধ্য দিয়ে নিজের কর্ম ও চিন্তার মাধ্যমে সহজাত শক্তি প্রকাশ করার ভেতর সে তার অর্থ খুঁজে পায়। প্রতিটি মানুষের আছে অসম্ভব এক ব্যক্তি শক্তি, আছে নিজস্বতা, আছে নিজস্ব মূল্য। ভাববাদ ও বস্তুবাদের ভেতর যে অনতিক্রম্য দেওয়াল আছে সেটা কিন্তু রবীন্দ্রচিন্তায় অনেকটাই প্রশমিত হয়ে এসেছে। ভাববাদ যে একান্ত ব্যক্তিচেতনার পরিস্ফুটন সেটা থেকে রবীন্দ্রনাথ মুক্ত হয়ে একজন ইউটিলিটারিইয়ান হিসেবে আবির্ভূত হয়েছেন। অর্থাৎ নিজেকে বৃহতের মাঝে সম্প্রসারণ ঘটিয়েছেন। যতটুকু একজন নিজেকে সম্প্রসারণ করতে পেরেছেন তিনি ততটুকুই সার্থক। এখানেই তাঁর রাজনৈতিক বিশেষত্ব। বৈপরীত্য বা সংঘাত হচ্ছে সামনে এগিয়ে যাওয়ার চাবিকাঠি। কিন্তু সমস্ত পরিবর্তনই উন্নয়ন নয়

বলে তিনি মনে করতেন। কিন্তু যে পরিবর্তন উন্নয়নের পথে নিয়ে যায় তার মানদণ্ড ঠিক করা আবশ্যক। আর এই মানদণ্ডটা ঠিক করে দেয় মানুষের একান্ত ভাবাশ্রিত চৈতন্য। অর্থাৎ শরীর ও মনের মাঝে যখন একটা নিবিড় ঐক্য গড়ে ওঠে তখন এই বোধ সম্প্রসারিত হয়। এক্ষেত্রে রবীন্দ্রদর্শনের সাথে সমাজবাদী চিন্তার একটা ফারাক আছে বই কী। স্বাধীন মুক্ত নিজস্ব বিবেক ও আত্মশক্তি দিয়ে নিখিল বিশ্বকে বিবেচনায় আনতে রবীন্দ্রনাথ ছিলেন তৎপর, তাই তো তাঁর কাছে 'ইন্ডিভিউজাল কনসাইন্স' ছিল সবার ওপরে। অনেকে মনে করেন মার্কসবাদী চিন্তার থেকে তিনি ছিলেন খুব আলাদা। কার্ল মার্কসের সামাজিক ও অর্থনৈতিক দর্শন যেখানে সমাজের 'গ্রুপ রেশনালিটির' ওপর ভর করে বিস্তৃত হয়েছে; রবীন্দ্রনাথের অর্থ-দর্শন সেখানে বিকশিত হতে চেয়েছে নিজের ঘর থেকে অর্থাৎ আপন মৃত্যুই হচ্ছে বিকাশের আত্মশক্তি। এক্ষেত্রে মার্কসবাদী দর্শন থেকে সম্ভবত তাঁর চিন্তার দূরত্ব ছিল অনেক, যেমনটি লিখতেন শচিন সেন, "The ideals of social determinism, freedom as the recognition of necessity, morality as a class-morality, as propunded by Marxists didn't influence Tagore's thought." তবে এটা অস্বীকার করার উপায় নেই সমাজতান্ত্রিক রাশিয়া ভ্রমণকালে তাঁর যে অভিজ্ঞতা হয়েছিল সেটা কিন্তু প্রবল। তিনি লিখছেন "রাশিয়ার সমস্ত দেশ-প্রদেশকে জাতি-উপজাতিতে সক্ষম ও শিক্ষিত করে গড়ে তোলার জন্যে এত বড়ো সর্বব্যাপী অসামান্য অক্লান্ত উদ্যোগ আমাদের মতো ব্রিটিশ সাবজেক্টের সুদূর কল্পনার অতীত। এতটা দূর পর্যন্ত করে তোলা যে সম্ভব, এখানে আসার আগে কখনো আমি তা মনেও করতে পারিনি। কেননা, শিশুকাল থেকে আমরা যে 'ল অ্যান্ড অর্ডার' এর আবহাওয়ার মানুষ সেখানে এর কাজে পৌঁছাতে পারে এমন দৃষ্টান্ত দেখিনি।"

রবীন্দ্রচিন্তার মাঝে ব্যক্তিস্বতন্ত্রতা বা সাবজেক্টিভিজম প্রবল প্রভাব লক্ষণীয়। ব্যক্তি ও সমাজ— এই দ্বন্দ্ব চিরকালের। কে কার ওপর প্রভাব রাখে এই নিয়ে সমাজ দার্শনিকরা সাংঘাতিকভাবে বিভক্ত। রবীন্দ্রনাথের অবস্থান চিরকালীন ভাববাদী দার্শনিকের দলে এবং অবশ্যই সেটা সামাজিক নিয়ন্ত্রণবাদের বিরুদ্ধে। এর বিশেষ কারণ হিসেবে ড. শচিন সেন মনে করেন— রবীন্দ্রনাথের ওপর উপনিষদ, গৌতম বুদ্ধ, কবির, নানক, বৈষ্ণববাদ, বাউল মত, ইউরোপের উদারতান্ত্রিক মুক্ত ও স্বাধীন চিন্তার সাংঘাতিক প্রভাব আছে। ১৯১৩ খ্রিস্টাব্দে 'সাধনা'-তে কবি আত্মকথায় বলেছেন, "লেখক (নিজে) এমন একটা পরিবারে বেড়ে উঠেছিল যেখানে উপনিষদ থেকে মন্ত্র উচ্চারণ ছিল প্রতিদিনের নিত্য ঘটনা।" তাঁর পিতা অত্যন্ত নিষ্ঠাবান হওয়ার সুবাদে জীবনের দীর্ঘ সময় ঈশ্বর উপাসনায় নিজেকে ব্যাপৃত করেছিলেন। তিনি বারংবার স্বীকার করেছেন শৈশব থেকে বেড়ে ওঠা পরিবেশ তাঁকে শিখিয়েছে কীভাবে নিজের অসীম সম্ভাবনাকে বিশ্বভূমির সাথে একত্র করে তুলতে হয়; কীভাবে নিজের স্বাধীন কল্পনাকে সাহিত্যের গভীর অঙ্গনে প্রবেশ করাতে হয় এবং সাথে সাথে স্বাধীন আত্মাকে বৃহৎ সামাজিক পরিবেশের সাথে সামঞ্জস্য করে গড়ে নিতে হয়। এখানেই তাঁর এক থেকে বহুর দিকে নির্গমন, একক থেকে বহুত্বের মাঝে নিজেকে প্রসারিত করার বিপুল উদ্যোগ। তিনি বাংলা ১৩৩৪ বঙ্গাব্দে 'বৃহত্তর ভারত' প্রবন্ধে বিষয়টা পরিষ্কার করেছেন— "বর্বরজাতীয় মানুষের প্রধান লক্ষণ এই যে তার আত্মবোধ সংকীর্ণ সীমাবদ্ধ। তার

চৈতন্যের আলো উপস্থিত কাল ও বর্তমান অবস্থার ঘেরটুকুকেই আলোকিত করে রাখে বলে সে আপনাকে তার চেয়ে বড়ো ক্ষেত্রে জানে না। এই জন্যে জ্ঞানে কর্মে সে দুর্বল। সংস্কৃত শ্লোকে বলে 'যাদৃশী ভাবনা যস্য সিদ্ধির্ভবতি তাদৃশী'। অর্থাৎ ভাবনাই হচ্ছে সাধনার সৃষ্টিশক্তির মূলে। নিজের সম্বন্ধে, নিজের দেশ সম্বন্ধে বড়ো করে ভাবনা করবার দরকার আছে, নইলে কর্মে জোর পৌঁছয় না এবং অতি ক্ষীণ আশা ও অতি ক্ষুদ্র সিদ্ধি নিয়ে অকৃতকার্য হতে হয়। নিজের কাছে নিজের পরিচয়টাকে বড়ো করবার চেষ্টাই সভ্য জাতির ইতিহাসগত চেষ্টা। নিজের পরিচয়কে সংকীর্ণ দেশকালের ভূমিকা থেকে মুক্তিদানই হচ্ছে এই চেষ্টার লক্ষ্য।" ভারতবর্ষের ইতিহাসের ধারা পর্যালোচনা ছিল রবীন্দ্রনাথের বেশ আগ্রহের বিষয়। ঠিক এই শিরোনামে বাংলা ১৩১৮ খ্রিস্টাব্দে তিনি একটা প্রবন্ধ লেখেন। ভারতবর্ষ তথা বিশ্ব ইতিহাসের মূল সুরটা হচ্ছে দ্বন্দ্ব। আমাদের অলক্ষে প্রতি মুহূর্তে সৃষ্টি ও ধ্বংসের লীলা চলছে, চলছে ভাঙা ও গড়ার নিয়ত আয়োজন। তাঁর কথায়— "কালের সেকেন্ডের কাঁটাকে দেখিতে পাইতাম তবে দেখিতাম বিশ্ব নিমিষে নিমিষে থামিতেছে ও চলিতেছে— তাহার একটানা তানের মধ্যে পলকে পলকে লয় পড়িতেছে। সৃষ্টির দ্বন্দ্ব দোলকটির একপ্রান্তে হ্যাঁ অন্য প্রান্তে না..." প্রাচীন ভারতবর্ষের মাঝে অনার্য ও আর্যের মধ্যে যে বিরোধ দেখা দেয়, সেখান থেকেই সম্ভবত ভারতবর্ষের যাত্রাপথ প্রশস্ত হতে শুরু করে। কিন্তু শুধু দ্বন্দ্ব তো ইতিহাসের সীমান্তরেখা হতে পারে না। বিশ্ব ছন্দতত্ত্বের নিয়ম তো আছেই, যেখানে ঘটে থাকে আত্মপ্রসারণ ও মিলনের সন্ধিক্ষণ। অনার্য ও আর্যের মাঝে বিরোধ ও যোগবন্ধনের মধ্য দিয়ে প্রাথমিক ইতিহাসের সূত্রপাত ঘটে। আদর্শিক তথা ভাবগত দ্বন্দ্বের মধ্য দিয়ে ভারতীয় ইতিহাসের এই গতি বড্ড সর্পিল। এই বিতর্ক অর্থাৎ যুক্তি ও পালটা যুক্তির মাধ্যমে ইতিহাসের গতিপথ নির্ধারিত হয়েছে। অমর্ত্য সেন চমৎকারভাবে ইতিহাসের এই গতিধারাকে বিশ্লেষণ করেছেন তাঁর *তর্কপ্রিয় ভারতীয়* গ্রন্থে। তিনি লিখছেন, "মতভিন্নতাকে ভারতের স্বাভাবিক একটি ব্যাপার করে তুলতে এটি সাহায্য করেছে। বিতর্ক চালিয়ে যাবার নিরন্তর অনুশীলন আমাদের গণজীবনের একটি গুরুত্বপূর্ণ অঙ্গ। ভারতীয় মহাকাব্যগুলো ইতিহাসের এই উপাদানগুলোকে ভাবগতভাবে ধারণ করেছে। পক্ষ ও বিপক্ষ দল তৈরি করে বুঝিয়ে দিয়েছে ভারতবর্ষ এই হার না মানা যুদ্ধে সংঘাত ও মিলনের এই আশ্চর্য মহানিকেতন। ধর্মসংকর ও বর্ণসংকর জাতি হিসেবে ভারতবর্ষের সুনাম ও দুর্নাম রয়েছে। এখানে যেমন জাতি বৈরি আছে, তেমনি আছে এই বৈরির মাঝে মিলনের সূত্র। রবীন্দ্রনাথ সেজন্য তাঁর "Nationalism in India" শুরু করেছেন এই বলে যে, "Our real problem in India is not political it is social."। পশ্চিম দেশের মানুষের যেমন নৃতাত্ত্বিক ঐক্য আছে, আছে ভাষা ও সংস্কৃতির অভূতপূর্ব সামুজ্য, ভারতবর্ষে ঠিক এর উলটো। পশ্চিমে মানুষের মাঝে নেই অভ্যন্তরীণ দ্বন্দ্ব, নেই বিশেষ একটা শ্রেণিবৈরী মনোভাব, কিন্তু ভারতবর্ষে আশ্চর্যরকম বিভাজনের ফলে সৃষ্টি হয়েছে গোত্রবিদ্বেষ, শ্রেণিসংঘাত আর বর্ণ উৎপাত। কাজেই একটা বিরাট সংহতির জন্য এই দেশে দরকার পড়েছে ঐক্যের, প্রয়োজন হয়েছে বিরোধের মাঝে মিলনের। একটা কথা পরিষ্কার, প্রতিটা মানুষের অবস্থান যেহেতু আলাদা, চাওয়া-পাওয়া যেহেতু ভিন্ন, মত-নৈতিকতা যেহেতু বৈচিত্র্যময় অবস্থান— সে-কারণে একটা সাধারণ ঐক্যের কাছে সবাইকে আসতেই হবে। কারণ

ব্যক্তির ছোট্ট সীমানার মাঝে মুক্তি নেই। আছে বৃহৎ ঐক্যের স্বার্থকতা। তাঁর নিজের কথায়, "Each individual has his self-love. Therefore, his brute instinct leads him to fight with others in the sole pursuit of his self-interest. But man has also his higher instincts of sympathy and mutual help." কাজেই মানুষের মাঝে মানবতার টানে বিরাট ঐক্য ও হৃদয়বৃত্তির সম্প্রসারণ ভারতবর্ষের একটা বিশেষ লক্ষ্য। Creative Unity-তে তিনি উল্লেখ করেছেন— ‘‘শান্তিই সত্য, সংঘাতে নয়। প্রেমেই সত্য ঘৃণায় নয়, সত্য এক ও অভিন্ন যা বিচ্ছিন্নতার ভেতর পাওয়া যায় না।” জীবন ও জগৎ নিয়ে তাঁর এই বোধের কোনো হেরফের হয়নি কোনোদিন। সেটা ভারতবর্ষের নিয়েই হোক আর বিশ্ব সভ্যতা নিয়েই হোক। এই শান্তির ভেতর একটা ঐক্যের বাণী আছে, আছে প্রেম ও ভালোবাসা থেকে উৎসারিত একক বোধ। প্রাচীন ভারতবর্ষের ঋষিরা এই এককের সন্ধান করেছেন গভীর তপস্যার মধ্য দিয়ে। রবীন্দ্রনাথ শুধুমাত্র এই তপস্যার মধ্যেই নিজেকে বৃত্তাবদ্ধ করেননি, তিনি তাঁর কর্মের মধ্য দিয়েও প্রকাশ করেছেন এই বচনের বাস্তবতা। তিনি দৃঢ়ভাবে বিশ্বাস করতেন জীবনের এই মর্মবাণী থেকে কেউ বিচ্যুত হলে ঈশ্বর তাকে ক্ষমা করেন না। ভারতবর্ষের সামাজিক অবস্থায় এক অবধারিত সংকট ছিল হিন্দু ও মুসলমানের মধ্যে জাতিবৈরী। এই সমস্যাকে তিনি ভারতবর্ষের এক মনস্তাত্ত্বিক বিপর্যয় হিসেবে উল্লেখ করেন। তিনি হিন্দু সম্প্রদায়ের মানুষের কাছে উদাত্ত আহ্বান জানান, এই দ্বন্দ্বের মূল কীভাবে উৎপাটন করা যায় তার তথ্য অনুসন্ধান করতে। কারণ ভারতবর্ষের ইতিহাস সমন্বয়ের ইতিহাস, গ্রহণের ইতিহাস তথা লেনদেনের ইতিহাস। এখানে দীর্ঘ বছর ধরে বিভিন্ন জাতি ও সম্প্রদায়ের মানুষ এসেছে, বসবাস করেছে; এখানকার ভাষা-সংস্কৃতি ও ইতিহাসের সাথে তাদের জীবনবোধের মিথস্ক্রিয়া ঘটেছে, তারা গ গ্রহণ করেছে, বর্জনও করেছে কিছু। তিনি ‘হিন্দু ও মুসলমান’-এ লিখছেন— ‘‘আমাদের একটা মস্ত কাজ আছে হিন্দু-মুসলমানের মধ্যে সৌহার্দ্য ছিল সে বিষয়ে সন্দেহ নাই। বাংলায় হিন্দু অপেক্ষা মুসলমানের সংখ্যা বেশি এবং হিন্দু-মুসলমানে প্রতিবেশী সম্বন্ধ খুব ঘনিষ্ঠ।” কিন্তু অবস্থা দৃষ্টে এই অবস্থার দ্রুত পরিবর্তন ঘটেছে বলে তিনি মনে করেন। তিনি পরিতাপের সাথে উল্লেখ করেন, ‘‘কিন্তু আজকাল শিক্ষিত সম্প্রদায়ের মধ্যে নতুন হিন্দুয়ানী অকস্মাৎ নারদের ঢেঁকি অবলম্বন করিয়া অবতীর্ণ হইয়াছে। তাঁহারা নবোপার্জিত আর্য অভিমানকে সজারুর শলাকার মতো আপনাদের চারিদিকে কন্টকিত করিয়া রাখিয়াছেন। কাহারো কাছে ঘেঁষিবার জো নাই। হঠাৎবাবুর বাবুয়ানার মতো তাঁহাদের হঠাৎ হিন্দুয়ানি অত্যন্ত অস্বাভাবিক উগ্রভাবে প্রকাশ হইয়া পড়িয়াছে।” রবীন্দ্রনাথের এই ঘোরতর আপত্তির কারণ মানুষকে খণ্ডিতভাবে উপস্থাপন করা। মানুষকে তার ধর্মীয় পরিচয়ে বিভাজন করে তোলা। কিন্তু মানুষ যে সেই অখণ্ডের প্রতিরূপ, ‘‘যিনি সর্বত্র রয়েছেন, যিনি আকাশ বায়ু জলে রয়েছেন, যিনি ঔষধিপত্র পল্লবপূর্ণ বনস্পতিতে রয়েছেন তাঁকে নমস্কার করি।

যোদেবাগ্নৌ যোপসু যোবিশ্বং ভুবনমাবিবেশ
যওষধীষু যোবনস্পতিষু তস্মৈ দেবায় নমোনমঃ

যে মানুষ ভূমিতে থাকে তার বেশিরভাগ অংশই ভূমায়। কাজেই মানুষের ধারণা তাঁর কাছে অন্যান্যদের থেকে আলাদা। ভারতবর্ষে হিন্দু ও মুসলমানের মধ্যে যে বিভাজন তার প্রধানতম

কারণ অজ্ঞতা বলে তিনি মনে করেন। এদিক দিয়ে দুটো পক্ষেরই সমান দায়িত্ব। তিনি লেখেন— "ইসলাম পৃথিবীর মহত্তম ধর্মের একটি। এই কারণে ইহার অনুবর্তীগণের দায়িত্ব অসীম, যেহেতু আপন জীবনে এই ধর্মের মহত্ত্ব সম্বন্ধে তাঁহাদিগকে সাক্ষ্য দিতে হইবে। ভারতে যে সকল বিভিন্ন ধর্ম সমাজ আছে তাহাদের পরস্পরের প্রতি সভ্যজাতিযোগ্য মনোভাব যদি উদ্ভাবিত করিতে হয় তবে কেবলমাত্র রাষ্ট্রিক স্বার্থবুদ্ধি দ্বারা তাহা সম্ভবপর হইবে না, তবে আমাদিগের নির্ভর করিতে হইবে সেই প্রেরণার প্রতি, যাহা ঈশ্বরের প্রিয়পাত্র ও মানবের বন্ধু সত্যদূতদিগের অমর জীবন হইতে চির-উৎসারিত। মানুষের মাঝে যে মধ্যযুগীয় অসহিষ্ণুতা আছে তাকে পুরোপুরি বর্জন করিতে হইবে।"

এ তো গেল ভারতবর্ষের হিন্দু-মুসলমানের মধ্যে পরিস্থিতি অনুযায়ী সংকটের কথা। কিন্তু বিশ্বসংকট নিয়েও গভীরভাবে চিন্তা করেছেন, হতাশা ব্যক্ত করেছেন, আশার আলোও দেখেছেন। তাঁর রাজনৈতিক দর্শনের এটা একটা বড়ো দিক। দীর্ঘ আশি বছরের জীবনের শেষ প্রান্তে এসে তিনি মৃত্যুর মাত্র তিন মাস আগে শান্তিনিকেতনে জন্মোৎসব পালনের উদ্দেশ্যে ছোট্ট একটা নিবন্ধ লেখেন। এটি পাঠ করে শোনান ক্ষিতিমোহন সেন। এর একটা ইংরেজি তর্জমাও করা হয় (Crisis in Civilization নামে) কিশোর রবীন্দ্রনাথ প্রত্যক্ষভাবে পাশ্চাত্যের সাথে পরিচিত হন কিশোর বয়েসে ১৮৭৮ সালে, সেই থেকে ১৯৪১ দীর্ঘ ৬০ বছর তিনি বিশ্বসভ্যতাকে তীক্ষ্ণভাবে পর্যবেক্ষণ করেছেন। এর মধ্যে দু-দুটো বিশ্বযুদ্ধ হয়ে গেছে। যদিও দ্বিতীয় বিশ্বযুদ্ধ তখনও শেষ হয়নি। তিনি এ সময়ে বিশ্বসমাজ ও রাজনীতির ব্যাপক পরিবর্তন লক্ষ করেছেন। এই পরিবর্তন ইতিহাসের ছাত্র হিসেবে তিনি ব্যাখ্যা করেছেন নির্মোহ দৃষ্টিতে।

গোটা বিশ্বের সাথে ভারতবর্ষের পরিচয় ঘটে ইংরেজদের মাধ্যমে। একসময় ভারতবাসী এই ইংরেজবন্দনায় অস্থির হয়ে উঠেছিল। তার কারণও ছিল। সে-সময় "দিনরাত্রি মুখরিত বার্কের বাগ্মিতায়, মেকলের ভাষা প্রবাহের তরঙ্গভঙ্গে নিয়তই আলোচনা চলত শেক্সপিয়ারের নাটক নিয়ে, বায়রনের কাব্য নিয়ে এবং তখনকার পলিটিক্সে সর্বমানবের বিজয় ঘোষণায়।" রবীন্দ্রনাথ তরুণ বয়সে ইংল্যান্ডে গিয়ে দেখেছিলেন ইংরেজদের চিরকালের বাণী। "সেই বক্তৃতায় দায়ের ব্যাপ্তি জাতিগত সকল সংকীর্ণ সীমাকে অতিক্রম করে যে প্রভাব বিস্তার করেছিল সে আমার আজ পর্যন্ত মনে আছে এবং আজকের এই শ্রীভ্রষ্ট দিনেও আমার পূর্ব স্মৃতিকে রক্ষা করছে। ইংরেজ জাতির এক সময়ের গৌরবময় অতীত, দেশে দেশে তাদের দোর্দণ্ডপ্রতাপ আজ ক্ষয়িষ্ণু।"

রবীন্দ্রনাথ ঠাকুর জীবনের এই পড়ন্ত বেলায় উপলব্ধি করেন ইংরেজ জাতি একসময়ে এই ভারতবর্ষ থেকে বিদায় নেবে। অত্যাচারী ও প্রভাবশালীদের ক্ষমতা একদিন ম্রিয়মাণ হবে। কারণ প্রভাবশালীদের ক্ষমতার মদমত্ততা যে নিরাপদ নয় সেটা তিনি উপলব্ধি করেছিলেন। কারণ তাঁর ধারণা সত্য একদিন জয়ী হবেই। তিনি আশাবাদ ব্যক্ত করে উচ্চারণ করেন। নিভৃতে উচ্চারণ করলেন—

অধর্মে নৈধতে তাবৎ ততো ভদ্রানি পশ্যতি।
ততঃ সপত্মান জায়তি সমলস্তু বিন্যশতি।।

[২৩]

ধর্মচেতনায় রবীন্দ্রনাথ

১৯১৪ খ্রিস্টাব্দের ৮ জুলাই ব্রিটিশ কবি রবার্ট সেইসব ব্রিজকে রবীন্দ্রনাথ লেখেন, "আমার ধর্মই আমার জীবন— এটা আমার বয়সের সাথে সাথে বেড়ে উঠেছে— বাইরে থেকে কখনোই এটা আমার গায়ে লেখা হয়নি।" (My religion is my life- it is Growing with my growth— it has never been grafted on me from outside)। পরবর্তীতে 'দ্যা রিলিজিয়ান অব ম্যান'-এ লিখেছেন, "এটা স্পষ্ট যে আমার ধর্ম একজন কবির ধর্ম এবং কোন গোঁড়া ধার্মিক লোকের মতন নয়। এবং কোন ধর্মতাত্ত্বিকের মতোও না। আমার গানের অনুপ্রেরণার মতো অদেখা এবং নাম না জানা পথ ধরে আমার কাছে এসেছে। আমার ধর্মীয় জীবন আমার কাব্যিক জীবনের মতো একই রহস্যময় পথ অনুসরণ করেছে। কোন না কোনভাবে তারা একে অপরের সাথে মেলবন্ধনে আবদ্ধ হয়েছে। যদিও তাদের এই মেলবন্ধন অনুষ্ঠানের সময় ছিল দীর্ঘ, তবুও তো আমার কাছে ছিল অতি সংগোপনে।" (For it is evident that my religion is a poet's religion, and neither that of an orthodox man of piety nor that of a theologion, its thought comes to me through the unseen and trackless channel as does the inspiration of msy songs My religious life has followed the same mysterious line of growth as has my poetical life. Some how they are wedded to each other and though their betrothal had a long period of ceremony, it was kept secret from me.)—এ প্রসঙ্গে গবেষক বীরেন্দ্রকুমার ঘোষ *ধর্মপথিক রবীন্দ্রনাথ*-এ লিখছেন— রবীন্দ্রনাথের ধর্মজীবন ও ধর্মদর্শনের প্রধান লক্ষ্য হচ্ছে উপনিষদের আদর্শে এক অনির্বচনীয় অখণ্ড আনন্দময় সত্তার মধ্যেই মানবজীবনকে প্রতিষ্ঠিত করা। তাঁর উপন্যাসগুলিতেও এই ভাব দেখা যায়। এ কথা আগেই বলা হয়েছে যে, সংসার ত্যাগ করে যে বৈরাগ্য, রবীন্দ্রনাথের কাছে কখনোই তা অনুমোদন পায়নি। কিন্তু একথা স্মরণ রাখতে হবে যে, রবীন্দ্রনাথ ত্যাগকে অস্বীকার করেননি। ভোগ সর্বস্ব জীবনের প্রতিও যেমন তিনি চরম অবজ্ঞা প্রকাশ করেছেন, সর্বস্ব ত্যাগের তথাকথিত

মহিমাকেও তেমনি তিনি কোথাও গৌরব দেননি, সংযমের ভিত্তিতে ভোগ ও ত্যাগের বিস্ময়কর সমন্বয়ের মধ্য দিয়েই রবীন্দ্রদর্শনের প্রধান রূপটি ফুটে উঠেছে। (বীরেন্দ্রকুমার ঘোষ, *ধর্মপথিক রবীন্দ্রনাথ*, বুকল্যান্ড, কলকাতা, ১৯৬১, পৃ. ১৫৫)

রবীন্দ্রনাথের ধর্মদর্শন তিনটি স্বতন্ত্র ধারার মধ্য দিয়ে সমন্বিত হয়েছে। বেঙ্গল রেনেসাঁ মধ্যযুগীয় সমন্বয়ী বৈষ্ণববাদও অনেকটা সুফিবাদ। সঙ্গে বাংলার বাউল সম্প্রদায়ের লৌকিক জীবনধারা। অবশ্য এ বাদে পাশ্চাত্যের ধর্মনিরপেক্ষ মানবতাবাদও তাঁকে সাঙ্ঘাতিকভাবে আন্দোলিত করে। রবীন্দ্রনাথের জন্ম হয় ঊনবিংশ শতকের মাঝামাঝি। ভারতবর্ষ এ সময় পার করে মধ্যযুগ থেকে আধুনিক যুগে উত্তরণের বৈপ্লবিক পর্ব। বিশ্বাস, কুসংস্কার আর ধর্মীয় একচ্ছত্র অধিকারের বিপরীতে ভারতবর্ষের জ্ঞানোত্তরণের পর্বে রবীন্দ্রনাথের জন্ম। এ সময় ছিল ভারতবর্ষে রানি ভিক্টোরিয়ার শাসনকাল। ১৯৭৬ সালে ইউনিভার্সিটি অব মিসিগ্যান-এ তারকানাথ ও মেরি কিটিং মেমোরিয়াল বক্তৃতায় নীরদ চৌধুরী বলেন, ভারতবর্ষে আলোকিত মানুষের জন্ম হয়েছিল রানি ভিক্টোরিয়ার শাসনকালে। তাঁর কথায়, "কেন নয়? রানী ভিক্টোরিয়া হলেন সেই শাসক যার সময়ে বঙ্কিমচন্দ্র চট্টোপাধ্যায়, কেশবচন্দ্র সেন, বালগঙ্গাধর তিলক, রবীন্দ্রনাথ ঠাকুর, মোহনদাস করমচাঁদ গান্ধী, সি. ভি. রমণ, জহরলাল নেহরু অথবা সুভাষচন্দ্র বসু জন্মগ্রহণ করেন।" সত্যি সত্যি রবীন্দ্রনাথের জন্ম এমন শতকে যখন হিন্দুসমাজে স্বামী মারা গেলে স্ত্রীকে জীবন্ত পুড়িয়ে মারা হত। এই বীভৎস প্রথা যেটা 'সতীদাহ' প্রথা নামে প্রচলিত ছিল সেটা ভারতীয় সমাজের জন্য ছিল অত্যন্ত কলঙ্কের আর সাংঘাতিক লজ্জার। সামাজিক এই অনাচারের যুগে আবির্ভূত হন বিপ্লবী রামমোহন রায়। হিন্দুসমাজের সংস্কারের জন্য তিনি পুনর্গঠন প্রক্রিয়ার অংশ হিসেবে গঠন করেন ব্রাহ্মসমাজ তদুপরি ব্রাহ্ম ধর্ম। রবীন্দ্রনাথ তাই রামমোহন সম্পর্কে লিখলেন, "রামমোহন রায় যে সময়ে জন্মগ্রহণ করিয়াছিলেন, আমাদের জাতীয় ইতিহাসে সে এক অতি অগৌরবের অধ্যায়। দেশের চারিদিকে তখন কুসংস্কার, ধ্বংসপ্রবণতা ও বিশৃঙ্খলা বিরাজ করিতেছিল। যুক্তিহীনতা সত্য ও প্রেমের আলো আচ্ছন্ন করিয়া রাখিয়াছিল। আমি ভাবিয়া বিস্মিত হইয়া যাই যে, ভারতের ইতিহাসের এই সর্বাপেক্ষা অবনতির কালে কী করিয়া রাজা রামমোহনের মতো এমন একজন অসাধারণ মানুষের অভ্যুদয় হইয়াছিল।" উপনিষদিক ধর্মদর্শনের ওপর ভিত্তি করে গড়ে ওঠা ব্রাহ্ম ধর্মের অনুসারী হয়ে ওঠেন রবীন্দ্রনাথের পরিবার। পিতা মহর্ষির জ্ঞান ছিল আকাশচুম্বী। তিনি এই সামাজিক বিপ্লবে যুক্ত করেছিলেন নিজেকে। যে ধর্মের সাথে আনন্দের তথা প্রাণের যোগ ছিল না সেই ধর্মকে তিনি সংস্কার করতে চাইলেন। যে ধর্ম আচারের বেড়াজালে নিজের প্রাণটাকে হারিয়ে ফেলে সেই আনুষ্ঠানিকতা পরিহার করে ছুটলেন উপনিষদের অদ্বৈতবাদে। তাই তো তাঁরা বললেন, "তেষামেবৈষ ব্রহ্মলোকে ঘেষাংতপো ব্রহ্মচর্যং/যেষু সত্য; প্রতিষ্ঠিতম।" অর্থ দাঁড়ায়— "যে ব্রহ্মলোক, অর্থাৎ যে ব্রহ্মলোক সর্বত্রই রহিয়াছে, ইহা তাঁহাদেরই, তপস্যা যাঁহাদের, ব্রহ্মচর্য যাঁহাদের, সত্য যাঁহাদের মধ্যে প্রতিষ্ঠিত।"

দ্বিতীয়ত, পঞ্চদশ শতকের মাঝামাঝি ভারতের মিস্টিক কবি কবির দাশ, নানক এঁদের অসাম্প্রদায়িক চেতনা রবীন্দ্র মানসপটে মারাত্মর প্রভাব ফেলেছিল। তিনি বারংবার এঁদের

কাছে তাঁর ঋণ স্বীকার করেন, কীভাবে তাঁরা ভারতবর্ষকে অনালোক থেকে আলোকের পথ দেখিয়েছিলেন, বিক্ষিপ্ত থেকে একের পথ দেখিয়েছিলেন, ভেদবুদ্ধির উপরে উঠে সমন্বয়ের কথা প্রচার করেছিলেন। রবীন্দ্রনাথ কবিরের প্রায় এক শত কবিতা ইংরেজিতে অনুবাদ করেন। মানুষের মাঝেই ঈশ্বরের স্পর্শ পেয়েছিলেন কবির। মানুষের মাঝেই এই বিশ্বজগতের সব লুকিয়ে আছে। ইংরেজিতে অনূদিত একটা কবিতা এমন—

O servant where doesn't thou seek me?
So! I am beside thee
I am neither in temple nor in mosque
I am neither in Kaabanor in Kailash
Neither am I in rites and ceremonies
Nor in Yoga and renunciation.

রবীন্দ্রনাথ গীতাঞ্জলিতে ১১-সংখ্যক কবিতায় লিখলেন—

ভজন পূজন সাধন আরাধনা
সমস্ত থাক পড়ে
রুদ্ধ দ্বারে দেয়ালের কোণে
কেন আছিস ওরে।
অন্ধকারে লুকিয়ে আপন মনে
কাহারে তুই পুজিস সঙ্গোপনে?
নয়ন মেলে দেখ দেখি আজ চেয়ে
দেবতা নাই ঘরে।
তিনি গেছেন যেথায় মাটি ভেঙে
করছে চাষা চাষ,
পাথর ভেঙে কাটছে যেথায় পথ,
খাটবে বারো মাস।
... ...
মুক্তি? ওরে মুক্তি কোথায় পাবি,
মুক্তি কোথায় আছে?
আপনি তিতি সৃষ্টি বাঁধন পরে
বাঁধা সবার কাছে।

এ যেন জীবনেরই সংগীত। এ যেন সৃষ্টি আর স্রষ্টার মাঝে অভিন্ন মেলবন্ধনের এক অপরূপ দলিল। তৃতীয়ত, বাংলার গ্রামীণ জনপদের সাধারণ মানুষদের অধ্যাত্মবোধ নিয়ে যে বাউল সম্প্রদায় ঘুরে বেড়াত তাদের সেই সহজিয়া বোধ বা লৌকিক চিন্তা রবীন্দ্রনাথকে আকৃষ্ট করে

তরুণ বয়সেই, কারণ তাদের দর্শনের সাথে রবীন্দ্রনাথের 'মনের মানুষ' বা 'জীবনদেবতা' যে খুব কাছাকাছি। ১৮৯০ কিংবা ১৮৯১ সালে রবীন্দ্রনাথ পারিবারিক জমিদারির সুবাদে পূর্ব বাংলার শিলাইদহে আসেন। তবে তার আগে ২২ বছর বয়সে তার হাতে আসে 'বাউল গাথা' নামে ছোট্ট একখানা চটি বই, যার মধ্য দিয়ে তিনি পরিচিত হন এর মর্মবাণীর সঙ্গে। বাংলা ১৩৩৪ বঙ্গাব্দে তিনি 'বাউল গান'-এ লিখেছেন— "আমার লেখা যাঁরা পড়েছেন তাঁরা জানেন বাউল পদাবলীর প্রতি আমার অনুরাগ আমি অনেক লেখায় প্রকাশ করেছি। শিলাইদহে যখন ছিলাম, বাউল দলের সঙ্গে আমার সর্বদাই দেখা সাক্ষাৎ ও আলাপ আলোচনা হত। আমার অনেক গানই আমি বাউলের সুরে গ্রহণ করেছি এবং অনেক গানে অন্য রাগরাগিণীর সঙ্গে আমার জ্ঞাত বা অজ্ঞাতসারে বাউল সুরের মিলন ঘটেছে।" তাই তো বাউল সুরের যখন এই গান তিনি শুনলেন তাঁর প্রাণ উদ্‌বেলিত হয়ে উঠল।

কোথায় পাবো তারে
আমার মনের মানুষ যে রে!
হারায়ে সেই মানুষে তার উদ্দেশ্যে
দেশ বিদেশে বেড়ায় ঘুরে।।

বাউল সম্প্রদায় সামাজিকভাবে অবলেহিত হলেও তাঁদের গভীর জীবনবোধ বাংলার শান্ত জীবনকে আরও শানিত করে, এ সময় তিনি বৌদ্ধ ধর্মের সহজ জীবনাচারের সাথে এবং বাউলদের সহজ আধ্যাত্মিক সাধনার সাথেও পরিচিত হন। প্রেমের একাগ্রসাধনে সেই পরমপুরুষকে চেনার এক সহজ বোধ তৈরি হয়েছে বাউলতত্ত্বের মধ্য দিয়ে। রবীন্দ্রনাথ Creative Unity-র মধ্যে লিখছেন এমনই বাউলের মনের কথা—

make way, o bud, make way
Burst openthy heart and make way.
The opening spirit has over taken thee
Canst thou remain a bud any longer?

চতুর্থত, পশ্চিমের মানবতাবাদকে তিনি দ্বিধাহীন চিত্তে গ্রহণ করেছেন। তিনি ভারততীর্থ কবিতায় যেমনটি লিখছেন— "পশ্চিম আজি খুলিয়াছে দ্বার/ সেথা হতে সবে আনে উপহার/দেবে আর নেবে যাবে না ফিরে/এই ভারতের মহামানবের সাগর তীরে।" কাজেই এই বহুবিধ ধারা রবীন্দ্রমানসে প্রতিফলিত হয়েছে স্ফটিক দর্পণের ন্যায়। ভারতবর্ষ বহু বিচিত্রের মাঝে যেন এক অখণ্ড জীবনবোধ। এটা কীভাবে সম্ভব হল? এটা সম্ভব হয়েছে হাজার বছরের ভারতীয় সমাজে বিচিত্র সংস্কৃতির আন্তঃক্রিয়ার ফলে। এখানে এসেছে শক, হূন, মুসলিম, ওলন্দাজ, ফরাসি, পোর্তুগিজ, ইংরেজ ইত্যাদি মানবজাতি। এই মানবসংকরের ফলে ভারত গ্রহণ করেছে এদের সবচেয়ে ভালো দিক, মানবিক চৈতন্য। রবীন্দ্রমানসে এর প্রভাব ছিল দুর্দান্ত। এসব বিষয়ের পরিপূর্ণ চেতনার অপূর্ব সংমিশ্রণ রবীন্দ্রনাথ নিজে তথা তাঁর পরিবার।

ধর্ম নিয়ে রবীন্দ্রনাথের ভিন্ন কোনো সম্প্রত্যয় গড়ে ওঠেনি। গড়ে না-ওঠার কারণ তিনি ছিলেন যতটা ধার্মিক তার থেকেও বেশি কবি। যতটা কবি তার চেয়েও ঢের বেশি মানুষ। তাই মনুষ্যত্বের ধারণার সঙ্গে তাঁর ধর্মীয় চেতনার কোনো ফারাক নেই, যেমন নেই কবিত্বের ধারণার সঙ্গে সত্য বা আনন্দের ধারণার অমিল। বলা চলে ধর্ম, সত্য, আনন্দ ও মনুষ্যত্বের ভেতর কোনো বিস্তর বিভেদ তিনি খুঁজে পাননি। ১৯২১ সালে বার্লিনে এক ভাষণে কবি বলেছেন, "স্বাধীনতার যে ধারণাটি ভারতবর্ষে আকাঙ্ক্ষিত ছিল, তার ভিত্তি ছিল আধ্যাত্মিক ঐক্যের অনির্বচনীয় দিক সেটাই ভারতবর্ষের সবচেয়ে গৌরবের বিষয়, যেটা এখনো পর্যন্ত হিন্দু, বৌদ্ধ, মুসলিম, খ্রিস্টানের হৃদয়ের মধ্যে গ্রথিত। এটা জোর করে হয়নি, হয়নি ত্যাগের মাধ্যমে বরং হয়েছে সকলের একান্ত সহযোগিতার মধ্য দিয়ে। ('অর্ঘ' কে আর ব্যানার্জি, দ্যা স্টেটসম্যান, কলকাতা, ৩ আগস্ট, ২০১৮) বাংলা ১৩০৮ থেকে ১৩১৪ পর্যন্ত বঙ্গদর্শন ও তত্ত্ববোধিনী পত্রিকায় প্রকাশিত রবীন্দ্রনাথের ১৪টা প্রবন্ধ নিয়ে ১৩১৫ বঙ্গাব্দে 'ধর্ম' প্রকাশিত হয়। এসব প্রবন্ধ বিচিত্র সব বিষয় নিয়ে লেখা, যেমন— উৎসব, দিন ও রাত্রি, ধর্মের সরল আদর্শ, দুঃখ, নববর্ষ, বর্ষশেষ ইত্যাদি। আশ্চর্যের ব্যাপার এর মধ্যে বইয়ের শিরোনামের ওপর কিছুই লেখা নেই, কিন্তু সব কিছুর মধ্যেই একটা বিষয় আছে সেটা ধর্ম। এই ধর্ম প্রথাগত ও আনুষ্ঠানিক কোনো ধর্ম না; এই ধর্ম বিভাজিত ধর্ম না, এই ধর্মের মাঝে কোনো হানাহানি কলহ নেই, আছে প্রাণের আনন্দ আর সত্য অনুসন্ধানের হৃদয়বৃত্তি; আছে সুন্দর আর অন্তর্গূঢ় আনন্দের এক অসীম ফল্গুধারা। জগতের মাঝে যে আনন্দরস প্রবাহিত হয়ে চলেছে, হৃদয়বীণার তারে সেই রসধ্বনি উপলব্ধির কৌশলেই হচ্ছে ধর্ম—'আনন্দাদ্ধ্যেব খল্বিমানি ভূতানি জায়ন্তে'— "এই যে যাহা কিছু হইয়াছে ইহা সমস্তই আনন্দ হইতে জাত।" তাহলে ধর্ম কী? ধর্ম আনন্দাশ্রিত চেতনার স্বতঃস্ফূর্ত প্রকাশ। মানুষের অত্যাবশ্যকীয় প্রবৃত্তির অতি সাধারণ ও বাধাহীন বিপুলতার নাম ধর্ম। কবির মতে, ধর্ম একত্রিত করে, মিলিয়ে দেয় সকল খণ্ডিত অংশকে। একত্রিত হওয়ার ভেতর প্রাণের যোগ আছে, এই যোগের ভেতর দিয়ে প্রকাশ পায় নিখিল বিশ্বের সকল বিচ্ছিন্ন অংশ। এ যেন অগণিত নক্ষত্র একত্রিত হয়ে তৈরি করে একটা তারার মালা— গ্যালাক্সি। কবির গানে: "নিখিলে তব কী মহোৎসব? বন্দন করে বিশ্ব / শ্রী-সম্পদভূমাস্পদ নির্ভয়শরণে।"

আমরা আগেই দেখেছি রবীন্দ্রদর্শন, বিশেষ করে তাঁর ধর্মদর্শন গঠনে পারিবারিক প্রভাব কত সাংঘাতিক। এও দেখেছি তাঁর চিন্তার মাঝে সমন্বিত হয়েছে তিনটি ভিন্ন ভিন্ন স্রোতধারা। এই মিলিত প্রবাহ যেন পড়েছে রবীন্দ্র সরোবরে। প্রাচীন বৈদিক সংস্কৃতি, মুসলিম, মোগল সংস্কৃতি বা পার্সিয়ানিজম এবং ইংরেজ মানবতাবাদ বা সেকুলার হিউম্যানিজম কীভাবে তাঁর জীবনসিঁড়িকে ওপরে নিয়ে গেছে তা আমরা লক্ষ করেছি। রবীন্দ্রনাথ তাঁর চেতনা গঠনে বৈশিষ্ট্য নির্ধারক সূত্র পেয়েছেন রামমোহনের উদার ও সমন্বিত দর্শনের কাছে। আরবি, ফারসি, ইংরেজি ও সংস্কৃত ভাষায় সুপণ্ডিত রাজা রামমোহন রায় ইসলাম ধর্ম, হিন্দু ধর্ম, বৌদ্ধ ধর্ম, সুফিবাদ, বৈষ্ণববাদ ও পাশ্চাত্য ধর্মনিরপেক্ষ মানবতাবাদকে আত্মস্থ করেছিলেন। এবং এর প্রভাব পড়েছিল রবীন্দ্র পরিবারে। মূলত, এই বহু ধর্মের একক সারসত্তা গহণ করেছিলেন রবীন্দ্রনাথের পিতা

মহর্ষি দেবেন্দ্রনাথ ঠাকুর, এই সারবত্তার উৎস উপনিষদ। দেবেন্দ্রনাথ ঠাকুরের অতল পাণ্ডিত্যে রবীন্দ্রনাথকে কতটা প্রভাবান্বিত করেছিল, গবেষকের লেখায় বোঝা যাচ্ছে। বীরেন্দ্রকুমার লিখছেন, ''রাজা রামমোহনের প্রতি রবীন্দ্রনাথের যে প্রগাঢ় ভক্তি ও শ্রদ্ধা ছিল তা তাঁর অজস্র রচনার মধ্য দিয়ে আত্মপ্রকাশ করেছে। কিন্তু ধর্মজীবনের সাক্ষাৎ প্রভাব বলতে যা বোঝায় তা মহর্ষির কাছ থেকেই এসেছিল। রবীন্দ্রনাথের শৈশব কাল প্রধানত কল্পনাশ্রয়ী হলেও মহর্ষির ধর্মপ্রভাব তথা ভারতীয় উপনিষদের প্রভাব কবির জীবনে তিলমাত্র অসার্থক হয়নি।

যে-ধর্ম বিভেদের জোগান দেয় সে-ধর্ম তিনি গ্রহণ করেননি, বলছেনও না তার কথা। বলছেন সমগ্র মানব প্রজাতির মধ্যে যে ধর্ম কাজ করে চলেছে নিভৃতে সেই ধর্মের কথা। প্রদীপের আলো সামান্য একটা জায়গাকে আলোকিত করে; প্রদীপের চারপাশের অল্প একটু জায়গা ছাড়া এর কোনো সক্ষমতা নেই। কিন্তু যখনই ভোরবেলা নিখিল ভুবন উজ্জ্বল করে আকাশে সূর্য উঠে পড়ে তখন সে আলোকিত করে সমস্ত প্রান্তর, সমস্ত ভূমি। খণ্ডিত ধর্ম শুধুমাত্র একটি জাতিকে আলোকিত করে কিন্তু সকল মানবজাতিকে আলোকিত করার জন্য চাই একক ধর্ম, অখণ্ড বিশ্ববোধ। প্লেটো যেমন তাঁর ধারণা তত্ত্বের মধ্যে সর্বজনীন ধারণার ইঙ্গিত দিলেন ঠিক রবীন্দ্রনাথের ধর্মও বোধ করি সেরকম। তিনি 'ধর্মের সরল আদর্শ'-তে বলছেন, ''আমার গৃহকোণের জন্য যদি একটি প্রদীপ আমাকে জ্বালিতে হয় তবে তাহার জন্য আমাকে কত আয়োজন করিতে হয় সেটুকুর জন্য কত লোকের ওপর আমার নির্ভর। কোথায় সর্ষ বপন হইতেছে, কোথায় তৈল নিষ্কাশন চলিতেছে, কোথায় ক্রয়-বিক্রয়, তাহার পরে দীপ সজ্জারই বা উদযোগ— এত জটিলতায় যে অন্ধকারকে আলোকটুকু পাওয়া যায় তাহা কত অল্প। তাহাতে আমার ঘরের কাজ চলিয়া যায়, কিন্তু বাহিরের দ্বিগুণ ঘনীভূত করিয়া তোলে। বিশ্বপ্রকাশক প্রভাতের আলোককে গ্রহণ করিবার জন্য কাহারও উপরে আমাকে নির্ভর করিতে হয় না, তাহা কেবলমাত্র জাগরণ করিতে হয়। চক্ষু মেলিয়া ঘরের দ্বার মুক্ত করিলেই সে আলোককে আর কেহ ঠেকাইয়া রাখিতে পারে না।" এটা— ঠিক ক্ষুদ্র আলোকের জন্য অনেক ঝক্কি কিন্তু বৃহৎ আলোক যে সকল প্রাণকে ছাপিয়ে যায়। তিনি আরও লিখছেন, ''এই আলোক যেন ধর্ম। তাহাও এইরূপ অজস্র, তাহা এইরূপ সরল। তাহা ঈশ্বরের আপনাকে দান— তাহা নিত্য, তাহা ভূমা।"

ধর্ম মানেই বিভাজন, কলহ, অনৈক্য, তথা দলাদলি— সাধারণের এমন প্রত্যক্ষানুভূতি সম্পর্কে তিনি বলেন, ''সর্বান্তঃকরণে আমরা নিজেকে ধর্মের অনুগত না করিয়া, ধর্মকে নিজের অনুরূপ করিবার চেষ্টা করিয়াছি।" ধর্মকে আমরা যখন গৃহের অন্যান্য আবশ্যকীয় দ্রব্যের মতন নিত্যদিনে ব্যাবহারিক দ্রব্য করে তুলি তখন ধর্মের গাম্ভীর্য নষ্ট হয়, নষ্ট হয় এর চিরায়ত দর্শন। তাহলে ধর্মকে কীভাবে ব্যবহার করতে হবে? ধর্ম সর্বজনীন, সর্বশ্রেষ্ঠ। ধর্ম সর্বব্যাপী ও বিকারহীন। খণ্ডিত হলে ধর্ম থাকে না। ধর্ম ভূমা, অস্পর্শিত ও অনন্ত। সকল মানুষের ভেতর নিরন্তর বয়ে-যাওয়া অখণ্ড আলোক হচ্ছে ধর্ম। কিন্তু বিভেদ ডেকে আনে বিপর্যয়। তিনি লিখছেন, ''কিন্তু ধর্মকে ধারণা

করিতে হইবে তো? ধারণা করিতে হইলে, তাহাকে আমাদের প্রকৃতির অনুযায়ী করিয়া লইতে হয়। অথচ মানব প্রকৃতি বিচিত্র, সুতরাং সেই বৈচিত্র অনুসারে যাহা এক তাহা অনেক হইয়া ওঠে। যেখানে অনেক সেখানে জটিলতা অনিবার্য, যেখানে জটিলতা সেখানে বিরোধ আপনি আসিয়া পড়ে। তিনি আরও বলেন, ‘‘ধর্মরাজ ঈশ্বর ধারণার অতীত। যাহা ধারণা করি তাহা তিনি নহেন, তাহা আর কিছু, তাহা ধর্ম নহেন, তাহা সংসার। সুতরাং তাহাতে সংসারের সমস্ত লক্ষণ ফুটিয়া ওঠে। সংসারের লক্ষণ বৈচিত্র, সংসারের লক্ষণ বিরোধ।’’ কিন্তু এই বিভাজ্য মানসিকতায় এক মানবধর্ম চলবে কী করে? উপনিষদ ব্যাখ্যা দিচ্ছে, ‘‘যো বৈ ভূমা তত সুখং নাল্পে সুখ মস্তি।’’ যা কিছু ভূমা তাতেই সুখ, যা ভূমি তা অল্প যারপরনাই সেখানে সুখ নেই। দুঃখ তখনই সৃষ্টি হয় যখন ভূমাকে আমরা ধারণাযোগ্য করে নিই। তাহলে সমাধান কোথায়? তিনি বলছেন, সংসারে বাস করে যখন ভূমাকে উপলব্ধি করি। ‘‘সংসার দ্বারা ভূমাকে খণ্ডিত জড়িত করিলে চলিবে না’’ সাকার নিরাকার বিতর্কটা সেই চির চেনা সীমা-অসীমের বিতর্ককে উসকে দেয়। ভারতবর্ষে একসময় এই বিতর্ক ছিল তুঙ্গে, বিশেষ করে হিন্দু ধর্ম ও হিন্দু ধর্মের উপজাত ব্রাহ্ম ধর্মের মধ্যে যখন ঈশ্বর উপাসনার ধরন নিয়ে বিতর্ক চলছে, দলাদলি ভয়ানক আকার পেয়েছে তখন রবীন্দ্রনাথ কলম ধরেন। ১২৯২ বঙ্গাব্দের শ্রাবণ মাসে ভারতী পত্রিকায় ‘সাকার ও নিরাকার’ উপাসনা নিয়ে একটা নিবন্ধে কিছুটা হলেও নিজের অবস্থান পরিষ্কার করেন। খুব সংগত কারণেই রবীন্দ্রনাথ ব্রাহ্মমতের অনুসারী হওয়ায় ফলে নিরাকার মতের পক্ষে বাহাস করেন। তবে সাকার উপাসনা যে একেবারে নিরর্থক সেটাও বলা যায় না। সাকার উপাসনায় আমরা কতটুকু পাই; নিরাকার পথেই-বা কতটুকু— এই বিবেচনাটা সবার আগে। রবীন্দ্রনাথকে আমরা যতটুকু বুঝি তাতে মনে হয় তিনি আকারহীন উপাসনাকে বেশি গুরুত্ব দিয়েছেন। কারণ আকারেরর মধ্যে একটা সীমানা চলে আসে, আকারের মধ্যে অসীমতা খর্ব হয়। বিশ্ববিধাতা তো অসীম, এর কূল পাওয়ার চেষ্টা কি অবাস্তব নয়? তিনি বলছেন, সীমার মধ্যে আমাদের সুখ নেই। ‘ভূমৈব সুখংনাল্পে সুখমস্তি।’ অসীমের পানে মানুষের মন ছোটে এর কারণ সীমা যে তৃপ্তি দেয় তার ভেতর আমরা যেন খুঁজে পাই না আমাদের গন্তব্যকে। এতে প্রয়োজন হয়তো মিটে যায় কিন্তু মনের অসীম ক্ষুধার তো পরিতৃপ্তি হয় না। রবীন্দ্রনাথ অসীমত্বের মাঝে সৌন্দর্য খুঁজেছেন, সেটা যেমন তাঁর শিল্পবোধের ক্ষেত্রে প্রযোজ্য তেমনি সত্তা বিষয়ক অন্টলজিক্যাল দিক থেকেও সমান দরকারি।

‘সৌন্দর্য প্রয়োজনের বাড়া’— এর অর্থের মধ্যেই রয়েছে অসীমত্বের প্রতি রবীন্দ্রানুভূতির তীব্র আকাঙ্ক্ষা। প্রয়োজনের একটা সীমানা আছে। আছে তার কেজো প্রকৃতি। ওটা আটপৌরে যা নিত্যদিনের ব্যবহারের ফলে ওর মর্ম আমাদের মনকে স্পর্শ করে না। যেমন করে না ক্ষুদ্র পুকুর বা দিঘির জল। সমুদ্রের অসীম জলরাশি প্রাণকে ভরিয়ে দেয় কারণ ওর কোনো কূল নেই। যা অকূল যা কিনারাহীন আর অসীমের দিকে প্রসারিত তাই আমাদের চাওয়া। পৌত্তলিকতার মধ্যে তিনি একটা অসীমকে সীমানার মধ্যে আনার ব্যর্থ চেষ্টা হিসেবে দেখছেন। আমরা যতটুকু দেখি তার থেকে যা দেখি না তাই বিশাল। অর্থাৎ দৃষ্টির সীমানার চেয়েও অদৃষ্টির বাস্তবতা আরও বেশি

সত্য। তাঁর নিজের কথায়, "যেখানে চক্ষুর কোন বাধা নাই এমন এক প্রশস্ত মাঠে দাঁড়াইয়া চারি দিকে যখন চাহিয়া দেখি, তখন পৃথিবীর বিশালতা অনুভব করিয়া আমাদের হৃদয় প্রসারিত হইয়া যায়। কিন্তু কি করিয়া জানিলাম পৃথিবী বিশাল? প্রান্তরের যতখানি আমার দৃষ্টিগোচর হইতেছে ততখানি যে অত্যন্ত বিশাল তাহা নহে। আজন্ম আমরণ কাল যদি এই প্রান্তরের মধ্যে বসিয়া থাকিতাম আর কিছুই না দেখিতে পাইতাম তবে এইটুকুকেই সমস্ত পৃথিবী বলিয়া মনে করিতাম।" তাহলে আমরা কেন পৌত্তলিকতাকে গ্রহণ করব?

তাহলে কবিতার কী হবে? মানুষের মনের গহীন অন্তঃপুরে যে ভাবরস ঘনীভূত হয় তা যখন আকার পায় তখন হয়ে ওঠে কবিতা। তাহলে কি সেটা পৌত্তলিকতা হয়ে উঠবে না? অর্থাৎ কবিতা কি পৌত্তলিকতা? রবীন্দ্রনাথ বলছেন, "কবিতা পৌত্তলিকতা নহে।" ভাবাভিনয়ের স্বাধীনতাই কবিতা। ভাবের একটা আকার দেয়া হয় ঠিকই, কিন্তু সেখানে যে শিল্পীর স্বাধীনতা বিদ্যমান। কাজেই "ঈশ্বরকে আমরা হৃদয়ের সংকীর্ণতাবশত সীমাবদ্ধ করিয়া ভাবিতে পারি কিন্তু পৌত্তলিকতায় তাহাকে বিশেষ একরূপ সীমার মধ্যে বদ্ধ করিয়া ভাবিতেই হইবে।" অবশ্য তিনি এও বলেন, অনেকসময় মানুষের এই উপায়টাই লক্ষ্য হয়ে দাঁড়ায়, যেটা মনুষ্য প্রকৃতিরই ধর্ম। এতে কাউকে দোষ দেয়া যাবে না।

রবীন্দ্রনাথের দাবি— "অসীমতা কল্পনার বিষয় নয় বরং সীমাই কল্পনার বিষয়।" কিছুটা খটকা লাগলেও তিনি এই ব্যাখ্যা দেন যে, সীমার মাঝে কোনো কিছুকে আনতে পারা অত্যন্ত কষ্টের ব্যাপার। কারণ দিগন্ত-জোড়া যে আকাশ তাকে কতটুকু দৃষ্টিসীমার মধ্যে কল্পনা করা যায়? কতটুকু কল্পনার মধ্যে আনতে পারলে স্বস্তি লাগে? এটা অত্যন্ত অকল্পনীয় ব্যাপার। তাই তো আমরা সমুদ্রকে বলি অসীম, আকাশকে বলি অসীম। সীমা অগণিত কিন্তু অসীম এক; সীমাতে শ্রান্তি অসীমে শান্তি। তবে পরিশেষে তিনি সীমা ও অসীমের মাঝে জগৎকে দেখতে চেয়েছেন। সীমা যেমন চিন্তার উপাদান দেয় তেমনি অসীম দেয় আকার। অসীমেরও যে আকার আছে! এই আকার ও নিরাকার সৃষ্টি করে মানবচিন্তার দুমুখো স্বভাব। তাই তিনি বলছেন, কবিতায় আমাদের রিয়েলিস্টিক ধারার প্রয়োজন আছে, তেমনি আছে সাজেসটিভ ধারা; বস্তুগত ও ভাবগত গুণের ভেতর দিয়ে আমরা প্রকাশ করি নিজের একান্ত অনুভূতি।

[২৪]

রবীন্দ্রনাথের পাশ্চাত্য সাহিত্যভাবনা

আধুনিক বিজ্ঞান যে নিরাসক্ত চিত্তে বাস্তবকে বিশ্লেষণ করে, আধুনিক কাব্য সেই নিরাসক্ত চিত্তে বিশ্বকে সমগ্র দৃষ্টিতে দেখবে— রবীন্দ্রনাথের কাছে এইটেই ছিল শাশ্বতভাবে আধুনিক। তিনি অবশ্য ভাবতেন, সর্বশ্রেষ্ঠ বাহন হিসেবে নিরাসক্ত মনকে ইউরোপ সায়ান্সে পেয়েছে, কিন্তু সাহিত্যে পায়নি। এই ভাবনা তাঁর ব্যক্তিগত ভালো লাগা না-লাগায় সম্পৃক্ত। উদ্ধত কালাপাহাড়ি নব্যতার মদির রসে মত্ত অঘোরপন্থীদের কথা ভেবেই হয়তো রবীন্দ্রনাথ অনুরূপ উক্তি করেছেন। ইউরোপ সম্বন্ধে কি এমন ঢালাও মন্তব্য করা যাবে।

রবীন্দ্রনাথের দীক্ষা, তাঁর কথায়, সেই অধুনা উপহাসিত ভিক্টোরীয় যুগের সাহিত্যে এবং সেই অনুসারে যা মহৎ তাকে সন্ধান করে বিশেষভাবে, বিশেষ স্থানে, বিশেষ অনুষ্ঠানে তার জন্য তিনি আসন পেতেছিলেন। তিনি ভাবতেন, সেদিনের লেখকের মধ্যে বৈষম্য থাকলেও রূঢ়ভাবে কোনো দেউড়ি থেকে কোনো দ্বারী তাঁকে ঠেকিয়ে রাখেনি। পরে দ্বাররুদ্ধ ইউরোপীয় দুর্গমতায় তিনি অনুভব করেছিলেন আধুনিক ইংরেজি কাব্যে তাঁর প্রবেশাধিকার বাধাগ্রস্ত। আবার, আধুনিক কবিদের কিছু কিছু নমুনা পড়ে তাঁর সংশয় হয়েছিল যে, তিনি আধুনিক কবিদের নাগাল পাবেন না, তা কেটে যায়। তিনি স্বস্তি পান এই ভেবে যে, তাঁর অবস্থাটা অত শোচনীয় নয়। ভিক্টোরিয়া যুগে যে ভদ্রলোকের দীক্ষা তাঁর পক্ষে পাশ্চাত্য পুথিপাড়ার সব তোলপাড়কে সহজে গ্রহণ করা সম্ভব না হওয়ারই কথা। মনঃসমীক্ষণ, অবচেতনতত্ত্ব, যৌনপ্রবৃত্তির অনাবরণ বা অশ্লীলতা, বাস্তবিকতা, দারিদ্র্য বেদনা, মার্কসিজম ইত্যাদি ইউরোপীয় মতবাদের যে ঢেউ গঙ্গাতীরে এসে লেগেছিল তা তাঁর মনে কখনো সংশয়, কখনো দ্বন্দ্ব, আবার কখনো ক্ষোভের উদ্রেক করেছিল। তখনও অস্তিত্ববাদের কথা তেমন ওঠেনি।

রবীন্দ্রনাথ তাঁর আত্মপরিচয়ে বলেছেন, ''রুচির প্রমাণ তর্কে হতে পারে না। রুচির প্রমাণ কালে, কালের ধৈর্য অসীম, রুচিকেও তার অনুকরণ করতে হয়।'' তাঁর বয়স যখন ত্রিশকে ছুঁই ছুঁই করছে তখন তিনি চাচ্ছেন সরল সুন্দর মধুর উদার লেখা। তলস্তয়ের 'আনা কারেনিনা'র

মতো Sickly বই পড়ে কী সুখ তিনি বুঝতে পারেন না। ত্রিশ পেরিয়ে তিনি বলছেন, সমগ্র মানুষ যেখানে মুক্তিলাভ করেছে সেই সুবৃহৎ অনাবরণের মধ্যে অশ্লীলতা নেই। শেক্সপিয়র, রামায়ণ বা মহাভারত অশ্লীল নয়, কিন্তু এমিল জোলা ও ভারতচন্দ্র অশ্লীল— কেননা সেখানে মানুষ কেবল আংশিকভাবে অনাবৃত। দু-এক বছর পর তিনি বলছেন, শেক্সপিয়রের 'ওথেলো' দ্বিতীয় বার পড়তে তাঁর কিছুতেই মন ওঠে না। তার কারণ, ওথেলোর মধ্যে যেটুকু করুণা আছে তা তাঁকে আকর্ষণ করে, কিন্তু নাটকের শেষ অংশের বর্বরতা ও নিষ্ঠুরতা তাঁকে বিমুখ করে। পঞ্চাশোর্ধ্ব বয়সে ইউরোপীয় সাহিত্যে যৌনমিলনের দৈহিকতার উপদ্রব দেখে তিনি বলছেন ওর প্রেরণা বৈজ্ঞানিক কৌতূহলে, আর তা সাহিত্যে চিরকাল টিকতে পারে না। তাঁর মতে, সাহিত্যে যৌনমিলন নিয়ে যে তর্ক উঠেছে সামাজিক হিতবুদ্ধির দিক থেকে তার সমাধান হবে না। তার সমাধান কলারসের দিক থেকে। আবার সত্তর বছর বয়সে সেই রবীন্দ্রনাথ বলছেন, যেখানে রূপের পূর্ণতা সেখানকার সৃষ্টি প্রকৃতির সৃষ্টির মতোই। রামায়ণের মন্থরা, মহাভারতের শকুনি ও ওথেলোর ইয়াগো প্রকৃতির উট, ব্যাং, বাদুরের মতো কুরূপ হতেও সংকোচ করে না, কেননা তার মধ্যেও সত্যের শক্তি আছে।

যাঁর একসময় মনে হয়েছে, সাইকো অ্যানালিসিসের বুলির মধ্যে সৃষ্টির অবিশ্লেষ্য সমগ্রতাকে খর্ব করবার মনোভাব জেগে উঠেছে, সেই তিনিই আবার মনস্তত্ত্বের অপরূপ রহস্যের মধ্যে কখন তলিয়ে গেছেন— গোচরাতীত চেতনাকে ও ইন্দ্রিয়াতীত জগৎকে নানাভাবে স্পর্শ করে তাদের বার্তা নানা ছন্দে দেবার চেষ্টা করছেন। সকল সৃষ্টিতেই চেতন-অবচেতনের মিলিত লীলা লক্ষ করে তিনি আধুনিক মনোলোকে কাব্যের প্রকাশ রহস্যকে যেমন বোঝার চেষ্টা করেন, তেমনি যেখানে তার আবির্ভাব কৃত্রিম নয়, সেখানে তাকে তিনি স্বীকারও করে নিতে চান। অবচেতনের তত্ত্বের প্রভাব তিনি দেখেছেন ছেলে ভোলাবার ছড়ায়— তাঁর নিজের আঁকা ছবিতে।

রিয়ালিজ্‌ম বা বাস্তবিকতা সম্পর্কে তিনি বলছেন এটা কাচপোকার মতো আর্টের মধ্যে প্রবেশ করে তেলাপোকার মতো তার অন্তরের সমস্ত রস নিঃশেষ করে ফেলে। তাঁর কাছে বিষয় বাছাই নিয়ে রিয়ালিজ্‌ম নয়, রিয়ালিজ্‌ম ফুটবে রচনার জাদুতে। রিয়ালিটির কৃত্রিম কারি-পাউডারে তৈরি সাহিত্যের মধ্যে তিনি কেবল দেখেছেন দারিদ্র্যের আস্ফালন, আর একটা লালসার অসংযম।

বামপন্থী সাহিত্যের আলোচনা করতে গিয়ে রবীন্দ্রনাথ বলছেন, দারিদ্র্য বেদনা যখন একটা ভঙ্গিমার অঙ্গ হয় তখন সেই প্রয়াসের মধ্যে লেখকেরই দারিদ্র্য প্রকাশ পায়। কবিতার জাত রেখে যদি মার্কসিজমের ছোঁয়াচ কারও কবিতায় লাগে তবে তাঁর আপত্তি নেই। আর যদি নাও লাগে, তবে তাঁর কথা হল, জাত তুলে কি গাল দেওয়া শোভা পাবে! যদি কিছু সৃষ্টি হয়ে থাকে তবে প্রাচীন হোক বা আধুনিক হোক বা বিশেষ কোনো মতবাদ দ্বারা প্রণোদিত হোক বা লালিত হোক তাহলে আর কোনো জবাবদিহি নেই— এই হল তাঁর মোদ্দা কথা।

ইন্দিরা দেবী চৌধুরানীকে এক পত্রে রবীন্দ্রনাথ বলেন, "সেই ছেলেবেলায় যখন আরব্য-উপন্যাস পড়তুম, সিন্ধ্‌বাদ নানা নতুন দেশে বাণিজ্য করতে বাহির হত, ভৃত্য-শাসিত

আমি তোষাখানার মধ্যে রুদ্ধ হয়ে বসে বসে দুপুর বেলায় সিন্ধ্‌বাদের সঙ্গে ঘুরে বেড়াতুম, তখন যে আকাঙ্ক্ষাটা মনের মধ্যে জন্মেছিল সেটা যেন এখনো বেঁচে আছে— এই বালিচরে নৌকা বাঁধা দেখলে সেই যেন চঞ্চল হয়ে ওঠে। ছেলেবেলায় যদি আরব্য-উপন্যাস রবিনসন ক্রুসো না পড়তুম, রূপকথা না শুনতুম, তা হলে নিশ্চয় বলতে পারি ঐ নদীতীর এবং মাঠের প্রান্তরে দূর দৃশ্য দেখে ঠিক এমন ভাব মনে উদয় হত না— সমস্ত পৃথিবীর চেহারা আমার পক্ষে আর একরকম হয়ে যেত।"

অপর একটি পত্রে রবীন্দ্রনাথ বলেন, "ছেলেবেলায় রবিনসন ক্রুশো পৌলভর্জিনি প্রভৃতি বইয়ে গাছপালা সমুদ্রের ছবি দেখে মন ভারী উদাসীন হয়ে যেত— এখানকার রৌদ্রে আমার সেই ছবি দেখার বাল্যস্মৃতি ভারী জেগে ওঠে। এর যে কী মানে আমি ঠিক করতে পারি নে— এ যেন এই বৃহৎ ধরণীর প্রতি একটা নাড়ীর টান।"

'সাহিত্যের মূল্য'-এ রবীন্দ্রনাথ বলেন, "জীবন মহাশিল্পী। সে যুগে যুগে দেশে দেশান্তরে মানুষকে নানা বৈচিত্র্যে মূর্তিমান করে তুলছে। লক্ষ লক্ষ মানুষের চেহারা আজ বিস্মৃতির। জীবনের এই সৃষ্টিকার্য যদি সাহিত্যে যথোচিত নৈপুণ্যের সঙ্গে আশ্রয় লাভ করতে পারে তবেই তা অক্ষয় হয়ে থাকে। সেইরকম সাহিত্য ধন্য, ধন্য ডন কুইকসট, ধন্য রবিনসন ক্রুসো।"

'সাহিত্যতত্ত্ব'-এ রবীন্দ্রনাথ বলেছেন, "সাংকোপাঞ্জা ডনকুইক্‌সোটের ভৃত্য মাত্র, সংসারের প্রবাহমান তথ্যপুঞ্জের মধ্যে তাকে তর্জমা করে দিলে সে চোখেই পড়বে না— তখন হাজার-লক্ষ চাকরের সাধারণ শ্রেণীর মাঝখানে তাকে শনাক্ত করবে কে। ডন কুইকসোটের চাকর আজ চিরকালের মানুষের কাছে চিরকালের চেনা হয়ে আছে, সবাইকে দিচ্ছে তার একান্ত প্রত্যক্ষতার আনন্দ; এ পর্যন্ত ভারতের যতগুলি বড়োলাট হয়েছে তাদের সকলের জীবন বৃত্তান্ত মেলালেও এ চাকরটির পাশে তারা নিষ্প্রভ।"

'সাহিত্যে নবত্ব'-এ ইউরোপীয় সাহিত্যের ডাডায়িজম সম্পর্কে রবীন্দ্রনাথ বলেন, "জল যাদের ফুরিয়েছে তাদের পক্ষে আছে পাঁক। তারা বলে, সাহিত্য ধারায় নৌকা চলাচলটা অত্যন্ত সেকেলে; আধুনিক উদ্ভাবনা হচ্ছে পাঁকের মাতুনি— এতে মাঝিগিরি দরকার নেই— এটা তলিয়ে যাওয়া রিয়ালিটি। ভাষাটাকে বেঁকিয়ে চুরিয়ে, অর্থের বিপর্যয় ঘটিয়ে ভাবগুলোকে স্থানে অস্থানে ডিগবাজি খেলিয়ে, পাঠকের মনকে পদে পদে ঠেলা মেরে, চমক লাগিয়ে দেওয়াই সাহিত্যের চরম উৎকর্ষ। চরম সন্দেহ নেই। সেই চরমের নমুনা য়ুরোপীয় সাহিত্যের ডাডায়িজম্‌। এর একটি মাত্র কারণ হচ্ছে এই, আলাপের সহজ শক্তি যখন চলে যায় সেই বিকারের দশায় প্রলাপের শক্তি বেড়ে ওঠে। বাইরের দিক থেকে বিচার করতে গেলে প্রলাপের জোর আলাপের চেয়ে অনেক বেশি একথা মানতেই হয়। কিন্তু তা নিয়ে শঙ্কা না করে লোকে যখন গর্ব করতে থাকে তখনই বুঝি, সর্বনাশ হল বলে।"

বাল্যকালে যে ইংরেজি কবিতার সঙ্গে রবীন্দ্রনাথের পরিচয় হয় সে-সম্পর্কে তিনি বলেন তখনকার দিনে সেটাকে আধুনিক বলে গণ্য করা চলত। কাব্য তখন একটা নতুন বাঁক নিয়েছিল,

কবি বার্নস থেকে তার শুরু। এই ঝোঁকে একসঙ্গে অনেক বড়ো বড়ো কবি দেখা দিয়েছিলেন। যথা— ওয়ার্ডসওয়ার্থ, কোলরিজ, শেলি, কিটস।

সমাজে সর্বসাধারণের প্রচলিত ব্যবহাররীতিকে আচার বলে। — সাহিত্যকেও এক এক সময়ে দীর্ঘকাল আচারে পেয়ে বসে— রচনায় নিখুঁত রীতির ফোঁটা তিলক কেটে চললে লোকে তাকে বলে সাধু। কবি বার্নসের পরে ইংরেজি কাব্যে যে-যুগ এল সে-যুগে রীতির বেড়া ভেঙে মানুষের মর্জি এসে উপস্থিত। 'কুমুদকুহারসেবিত সরোবর' হচ্ছে সাধু কারখানায় তৈরি সরকারি ঠুলির বিশেষ ছিদ্র দিয়ে দেখা সরোবর। সাহিত্যে কোনো সাহসিক সেই ঠুলি খুলে ফেলে বুলি সরিয়ে পুরো চোখ দিয়ে যখন সরোবর দেখে তখন ঠুলির সঙ্গে সঙ্গে সে এমন একটা পথ খুলে দেয় যাতে করে সরোবর নানা দৃষ্টিতে নানা খেয়ালে নানাবিধ হয়ে ওঠে। সাধু বিচারবুদ্ধি তাকে বলে ধিক। সাহিত্যের পথে-র আধুনিক কাব্যে কবি বলেন—

"আমরা যখন ইংরেজি কাব্য পড়া শুরু করলুম তখন সেই আচার-ভাঙা ব্যক্তিগত মর্জিকেই সাহিত্যে স্বীকার করে নিয়েছিল। এডিনবরা রিভিয়্যুতে যে তর্জনধ্বনি উঠেছিল সেটা তখন শান্ত। যাই হোক, আমাদের সেকাল আধুনিকতার একটা যুগান্তকাল।

তখনকার কালে কাব্যে আধুনিকতার লক্ষণ হচ্ছে, ব্যক্তিগত খুশির দৌড়। ওয়ার্ডসওয়ার্থ বিশ্বপ্রকৃতিতে যে আনন্দময় সত্তা উপলব্ধি করেছিলেন, সেটাকে প্রকাশ করেছিলেন নিজের ছাঁচে। শেলির ছিল প্ল্যাটোনিক ভাবুকতা, তার সঙ্গে রাষ্ট্রগত ধর্মগত সকল প্রকার স্থূল বাধার বিরুদ্ধে বিদ্রোহ। রূপ সৌন্দর্যের ধ্যান ও সৃষ্টি নিয়ে কিটসের কাব্য সম্পর্কে লিখলেন—

"প্রথম বয়সে যে ইংরেজ কবিদের সঙ্গে আমাদের পরিচয় হল তাঁরা বাহিরকে নিজের অন্তরের যোগে দেখছিলেন— জগৎ হয়েছিল তাঁদের নিজের ব্যক্তিগত। আপন কল্পনা মত ও রুচি সেই বিশ্বকে শুধু যে কেবল মানবিক ও মানসিক করেছিল তা নয়, তাকে করেছিল বিশেষ কবির মনোগত। ওয়ার্ডসওয়ার্থের জগৎ ছিল বিশেষভাবে ওয়ার্ডসওয়ার্থীয়, শেলির ছিল শেলীয়, বাইরনের ছিল বাইরনিক। রচনার ইন্দ্রজালে সেটা পাঠকেরও নিজের হয়ে উঠত। বিশেষ কবির জগতে যেটা আমাদের আনন্দ দিত। সেটা বিশেষ ঘরের রসের আতিথ্যে। ফুল তার আপন রঙের গন্ধের বৈশিষ্ট্য দ্বারায় মৌমাছিকে নিমন্ত্রণ পাঠায়, সেই নিমন্ত্রণলিপি মনোহর। কবির নিমন্ত্রণেও স্বভাবতই সেই মনোহারিতা ছিল।" পথের সঞ্চয়-এর 'কবি য়েট্‌স্‌' প্রবন্ধে রবীন্দ্রনাথ বলেন, "ইংলন্ডের বর্তমান কালের কবিদের কাব্য যখন পড়িয়া দেখি তখন ইহাদের অনেককেই আমার মনে হয়, ইহারা বিশ্বজগতের কবি নহেন। ইহারা সাহিত্যজগতের কবি। কবিরা যেন ওস্তাদ হইয়া উঠিয়াছে, অর্থাৎ প্রাণ হইতে গান করিবার প্রয়োজন বোধই তাহাদের চলিয়া গিয়াছে, এখন কেবল গান হইতেই গানের উৎপত্তি চলিতেছে। যখন ব্যথা হইতে কথা আসে না, কথা হইতেই কথা আসে, তখন কথার কারুকার্য ক্রমশ জটিল ও নিপুণতর হইয়া উঠিতে থাকে। আবেগ তখন প্রত্যক্ষ ও গভীরভাবে হৃদয়ের সামগ্রী না হওয়াতে সে সরল হয় না; সে আপনাকে আপনি বিশ্বাস করে

না বলিয়াই বলপূর্বক অতিশয়ের দিকে ছুটিতে থাকে; নবীনতা তাহার পক্ষে সহজ নহে বলিয়াই আপনার অপূর্বতা প্রমাণের জন্য কেবলই তাহাকে অদ্ভুতের সন্ধানে ফিরিতে হয়।

ওয়ার্ডসওয়ার্থের সঙ্গে সুইনবর্নের তুলনা করিয়া দেখিলেই আমার কথাটা বোঝা সহজ হইবে। যাঁহারা জগতের কবি নহেন, কবিত্বের কবি, সুইনবর্ন তাঁহাদের মধ্যে প্রতিভায় অগ্রগণ্য। কথায় নৃত্যলীলায় ইহার এমন অসাধারণ নৈপুণ্য যে, তাহারই আনন্দ তাঁহাকে মাতোয়ারা করিয়াছে। ধ্বনি-প্রতিধ্বনির নানাবিধ রঙিন সূতায় তিনি চিত্র বিচিত্র করিয়া ঘোরতর টকটকে রঙের ছবি গাঁথিয়াছেন, সে-সমস্ত আশ্চর্য কীর্তি, কিন্তু বিশ্বের উপর তাহার প্রশস্ত প্রতিষ্ঠা নহে।

ইংরেজি সাহিত্যে একদা আমরা বিদেশিরা যে নিঃসংকোচ আমন্ত্রণ পেয়েছিলুম আজ কি তা আর আছে? একথা বলা বাহুল্য, প্রত্যেক দেশের সাহিত্য মুখ্যভাবে আপন পাঠকদের জন্য, কিন্তু তার মধ্যে সেই স্বাভাবিক দাক্ষিণ্য আমরা প্রত্যাশা করি যাতে সে দূর নিকটের সকল অতিথিকেই আসন জোগাতে পারে। যে-সাহিত্যে সেই আসন প্রসারিত সেই সাহিত্যই মহৎ সাহিত্য, সকল কালেরই মানুষ সেই সাহিত্যের স্থায়িত্বকে সুনিশ্চিত করে তোলে, তার প্রতিষ্ঠাভিত্তি সর্বমানবের চিত্ত ক্ষেত্রে।

আমাদের সমসাময়িক বিদেশি সাহিত্যকে নিশ্চিত প্রত্যয়ের সঙ্গে বিচার করা নিরাপদ নয়। আধুনিক ইংরেজি সাহিত্য সম্বন্ধে আমি যেটুকু অনুভব করি সে আমার সীমাবদ্ধ অভিজ্ঞতা থেকে, তার অনেকখানিই হয়তো অজ্ঞতা। এ সাহিত্যের অনেক অংশের সাহিত্যিক মূল্য হয়তো যথেষ্ট আছে। কালে কালে তার যাচাই হতে থাকবে। আমি যা বলতে পারি তা আমারই ব্যক্তিগত বোধশক্তির সীমানা থেকে। আমি বিদেশির তরফ থেকে বলছি— অথবা তাও নয়— একজন মাত্র বিদেশি কবির তরফ থেকে বলছি— আধুনিক ইংরেজি কাব্যসাহিত্যে আমার প্রবেশাধিকার অত্যন্ত বাধাগ্রস্ত। আমার একথার যদি কোনো ব্যাপক মূল্য থাকে তবে এই কথা বলতে হবে এই সাহিত্যের অন্য নানা গুণ থাকতে পারে, কিন্তু একটা গুণের অভাব আছে যাকে বলা যায় সার্বভৌমতা। যাতে করে বিদেশ থেকে আমিও একে অকুণ্ঠিত চিত্তে মেনে নিতে পারি। ইংরেজের প্রাক্তন সাহিত্যকে তো আনন্দের সঙ্গে মেনে নিয়েছি, তার থেকে কেবল যে রস পেয়েছি তা নয়, জীবনের যাত্রাপথে আলো পেয়েছি তার প্রভাব আজও তো মন থেকে দূর হয়নি। আজ দ্বাররুদ্ধ ইউরোপের দুর্গমিতা অনুভব করচি আধুনিক ইংরেজি সাহিত্যে। তার কঠোরতা আমার কাছে অনুদার বলে ঠেকে, বিদ্রুপ-পরায়ণ বিশ্বাসহীনতার কঠিন জমিতে তার উৎপত্তি। তার মধ্যে এমন উদ্‌বৃত্ত দেখা যাচ্ছে না, ঘরের বাইরে যার অকৃপণ আহ্বান। এ সাহিত্য বিশ্ব থেকে আপন হৃদয় প্রত্যাহরণ করে নিয়েছে। এর কাছে এমন বাণী পাইনে যা শুনে মনে করতে পারি যেন আমারই বাণী পাওয়া গেল চিরকালীন দৈববাণীরূপে। দুই-একটা ব্যতিক্রম যে নাই তা হতেই পারে না। মনে পড়ছে রবার্ট ব্রিজেসের নাম। আরো আছে।"

নবযুগের কাব্য-এ কবি বলেন— "বালক-বয়সেই ইংরেজি সাহিত্যের আঙিনায় যাওয়া-আসা শুরু করেছি। ভাষার আভিধানিক বেড়াটা যেমনি পার হয়েছি অমনি ওখানকার ফলের বাগান

থেকে ফল পাড়বার আনন্দে বেলা কেটেছে। যেটুকু বাধা পেয়েছি তাতে ঠেকিয়ে রাখতে পারেনি বরঞ্চ ঔৎসুক্য বাড়িয়েছে। ইংরেজি সাহিত্যের পথে এই সার্বজনীনতার আহ্বান পেয়েছিলুম একে সমতলতা বললে অসংগত হবে। এর মধ্যে বাঁকচোর উঁচুনিচু যথেষ্ট ছিল। লেখকদের মধ্যে ব্যক্তিগত বৈষম্যের অভাব ছিল না। কিন্তু রূঢ়ভাবে কোনো দেউড়ি থেকে কোনো দ্বারী ঠেকিয়ে রাখেনি।

সেদিন গেল, এখন নতুন যুগ এসেছে। যে সাহিত্যে চলাফেরা অভ্যস্ত ছিল, সেখানে হঠাৎ দেখি রাস্তা খুঁজে পাইনে। আমি বিদেশী বলেই যে আমাকে এই রকম ধাঁধা লাগিয়েছে তা নয়, আমার কোনো কোনো ইংরেজ বন্ধুকেও জিজ্ঞাসা করে খবর পেয়েছি তাঁদের পক্ষেও আধুনিক কাব্য সহজবোধ্য নয়।"

সে-সম্পর্কে সাহিত্য-এর 'ঐতিহাসিক উপন্যাস'-এ রবীন্দ্রনাথ বলেন, "শেকস্‌পীয়রের 'অ্যান্টনি এবং ক্লিয়োপেট্রা' নাটকের যে মূল ব্যাপারটি তাহা সংসারের প্রাত্যহিক পরীক্ষিত ও পরিচিত সত্য, অনেক অখ্যাত অজ্ঞাত সুযোগ্য লোক কুহকিনী-নারীমায়ার জালে আপন ইহকাল-পরকাল বিসর্জন করিয়াছে। এইরূপ ছোটোখাটো মহত্ত্ব ও মনুষ্যত্বের শোচনীয় ভগ্নাবশেষে সংসারের পথ পরিকীর্ণ।

আমাদের সুপ্রত্যক্ষ নরনারীর বিষামৃতময় প্রণয়-লীলাকে কবি একটি সুবিশাল ঐতিহাসিক রঙ্গভূমির মধ্যে স্থাপিত করিয়া তাহাকে বিরাট করিয়া তুলিয়াছেন। হৃদবিপ্লবের পশ্চাতে রাষ্ট্রবিপ্লবের মেঘাড়ম্বর, প্রেমদ্বন্দ্বের সঙ্গে এক বন্ধনের দ্বারা বদ্ধ রোমের প্রচণ্ড আত্মবিচ্ছেদের সমরায়োজন। ক্লিয়োপেট্রার বিলাসকক্ষে বীণা বাজিতেছে, দূরে সমুদ্রতীর হইতে ভৈরবের সংহার শৃঙ্গধ্বনি তাহার সঙ্গে এক সুরে মন্দ্রিত হইয়া উঠিতেছে। আদি এবং করুণ রসের সহিত কবি ঐতিহাসিক রস মিশ্রিত করিতেই তাহা এমন একটি চিত্ত বিস্ফোরক দূরত্ব ও বৃহত্ত্ব প্রাপ্ত হইয়াছে।

ইতিহাসবেত্তা মমসেন পণ্ডিত যদি শেকস্‌পীয়রের এই নাটকের উপরে প্রমাণের তীক্ষ্ণ আলোক নিক্ষেপ করেন তবে সম্ভবত ইহাতে অনেক কাল বিরোধ-দোষ (Anachronism) অনেক ঐতিহাসিক ভ্রম বাহির হইতে পারে। কিন্তু শেকস্‌পীয়র পাঠকের মনে যে মোহ উৎপাদন করিয়াছেন, ভ্রান্ত বিকৃত ইতিহাসের দ্বারাও যে একটি ঐতিহাসিক রসের অবতারণা করিয়াছেন, তাহা ইতিহাসের নতুন তথ্য আবিষ্কারের সঙ্গে সঙ্গে নষ্ট হইবে না।"

ওয়ার্ডসওয়ার্থ-এর সঙ্গে আলেকজান্ডার পোপ-এর তুলনা করে 'নবযুগের কাব্য'-এ রবীন্দ্রনাথ বলেন, "আলেকজাণ্ডার পোপ যে ঋতুর বাহন, ওয়ার্ডসওয়ার্থ সে-ঋতুর নন। এই বদল মনের বদলের অনুবর্তী প্রাকৃত জগৎ ও মানস জগতকে দুই যুগের কবিরা ভিন্ন চেহারায় দেখেছেন তাই ছন্দ ও ভাষা আপনিই বদলিয়েছে তার প্রকাশভঙ্গি। আমরা সেই অধুনা-উপহাসিত ভিক্টোরীয় যুগের সাহিত্যের দান গ্রহণ করেছি, দীক্ষা পেয়েছি তারই কাছ থেকে।"

সাহিত্য-এর পত্রালাপে রবীন্দ্রনাথ বলেন, "গতিয়ের সহিত ওয়ার্ডসওয়ার্থের তুলনা করা যেতে পারে। ওয়ার্ডসওয়ার্থে কবিতার মধ্যে যে সৌন্দর্যসত্য প্রকাশিত হয়েছে তা পূর্বোক্ত ফরাসিস সৌন্দর্যসত্য অপেক্ষা বিস্তৃত। তার কাছে পুষ্পপল্লব নদী নির্ঝর পর্বত প্রান্তর সর্বত্রই নবনব সৌন্দর্যে উদ্‌ভাসিত হয়ে উঠেছে। কেবল তাই নয়— তার মধ্যে তিনি একটা আধ্যাত্মিক বিকাশ দেখতে পাচ্ছেন, তাতে করে সৌন্দর্য অনন্ত বিস্তার এবং অনন্ত গভীরতা লাভ করেছে। তার ফল এই যে, এরকম কবিতায় পাঠকের শ্রান্তি তৃপ্তি বিরক্তি নেই। ওয়ার্ডসওয়ার্থের কবিতার মধ্যে সৌন্দর্যের এই বৃহৎ সত্যটুকু থাকাতেই তার এত গৌরব এবং স্থায়িত্ব।"

ইংল্যান্ডের ভাবুক সমাজ-এ রবীন্দ্রনাথ এইচ জি ওয়েল্‌স সম্পর্কে বলেন, "এখনকার কালের সুবিখ্যাত ওয়েলস্ সাহেবের দুই-একখানি নভেল ও আমেরিকার সভ্যতা সম্বন্ধে একখানা বই পূর্বেই পড়িয়াছিলাম। তাহাতেই জানিতাম, ইহার চিন্তাশক্তি ইস্পাতের তরবারির মতো যেমন ঝক্‌মক্ করে তেমনি তাহা খরধার।... মানুষটি সজারুজাতীয় নহে, সম্পূর্ণ মোলায়েম। দেখিতে পাইলাম, ইহার প্রখরতা চিন্তায়, কিন্তু প্রকৃতিতে নয়। আসল কথা, মানুষের প্রতি ইহার আন্তরিক দরদ আছে, অন্যায়ের প্রতি বিদ্বেষ এবং মানুষের সার্বজনীন উন্নতির প্রতি অনুরাগ আছে। সেইটে থাকিলেই মানুষের মন কেবলমাত্র চিন্তার তুবড়িবাজি করিয়া সুখ পায় না।"

আত্মশক্তি ও সমূহ-এর রাজা ও প্রজায় রবীন্দ্রনাথ রাডইয়ার্ড কিপলিং সম্পর্কে বলেন, "তাঁহার অসামান্য ক্ষমতা। সেই ক্ষমতা বলে তিনি ইংরাজের কল্পনাচক্ষে প্রাচ্যদেশকে একটি বৃহৎ পশুশালার মতো দাঁড় করাইয়াছেন। তিনি ইংলন্ডের ইংরাজকে বুঝাইতেছেন, ভারতবর্ষীয় গবর্নমেন্ট একটি সার্কাস কোম্পানি। তাঁহারা নানা জাতীয় বিচিত্র অপরূপ জন্তুকে সভ্য জগৎসমক্ষে সুনিপুণ ভাবে নৃত্য করাইতেছেন। একবার সতর্ক অনিমেষ দৃষ্টি ফিরাইয়া লইলেই সব-কটা ঘাড়ের উপর আসিয়া পড়িবে। সুতীক্ষ্ণকৌতুহলের সহিত এই জন্তুদিগের প্রকৃতি পর্যবেক্ষণ করিতে হইবে। যথা পরিমাণে চাবুকের ভয় এবং অস্থিখণ্ডের প্রলোভন রাখিতে হইবে এবং কিয়ৎ পরিমাণে পশুবাৎসল্যেরও আবশ্যক আছে। কিন্তু ইহার মধ্যে নীতি প্রীতি সভ্যতা আনিতে গেলে সার্কাস রক্ষা করা দুষ্কর হইবে এবং অধিকারী মহাশয়ের পক্ষেও বিপদের সম্ভাবনা।"

অত্যুক্তিতে রবীন্দ্রনাথ আরও বলেন, "প্রাচ্য অত্যুক্তির উদাহরণ আরব্য উপন্যাস এবং পাশ্চাত্য অত্যুক্তির উদাহরণ রাডিয়ার্ড কিপলিঙের 'কিম' এবং তাঁহার ভারতবর্ষীয় চিত্রাবলী। আরব্য উপন্যাসেও ভারতবর্ষের কথা আছে, চীনদেশের কথা আছে, কিন্তু সকলেই জানে তাহা গল্পমাত্র— তাহার মধ্যে হইতে কাল্পনিক সত্য ছাড়া আর কোনো সত্য কেহ প্রত্যাশাই করিতে পারে না, তাহা এতই সুস্পষ্ট। কিন্তু কিপলিঙ তাঁহার কল্পনাকে আচ্ছন্ন রাখিয়া এমনি একটি সত্যের আড়ম্বর করিয়াছেন যে, যেমন হলপ-পড়া সাক্ষীর কাছ হইতে লোকে প্রকৃত বৃত্তান্ত প্রত্যাশা করে তেমনি কিপলিঙের গল্প হইতে ব্রিটিশ পাঠক ভারতবর্ষের প্রকৃত বৃত্তান্ত প্রত্যাশা না করিয়া থাকিতে পারে না।

ব্রিটিশ পাঠককে এমনি ছল করিয়া ভুলাইতে হয়। কারণ, ব্রিটিশ পাঠক বাস্তবের প্রিয়। কল্পনার নিজ এলাকার মধ্যেও ব্রিটিশ পাঠক বাস্তবের সন্ধান করে— তাই কল্পনাকেও দায়ে পড়িয়া প্রাণপণে বাস্তবের ভান করিতে হয়। যে ব্যক্তি অসম্ভব স্থান হইতেও সাপ দেখতে চায়, সাপুড়ে তাহাকে ঠকাইতে বাধ্য হয়। সে নিজের ঝুলির ভিতর হইতে সাপ বাহির করে, কিন্তু ভান করে যেন দর্শকের চাদরের মধ্য হইতে বাহির হইল। কিপলিঙ নিজের কল্পনাত্ম ঝুলি হইতেই সাপ বাহির করিলেন, কিন্তু নৈপুণ্যগুণে ব্রিটিশ পাঠক ঠিক বুঝিল যে, এশিয়ার উত্তরীয়ের ভিতর হইতে সরীসৃপগুলো দলে দলে বাহির হইয়া আসিল।

ইন্দিরাদেবী চৌধুরানী দেবীকে এক পত্রে রবীন্দ্রনাথ বলেন, "কীটস সম্বন্ধে, আমি যত ইংরাজ কবি জানি সবচেয়ে কীটসের সঙ্গে আমার আত্মীয়তা আমি বেশী করে অনুভব করি। তার চেয়ে অনেক বড়ো কবি থাকতে পারে, অমন মনের মতো কবি আর নেই। দুর্ভাগ্যক্রমে বেচারা অল্পদিন বেঁচেছিল, এবং অল্পই লিখতে সময় পেয়েছিল।... কীটসের ভাষার মধ্যে যথার্থ আনন্দসম্ভোগের একটি আন্তরিকতা আছে। ওর আর্টের সঙ্গে আর হৃদয়ের সঙ্গে বেশ সমতানে মিশেছে— যেটি তৈরি করে তুলেছে সেটির সঙ্গে বরাবর তার হৃদয়ের একটি নাড়ীর যোগ আছে। টেনিসন সুইনবরন্ প্রভৃতি অধিকাংশ আধুনিক কবির অধিকাংশ কবিতার মধ্যে একটা পাথরে খোদা ভাব আছে— তারা কবিত্ব করে লেখে এবং যে লেখার প্রচুর সৌন্দর্য আছে, কিন্তু কবির অন্তর্যামী সে লেখার মধ্যে নিজের স্বাক্ষর করা সত্যপাঠ লিখে দেয় না। টেনিসনের 'মড' কবিতায় যে সমস্ত লিরিকের উচ্ছ্বাস আছে— সেগুলি বিচিত্র এবং সুতীব্র হৃদয়বৃত্তি-দ্বারা উচ্ছলরূপে পরিপূর্ণ বটে, কিন্তু তবু মিসেস ব্রাউনিঙের সনেটগুলি তার চেয়ে ঢের বেশি অন্তরঙ্গরূপে সত্যি। টেনিসনের অচেতন কবি যে-সমস্ত ছত্র লেখে টেনিসনের সচেতন আর্টিস্ট তার উপর নিজের রঙিন তুলি বুলিয়ে সেটাকে ক্রমাগতই আচ্ছন্ন করে ফেলতে থাকে। কীটসের লেখায় কবিহৃদয়ের স্বাভাবিক সুগভীর আনন্দ তার রচনার কলানৈপুণ্যের ভিতর থেকে একটা সজীব উজ্জ্বলতার সঙ্গে বিচ্ছুরিত হতে থাকে। সেইটে আমাকে ভারী আকর্ষণ করে। কীটসের লেখা সর্বাঙ্গসম্পূর্ণ নয় এবং তার প্রায় কোনো কবিতারই প্রথম ছত্র থেকে শেষ ছত্র পর্যন্ত চরমতা প্রাপ্ত হয়নি, কিন্তু একটি অকৃত্রিম সুন্দর সজীবতার গুণে আমাদের সজীব হৃদয়কে ঘনিষ্ঠ সঙ্গ দান করতে পারে।"

আর এক পত্রে শেলি সম্পর্কে রবীন্দ্রনাথ বলেন, "শেলিকে অন্যান্য অনেক বড়োলোকের চেয়ে বিশেষরূপে কেন ভালো লাগে জানিস? ওর চরিত্রে কোনো রকম দ্বিধা ছিল না, ও কখনো আপনাকে কিম্বা আর কাউকে বিশ্লেষণ করে দেখেনি— ওর একরকম অখণ্ড প্রকৃতি। শিশুদের এবং অনেক স্থলে মেয়েদের এই জন্যে বিশেষরূপে ভালো লাগে তারা সহজ স্বাভাবিক, তারা নিজের মনের বিতর্ক কিম্বা থিয়োরি দ্বারা নিজেকে ভেঙেচুরে গড়েনি। শেলির স্বভাবের যে সৌন্দর্য তার মধ্যে তর্কবিতর্ক আলোচনার লেশ নেই। সে যা হয়েছে, সে কেবল নিজের ভিতরকার এ অনিবার্য সৃজনশক্তির প্রভাবেই হয়েছে। — সে নিজের জন্যে নিজে কিছুমাত্র দায়ী নয়। সে জানেও না

সে কাকে কখন আঘাত দিচ্ছে, কাকে কখন সুখী করছে— তাকেও কোনো বিষয়ে নিশ্চয়রূপে কারও জানবার জো নেই। কেবল এইটুকু স্থির যে, ও যা ও তাই, তা ছাড়া ওর আর কিছু হবার জো ছিল না। ও বাইরে প্রকৃতির মতো স্বভাবতই উদার এবং সুন্দর এবং স্বভাবতই নিজের এবং পরের সম্বন্ধে চিন্তা ও দ্বিধামাত্র হীন। সেইরকম অখণ্ড প্রকৃতির লোকের ভারী একটা স্বাভাবিক আকর্ষণ আছে। এদের সকলেই মাপ করে এবং মায়া করে— কোনো দোষ এদের স্বভাবে যেন স্থায়ীভাবে লিপ্ত হতে পারে না। এদের স্বভাব প্রথম যুগের আদম ইভের মতো আবরণহীন এবং সেই জন্যেই এক হিসাবে পরম রহস্যময়। এরা এখনো জ্ঞানবৃক্ষের ফল খায়নি বলে একটি নিত্য সত্যযুগে বাস করছে।

শেলির শতবার্ষিকী স্মরণোৎসবে রবীন্দ্রনাথ তাঁর ভাষণে বলেন, ''শেলি সর্বাংশে কবি ছিলেন... তাঁর ব্যবহার, তার যা কিছু আশা আকাঙ্ক্ষা, তার সমস্তই এক কবিত্বের ছাঁচে ঢেলে তৈরি করেছিলেন— একথা বেশ উপলব্ধি করা যায়। অনেক কবিকে জানি, একটা বিশেষ সময়ে হয়তো কবিত্বের ভূত তাঁদের পেয়ে বসলে পর কাব্য রচনা করেন এবং বেশ ভালো কাব্যও রচনা করেন। ... কিন্তু শেলির জীবনের আশৈশব গতি এবং প্রকৃতি সমস্তই কবির। Imagination-এর আবহাওয়ায় তাঁর মন নিমগ্ন ছিল। কেবল তাঁর মগজের এক অংশ নয়, তাঁর সমস্ত জীবন নিমগ্ন ছিল। এইজন্য তাঁকে লোকে খেপা বলে মনে করেছে অনেক সময়।

অন্যান্য সাধারণ ও অসাধারণ ব্যক্তির মতো শেলিরও কতকগুলি মতামত ছিল। একথা আমরা সকলেই জানি মতামত থাকাটা কবিত্বের পক্ষে একটা বালাই।... সেটা আমরা ওয়ার্ডসওয়ার্থে বিশেষ করে দেখেছি। যেখানে তিনি রসেতে খুব পূর্ণ হয়েছেন সেখানে তিনি মতকে চাপা দিতে পেরেছেন। কিন্তু সেই পূর্ণতা একটু খর্ব হবা মাত্র তাঁর মতগুলো খাড়া হয়ে উঠে রসপ্রবাহের প্রতিবাদ করতে থাকে। শেলিরও মতামত ছিল স্বাধীনতা সম্বন্ধে মানবজাতির জীবনের লক্ষ্য সম্বন্ধে, ধর্ম সম্বন্ধে, রাজনীতি সম্বন্ধে, কিন্তু সেই মতগুলি পাগলামির দ্বারা বেশ মজে গিয়েছিল। সে ছিল এক পাগলা কবির মতামত। সুবুদ্ধি জিনিসটা মর্তের জিনিস, কিন্তু উচ্চ অঙ্গের খাঁটি যে পাগলামি সে দৈবী। তাই বুঝি সুবুদ্ধির গড়া জিনিস ভেঙে ভেঙে পড়ে, আর পাগলামির উড়িয়ে আনা জিনিস বীজের মতো অরণ্যের পর অরণ্য সৃষ্টি করে, তাই পাগলা শেলির বাণী আজও নবীন আছে।— বৈচিত্র সুখ দুঃখময় মানুষের এই জীবনটাকেও শেলি যেন একটা পর্দার মতো করে দেখেছিলেন। এর খণ্ডতা এর স্থুলতা যেন সত্যকে আবৃত করে রয়েছে। এই কুহেলিকার পর্দাখানা ছিঁড়ে ফেলে সত্যের নির্মল মূর্তি দেখবার জন্যে কবির ভারী একটা ব্যাকুলতা ছিল। কতবার সেই জন্য তিনি মৃত্যুর মধ্যে উঁকে মেরে দেখবার চেষ্টা করেছেন। এই মুক্তিপিপাসু কবি যেমন রাজতন্ত্র ও ধর্মতন্ত্রের বাধা সইতে পারেননি, তেমনি মানুষের জীবনের খণ্ড-চেতনা বিরাট সত্যের উপলব্ধি থেকে আমাদের চিত্তকে যে গণ্ডিবদ্ধ করে রেখেছে এত তিনি সহ্য করতে পারেননি। এইখানে যেন শেলির মনের সঙ্গে আমাদের ভারতীয় মনের একটা মিল দেখতে পাওয়া যায়। ভারতবর্ষের

এই ব্যবহারিক জগৎকে, এই স্থূল জগৎকে সম্পূর্ণ সত্য বলে বিশ্বাস করে না এবং এর ভিতরে অন্তরতম অন্তর্যামী যে সত্য আছে তাকেই সন্ধান করে বেড়ায়।

শেলিকে তাঁর জীবনকালে ও পরবর্তীকালে তাঁর দেশের লোকে নাস্তিক বলে অপবাদ দিয়েছে। তার কারণ এই যে প্রচলিত ধর্মতন্ত্র ও পুরোহিততন্ত্রকে তিনি আঘাত করেছেন। কিন্তু তাঁর মধ্যে যে গভীর একটা ধর্মের তৃষ্ণা ছিল, একটা আধ্যাত্মিক উপলব্ধি ছিল, সে সম্বন্ধে কোনো সন্দেহ করা যেতে পারে না। তিনি তাঁর Alaster কাব্যের মধ্যে যে সন্ধানের বেদনা প্রকাশ করেছেন সে কিসের সন্ধান।... তার যে বেদনা সেই যে সন্ধান, তারই দ্বারা প্রমাণ হয় যে পরম সৌন্দর্যময় একটি আত্মিক সত্তা বিশ্বের মধ্যে আছে, যে সম্বন্ধে শেলির চিত্তে গভীর বেদনাপূর্ণ একটি আকৃতি ছিল।”

নভেলের আয়তন সম্পর্কে রবীন্দ্রনাথ সাহিত্যের আলোচনায় বলেন, “বঙ্কিমবাবুর নভেলগুলি ঠিক নভেল যত বড়ো হওয়া উচিত তার আদর্শ। ভাগ্যে তিনি ইংরাজি নভেলিস্টের অনুকরণে বাংলায় বৃহদায়তনের দস্তুর বেঁধে দেননি, তা হলে বড়ো অসহ্য হয়ে উঠত। বিশেষত সমালোচকের পক্ষে। এক-একটা ইংরাজি নভেলে এত অতিরিক্ত বেশি কথা, বেশি ঘটনা, বেশি লোক যে, আমার মনে হয় এটা একটা সাহিত্যের বর্বরতা। সমস্ত রাত্রি ধরে যাত্রাগান করার মতো। প্রাচীনকালেই ওটা শোভা পেত। তখন ছাপাখানা এবং প্রকাশক সম্প্রদায় ছিল না, তখন একখানা বই নিয়ে বহুকাল জাওর কাটিবার সময় ছিল।”

ইন্দিরাদেবী চৌধুরানীর এক পত্রে রবীন্দ্রনাথ বলেছেন, “সাহিত্য পত্রালাপ-এ জর্জ এলিয়টের নভেল যদিও আমার খুব ভালো লাগে তবু এটা আমার বারবার মনে হয়, জিনিসগুলো বড়ো বেশি বড়ো— এত লোক, এত ঘটনা, এত কথার হিজিবিজি না থাকলে বইগুলো আরো ভালো হত। কাঁঠাল ফল দেখতে যেমন মনে হয়— প্রকৃতি একটা ফলের মধ্যে ঠেসাঠেসি করে বিস্তর সারবান কোষ পুরতে চেষ্টা করে ফলটাকে আয়তনে খুব বৃহৎ এবং ওজনে খুব ভারী করেছেন বটে এবং একজন লোকের সংকীর্ণ পাকযন্ত্রের পক্ষে কম দুঃসহ করেননি। কিন্তু হাতের কাজটা মাটি করেছেন। এরই একটাকে ভেঙে ত্রিশ-পঁয়ত্রিশটা ফল গড়লে সেগুলো দেখতে ভালো হত। জর্জ এলিয়টের এক-একটি নভেল এক-একটি সাহিত্য কাঁঠাল-বিশেষ। ক্ষমতা দেখে মানুষ আশ্চর্য হয় বটে, কিন্তু সৌন্দর্য দেখে মানুষ খুশি হয়। স্থায়িত্বের পক্ষে সহজতা সরলতা সৌন্দর্য যে প্রধান উপকরণ তার আর সন্দেহ নেই।

গেটে মরবার সময় বলেছিলেন More Light! আমার যদি সে সময় কোনো ইচ্ছা প্রকাশ করবার থাকে তো আমি বলি More Light and More Space। আমার একটা কবিতায় আমি ইচ্ছা প্রকাশ করেছি—

শূন্য ব্যোম অপরিমান,
মদ্যসম কবির পান
মুক্ত করি রুদ্ধ প্রাণ
ঊর্ধ্ব নীলাকাশে।

এই আকাশ পান করে আমার এ পর্যন্ত তৃপ্তি হয়নি।"

আর এক পত্রে রবীন্দ্রনাথ বলেন, "গেটে যদিও এক হিসাবে খুব নির্লিপ্ত প্রকৃতির লোক ছিল, তবু সে মানুষের সংস্রব পেত, মানুষের মধ্যে মগ্ন ছিল। সে যে রাজসভায় থাকত সেখানে সাহিত্যের জীবন্ত আদর ছিল। জার্মানিতে তখন খুব একটা ভাবের মন্থন আরম্ভ হয়েছিল— হের্ডের স্লেগেল হুম্বোলুট্ শিলার কান্ট প্রভৃতি বড়ো বড়ো চিন্তাশীল এবং ভাবুকগণ দেশের চারিদিকে জেগে উঠেছিল, তখনকার মানুষের সংসর্গ এবং দেশব্যাপী ভাবের আন্দোলন খুব প্রাণপরিপূর্ণ ছিল। আমরা হতভাগ্য বাঙালি লেখকেরা ভিতরকার সেই প্রাণের অভাব একান্ত মনে অনুভব করি— আমরা আমাদের কল্পনাকে সর্বদাই সত্যের খোরাক দিয়ে বাঁচিয়ে রাখতে পারিনে, নিজের মনের সঙ্গে বাইরের মনের একটা সংঘাত হয় না বলে আমাদের রচনাকার্য অনেকটা পরিমাণে আনন্দবিহীন হয়।"

অমিয় চক্রবর্তীকে লেখা এক পত্রে রবীন্দ্রনাথ বলেন, "ডিক্টেটারি বুদ্ধি যতই গরম হয়ে ওঠে ততই একেশ্বর নেতারা ভুলে যায় যে, বিধাতার অন্যমনস্কতায় তারা সর্বজ্ঞ হয়ে জন্মায়নি। মানুষকে চালনা করবার নেশা এমনি তাদের পেয়ে বসে যে, সকল বিষয়েই মানুষকে নাকে দড়ি দিয়ে নিয়ে যাবার জন্যে উগ্রভাবে উদ্যত হয়ে থাকে। পাশ্চাত্যে ডিক্টেটররা কেবল রাষ্ট্রিক ব্যাপারে নয়, সামাজিক বিধানে নয়, সাহিত্যে আর্টেও আপন শাসন রুদ্রনীতিতে প্রচার করছে। মানুষের এই বিভাগটা ছিল বিশেষভাবে গুণীদের হাতেই, পালোয়ানদের হাতে নয়। আকবর বাদশাও গানের আসরে তানসেনকে মেনে চলেছেন, সেখানে যদি তিনি বাদশাহী করতেন তাহলে সে হত সাংগীতিক ভূতের কীর্তন।"

এ ব্যাপারে সাহিত্যের স্বরূপ-এ সাহিত্য বিচার-এ রবীন্দ্রনাথ বলেন "আমি যখন মস্কৌ গিয়েছিলুম, চেকভের রচনা সম্বন্ধে আমার অনুকূল অভিরুচি ব্যক্ত করতে গিয়ে হঠাৎ ঠোক্কর খেয়ে দেখলুম, চেকভের লেখায় সাহিত্যের মেলবন্ধনে জাতিচ্যুতি দোষ ঘটেছে, সুতরাং তাঁর নাটক স্টেজের মঞ্চে পঙ্‌ক্তি পেল না। সাহিত্যে এই মনোভাব এত বেশি কৃত্রিম যে শুনতে পাই, এখন আবার হাওয়া বদল হয়েছে।"

জনৈক অধ্যাপককে লিখিত এক পত্রে (বিশ্বভারতী পত্রিকা ১৩৪৯, অগ্রহায়ণ ৩৩৪) রবীন্দ্রনাথ বলেন, "প্রাচীন সাহিত্যে অনেক ভালো জিনিস নিশ্চয়ই আছে— তার কোনো কোনোটার সঙ্গে তুলনা করলে য়ুরোপীয় সাহিত্যের কোনো কোনোটাকে হার মানতেও হতে পারে। কিন্তু মস্ত কথাটা এই যে য়ুরোপীয় সাহিত্যে জীবন পদার্থ আছে, তা বেড়ে উঠছে পরিবর্তিত হচ্ছে সে মানুষের প্রতিদিনের প্রাণের ক্ষেত্রে আপনার প্রকাশ অন্বেষণ করচে। এই কারণেই তার অনুকরণ করার জন্য নয়, তার থেকে প্রাণের প্রেরণা লাভ করবার জন্যেই তার সহযোগিতা আমাদের প্রয়োজন। যেসব থেকে অঙ্কুর বেরচ্চে তাতে প্রাণিক বস্তু আছে, যার ricket ব্যাধি তাকে সেটাতে সবল করে। ... মরা সাহিত্য খুব সারবান ও সুন্দর হতে পারে কিন্তু একমাত্র তাতেই যারা

মানুষ তাদের চিত্ত রিকেটি হয়ে ওঠে— তারা যে সাহিত্য উৎপাদন করে তার চলৎশক্তি থাকে না। বঙ্কিম বাংলা সাহিত্যে যে মুহূর্তে য়ুরোপীয় সাহিত্য থেকে ভিটামিন সংগ্রহ করে তার সুপ্ত প্রাণশক্তিকে জাগ্রত করলেন অমনি দেখতে দেখতে সাহিত্য শাখায় প্রশাখায় পল্লবে বিস্তীর্ণ হয়ে উঠতে লাগল— এখন একে থামিয়ে রাখা দায়।"

সুধীন্দ্রনাথ দত্তকে লিখিত এক পত্রে রবীন্দ্রনাথ বলেন— "Eassays of Elia আমার কাছে Essay শ্রেণীর রচনার আদর্শ বলে মনে হয়। আজ পর্যন্ত কেউ তার নকল করতে পারেনি। এতই 'নাজুক' তার রস। জাপানীতে একটা তিন লাইনের কবিতা আছে তাতে বলচে, জেলে তার চৌকোনা জাল ফেলল জলে, মাছ পড়ল ধরা কিন্তু তারার প্রতিবিম্ব সে তুলতে পারল না। শ্যাওলা ঢাকা গভীর জলের Essay অনেক আছে, তার থেকে বড়ো বড়ো রুই কাৎলাও ধরা পড়ে আধুনিক কালের পীররতন উপন্যাসের মতো— কিন্তু ল্যাম্বের Essay সাহিত্য-স্বর্গের রসসরোবর, ওতে তারার আলোর সুক্ষ হাস্যলীলা। নকলবাজেরা জাল ফেলে তা ধরতে পারলে না।"

(১৬ জুলাই ১৯১১ চট্টগ্রাম বিশ্ববিদ্যালয়ে প্রদত্ত বক্তৃতা।)

[২৫]

সমাজভাবনা প্রসঙ্গে রবীন্দ্রনাথ

সাধারণভাবে রবীন্দ্রনাথের পরিচয় তিনি বড়ো মাপের কবি, বিশ্ব নিন্দিত কবি। কিন্তু তিনি কেবল কল্পনাবিলাসী কবি ছিলেন না, ছিলেন মহান চিন্তানায়ক, সমাজসচেতন মনীষী ও কঠোর কর্মব্রতী ব্যক্তিত্ব। মানবসমাজকে তিনি দেখেছেন সব রকমের ভেদবুদ্ধির ঊর্ধ্বে সংস্কারমুক্ত উদার মন নিয়ে। আর ধর্মবোধের দিক থেকে তিনি ছিলেন মানবধর্মের প্রবক্তা। রবীন্দ্রনাথের 'লোকহিত' প্রবন্ধটি প্রমথ চৌধুরী সম্পাদিত 'সবুজপত্র' পত্রিকায় মাঘ ১৩২১ সংখ্যায় (প্রথম বর্ষ পঞ্চম সংখ্যা) প্রকাশিত হয়। পরবর্তীকালে প্রবন্ধটি ১৯৩৭ খ্রিস্টাব্দে। প্রকাশিত রবীন্দ্রনাথের *কালান্তর* প্রবন্ধ গ্রন্থে সংকলিত হয়।

রবীন্দ্রনাথের কোনো চিঠিতে এ প্রবন্ধ সম্পর্কে কোনো উল্লেখ পাওয়া যায় না। তবে রবীন্দ্রজীবনীকার প্রভাতকুমার মুখোপাধ্যায়ের অনুমান, 'লোকহিত' প্রবন্ধের সঙ্গে এর আগে লেখা 'বাস্তব' প্রবন্ধের কিছু সম্পর্ক থাকতে পারে।

সবুজপত্রে প্রকাশের পর পরই এ প্রবন্ধ নিয়ে বিতর্ক ও সমালোচনার শুরু হয়। এর কারণ এ প্রবন্ধে সমকালীন বিশ্ব পরিস্থিতির আলোকে দেশীয় সমাজজীবনের বৈশিষ্ট্য নিরুপণের চেষ্টা, তথাকথিত দেশাত্মভিমানী হিন্দু সম্প্রদায়ের স্বরূপ বৈশিষ্ট্য উন্মোচন, সর্বসাধারণের প্রকৃত কল্যাণের পথনির্দেশ তখনকার জাত্যভিমানী শিক্ষিত হিন্দু সম্প্রদায় সহজভাবে নিতে পারেননি।

'লোকহিত' প্রবন্ধটি রচিত হয়েছে বিশ শতকের প্রথম দশকে অবিভক্ত বাংলায় বঙ্গভঙ্গ আন্দোলনের প্রেক্ষাপটে। ১৯০৫ খ্রিস্টাব্দে লর্ড কার্জনের সময়ে ব্রিটিশ সরকার বঙ্গভঙ্গের পরিকল্পনা বাস্তবায়নের সিদ্ধান্ত নেয়। এই পদক্ষেপের ফলে অবিভক্ত বাংলায় দেখা দেয় প্রচণ্ড বিক্ষোভ। রবীন্দ্রনাথ নব-পর্যায় বঙ্গদর্শনে 'অবস্থা ও ব্যবস্থা' প্রবন্ধে ব্যক্ত করেন তাঁর প্রতিক্রিয়া।

> বাহিরের কিছুতে আমাদিগকে বিচ্ছিন্ন করিবে, এ কথা আমরা কোনো মতেই স্বীকার করিব না। কৃত্রিম বিচ্ছেদ যখন মাঝখানে আসিয়া দাঁড়াইবে তখনই আমরা সচেতনভাবে অনুভব করিব যে, বাংলার পূর্ব-পশ্চিমকে চিরকাল একই জাহ্নবী তাঁহার বাহুপাশে বাঁধিয়াছেন, একই ব্রহ্মপুত্র

> তাঁহার প্রসারিত আলিঙ্গনে গ্রহণ করিয়াছেন। এই পূর্ব-পশ্চিম, হৃৎপিণ্ডের দক্ষিণ-বাম অংশের ন্যায়, একই পুরাতন রক্তস্রোতে সমস্ত বঙ্গদেশের শিরা-উপশিরায় প্রাণ বিধান করিয়া আসিয়াছে। এই পূর্ব-পশ্চিম, জননীর বাম-দক্ষিণ স্তনের ন্যায় চিরদিন বাঙালির সন্তানকে পালন করিয়াছে।... আমরা প্রশ্রয় চাহি না— প্রতিকূলতার দ্বারা আমাদের শক্তির উদ্বোধন হইবে।

এই আন্দোলনের সময় জনগণ সভাসমিতি করে বিলাতি দ্রব্য বর্জনের সংকল্প গ্রহণ করে। তাকে সমর্থন করে রামেন্দ্রসুন্দর ত্রিবেদী পৌষ ১৩১২ বঙ্গাব্দ সংখ্যা 'বঙ্গদর্শন' পত্রিকায় 'বঙ্গলক্ষ্মীর ব্রতকথা'য় লেখেন।

> ঘরের থাকতে পরের নেবো না। পরের দুয়ারে ভিক্ষা করবো না। ভিক্ষার ধন হাতে তুলবো না। মোটা অন্ন ভোজন করবো, মোটা বসন অঙ্গে নেবো। মোটা ভূষণ আভরণ করবো। পড়শীকে খাইয়ে নিজে খাবো ভাইকে খাইয়ে পরে খাবো। মোটা অন্ন অক্ষয় হোক। মোটা বস্ত্র অক্ষয় হোক।

গিরীন্দ্রমোহিনী দাসী তাঁর *স্বদেশিনী* (১৯০৫) কাব্যগ্রন্থে এবং বিহারীলাল রায় তাঁর *স্বদেশগাথা* (১৯০৭) কাব্যগ্রন্থে স্বদেশবন্দনায় মুখর হন। লেখা হয় অনেক স্বদেশি গান। রজনীকান্ত সেন রচনা করেন দেশাত্মবোধক নতুন গান।

> মায়ের দেওয়া মোটা কাপড়,
> মাথায় তুলে নে রে ভাই।
> দীন-দুখিনী মা যে তোদের
> তার বেশি আর সাধ্য নাই।

বঙ্গভঙ্গবিরোধী আন্দোলন তখন বাঙালির স্বদেশচেতনাকে উত্তাল করে তুলেছিল। স্বদেশি আন্দোলন নামে পরিচিত সেই আন্দোলনের আবেগঘন দিনগুলোতে স্বদেশবাসীর কল্যাণ করার ইচ্ছা অনেকের মধ্যে প্রবল হয়ে উঠেছিল। তাতে অনেক ক্ষেত্রে যতটা উচ্ছ্বাসপ্রাবল্য ও জাহির করার হুজুগ ছিল। সেই পরিমাণে প্রীতিময় আন্তরিকতা ছিল না। এই প্রেক্ষাপটে রবীন্দ্রনাথ স্বদেশের মঙ্গল বা হিতচিন্তার মর্মবস্তু যথার্থভাবে কী হওয়া উচিত 'লোকহিত' প্রবন্ধে তা আলোচনা করেছেন। সেই প্রসঙ্গে এখানে এসেছে ইউরোপে পুঁজিবাদের বিকাশ ও শ্রমিক শ্রেণির জাগরণের কথা। এই সমকালীন প্রেক্ষাপটে রবীন্দ্রনাথের দৃষ্টিভঙ্গি ও তখনকার সমাজভাবনার প্রকৃতি বুঝতে প্রবন্ধটির বিশেষ তাৎপর্য রয়েছে।

এ প্রসঙ্গে আরও একটি তথ্য বিবেচ্য। রবীন্দ্রজীবনীকার প্রভাতকুমার মুখোপাধ্যায় ও প্রশান্ত চন্দ্র পাল মনে করেন, সে-সময়ে বিপিনচন্দ্র পাল ও রাধাকমল মুখোপাধ্যায় প্রমুখ রবীন্দ্রসাহিত্যের যে সমালোচনা করেছিলেন তারই প্রতিক্রিয়া হিসেবে প্রবন্ধটি লিখিত হতে পারে। বিপিনচন্দ্র পাল ছিলেন বাস্তববাদী সাহিত্য রচনার বিশিষ্ট সমর্থক। তিনি বঙ্গদর্শন পত্রিকায় 'চরিত্র-চিত্র' নামে একটি প্রবন্ধে রবীন্দ্রনাথের সাহিত্যের সমালোচনা করে তাকে বাস্তবতাবর্জিত বলে অভিযোগ তোলেন। আর বিশিষ্ট অর্থনীতিবিদ ও সমাজমনস্ক বুদ্ধিজীবী রাধাকমল

মুখোপাধ্যায় 'সাহিত্যে বাস্তবতা' প্রবন্ধে এই বলে রবীন্দ্রনাথের সমালোচনা করেন সাহিত্যের উদ্দেশ্য লোককে শিক্ষা দেওয়া ও লোকের হিতসাধন করা হলেও রবীন্দ্রসাহিত্যে তা দেখা যায় না। তাঁর মতে, রবীন্দ্রনাথ যে জগৎ গড়ে তুলেছেন তা ভাবের জগৎ তার সঙ্গে বাস্তব জীবনের সামঞ্জস্য নেই। তিনি প্রশ্ন তুলেছিলেন রবীন্দ্রনাথের মতো লেখক কেন এমন কিছু লেখেন না যাতে লোকের হিত হয়। রবীন্দ্রনাথ 'লোকহিত' প্রবন্ধে সমাজভাবুক ও রাজনীতিমনস্ক ব্যক্তির মতোই এসব প্রসঙ্গ আলোচনা করেছেন। তাঁর এই প্রবন্ধে বস্তুনিষ্ঠা ও যুক্তিবাদিতার পরিচয় পাওয়া যায়।

'লোকহিত' প্রবন্ধে রবীন্দ্রনাথ সমকালীন যুগ ও পরিবেশের পরিচয় তুলে ধরেছেন সমাজ বিশ্লেষকের দৃষ্টিকোণ থেকে। অল্পকথায় ফুটিয়ে তুলেছেন স্বদেশি যুগের কিছু বৈশিষ্ট্য ও সীমাবদ্ধতা। বিশেষ করে উন্মোচন করেছেন তখনকার আত্মাভিমানী তথাকথিত দেশহিতৈষীদের স্বরূপ। রবীন্দ্রনাথ সে-সময়ে একশ্রেণির স্বদেশিওয়ালাদের লোকহিতৈষণার মধ্যে নিজেদের প্রকট নিজেদের প্রকট করার হীন মানসিকতার বহিঃপ্রকাশ লক্ষ করেছেন, দেখেছেন প্রীতিনিষিক্ত কল্যাণবোধের অভাব। অকপট তীক্ষ্ণ ভাষায় তথাকথিত লোকহিতকারী দেশনেতাদের স্বরূপ উন্মোচন করেছেন তিনি এভাবে—

> আমরা লোকহিতের জন্য যখন মাতি তখন অনেক স্থলে সেই মত্ততার মূলে একটি আত্মাভিমানের মদ থাকে। আমরা লোক সাধারণের চেয়ে সকল বিষয়ে বড়ো, এই কথাটাই রাজকীয় চালে সম্ভোয়গ করিবার উপায় উহাদের হিত করিবার আয়োজন। এমন স্থলে উহাদেরও অহিত করি, নিজেদেরও হিত করি না।

রবীন্দ্রনাথ গুরুত্ব আরোপ করেছেন এই সত্যের উপর যে, দয়া বা করুণা করে দরিদ্র জনসাধারণের হিতসাধন করা যায় না। তাঁর মতে, ছোটোর উপকার করিতে হইলে কেবল বড়ো হইলে চলিবে না— ছোটো হইতে হইবে, ছোটোর সমান হইতে হইবে। তিনি মনে করেন, লোকহিতৈষণার ক্ষেত্রে পারস্পরিক শ্রদ্ধা ও সম্মানবোধ থাকা চাই, চাই আন্তরিক প্রীতিময় ভূমিকা। প্রীতিহীন হিতাকাঙ্ক্ষা পরিণামের দিক থেকে অবহেলা ও অপমানের নামান্তর। তাঁর ভাষায়—

> "প্রীতির দানে কোনো অপমান নাই, কিন্তু হিতৈষিকতার দানে মানুষ অপমানিত হয়। মানুষকে সকলের চেয়ে নত করিবার উপায় তাহার হিত করা অথচ তাহাকে প্রীতি না করা।"
>
> এভাবেই রবীন্দ্রনাথ লোকহিতের অন্তর্নিহিত সত্য সম্পর্কে নিজের ধারণা তুলে ধরায় প্রয়াসী হয়েছিলেন।

রবীন্দ্রনাথের স্বদেশচিন্তায় ছিল এক ধরনের সামগ্রিকতাবোধ। তাই সমাজজীবনে নানা বিভেদ ও বিভাজনকে তিনি রাষ্ট্র বা দেশগঠনের পথে বাধা হিসেবে দেখেছেন। এ বিভেদ ও বিভাজনের অস্তিত্ব তিনি কেবল উচ্চবর্ণ-নিম্নবর্ণ কিংবা শিক্ষিত-অশিক্ষিতের মধ্যে দেখেননি, সম্প্রদায়গত দূরত্ব ও বিভাজন দেখেছেন হিন্দু-মুসলমানের মধ্যেও। তা তাঁর যথেষ্ট মনঃপীড়ার কারণ হয়েছে। 'লোকহিত' প্রবন্ধে এ দিকটাও রবীন্দ্রনাথের সচেতন মনে ধরা পড়েছে।

রবীন্দ্রনাথ দেখেছেন, বঙ্গভঙ্গবিরোধী আন্দোলনে জাত্যভিমানী স্বদেশিওয়ালা হিন্দু সম্প্রদায় সহসা জাগ্রত উচ্ছ্বসিত আবেগে মুসলমান সম্প্রদায়কে আহ্বান জানিয়েছিল কাছে আসতে, আন্দোলনে যোগ দিতে। কিন্তু মুসলমানরা সে-ডাকে ইতিবাচক সাড়া দেয়নি। রবীন্দ্রনাথ এজন্যে মুসলমান সম্প্রদায়কে দায়ী করতে রাজি নন। তিনি এই অনৈক্যের সামাজিক কারণ নির্দেশ করেছেন। তিনি স্পষ্টভাবে বলেছেন যে, বঙ্গভঙ্গ মুসলমান সম্প্রদায়কে বিচ্ছেদবেদনায় তেমন আলোড়িত করেনি। তার কারণ, প্রধানত হিন্দু সম্প্রদায়ের উপেক্ষা ও হৃদয়হীনতা। এর ফলে মুসলমানের সঙ্গে হিন্দুর সামাজিক ঐক্য গড়ে ওঠেনি। আর যাদের মধ্যে সামাজিক ঐক্যের অভাব তাদের মধ্যে রাজনৈতিক ঐক্য সৃষ্টি কঠিন। এক্ষেত্রে নিছক আবেদন যথেষ্ট নয়। 'লোকহিত' প্রবন্ধে রবীন্দ্রনাথ মুসলমানের প্রতি হিন্দুর আহ্বানের প্রকৃতি বিশ্লেষণ করেছেন এভাবে।

> ... যেদিন স্বদেশী নিমকের প্রতি হঠাৎ আমাদের একটা টান হইয়াছিল সেদিন আমরা দেশের মুসলমানদের কিছুটা অস্বাভাবিক উচ্চস্বরেই আত্মীয় বলিয়া, ভাই বলিয়া ডাকাডাকি শুরু করিয়াছিলাম।
>
> ... একদিনের জন্যও ভাবি নাই আমাদের ডাকের মধ্যে গরজ ছিল, সত্য ছিল না। সাধারণ সামাজিকতার ক্ষেত্রে যাহাকে আমরা ভাই বলিয়া, আপন বলিয়া মানিতে না পারি, দায়ে পড়িয়া রাষ্ট্রীয় ক্ষেত্রে ভাই বলিয়া যথোচিত সতর্কতার সহিত তাহাকে বুকে টানিবার নাট্যভঙ্গি করিলে সেটা কখনোই সফল হইতে পারে না।

রবীন্দ্রনাথ হিন্দু-মুসলমানের মধ্যে দেখতে চেয়েছেন সহৃদয় সামাজিক সম্পর্ক। কিন্তু নিজেদের দোষেই হিন্দু-মুসলমানের সম্প্রদায়গত বিচ্ছেদ সামাজিকভাবেই উগ্র হয়ে উঠেছে। তিনি যখন লক্ষ করেছেন হিন্দু স্বদেশি প্রচারকও মুসলমান সহকর্মীর সঙ্গে এক দাওয়ায় দাঁড়িয়ে জল খায় না, তখন সেই সম্পর্ককে দুঃখের সঙ্গে তিনি কুশ্রী বেআবরু সম্পর্ক বলে বিবেচনা করেছেন। তাঁর মতে বিদ্যালয়ে অফিসে প্রতিযোগিতার ভিড়ে হিন্দু যে মুসলমানকে জোরের সঙ্গে নীচে ঠেলে দিয়েছে সেই ঠেলাঠেলি গায়ে লাগে হৃদয়ে লাগে না। কিন্তু সমাজের অপমানটা গায়ে লাগে না, হৃদয়ে লাগে, এ হিন্দু সম্প্রদায় মুসলমানদের অভিন্ন হৃদয় করে তোলেনি বলেই মুসলমানরা বঙ্গভঙ্গের বেদনায় শামিল হয়নি।

রবীন্দ্রনাথ একইসঙ্গে দেখিয়েছেন যে, ভারতবর্ষে হিন্দু-মুসলমানের বিভেদের মতো সুখাভিলাষী ভদ্রশ্রেণির সঙ্গে সুযোগ বঞ্চিত ও অনুগৃহীত নিম্নবর্ণের মানুষের সামাজিক, অর্থনৈতিক ও সাংস্কৃতিক পার্থক্যও ব্যাপক হয়ে উঠেছে। এই দুই শ্রেণির দ্বন্দ্ব আলোচনা করতে গিয়ে প্রাচ্য ও পাশ্চাত্য উভয় ভূখণ্ডের অবস্থার কথাই তিনি আলোচনা করেছেন।

'লোকাহিত' প্রবন্ধে রবীন্দ্রনাথকে দেখা যায় সমাজ ও রাষ্ট্রচেতনা চিন্তাবিদের ভূমিকায়। তাঁর প্রখর ইতিহাস সচেতনতা ও রাষ্ট্রনীতি সংক্রান্ত সম্যক ধারণা নিয়ে তিনি সমাজ নিরীক্ষণে অগ্রসর হয়েছেন। এই প্রবন্ধে ইউরোপ থেকে নেওয়া লোকহিত সম্পর্কিত ধারণার দেশীয় প্রয়োগের সীমাবদ্ধতার স্বরূপ নির্দেশ করতে গিয়ে রবীন্দ্রনাথ পরিবর্তনশীল ইউরোপের রাষ্ট্র

ও সমাজজীবনের বস্তুনিষ্ঠ রূপ তুলে ধরেছেন। তিনি দেখিয়েছেন একসময় ইউরোপে ছিল রাজশক্তির প্রাধান্য। তখন ক্ষত্রিয়রাই ছিল দেশের শাসক ও প্রভু। সে-সময়কার অবস্থা সম্পর্কে তিনি লিখেছেন—

> তখন মহামারি কাটাকাটির অন্ত ছিল না। তখন য়ুরোপের প্রবল বহিঃশত্রু ছিল মুসলমান; আর ভিতরে ছোটো ছোটো রাজ্যগুলো পরস্পরের গায়ের উপর পড়িয়া কেবলই মাথা-ঠোকাঠুকি করিত।
>
> ... কোথাও শান্তি ছিল না।

তখন সমাজে ক্ষত্রিয়শক্তি প্রাধান্যলাভ করিয়াছিল। লোকসমাজ তাদের প্রভু বলে মেনে চলত। শাসক-শাসিতের সম্পর্ক ছিল অকৃত্রিম। তখন লোকসাধারণের উন্নতির জন্য শাসকশক্তি যথাসাধ্য চেষ্টা করত। তারপর অবস্থা বদলাতে শুরু করে। রাজার জায়গায় আসে রাষ্ট্রতন্ত্র। লড়াইয়ের পদ্ধতি যায় বদলে। রবীন্দ্রনাথ লিখেছেন—

> এখন লড়াইয়ের চেয়ে নীতিকৌশল প্রধান হইয়া উঠিয়াছে। যুদ্ধের আয়োজন পূর্বের চেয়ে বাড়িয়াছে বৈ কমে নাই, কিন্তু এখন যুদ্ধের চেয়ে যুদ্ধবিদ্যা বড়ো; এখন বীর্যের আসনে বিজ্ঞানের অভিষেক হইয়াছে।

এই প্রবন্ধে প্রসঙ্গক্রমে রবীন্দ্রনাথ সমাজতাত্ত্বিক অর্থনীতির দৃষ্টিকোণ থেকে বিচার করেছেন বৈশ্যশক্তির প্রাধান্য তথা মুতসুদ্দিপুঁজির, শক্তিমত্তা ও উৎপাদন সম্পর্ককে। ক্ষত্রিয় আমলে যে সম্পর্ক ছিল মানব সম্বন্ধ, বৈশ্য আমলে তা পরিণত হয়েছে নিছক প্রয়োজনের সম্বন্ধে।

> শক্তির ধারাটা এখন ক্ষত্রিয়কে ছাড়িয়া বৈশ্যের কূলে বহিতেছে। লোকসাধারণের কাঁধের উপর তাহারা চাপিয়া বসিয়াছে। মানুষকে লইয়া তাহারা আপনার ব্যবসায়ের যন্ত্র বানাইতেছে। মানুষের পেটের জ্বালাই তাহাদের কলের স্টীম উৎপন্ন করে।
>
> এখন বৈশ্য মহাজনদের সঙ্গে মানুষের সম্বন্ধ যান্ত্রিক। কর্মপ্রণালী নামক প্রকাণ্ড একটি জাঁতা মানুষের আর-সমস্ত গুঁড়া করিয়া দিয়া কেবল মজুরটুকু মাত্র বাকি রাখিবার চেষ্টা করিতেছে।

রবীন্দ্রনাথ এই পুঁজিবাদের স্বরূপ এখানে তুলে ধরেছেন। পুঁজিবাদী উৎপাদন ব্যবস্থায় তার সুকুমার ভাবনার কোনো মূল্য নেই। উৎপাদন পদ্ধতিতে সে নিছক উৎপাদনের হাতিয়ার। সে নিতান্তই মজুর। পুঁজিবাদ মজুরদের শোষণ করে ফুলে-ফেঁপে ওঠে। এভাবেই সৃষ্টি হয় অসাম্য ও ধনবৈষম্যের। ধনতন্ত্রে অসহ্য পেষণে মজুররা ছটফট করলে তাদের সামান্য সুযোগসুবিধা দিয়ে সাময়িকভাবে শান্ত করা হয়।

সমাজচিন্তকের চোখ দিয়ে রবীন্দ্রনাথ বাংলা বা ভারতবর্ষের সমকালীন সমাজজীবনের দিকে কেবল দৃষ্টিপাত করেননি, প্রাচ্য ও পাশ্চাত্য সমাজ ব্যবস্থার তুলনামূলক আলোকপাতেও মনোনিবেশ করেছেন।

রবীন্দ্রনাথ ব্যক্তিগত দৃষ্টিকোণ থেকে এ আলোচনা করেছেন। কিন্তু 'লোকহিত' প্রবন্ধের এ অংশ পাঠের সময়ে সমাজের বুর্জোয়া শ্রেণির সঙ্গে প্রলেতারিয়েতদের শ্রেণিসংগ্রামের মার্কসীয় তত্ত্বের কথা স্বভাবতই মনে আসে। অবশ্য মার্কসীয় কোনো পরিভাষা এখানে ব্যবহৃত হয়নি।

যাই হোক 'লোকহিত' প্রবন্ধে রবীন্দ্রনাথ মানবিক দৃষ্টিকোণ থেকে বিচার করেছেন পুঁজিবাদের এই স্বরূপ—

ধনের ধর্মই অসাম্য। জ্ঞান ধর্ম কলাসৌন্দর্য পাঁচজনের সঙ্গে ভাগ করিলে বাড়ে বৈ কমে না। কিন্তু ধন জিনিসটাকে পাঁচজনের কাছ হইতে শোষণ করিয়া লইয়া পাঁচজনের হাত হইতে তাহাকে রক্ষা না করিলে সে টেকে না। এইজন্য ধনকামী নিজের গরজে দারিদ্র্য সৃষ্টি করিয়া থাকে।

> তাই ধনের বৈষম্য লইয়া যখন সমাজে পার্থক্য ঘটে তখন ধনীর দল সেই পার্থক্যকে সমূলে ঘুচাইতে ইচ্ছা করে না, অথচ সেই পার্থক্যটা যখন বিপদজনক হইয়া উঠে তখন বিপদটাকে কোনোমতে ঠেকো দিয়া ঠেকাইয়া রাখিতে চায়।

> তাই ওদেশে শ্রমজীবীর দল যতই গুমরিয়া গুমরিয়া উঠিতেছে ততই তাহাদিগকে ক্ষুধার অন্ন না দিয়া ঘুম পাড়াইবার গান গাওয়া হইতেছে; তাহাদিগকে অল্পস্বল্প এটা-ওটা দিয়া কোনোমতে ভুলাইয়া রাখিবার চেষ্টা।

কিন্তু তাতে মুল সমস্যা ঘোচে না। পুঁজিবাদের নিষ্পেষণে শেষপর্যন্ত মজুররা সেখানে জেগে উঠেছে। ঐক্যবদ্ধ হয়েছে। এভাবে তারা পরিণত হয়েছে একটা বড়ো শক্তিতে। ভিক্ষা বা প্রার্থনা করে নয়, শক্তির জোরে তারা নিজেদের অধিকার আদায় করে নিতে চায়। এই শক্তির সামনে এখন নত হয়েছে অত্যাচারী ও শোষকদল। শক্তির সঙ্গে শক্তির এই লড়াইয়ের ফলে দু-পক্ষ বাধ্য হচ্ছে আলোচনায় বসে সমঝোতা করতে।

রবীন্দ্রনাথ ইউরোপের সাধারণ মানুষ তথা শ্রমিকশক্তির সঙ্গে সঙ্গে তুলনা করেছেন ভারতবর্ষের সাধারণ মানুষের অবস্থার। ইউরোপের সাধারণ মানুষ সংগঠিত শক্তি কিন্তু এখানকার মানুষ তা নয়। এখানকার সাধারণ মানুষের অবস্থা অত্যন্ত করুণ। দুঃখ বেদনায় তারা পর্যুদস্ত। তারা তাদের মানুষ পরিচয়টুকুও যেন জানে না। তারা জানে না যে তাদের এই দুঃখ আসলে সামাজিক শোষণের পরিণাম ফল। তারা এও জানে না যে অগণিত মানুষের সঙ্গে তাদের দুঃখ বেদনা এক সুতোয় বাঁধা। কিন্তু তাদের মধ্যে ঐক্যগত মিলন রচিত হয়নি। অধিকার আদায়ের শক্তি তাদের নেই।

রবীন্দ্রনাথ তাই মনে করেন, লোকহিতৈষীরা যখন এ দেশের সাধারণ মানুষের জন্যে করুণা বিতরণের কথা বলেন তখন তা চোখের জল ফেলে আগুন নেভানোর মতো হাস্যকর পদক্ষেপ বলে মনে না হয়ে পারে না। ভারতীয় হিতৈষীরা ইউরোপের সমস্যা ও সমাধানের পন্থা সম্যক উপলব্ধি না করে যখন তাদের অনুকরণ করেন তখন তাদের অনুকরণবাসনাই প্রবল হয়ে ওঠে। বস্তুত দয়াদাক্ষিণ্য নয়, অনুগ্রহ নয়, ভিক্ষা নয়, লোকহিতের প্রকৃত পথ হচ্ছে সাধারণ মানুষকে শক্তিশালী করা। তাদের আপন অধিকার সম্পর্কে সচেতন করা এবং এজন্য তাদের আত্মশক্তি বিকাশের ব্যবস্থা করা। সে শক্তিতে তাদের সমুন্নত করতে হলে তাদের জন্য শিক্ষার কোনো বিকল্প নেই।

নীচুতলার মানুষদের শিক্ষার জন্যে নৈশ বিদ্যালয় খোলা হয়েছে বলে যাঁরা আত্মতৃপ্তি বোধ করেন তাঁদের সমালোচনা করতে দ্বিধা করেননি। রবীন্দ্রনাথ, তিনি শিক্ষাকে সাধারণ মানুষের অধিকার হিসেবে গণ্য করেছেন। আর তাই লিখেছেন—

"যতদিন তাহাদের শিক্ষার ব্যবস্থা না হইতেছে ততদিন তাহাদের প্রতি অন্যায় জমা হইয়া উঠিতেছে এবং সেই অন্যায়ের ফল আমরা প্রত্যেকে ভোগ করিতেছি এ কথা যতক্ষণ পর্যন্ত আমরা স্বীকার না করিব ততক্ষণ দয়া করিয়া তাহাদের জন্য এক-আধটা নাইট স্কুল খুলিয়া কিছুই হইবে না। সকলের গোড়ায় দরকার লোকসাধারণকে লোক বলিয়া নিশ্চিতরূপে গণ্য করা।

কিন্তু সমস্যাটা এই যে, দয়া করিয়া গণ্য করাটা টেকে না। তাহারা শক্তিলাভ করিয়া যেদিন গণ্য করাইবে সেইদিনই সমস্যার মীমাংসা হইবে।"

রবীন্দ্রনাথ এর আগে এ ধরনের দায়িত্বপালনের জন্য মূলত সামাজিক শক্তির উপর আস্থা স্থাপন করেছিলেন। এ পর্যায়ে রাষ্ট্র ব্যবস্থার ভূমিকাকে তিনি বিশেষ গুরুত্ব দিয়েছেন। তাঁর ভাষায়—

> রাষ্ট্রব্যবস্থা যদি তাহাদের মনের রাস্তা তাহাদের যোগের রাস্তা খুলিয়া না দেয়, তবে দয়ালু লোকের নাইট স্কুল খোলা অশ্রুবর্ষণ করিয়া অগ্নিদাহ নিবারণের চেষ্টার মতো হইবে। কারণ এই লিখিতে পড়িতে শেখা তখনই যথার্থভাবে কাজে লাগিবে যখন তাহা দেশের মধ্যে সর্বব্যাপী হইবে।

তরুণ বয়স থেকেই রবীন্দ্রনাথ দেশের সামগ্রিক কল্যাণ ও অগ্রগতির লক্ষ্য অর্জনের উপায় হিসেবে বিশেষ গুরুত্ব দিয়ে এসেছেন জনসাধারণের মধ্যে আত্মশক্তির জাগরণকে। কালান্তরের 'লোকহিত' প্রবন্ধে প্রাসঙ্গিকভাবে এসেছে আত্মশক্তির জাগরণের প্রক্রিয়াগুলো সম্পর্কে তাঁর অভিমত। এখানে তিন এই ধারণা ব্যক্ত করেছেন যে, ভিক্ষাদানের মতো উপকারের প্রক্রিয়ায় আত্মশক্তির জাগরণ সম্ভব নয়। অন্যদিকে যে হিতসাধনের পেছনে আত্মভিমান কাজ করে তার ফলও মঙ্গলজনক হয় না।

'লোকহিত' প্রবন্ধে রবীন্দ্রনাথ সাধারণ মানুষের দুরবস্থা দূর করা এবং তাদের মধ্যে জাগরণ সৃষ্টিকে লোকহিত সাধনের অপরিহার্য কর্তব্য বলে বিবেচনা করেছেন। তিনি লক্ষ করেছেন যে, আত্মশক্তির অভাবে এ দেশের নিম্নবর্ণের মানুষ আবহমান কাল ধরে অত্যাচার-নিষ্পেষণের শিকার। সে অবস্থা সমকালেও অব্যাহত থাকতে দেখেছেন তিনি। লোকসাধারণ উৎপীড়িত হচ্ছে জমিদার, মহাজন, মনিব, পুলিশ, গুরুঠাকুরের মতো লোকদের দ্বারা—

> জমিদার তাহাদিগকে মারিতেছে, মহাজন তাহাদিগকে ধরিতেছে, মনিব তাহাদের গালি দিতেছে, পুলিশ তাহাদিগকে শুষিতেছে, গুরুঠাকুর তাহাদের মাথায় হাত বুলাইতেছে, মোক্তার তাহাদিগকে গাঁট কাটিতেছে, আর তাহারা কেবল সেই অদৃষ্টের নামে নালিশ করিতেছে যাহার নামে সমন-জারি করিবার জো নাই।

তিনি এ প্রসঙ্গে জানাচ্ছেন যে, ইউরোপের জনগণও এসময় এ ধরনের অবস্থায় ছিল। কিন্তু আজ তারা জেগে উঠেছে। নিজেদের শক্তি সম্পর্কে তারা সচেতন হয়েছে। তারা তাদের অধিকার আদায় করে নিচ্ছে। কিন্তু এ দেশের মানুষ এখনও অন্ধকারে, তাদের মধ্যে সে-শক্তি এখনও

অর্জিত হয়নি, জাগরণ ঘটেনি তাদের। ফলে নিজেদের অধিকার সম্পর্কে তারা এখনও অসচেতন। বঞ্চনার স্বরূপ সম্পর্কেও তাদের কোনো ধারণা নেই। জনসাধারণের এই পশ্চাৎপদতা সম্পর্কে রবীন্দ্রনাথ সম্যক সচেতন ছিলেন। তাই এ থেকে প্রতিকারের পথ হিসেবে তিনি তাঁদের মনের রাস্তা খোলার ব্যবস্থা তথা লেখাপড়া শেখানোর ব্যাপক উদ্যোগের প্রয়োজনীয়তা অনুভব করেছেন।

> সর্ব-প্রথমে দরকার লোকেরা আপনাদের পরস্পরের মধ্যে যাহাতে একটা যোগ দেখিতে পায়। অর্থাৎ তাহাদের পরস্পরের মধ্যে একটা রাস্তা থাকা চাই। সেটা যদি রাজপথ না হয় তো অন্তত গলিরাস্তা হওয়া চাই। লেখাপড়া শেখাই এই রাস্তা।

সুতরাং এটা স্পষ্ট যে স্বদেশি আন্দোলনের সে-যুগে রবীন্দ্রনাথ স্বরাজ লাভের পথ হিসেবে বিশেষ গুরত্ব দিয়েছিলেন জনসাধারণের 'লিখিতে পড়িতে' শেখা তথা আত্মশক্তির জাগরণের উপর। স্বরাজ বোঝাতে তিনি কেবল বিদেশি শাসকদের কবল থেকে উপর মহলের হাতে দেশের রাজনৈতিক কর্তৃত্ব পাওয়াকেই অবিকল্প বিবেচনা করেননি, সামগ্রিকভাবে জনগণের মনের মুক্তির সঙ্গে তাকে অবিচ্ছেদ্য বলে গণ্য করেছিলেন। তাই তিনি জোর দিতে চেয়েছিলেন জনশিক্ষার প্রসারের উপর।

'লোকহিত' প্রবন্ধে দেখা যায় রবীন্দ্রনাথ সামাজিক রূপান্তরকেই বিশেষ গুরুত্ব দিয়েছেন, সংস্কার বা ভক্তিবাদকে নয়। শ্রমজীবী সাধারণ মানুষের কল্যাণের পথ হিসেবে তিনি শিক্ষার ক্ষেত্রে রাষ্ট্রীয় ভূমিকার উপর গুরুত্ব আরোপ করেছেন। পাশাপাশি গুরুত্ব দিয়েছেন আত্মশক্তিতে জাগ্রত হয়ে সাধারণ মানুষের অধিকার আদায়ের সংগ্রামের উপর। এ পর্যায়ে তাঁর স্বদেশভাবনার সঙ্গে যুক্ত হয়েছে আন্তর্জাতিক ভাবনা। পুঁজিবাদের স্বরূপ তুলে ধরে তিনি অবস্থান নিয়েছেন শ্রমজীবী মানুষের পক্ষে। বস্তুত 'লোকহিত' প্রবন্ধে সমাজ ও রাষ্ট্রভাবনার ভেতর দিয়ে মানবকল্যাণের দর্শন হিসেবে মানবাধিকারের যে প্রত্যয় ব্যক্ত হয়েছে তার মধ্যে বিশ্বজনীন মানবতার প্রবক্তা রবীন্দ্রনাথকে আমরা খুঁজে পাই।

রবীন্দ্রনাথের সমাজভাবনায় যুগপৎ স্থান পেয়েছে স্বদেশ ও বিশ্ব। এই দুইয়ের মধ্যে তিনি মেলবন্ধন রচনা করতে চেয়েছেন সদাসর্বদা।

স্বদেশের পরিসরে রবীন্দ্রনাথের সমাজভাবনায় বার বার উত্থাপিত হয়েছে হিন্দু-মুসলমান সম্প্রীতির প্রসঙ্গটি। এ দুই সম্প্রদায়ের পারস্পরিক সম্পর্কের বিষয়ে তিনি পোষণ করতেন উদার অসাম্প্রদায়িক মনোভাব। হিন্দু-মুসলমানের মধ্যে অনৈক্য ও হানাহানি দেখে তিনি গভীর মর্মবেদনায় পীড়িত হয়েছেন; অনুভব করেছেন যে, ভেদবুদ্ধি দেশকে ঠেলে নিয়ে চলেছে অন্তহীন দুর্দশার পথে। নানা লেখায় নানা প্রসঙ্গে এ কঠিন সমস্যার স্বরূপ বিশ্লেষণ করেছেন তিনি। কিন্তু কোনো সহজ সমাধানে উপনীত হতে পারেননি। কারণ, এ সমস্যার বাস্তব কোনো সহজ সমাধান ছিল না।

রবীন্দ্রনাথের সমাজভাবনার একটি বিশেষ দিক আছে। সমাজজীবনে নারীর অবস্থান ও ভূমিকার দিকটি। নিজের ছেলেবেলার স্মৃতিচারণ করতে গিয়ে প্রসঙ্গক্রমে তিনি জানিয়েছেন, সেকেলে সমাজ ব্যবস্থায় নারী ছিল অবরোধবাসিনী। সাবেকি বিধিব্যবস্থার ঘেরাটোপের মধ্যে সমাজজীবন থেকে নারীকে নির্বাসিত করে রাখার মানসিকতার বিরুদ্ধে তাই রবীন্দ্রনাথ নিয়েছিলেন প্রতিবাদী ভূমিকা। তাঁর সাহিত্যকর্মে ও রচনায় এর বিস্তর পরিচয় রয়েছে। নিষ্করুণ সমাজ ব্যবস্থার শিকার এবং অধিকার বঞ্চিত অসহায় নারীর প্রতি সংবেদনশীল সহানুভূতি ব্যক্ত হয়েছে তাঁর অসংখ্য কবিতায় এবং বেশ কিছু ছোটোগল্পে। অবমাননার বিরুদ্ধে নারী যে আত্মমর্যাদা নিয়ে দাঁড়াবার সুযোগ পাচ্ছে না তা দেখে ক্ষুব্ধ হয়েছেন কবি। সে-ক্ষোভের সম্প্রকাশ ঘটেছে তীব্র বেদনার্তিতে।

নারীকে আপন ভাগ্য জয় করিবার
কেন নাহি দিবে অধিকার হে বিধাতা
('সবলা', মহুয়া)

আর *যোগাযোগ* (১৯২৯), *চোখের বালি* (১৯০২), *শেষের কবিতা*-র (১৯২৮) মতো সামাজিক উপন্যাসে রবীন্দ্রনাথ নারীকে এঁকেছেন আত্মজাগ্রত ও স্বাতন্ত্র্যমণ্ডিত করে। তাদের পথকে তিনি রচনা করেছেন বৃহত্তর জীবনের মুক্তাঙ্গনের দিকে।

রবীন্দ্রনাথের সমাজচেতনার সবচেয়ে উল্লেখযোগ্য দিক হচ্ছে পল্লিসমাজের কল্যাণভাবনা পৈতৃক জমিদারির সূত্রে গ্রামবাংলার প্রকৃতি ও জীবনের সঙ্গে তাঁর ঘনিষ্ঠ পরিচয়ের সুযোগ ঘটেছিল। সেই সূত্রে তিনি যেমন পল্লিপ্রকৃতির শোভায় মুগ্ধ হয়েছেন তেমনি পীড়িত হয়েছেন গ্রামীণ মানুষের দুঃখদৈন্যজর্জরিত সমস্যাকীর্ণ জীবনের দিকে তাকিয়ে। গ্রামের গরিবদের প্রতি গভীর মমতা থেকেই তিনি তাঁদের আর্থিক ও সামাজিক অবস্থার পরিবর্তনের ব্যাপারটি গভীর গুরুত্ব দিয়ে উপলব্ধি করেছিলেন। এক্ষেত্রে নিজের ভূমিকা কী হবে তার ইঙ্গিত নির্দেশ করে তিনি বিখ্যাত 'এবার ফিরাও মোরে' কবিতায় লিখেছেন—

বড়ো দুঃখ, বড়ো ব্যথা— সম্মুখেতে কষ্টের সংসার
বড়োই দরিদ্র, শূন্য, বড়ো ক্ষুদ্র, বদ্ধ অন্ধকার।
অন্ন চাই, প্রাণ চাই, আলো চাই, চাই মুক্ত বায়ু,
চাই বল, চাই স্বাস্থ্য, আনন্দ-জজ্জ্বল পরমায়ু
সাহস বিস্তৃত বক্ষপট। এ দৈন্য মাঝারে কবি,
একবার নিয়ে এস স্বর্গ হতে বিশ্বাসের ছবি।
('এবার ফিরাও মোরে', *চিত্রা*)

এই উপলব্ধি থেকেই রবীন্দ্রনাথের সমাজভাবনার কেন্দ্রবিন্দু হয়ে ওঠে গ্রামীণ উন্নয়নের ভাবনা। তিনি নিজেকে নিয়োজিত করেন গ্রামসমাজ সংগঠনের কাজে।

রবীন্দ্রনাথ গ্রামীণ উন্নয়নের জন্যে যেসব পরিকল্পনা নেন তার মূল দিকগুলি হচ্ছে। গ্রামীণ দরিদ্র জনগণকে আত্মনির্ভরশীল হতে সাহায্য করা; তাদের আর্থিক উন্নতির জন্য গবাদি পশু, হাঁস মুরগি, মৌমাছি ইত্যাদি পালন ও মাছের চাষ ইত্যাদির ব্যবস্থা, গ্রামে গ্রামে সমবায় সমিতি গঠন করে মহাজনি শোষণের হাত থেকে দরিদ্র কৃষকদের রক্ষা করা, ব্রতীবালক দল গঠন করে, স্বেচ্ছাব্রতী কাজের মাধ্যমে খানাডোবা পরিষ্কার, কুয়ো খনন, পুকুর সংস্কার, রোগপ্রতিরোধ ইত্যাদি কাজের মাধ্যমে নিঃস্বার্থ সমাজসেবার আদর্শ স্থাপন করা ইত্যাদি।

রবীন্দ্রনাথ নিজে শান্তিনিকেতনে গ্রাম সংগঠন গড়ে তোলার দৃষ্টান্ত স্থাপন করেছেন। সেখানে তিনি কেবল শিক্ষা প্রতিষ্ঠান গড়েননি। পাশাপাশি গড়ে তুলেছিলেন 'শান্তিনিকেতন গ্রাম সমিতি', 'শ্রীনিকতনে গ্রামোন্নয়ন সমিতি' নামের সংগঠন। গ্রামে পাম্প বসানো, টিউবওয়েল স্থাপন, ট্রাক্টর ইত্যাদি চালু করে বৈজ্ঞানিক চাষ-আবাদ পদ্ধতি প্রবর্তন, তাঁত, চর্মশিল্প ইত্যাদি প্রতিষ্ঠা, কৃষিব্যাঙ্ক স্থাপন, সালিশি প্রথা প্রবর্তন ইত্যাদি ছিল তাঁর গ্রামোন্নয়ন কর্মসূচির অঙ্গ।

এ ছাড়াও পল্লি উন্নয়নমুখী চেতনার জাগরণেরও তিনি প্রভাবক ভূমিকা পালন করেছেন। গ্রামীণ সমাজের কল্যাণের মহৎ দায়িত্ববোধ জাগিয়ে তোলার জন্যে তিনি লিখেছেন, 'ফিরে চল মাটির টানে'র মতো বিভিন্ন গান। বছরের বিভিন্ন সময়ে ঋতুভিত্তিক বর্ষামঙ্গল, শারদোৎসব, বসন্তোৎসব, পৌষ মেলা ইত্যাদি বিভিন্ন অসাম্প্রদায়িক উৎসব-অনুষ্ঠানের আয়োজন করে জাতি-ধর্ম নির্বিশেষে সবার মধ্যে সম্মিলন চেতনা ও নির্মালআনন্দ সঞ্চারের উদ্যোগ নিয়েছেন।

রবীন্দ্রনাথের সমাজচেতনার মূলে ছিল বিজ্ঞানমনস্কতা ও আধুনিক জীবনবোধ। তিনি এক জায়গায় লিখেছেন— "বিজ্ঞান মানুষকে মহাশক্তি দিয়েছে, সেই শক্তি যখন সমস্ত সমাজের হয়ে কাজ করবে তখনই সত্যযুগ আসবে" ('পল্লী প্রকৃতি')। তাই কর্মক্ষেত্রের সর্বত্র বিজ্ঞানকে যুক্ত করার আহ্বান তিনি জানিয়েছিলেন।

রবীন্দ্রনাথের সমাজসচেতন মনে দেশের সামাজিক অগ্রগতির পথে দুটি বাধাই প্রধান হিসেবে গণ্য হয়েছিল। এক, সাম্রাজ্যবাদী বিদেশি শাসন; দুই, দেশের জনগণের পশ্চাৎপদতা তথা তাদের মধ্যেকার অজ্ঞতা, কুসংস্কার ও সাম্প্রদায়িক আচ্ছন্নতা।

রবীন্দ্রনাথের সমাজভাবনার মূলগত পরিচয় বিধৃত হয়ে আছে তাঁর বিখ্যাত *কালান্তর* (১৯৩৭) গ্রন্থে সংকলিত বিভিন্ন প্রবন্ধ। এসব প্রবন্ধ থেকে স্পষ্টতই প্রতীয়মান হয় যে, আমাদের দেশের জনগণের মধ্যে মধ্যযুগীয় সংকীর্ণতা তথা সামন্তবাদের অবশেষ নিয়েছিল তাঁর যথেষ্ট উদ্‌বেগ। তা থেকে উত্তরণের আকাঙ্ক্ষার পাশাপাশি তাঁর সামনে ভাবাদর্শ হিসেবে ছিল সমানাধিকারের আদর্শ-উজ্জীবিত সর্বমানবিক কল্যাণবোধ। গভীর সমাজবোধ থেকেই তিনি কামনা করেছেন নিজেদের সমাজশক্তির সার্বিক ও ব্যাপক নবজাগরণ এবং তার মধ্যেই প্রত্যাশা করেছেন আমাদের ভবিষ্যৎ মুক্তি ও কল্যাণকে।

[২৬]

জাতীয়তা, স্বাদেশিকতা ও আন্তর্জাতিকতার ভাবনায় রবীন্দ্রনাথ

রবীন্দ্রনাথের দৃষ্টিতে জাতীয়তাবাদ বা ন্যাশনালিজ্‌ম হচ্ছে শাভিনিজম বা সংকীর্ণ জাত্যাভিমান। তাই ন্যাশনালিজ্‌মকে তিনি প্রকাশ করেছেন 'জাতিপ্রেম', 'নেশানতন্ত্র' ইত্যাদি শব্দ দিয়ে। 'জাতীয়তাবাদের' নামে সাম্রাজ্য রক্ষার স্বার্থে পাশ্চাত্যের জাতিগুলিকে তাদের ঘোষিত গণতান্ত্রিক নীতি আদর্শকে জলাঞ্জলি দিতে দেখে তিনি বার বার অন্ধ জাতিপ্রেমের বিরুদ্ধে সোচ্চার হয়েছেন। লিখলেন—

ছুটিয়াছে জাতিপ্রেম মৃত্যুর সন্ধানে
বাহি স্বার্থতরী, গুপ্ত পর্বতের পানে।
(৬৫ সংখ্যক কবিতা, *নৈবেদ্য*)

মানবধর্মের বিরুদ্ধে সাম্রাজ্যবাদের উন্মত্ত 'জাতিপ্রেম'কে অন্যায় ভূমিকায় অবতীর্ণ হতে দেখে তিনি পীড়িত হয়ে লিখেছেন—

ভদ্রবেশী বর্বরতা উঠিয়াছে জাগি
পঙ্কশয্যা হতে। লজ্জা শরম তেয়াগি
জাতিপ্রেম নাম ধরি প্রচণ্ড অন্যায়
ধর্মেরে ভাসাতে চাহে বলের বন্যায়
(৬৪ সংখ্যক কবিতা, *নৈবেদ্য*)

তিনি উপলব্ধি করেছিলেন, 'ন্যাশনালিজ্‌ম' বা 'জাতিপ্রেমে'র আড়ালে প্রবল জাতিগুলি নিজেদের স্বার্থরক্ষায় শেষপর্যন্ত জাতিবিদ্বেষ ও অন্ধ উগ্র জাতিপ্রেমের জন্ম দেয়। অন্ধ জাত্যাভিমানের সীমাবদ্ধতা সম্পর্কে রবীন্দ্রনাথের এই সচেতনতার পরিচয় রয়েছে তাঁর বিভিন্ন প্রবন্ধে। ১৯০১ সালে লেখা 'বিরোধমূলক আদর্শ' প্রবন্ধে এ সম্পর্কে তিনি স্পষ্টভাবে লিখেছেন

"মিথ্যা দ্বারাই হউক, ভ্রমের দ্বারাই হউক, নিজেদের কাছে নিজেকে বড় করিয়া প্রমাণ করিতেই হইবে এবং সেই উপলক্ষে অন্য নেশানকে ক্ষুদ্র করিতে হইবে, ইচ্ছা নেশানের ধর্ম,..."

এইজন্যই স্বজাতিকে তিনি সর্বজাতির সঙ্গে সবসময় মিলিয়ে দেখতে চেয়েছেন, *পরিচয়* (১৯১৬) গ্রন্থের 'ভারতবর্ষে ইতিহাসের ধারা' প্রবন্ধের এক জায়গায় এ সম্পর্কে তাঁর দৃষ্টিভঙ্গির স্পষ্ট পরিচয় পাওয়া যায়। তিনি লিখেছেন—

"স্বজাতির মধ্য দিয়াই সর্বজাতিকে ও সর্বজাতির মধ্য দিয়াই স্বজাতিকে সত্যরূপে পাওয়া যায়।"

সেই কারণেই রবীন্দ্রনাথের মানস পরিমণ্ডলে আমরা জাতীয়তাবাদী চেতনাকে পাই না। সে-জায়গায় লক্ষ করি, স্বাদেশিকতার চেতনাকে। সাম্রাজ্যবাদী স্বার্থলোলুপতা ও আগ্রাসী কর্মকাণ্ডের বিরুদ্ধে সংগ্রামে জাতীয় জাগরণের দিকটিকে তিনি দেখেছেন জাতীয় ক্ষেত্রে আত্মশক্তির বিকাশ ও সুপ্রতিষ্ঠা হিসেবে। এককথায় একে বলা যায় স্বাদেশিকতার বোধ। সেইজন্যই দেখা যায় বাংলাদেশে যখন স্বদেশ আন্দোলনের জোয়ারে তোলপাড় হয়েছে তখন স্বয়ং রবীন্দ্রনাথ সে-আন্দোলনের অন্যতম নায়কের ভূমিকায় অবতীর্ণ হয়েছেন।

রবীন্দ্রনাথ তাঁর দীর্ঘ কর্মজীবনে ও সাহিত্যসৃষ্টিতে স্বদেশচেতনার ধারায় এক মহিমান্বিত অবদান রেখে গেছেন। তাঁর এই অবদানকে তিনটি দিক থেকে দেখা যেতে পারে—

ক. চিন্তাচেতনার দিক থেকে;

খ. সাহিত্যসৃষ্টির দিক থেকে,

গ. বাস্তব উদ্যোগ ও কর্মের দিক থেকে।

এ তিনটি ক্ষেত্রেই, অর্থাৎ চিন্তা, কর্ম ও সৃষ্টিতে তাঁর অবদান এত বিপুল ও তাৎপর্যপূর্ণ যে তার তুলনা হয় না।

তবে রবীন্দ্রনাথের স্বদেশচেতনার স্বরূপ বুঝতে হলে আমাদের তাকে দেখতে হবে তাঁর অখণ্ড জীবনদর্শনের প্রেক্ষাপটে। কারণ রবীন্দ্রনাথের স্বদেশচেতনা শুধু বাংলাদেশ বা বাঙালির মধ্যে সীমাবদ্ধ ছিল না। তিনি বিশ্বের বিভিন্ন ও বিচিত্র জাতিসত্তার এক অখণ্ড ঐক্যময় মানবতাকে জীবনসত্য বলে মেনেছিলেন এবং এই মানবতার আদর্শেই স্বদেশকে দেখেছিলেন। তিনি স্বদেশকে চিনে নিয়েছিলেন বৈশ্বিক বা আন্তর্জাতিক প্রেক্ষাপটে। তাই লিখেছিলেন—

'দেশে দেশে মোর দেশ আছে আমি সেই দেশ লব যুঝিয়া'

(১৪ সংখ্যক কবিতা, *উৎসর্গ*)

তাঁর চোখে স্বদেশ হল বিশ্বের শ্রেষ্ঠ মিলনক্ষেত্র। তাঁর মতে ভারতবর্ষীয় সভ্যতা, 'যে ঐক্যকে আশ্রয় করিয়াছে তাহা মিলনমূলক।' ('ভারতবর্ষের ইতিহাস', *ভারতবর্ষ*) এ প্রসঙ্গে তিনি লিখেছেন—

> ভারতবর্ষে চিরদিনই, একমাত্র চেষ্টা দেখিতেছি, প্রভেদের মধ্যে ঐক্য স্থাপন করা, নানা পথ থেকে একই লক্ষ্যের অভিমুখীন করিয়া দেওয়া এবং বহুর মধ্যে নিঃসংশয় রূপে অন্তরতর রূপে উপলব্ধি করা।
>
> ('ভারতবর্ষের ইতিহাস', ভারতবর্ষ)

রবীন্দ্রনাথের স্বদেশচেতনায়, ঐক্যধর্মী মিলনস্থানের ধারণাই প্রধান। তাঁর *গোরা* (১৯১০) উপন্যাসের নায়ক বহু দ্বন্দ্ব-সংঘাতের ভেতর দিয়ে যে বিশ্বাসভূমিতে এসে দাঁড়ায় সেটি রবীন্দ্রনাথের স্বদেশচেতনার মূল আদর্শের আলোকে তৈরি। গোরা বলে—

"আমাকে আজ সেই দেবতার মন্ত্র দিন, যিনি হিন্দু, মুসলমান, খ্রিস্টান, ব্রাহ্মণ সকলেরই—যার মন্দিরের দ্বার কোনো জাতির কাছে, কোনো ব্যক্তির কাছে কোনদিন অবরুদ্ধ হয় না।"

রবীন্দ্রনাথের বহু লেখায় দেখা যায় স্বদেশচেতনার ক্ষেত্রে তিনি জাতীয় জীবনে আত্মচেতনাবোধের অনুশীলনী ও আত্মশক্তির বিকাশের উপর তিনি বিশেষ গুরুত্ব আরোপ করেছিলেন। অর্থাৎ আত্মনির্মাণ বা জাতি গঠনই ছিল তাঁর মূল প্রেরণা ও লক্ষ্য। তিনি লিখেছেন—

১. "ইংরেজদের কাছে ভিক্ষা করিয়া আমরা সব পাইতে পারি, কিন্তু আত্মনির্ভরতা পাইতে পারি না। আর তাহাই যদি না পাই আসল জিনিস পাইলাম না।"

   ('ন্যাশনাল ফণ্ড')

২. "ইংরাজের কাছে আদর কুড়াইয়া কোনো ফল নাই, আপন মনুষ্যত্বকে সচেতন করিয়া তোলাতেই যথার্থ গৌরব।" ('ইংরাজ ও ভারতবাসী', রাজাপ্রজা)

তিনি অনুভব করেছিলেন যে, স্বদেশের সর্বাত্মক কল্যাণের মধ্য দিয়েই এই আত্মনির্মাণ সম্ভব। সেইজন্যেই বঙ্গভঙ্গ আন্দোলনের মুখে তিনি দেশবাসীকে আহ্বান জানিয়েছিলেন স্বদেশের সর্বাত্মক কল্যাণের :

> এই যে বাংলাদেশ, ইহার মৃত্তিকা, ইহার জল, ইহার বায়ু, ইহার আকাশ, ইহার বন, ইহার শস্যক্ষেত্র লইয়া আমাদিগকে সর্বতোভাবে বেষ্টন করিয়া আছে... আমরা যেন ভালোবাসিয়া তাহার মৃত্তিকাকে উর্বরা করি। তাহার জলকে নির্মল করি। তাহার বায়ুকে নিরাময় করি।... তাহার নরনারীকে মনুষ্যত্ব লাভে সাহায্য করি।
>
> ('বিজয়া-সম্মিলন', *ভারতবর্ষ*)

এই ভাবনাই বহিঃপ্রকাশ ঘটেছিল 'স্বদেশী সমাজ' গঠনে তাঁর পরিকল্পনার মধ্যে। তিনি 'স্বদেশী সমাজ' গঠনের যে সংবিধান রচনা করেছিলেন তাকে স্বদেশি বিদ্যালয় স্থাপনের পাশাপাশি স্বাস্থ্য, শিক্ষা, ব্যবসাবাণিজ্য, কলাবিদ্যা ও সাহিত্যের উন্নতির উপর বিশেষ গুরুত্ব দেওয়া হয়েছিল।

শুধু তাই নয়, একজন হিন্দু ও একজন মুসলমানকে অধিনায়ক করে তিনি 'কর্তৃসভা' গঠনের মাধ্যমে দেশের কর্মশক্তিকে সংগঠিত ও পরিচালনা করার যে প্রস্তাব দিয়েছিলেন তা ব্রিটিশ শাসনের মধ্যেই সমান্তরাল ধরনের স্বদেশি সরকারের ধারণাকেই ব্যক্ত করে।

রবীন্দ্রনাথের চিন্তা, কর্ম ও সৃষ্টির দিকে অভিনিবেশ সহকারে লক্ষ করলে দেখা যাবে, রবীন্দ্রনাথ স্বদেশীয় শিক্ষা প্রবর্তন, স্বদেশীয় ভাষা ও সাহিত্যের অনুশীলন, মাতৃভাষার মাধ্যমে শিক্ষাবিস্তার, চলনে-বলনে বিদেশিয়ানা প্রত্যাহার ইত্যাদির মাধ্যমে স্বদেশচেতনার ভিত রচনা করে গেছেন।

একইসঙ্গে রবীন্দ্রনাথ ছিলেন বিশ্বমানবপ্রেমিক এবং আন্তর্জাতিকতাবাদী। সেইজন্যেই তিনি বরাবরই সতর্ক ছিলেন স্বাধীনতাকামী জাতীয় আন্দোলন যেন কোনোভাবেই অন্ধ জাত্যাভিমানে পরিণত না হয়।

রবীন্দ্রনাথের দেশাত্মবোধের সঙ্গে যে বিশ্ববোধ ওতপ্রোতভাবে মিশে ছিল তার পরিচয় পাওয়া যায় পুত্র রথীন্দ্রনাথকে লেখা একটা চিঠিতে। শান্তিনিকেতন বিদ্যালয় প্রতিষ্ঠা সম্পর্কে বলতে গিয়ে ওই চিঠিতে তিনি লেখেন—

> "বাংলাদেশের চিত্ত সর্বকালে সর্বদেশে প্রসারিত হোক, বাংলাদেশের বাণী, সর্বজাতি সর্বমানবের বাণী হোক।... আমরা সর্বদেশের বৈরাগী হব— আমরা মানববিধাতার রাজপথে মহামানবের গান গেয়ে বেড়াব।" ('চিঠিপত্র' ২য় খণ্ড, পৃ. ৫৯)

বস্তুত রবীন্দ্রনাথের স্বদেশবোধ ও বিশ্ববোধ পরস্পর পরিপূরক সম্পর্কযুক্ত এবং তার মূলে রয়েছে বিশ্বমানবচেতনা। এই বোধ থেকেই তিনি সর্বজাগতিক মনুষ্যত্ব চর্চার কেন্দ্র হিসেবে গড়ে তুলেছিলেন 'বিশ্বভারতী'র মতো প্রতিষ্ঠান। প্রসঙ্গত উল্লেখ করা যেতে পারে ব্রিটিশ সাহিত্যিক রুডিয়ার্ড কিপলিং-এর একটি মন্তব্যের কথা। তিনি লিখেছিলেন, 'প্রাচ্য প্রাচ্যই, আর প্রতীচ্য প্রতীচ্যই, এ দুয়ে মেলানো অসম্ভব' ('Oh. East is East, and West is West, and never the twain shall meer') রবীন্দ্রনাথ বিশ্বভারতী প্রতিষ্ঠার ভেতর দিয়ে ভারতবর্ষের সঙ্গে বিশ্বের যোগসূত্র রচনায় ব্রতী হয়েছিলেন। কারণ তিনি গভীরভাবে বিশ্বাস করতেন, কোনো জাতি যদি স্বজাতের ঔদ্ধত্যবশত কেবল নিজের ধর্ম সম্প্রদায়কে একান্ত আপন বলে গণ্য করে এবং স্বজাতির অচল সীমানার মধ্যে নিজেকে সংকীর্ণভাবে গুটিয়ে ফেলে, তবে তা মোটেও গৌরবজনক হতে পারে না।

রবীন্দ্রনাথের এই আন্তর্জাতিক চেতনা বা বিশ্ববোধের পরিচয় আমরা পাই নানাভাবে। তাঁর বিভিন্ন লেখায় উগ্র জাতিপ্রেম, বর্ণবৈষম্য, সাম্রাজ্যবাদী শাসন-শোষণ-অত্যাচার ইত্যাদির বিরুদ্ধে সোচ্চার অভিমত ব্যক্ত করেছেন। ধনিক সভ্যতার অন্তর্নিহিত দৈন্যকে তিনি ফুটিয়ে তুলেছেন *রক্তকরবী* (১৯২৬) নাটকের রূপকে। *রাশিয়ার চিঠি*-তে (১৯৩১) সমাজতন্ত্রের ইতিবাচক দিক সম্পর্কে আশাবাদ এবং নেতিবাচক দিক সম্পর্কে সংশয় প্রকাশ করেছেন। আফ্রিকায় সাম্রাজ্যবাদী বর্বরতার বিরুদ্ধে প্রতিবাদ ধ্বনিত করে লিখেছেন বিখ্যাত 'আফ্রিকা' কবিতা (*পত্রপুট*)। ফ্যাসিজম্ নামের 'দানবের সঙ্গে যারা সংগ্রামের তরে প্রস্তুত হতেছে ঘরে ঘরে' (*প্রান্তিক*) তাদের কথা সবাইকে জানিয়ে দিয়েছেন উচ্চকণ্ঠে। *নবজাতক* (১৯৪০) কাব্যগ্রন্থের 'প্রায়শ্চিত্ত' কবিতায়

বলেছেন 'ক্ষুধাতুর আর ভুরিভোজীদের নিদারুণ' শ্রেণিসংঘাতের কথা। এমনি অসংখ্য সূত্রে প্রকাশ ঘটেছে তাঁর আন্তর্জাতিক দৃষ্টিভঙ্গি।

এই বিশ্ববোধ থেকেই রবীন্দ্রনাথ স্বদেশকে দেখেছেন। দেশবাসীকে বিশ্বমানবের সভায় স্থান দিতে চেয়েছেন। দেশের মানুষকে একইসঙ্গে স্বদেশের ও বিশ্বের করে দেখেছেন :

অন্ধ মোহবন্ধ তব দাও মুক্ত করি—
রেখো না বসায়ে দ্বারে জাগ্রত প্রহরী
হে জননী, আপনার স্নেহ-কারাগারে
সন্তানেরে চিরজন্ম বন্দী রাখিবারে

নিজের সে, বিশ্বের সে, বিশ্বদেবতার—
সন্তান নহে গো মাতঃ সম্পত্তি তোমার।
('স্নেহগ্রাস', *চৈতালি*)

এই বোধ থেকেই 'ভারততীর্থ' (১০৬ সংখ্যক কবিতা গীতাঞ্জলি) কবিতায় ভারতবর্ষকে তখন তিনি দেখেছিলেন সর্বজাতির সর্বমানবের মিলনস্থল রূপে, আন্তর্জাতিক সংস্কৃতির আদানপ্রদানের মহামিলন কেন্দ্ররূপে :

দিবে আর নিবে, মিলাবে মিলিবে, যাবে না ফিরে
এই ভারতের মহামানবের সাগরতীরে।

এসো হে আর্য, এসো অনার্য, হিন্দু-মুসলমান—
এসো এসো আজ তুমি ইংরাজ, এসো এসো খ্রীস্টান।...

গভীর মনোযোগ দিয়ে রবীন্দ্রনাথের রচনা পড়লে আমরা দেখব জাতীয়তাবাদ কিংবা আন্তর্জাতিকতাবাদ উভয় ক্ষেত্রেই তাঁর চেতনা ও দৃষ্টিভঙ্গির মূলে রয়েছে বিশ্বমানবতাবাদ। এইজন্যই সাম্রাজ্যবাদী বর্বরতায় তিনি যখন গভীর দুঃখ পেয়েছেন, প্রচণ্ড ক্ষুব্ধ হয়েছেন, তখনও বিশ্বমানবের উপর আস্থা হারাননি।

এই বিশ্বমানবের ধারণাকে তিনি প্রকাশ করেছেন *মানুষের ধর্ম* (১৯৩৩) গ্রন্থে। তাতে তিনি মানুষকে চিরাচরিতভাবে সম্প্রদায় হিসেবে দেখেননি; হিন্দু-মুসলমান-বৌদ্ধ-খ্রিস্টান হিসেবে আলাদা করে বিবেচনা করেননি। তিনি বলেছেন, ধর্ম একটাই আর তা হচ্ছে মানবধর্ম।

এই বোধ থেকেই তিনি জীবনের শেষ প্রান্তে দাঁড়িয়ে লিখেছেন পরম আশাবাদী সেই অমর পঙ্‌ক্তিগুলি :

ওই মহামানব আসে
দিকে দিকে রোমাঞ্চ লাগে
মর্ত্যধূলির ঘাসে ঘাসে

উদয় শিখরে জাগে মাভৈঃ মাভৈ রব
নবজীবনের আশ্বাস
জয় জয় জয় রে মানব-অভ্যুদয়
মন্দ্রি উঠিল মহাকাশে।
(৬ সংখ্যক কবিতা, *শেষ লেখা*)

এই মহামানব নিঃসন্দেহে চিরায়ত ও সামগ্রিক মনুষ্যত্বের প্রতীক। আর রবীন্দ্রনাথের জাতীয়তা ও আন্তর্জাতিক চেতনার মূলেও রয়েছে সেই অপরাজেয় মনুষ্যত্বে নিঃসংশয় বিশ্বাস ও অবিচল আস্থা।

[২৭]

সংকটকালে রবীন্দ্রনাথ

এই যে সংকটকাল, এটা কার? নিশ্চয় রবীন্দ্রনাথের নয়, তা আমাদের। 'রবীন্দ্রনাথ' একবচন। 'আমাদের' বহুবচন। কাল কিন্তু বচননিরপেক্ষ। 'আমি যদি জন্ম নিতেম কালিদাসের কালে'— এইরকম যদিও রবীন্দ্রনাথ কালিদাসের প্রতি তুলনায় নিয়ে এসেছেন নিজেকেই— একবচনে। এখানেও রবীন্দ্রনাথ সেইরকমই। তাঁর যে কাল-ব্যক্তিনিরপেক্ষ বাস্তবতা— তার মুখোমুখি হয়েছেন তিনি তাঁর মতো করে। ব্যক্তিবিভায়, ব্যক্তিত্বের মায়ায়, ব্যক্তি প্রতিভার অনন্যতায় তা সমগ্রে ছড়ায়। আপনাকালে ছাপ ফেলে। তা অমোচনীয়। তার চরণরেখা কি পরের কালেও প্রসারিত হয়? এমনকী আজ আমাদের কালে এই বাংলাদেশ ভূখণ্ডে, যা নিজেও বহন করে এবং ঘোষণা করে তার সমৃদ্ধ উত্তরাধিকার? এবং ঘোষণা করে দ্বান্দ্বিক ঝঞ্ঝাবিধ্বস্ত অনচ্ছতায়?

সংকট থাবা মেরেছে রবীন্দ্রনাথের মুখের উপরেও। যেমন তাঁর ব্যক্তিগত জীবনযাপনে, তেমনি তাঁর কালের নির্বিকার প্রবহমাণতার জটিল অকরুণ উন্মোচনে। 'দুঃখের' আঁধার রাত্রি বারেবারে এসেছে আমার দ্বারে'— জীবনের শেষপ্রান্তে এসেও তিনি বলেছেন— 'কষ্টের বিকৃত ভান ত্রাসের বিকটভঙ্গি যত-অন্ধকারে ছলনার ভূমিকা তাহার।' এই দুঃখকে, যা প্রকৃতপক্ষে সংকটেরই পরিণাম ফল, তিনি আত্মস্থ করে স্বাভাবিক থেকেছেন, ভেঙে পড়েননি। তাঁর উপর তাকে চেপে বসতে দেননি। মধ্য জীবনে যে প্রার্থনা করেছিলেন, 'বিপদে মোরে রক্ষা করো, এ নহে মোর প্রার্থনা—/ বিপদে আমি না যেন করি ভয়।/ দুঃখতাপে ব্যথিত চিতে নাই বা দিলে সান্ত্বনা,/ দুঃখ যেন করিতে পারি জয়।' — এতে তিনি স্থির থেকেছেন আমৃত্যু, আজীবন। এই মারের মুখোমুখি হতে ভয় পাননি। হার মানেননি; আবার আর-সবার শ্রেয়কে বর্জন করেননি। যা মনে হয়েছে ভ্রান্ত, তার মোহন রূপও তাঁকে টানেনি। যদিও তাতে উত্তাল আবেগের ভর্ৎসনা মিলেছে অনেক। 'কঠিনেরে ভালোবাসিলাম— সে কখনও করে না বঞ্চনা'— একথা তিনি বলতে পারেন অনায়াস স্বচ্ছতায়। সংকটমোচনে যা মনে করেছেন অন্যায়, তার সঙ্গে বিন্দুমাত্র আপোশ করা তাঁর কাছে আরও এক অন্যায়— যাকে সত্য বলে জেনেছেন তাকে অশুচি করা, মহত্ত্বের

আসন থেকে টেনে নামিয়ে আনা। অকুণ্ঠে বলেছেন, 'অন্যায় যে করে, আর অন্যায় যে সহে/ তব ঘৃণা যেন তারে তৃণসম দহে। সংকটকালেও তাই তিনি আত্মশুদ্ধ। বিবেকশুদ্ধ। অন্তরের অমলিন নির্দেশে তিনি সাড়া দেন। তেমন নির্দেশ না পেলে এক পাও এগোন না। চলতি হাওয়ায় পাল তুলে গড্ডালিকা স্রোতে ভেসেও যান না। তাই বলে জনতাবিমুখ নন; তিনি যখন বলেন, 'যদি তোর ডাক শুনে কেউ না আসে, তবে একলা চল রে'— তখনও মুখ থাকে তাঁর জনসমগ্রের দিকেই। আসলে একলা চলার জিদ, বিপরীত দিক থেকে এবং আন্তরিক আকুতিতেও আর-সবাইকে শামিল করারও জেদ। গান্ধীজির যে প্রিয় গান ছিল এটি, তাও এই কারণেই। একলা চলার সাধনা সংকট থেকে উত্তরণে সকলকে মেলাবারও সাধনা। সত্যিকারের বীরের অভিযান। পালিয়ে গিয়ে গা-বাঁচানো নয়, সন্ন্যাসও নয়।

সংকট যখন ব্যক্তিগত, এবং তা গভীরভাবে আত্মিক, আবশ্যিকভাবে বৈষয়িক নয়, তখন আজও রবীন্দ্রনাথ আমাদের মনে সাড়া জাগান, সহায় হন। কথায়, গানে— বিশেষ করে গানে, এমন এক ধরনের চিরকালের আবেদন আছে, যা আমাদের তাপিত হৃদয়ের ভাপ শুষে নিতে চায়। এখনও চায়। এবং মনে হয়, আগামীতে চাইবে। যেমন একজনের বেলায়, তেমনই প্রত্যেকের বেলায়, সেই অর্থে সর্বজনীন। তবে প্রত্যেকের আলাদা অনুভব, আপন আপন বেদনায় আলাদা আলাদা প্রলেপ। সান্ত্বনা মাত্র নয়। তার চেয়ে গভীর কিছু, বেশি কিছু— অবশেষে অভিসারী। বিশ্বচেতনায় যে নিবিড় সামঞ্জস্যের সুষমা, সংকটের অতলস্পর্শী আক্ষেপ সেইখানে গিয়ে মেশে। ক্ষতিপূরণ নয় ক্ষতিকে অতিক্রম করার শক্তি খোঁজে, শান্তি খোঁজে। ব্যক্তিমানুষ কিছু-না-কিছু তো পায়। সব কিছু মনে হয় যখন অর্থহীন, তখন উঠে দাঁড়াবার, জীবনের দিকে মুখ ফেরাবার নান্দনিক বোধ তার ভেতরে আবার জাগতে শুরু করে। মায়া নয়, সত্যেই তা স্থির হয়। এবং সত্য বাস্তব। ওইসব গানে রবীন্দ্রনাথ একবর্ণ মিথ্যা নয়। মিথ্যা নয় বলেই তাঁর আবেদন অকৃত্রিম ও প্রাণসঞ্চারী। সংকটের আবর্তে বিভিন্ন জনের বিভিন্ন আর্তি। তবু তাঁর ওই গান কথায়-সুরে সেসবেতেই পৌঁছায়। আমাদের কালেও এই কীর্তিগ্রাসী, আকারগ্রাসী তুচ্ছতার দাপটক্লিষ্ট অভিমানে পণ্য সমারোহের ইন্দ্রজাল কোথাও কোথাও বিপন্নতাকে আড়াল করে মাত্র। তাকে ছিন্ন করেই তাঁর গানের শুশ্রূষা।

তবে সংকটকাল অনেক বেশি ঘোরালো সমষ্টিজীবনে। প্রতিটি মুহূর্ত তার আরও প্রশস্ত। ঘটনার ঘূর্ণিজালে অসংখ্য জট। বহুমুখী টান। সব মিলিয়ে সমূহ জীবনের আত্মপ্রকাশ। আত্মপ্রকাশের তাড়নায় পারস্পরিক সম্পর্ক-সম্বন্ধে বোঝাপড়া নষ্ট হলেই তৈরি হয় অবিশ্বাস। অবিশ্বাস থেকে বৈর-বিদ্বেষ। বিদ্বেষের বিস্ফোরণে সংকট। অথবা ক্ষমতার অলিন্দে দখলবাজদের পক্ষপাতমূলক কর্তৃত্বে যে বিকার জমে, এবং বিকার থেকে পরস্পর ঘৃণা ও হিংসা— সংকট গজায় তা থেকেও। সম্পদের অসমবণ্টন, দারিদ্র্যের প্রতিহিংসাপরায়ণ বিস্তার, প্রতি পদে ক্ষমতার ছত্রচ্ছায়ায় থেকে বলশালীদের ক্ষমতাহীনদের অপমান, মানবাত্মার অসহায় ক্রন্দন, সংকটের বহিঃপ্রকাশ ঘটে এ সবেই। পরস্পর বিচ্ছিন্ন নয় এ দুটো। বরং কার্যকারণ বহু সুতোয় জড়ানো। দুটোয় মেশামেশি তাতে স্বাভাবিক। বলা যায় অনিবার্য।

এমন সংকট রবীন্দ্রনাথকে ছাড়েনি। বোধ হয় কাউকেই ছাড়ে না। পতন অভ্যুদয় বন্ধুর পন্থায় যুগে যুগে ধাবিত যে মানবযাত্রী, তার অদৃষ্টেই বাঁধা সংকটে। এক সংকট থেকে আর এক সংকট, এক পর্যায় থেকে আর এক পর্যায়, এই তার নিয়তি। পথ দুর্গম। ক্ষুরস্য ধারা নিশিতা দূরত্যয়া। কেউ পারে অতিক্রম করে এগিয়ে যেতে। কেউ পারে না। তলিয়ে যায়। হারিয়ে যায়। ইতিহাস তাদের দিকে পেছন ফিরে আর তাকিয়ে দেখে না। এই পথের রেখা রবীন্দ্রনাথ দেখেন। হার মানেন না। এগিয়ে যান— একা নয়, সবাইকে নিয়ে। পান্থজনের সখা। সঙ্গী আপন সংস্কৃতিবলয়ে অমৃতের পুত্র-কন্যা সকলেই। তারা জানুক বা না-ই জানুক। পরের আত্ম-পর ভেদাভেদটুকুও লুপ্ত হয় সংকটও হয় বহুব্যাপ্ত। তার আঁচ আরও তীব্র। তিনি ভয় পান না। বলেন, 'আরও আঘাত সইবে আমার—।' প্রস্তুত থাকেন। কিন্তু বুক ভেঙে যায়। তার পরেও চোখ থাকে সামনে। 'সমুখে ওই হেরি পথ, তোমার কি রথ পৌঁছবে না মোর দুয়ারে।' মোর দুয়ারে মানে সব মানুষেরই দুয়ারে।

তবে একলাফে সমুদ্রপার হওয়া নয়। বাস্তবের পরতে পরতে প্রত্যক্ষের তাগিদ। কখনো কখনো জুলুম। তাদের মনে রেখে, এমনকী মান্য করে, প্রশ্নমীমাংসায় যা শ্রেয়, তাকে খোঁজা। সময়ের দাগ মুছে ফেলে নয়। তাকে গায়ে মেখেই। শুভচেতনায় আন্তরিকতা থাকে একশোভাগ। কালপর্ব সরে সরে যায়। বদল ঘটে প্রত্যক্ষের পটভূমিতেও। নিজেকে অটুট রেখে নতুন নতুন পরিস্থিতির মুখোমুখি হতে হয় কবিকেও। ঘটনার নিষ্ঠুর অত্যাচার আঘাত হানে হৃদয়ে। যতই বলুন, 'অগ্নিস্নানে শুচি হোক ধরা', তবু দগ্ধ হৃদয় শান্তির আশ্রয় খোঁজে। খোঁজে বিশ্বব্রহ্মাণ্ডের অতুল গতিময় সুষমার প্রতিরূপ। কঠিন বাস্তবে ছিন্নমস্তার উন্মত্ত নাচ জীবনের শেষ প্রান্তে বিচলিত করে তাঁকেও। যখন তিনি বলেন, "আমি যে দেখেছি গোপন হিংসা কপটরাত্রি-ছায়ে/ হেনেছে নিঃসহায়ে।/ আমি যে দেখেছি প্রতিকারহীন শক্তের অপরাধে/ বিচারের বাণী নীরবে নিভৃতে কাঁদে।" তখন তাঁর বিপুল অন্তর্বেদনার আভাসটুকুতেও আমরা মথিত হই। যখন তিনি শেষে প্রশ্ন করেন, "যাহারা তোমার বিষাইছে বায়ু, নিভাইছে তব আলো,/ তুমি কি তাদের ক্ষমা করিয়াছ, তুমি কি বেসেছ ভালো?" তখন তার বিচ্ছুরিত স্ফুলিঙ্গরাশি আমাদের মুখের ওপরেও ঝাপটা মারে। তাঁর অস্থির উদ্‌ভ্রান্ত আকুতি আমাদের মনেও সঞ্চারিত হয়। শুভ চেতনায় আগ্রহী বিশ্বাসকামনায় কোথায় যেন চিড় খায়। যদিও জানি, ক্ষুদ্র দুঃখ সব তুচ্ছ মেনে হৃদয় প্রসারিত করে চারিদিকে দূর দিগন্ত পর্যন্ত চেয়ে দেখে তিনি অতিক্রম করেন সংশয়ের ঘূর্ণাবর্তকে। আত্যন্তিক নিরাসক্তিতে মানব অভ্যুদয়ের আশা জিইয়ে রেখে সংকটের অপর পারে ঘাটে পৌঁছুবার অপেক্ষায় থাকেন— ব্যক্তিজীবনে না হলেও সমষ্টিজীবনে, কাছে না হলেও দূরে— হয়তো সুদূরের শেষ প্রান্তে।

অন্তরের সত্য যেখানে তাঁর ধ্রুবতারা, সেখানে বাইরের ছোটো মাপের পরিচয়সূত্র সব খসে খসে যায়। জাতপাতের গণ্ডি আর তাঁকে বাঁধতে পারে না। অকুণ্ঠে বলতে পারেন, 'আমি ব্রাত্য আমি মন্ত্রহীন'। যেকোনো মানুষের অপমানই মনে করেন নিজের অপমান। সে মানুষ নির্বিশেষ। প্রতিবাদে আর প্রতিকারের সংগ্রামে তিনি সেখানে সক্রিয় সাধক, যদিও প্রতিহিংসা

দিয়ে, পরশ্রীকাতরতা দিয়ে ছোটো করেন না নিজেকে, ছোটো হতে বলেন না আর কাউকে। *প্রায়শ্চিত্ত, রক্তকরবী, অচলায়তন, মুক্তধারা* এইসব নাটকে চিরকালের দাদাঠাকুরের ভূমিকায় তিনি নিজের কথা বলে যান বার বার। সংকটের সামনে নতি স্বীকার নয়, মহৎ নৈর্ব্যক্তিক প্রেমের বৈরাগ্যে অস্বীকার করেন তাকে, বলদর্পীর অহংকার ভাঙতে চান এইভাবে। একা। আবার একার পেছনে সমগ্রের প্রেরণা হয়ে।

শুধু ভাবের হাটে নয়, বিবিধ কর্মকাণ্ডেও তিনি এভাবে সংকটের মুখোমুখি হয়েছেন কত বার। তর্কে-বিতর্কে আপন শ্রেয়োবোধকেই তুলে ধরেছেন। তাঁর বিপুল গদ্যরচনায় তার প্রমাণ অজস্র। আত্মশক্তি বা কালান্তর তো এদিক থেকে অবশ্যপাঠ্য। এ ছাড়া তাঁর তৃতীয় নয়নের তেজ ও বিবেকসিদ্ধ ক্রোধ ফুটে উঠতে দেখি জালিয়ানওয়ালাবাগ হত্যাকাণ্ডের পর একক সিদ্ধান্তে নাইটহুড পরিত্যাগের প্রতিবাদলিপিতে। পৃথিবীর সেরা প্রতিবাদী সাহিত্য এর তুল্য রচনা খুব বেশি নেই। আর, যখন সভ্যতার সংকট লেখেন, জীবনের শেষ প্রান্তে চূর্ণ বিশ্বাসের ভূমিতে দাঁড়িয়ে, তখনও তিনি উচ্চারণ করেন মানবসম্ভূত শ্রেষ্ঠ বাণী; 'মানুষের প্রতি বিশ্বাস হারানো পাপ'। সমগ্র মানুষি উদ্যোগে যে সমবেত মহামানবের উত্থান, 'ইতিহাসের অকিঞ্চিৎকর উচ্ছিষ্ট সভ্যতাভিমানের পরিকীর্ণ ভগ্নস্তূপের' উপর দাঁড়িয়ে 'লক্ষীছাড়া' দীনতার আবর্জনায় ডুবতে ডুবতেও তিনি তার প্রতীক্ষায় কাল গোনেন। নিজের জীবনে চরিতার্থতার আশায় নয়, অনাগত ভবিষ্যতের সজীব স্বপ্ন বুকে নিয়ে সংকটেই খোঁজেন সংকট থেকে উত্তরণের পথ।

রবীন্দ্রনাথের এই উত্তরাধিকারকেই এখন আমরা খুঁজি। আজ থেকে নয়। গত পঞ্চাশ বছর ধরেই। যদিও বর্তমানে তাগিদ আরও বেশি। প্রত্যক্ষের প্রশ্নরাশি আরও জট-পাকানো এবং তা বার বার মুক্ত প্রাণের উল্লাস ঘোষণার অধিকার অর্জনের পরেও। আমাদের অবস্থা বুঝি তৈলাক্ত বাঁশের মাথায় ওঠার এক দুঃসাধ্য নিয়তি। যতটা উঠি, পিছিয়ে পড়ি তার চেয়ে বেশি। অথবা এ বুঝি সাপলুডোর পাতা-ছকে মই বেয়ে এগোতে থাকলেও বার বার সাপের মুখে পড়া। উনিশশো আটান্নর সংকট ফিরে ফিরে আসে। একই চেহারায় হয়তো নয়। কালের সঙ্গে মুখোশও বদলায়। যদিও আকাশের সীমানা খোঁজার চেষ্টাও আমাদের অন্তহীন। অসামান্য সাফল্যও তাতে একাধিক। বঙ্গবন্ধুর নেতৃত্ব ও স্বাধীন বাংলাদেশের অভ্যুদয় তো গোটা বিশ্বেরই বিস্ময়। রবীন্দ্রনাথের স্বপ্নকল্পনাও বুঝি ছিল ওই রকমই। কিন্তু বজ্রমুষ্টিতে কিছুই ধরে রাখতে পারি না। আঙুলের ফাঁক দিয়ে গলে পড়ে সব কিছু। বানরের পিঠা ভাগই দেখি হয়ে দাঁড়ায় নির্জলা বাঙালি কথা। বারে বারে ঠেকে ঠেকেও একই পরিণতির পৌনঃপুনিক আবর্তন। স্বার্থচক্রের কৌশল তো আছেই, আছে একইসঙ্গে আমাদের শোচনীয় ব্যর্থতা। সমূহ জীবনে আর নেই কোনো স্বপ্নের ঠিকানা। অথবা থাকলেও তাকে ঘিরে হাজারটা সংশয়। যৌথ জীবনের সংকল্প ভেঙে খান খান।

সংকটকালে রবীন্দ্রনাথ কি এখনও আমাদের অগ্রগতির গতি হয়ে থাকবেন? এদেশে গত ষাটের দশকে বাঙালিচিত্তে মানবতার উদ্‌বোধন ঘটেছিল তাঁর প্রেরণায়। নৌকায় পাল খাটিয়ে

তাকেই বেঁধেছিলাম আমরা মাস্তুলে। বাঙালির স্বাভিমানে আঘাত হেনেছিল পাকিস্তানি দুঃশাসন। তারা চেয়েছিল, আমরা ভুলে যাই আমাদের ঐতিহ্য, ভুলে যাই আমাদের সংস্কৃতি। সাম্প্রদায়িক ধর্ম-সংস্কারকে তারা করতে চেয়েছিল দেড় হাজার মাইল বিচ্ছিন্ন দুই জনগোষ্ঠীর ঐক্যের হাতিয়ার। এবং শুধু সেটুকুই। জনগণের ইচ্ছা-অনিচ্ছা সেখানে অর্থহীন। অর্থহীন বাঙালির নিজস্ব হয়ে ওঠার ইতিহাস। এও তারা ভেবে দেখেনি, ওই ধর্মসংস্কারের মূলভূমি নয় পাকিস্তান। কোনো সমগ্রতাও দাবি করতে পারে না। দাবি করতে পারে না বহু-বিচ্ছিন্নতার সামঞ্জস্য। ফলে জবরদস্তিই হয়ে ওঠে ক্ষমতার নিয়ামক।

কোনো উপায়ও ছিল না শাসকচক্রের। তাদের পেছনে ছিল না কোনো গণতান্ত্রিক আন্দোলনের বা গণ-অভ্যুত্থানের অভিজ্ঞতার প্রেরণা। ঔপনিবেশিক অধিকারের ধারাবাহিকতায় তারা প্রভু। রাষ্ট্র তাদের হাতে ওই প্রভুত্ব খাটাবার ব্যবস্থা মাত্র। দম-দেওয়া যন্ত্রের মতো গোটা ভূখণ্ডে তার কলকবজা ছড়ানো, গিঁটে গিঁটে প্রশাসনের নাট-বল্টু। হাতের মুঠোয় এদের রাখতে পারাটাই বড়োকথা। জনগণ হুকুমের দাস। সেইভাবে তাদের রাখার জন্যই নানা কলাকৌশল, সাম্প্রদায়িক ধর্মান্ধতায় উৎসাহও। সেপাই, ভূস্বামী আর আমলা, এই ত্রিভুজের খপ্পরে তখন পাকিস্তানি গণজীবন। উঠতি শিল্প-বাণিজ্য চায় তাদের নেকনজর। পারস্পরিক যোগসূত্রও আপনা থেকে তৈরি হয়ে যায়। তথাকথিত সম্ভ্রান্ত পরিবারের সন্তানেরা কেউ হন সেনাপতি, কেউ আমলা, কেউ-বা স্থানীয় সর্দার। ভূসম্পত্তির মালিকানা তো অধিকারের ভিত তৈরি করে দেয়, আগেই। এই ছিল পাকিস্তানি প্রভুশক্তির স্বরূপ। এবং ঐতিহাসিকভাবেও কার্যত তার প্রকাশ ছিল পশ্চিম পাকিস্তানি নৃপরিমণ্ডলেই। তাকেই তারা সম্প্রসারিত করে পূর্ব পাকিস্তানে—আজকের বাংলাদেশে কী ইতিহাস কী ভূগোল কী সংস্কৃতি কোনোটিই তার অনুকূল ছিল না—এক অতিচালাক উঠতি লোভী সুযোগসন্ধানী স্বার্থচক্রের ক্ষমতার উচ্ছিষ্টের আকর্ষণ ছাড়া। তবু দরকার সমস্তটাই দখলে রাখার। দরকার এ অঞ্চলের উদ্‌বৃত্ত শোষণের। তাই উসকে দেওয়া নতুন গজিয়ে ওঠা ভুঁইফোঁড় ফেউ বাহিনীকে, প্রশ্রয় দেওয়া একতার নামে যুক্তিহীন এবং কাণ্ডজ্ঞানহীন মধ্যযুগীয় ধর্ম সাম্প্রদায়িকতাকে। লক্ষ্য, বাঙালি যেন আর বাঙালি না থাকে, হয়ে যায় কৃত্রিম বিকৃত উৎকট পাকিস্তানি প্রভুর অনুগত স্বেচ্ছাবন্দি দাসানুদাস। বনে যায় নিজভূমে পরবাসী। সমূহজীবন বিচ্ছিন্ন হয় যেন তার শিকড় থেকে। যেন বিভ্রান্তিতে, আর কূপমণ্ডূকতাতে ডুবে থাকে তারা। অনড় অদ্ভুত আঁধার এক চাপিয়ে দিতে চাওয়া হয় গোটা দেশের উপর পাকিস্তানের যুক্তিসিদ্ধির নামে।

বিরোধ জমাট বাঁধতে থাকে ১৯৬১-তে রবীন্দ্র জন্মশতবার্ষিকী উদ্‌যাপন নিয়ে। পাকিস্তানি ধ্যানধারণায় রবীন্দ্রনাথ অবান্তর। শুধু অবান্তর নয়, আপদ। তাঁকে মেনে নিলে দ্বিজাতিতত্ত্ব অস্বীকার করতে হয়। তাতে পাকিস্তানের অস্তিত্বই প্রশ্নের মুখে পড়ে। অন্যদিকে তাঁকে না মানলে বাঙালির আত্মমর্যাদা ক্ষুণ্ণ হয়। আত্মপরিচয়ের ভিতও দুর্বল হয়ে পড়ে। কারণ বাঙালির উদার মানবযাত্রার অগ্রনায়কই যে তিনি। জাতপাতের তফাত করার বিরুদ্ধে, উচ্চবর্ণের অন্তঃসারশূন্য

ইতর অহংকারের বিরুদ্ধে, 'সবার পিছে সবার নিচে, সবহারাদের মাঝে' 'সবার অধম দীনের হতে দীন' যারা তাদের সঙ্গে একাত্ম হবার পক্ষে তিনি সচেতন করেন সবাইকে। বাঙালি শোণিতে তার মুক্তির সুর ধ্বনিত-প্রতিধ্বনিত হয়ে চলে। অতএব, ফৌজি শাসনের আজ্ঞাবহ দাসেরা যখন ঘোষণা করে, পাকিস্তানে রবীন্দ্রনাথ অবাঞ্ছিত, রবীন্দ্রসংগীত নিষিদ্ধ তখন আঘাত পড়ে তাদের মর্ম্মমূলে। ক্ষোভে, ক্রোধে তারা ফেটে পড়ে। সংকটের গভীরতা ফুটে ওঠে সংস্কৃতির অঙ্গনে। ক্ষমতার ছত্রচ্ছায়ায় মোসাহেব জোটে সব সময়েই। তখনও মিলে যায় শতগুণ বলার যো হুকুম জ্ঞানীগুণী পরিষদের পাল। তাতে বিভ্রান্তি বাড়ে। বাড়ে একইসঙ্গে প্রবঞ্চিত ও অপমানিত হবার জ্বালা। সংহত করে তা বাঙালিকে। সে নিজের দিকে মুখ ফেরায়। মুখ ফেরায় অন্ধকার থেকে আলোয়। আবহমান সত্তার মিলিত বিকাশের সহজ স্বাভাবিকতায়। প্রতিবাদে প্রতিরোধে উত্তাল হয় গোটা দেশ। অবলম্বন রবীন্দ্রনাথ কারণও রবীন্দ্রনাথ। সংগ্রাম সংস্কৃতির। তাই দিয়ে লড়াই সংকট থেকে উত্তরণের। আমরা জয়ী হই। নিষেধাজ্ঞা তুলে নিতে বাধ্য হয় পাকিস্তানি প্রশাসন।

আমরা জানি, ছায়ানট স্বতঃপ্রবৃত্ত হয়ে তখন নিজের কাঁধে তুলে নিয়েছে গানে গানে বাঙালি চেতনা জাগিয়ে তোলার ভার। জাহেদুর রহিম যেখানেই যান, সন্‌জীদা খাতুন জানান, গেয়ে যান, 'আমার সোনার বাংলা আমি তোমায় ভালোবাসি।' শুধু আকাশে-বাতাসে নয়, গান মেশে জলে-স্থলে, বিঁধে যায় মানুষের চৈতন্যে। কেবল বিদ্বৎসভার মানুষের নয়, বাংলার আবালবৃদ্ধ নারীপুরুষ, জনতার। সব মিলিয়ে এমনটিই বুঝি ছিল স্বাভাবিক। কারণ, গানের কথায় কোনো জটিলতা নেই। আছে সহজভাবে মেলে ধরা বহু অনাদৃত দু-চোখে দেখা মাতৃ-বাংলার মুখ। আর কোনো ভনিতা ছাড়াই সরল স্পষ্ট উচ্চারণ, 'তোমায় ভালোবাসি'। আসলে এ গান একমাত্র রবীন্দ্রনাথের নয়। 'বাংলাদেশের হৃদয় হতে' উঠে আসে এ গান। বাংলার হাটে মাঠে ঘাটে যুগ যুগ ধরে যেসব নরনারীর চলচ্চিত্র অব্যাহত ও অনিঃশেষ, তাদেরই কুণ্ঠাহীন আবেগের অব্যর্থ সঞ্চয় প্রাণ পায় এই গানের ভাষায়। সুরও ধারণ করে অন্তেবাসী পথিক বাউল গগন হরকরার 'কোথায় পাব তারে'র আকাশ আর মাটি ঘেঁষা আকৃতির স্পন্দন। 'আমার সোনার বাংলা' তাই বাঙালিকে ভাবায়, কাঁদায়। বিশেষ করে ওই সময়ে, যখন আঘাত আসে তার স্বতঃস্ফূর্ত বাঙালি পরিচয়ের উপরেই। এ গান বাংলার, বাঙালির। রবীন্দ্রনাথ মাধ্যম মাত্র। অথবা উলটো দিক থেকে বাঙালি সরব হয় এই গানে। সরব করেন রবীন্দ্রনাথ। দুর্দিনে দুর্যোগে সংকটের ক্রান্তিলগ্নে বাঙালি তা ফিরে ফিরে মনে করে। যুগ থেকে যুগান্তরে। তারা জাগে। একে অন্যকে জাগায়। জাগায় মানুষের অন্তর্গত সত্য মানুষকে— সবখানে। এখানে লেখাপড়া জানা না-জানায় ফারাক থাকে না। গানের কথা, গানের সুর সব ব্যবধান ঘোচায়। সরাসরি সবার কাছে পৌঁছায়।

পরে যে মুক্তিসংগ্রাম, সেখানেও প্রেরণা রবীন্দ্রনাথ। আরও বেশি করে, আরও বিস্তৃতভাবে। বাঙালির সাংস্কৃতিক সত্তা চালিত করে স্বাধীনতার আকাঙ্ক্ষাকে। সম্পূর্ণ ইতিবাচক তার ভূমিকা। সেখানে আত্মিক নির্ভরতার চাবি আবার খুঁজে পাই তাঁর কাছ থেকেই— এমনকী অপ্রত্যাশিত

পরিস্থিতিতেও; যেমন, গেরিলা যুদ্ধে। 'আমি তোমায় যত শুনিয়েছিলেম গান, তার বদলে আমি চাইনে কোনো দান'— এটা ছিল মুক্তিযোদ্ধাদের জীবনকে বাজি রেখে পরস্পর যোগাযোগ করে এগিয়ে যাবার এক গোপন সংকেত। কতভাবেই-না অর্থ পায় রবীন্দ্রনাথের কথা। হয়তো তাঁর নিজেরও ছিল তা কল্পনার বাইরে। কারণ, তাঁর প্রত্যক্ষ বাস্তব, আর আমাদের মুক্তিসংগ্রামের বাস্তব তো এক নয়। তা ছাড়া এখানে কোনো তেজোদ্দীপ্ত ভাব নেই। উলটো মনে হয়, খুবই নরম। করুণাঘন। অথচ মুক্তিযোদ্ধাদের উদ্দিষ্ট লক্ষ্যে একত্রে মেলাতে এর চেয়ে উপযুক্ত সংকেতবাণী বুঝি আর নেই। মুক্তিসংগ্রামও অন্যতর ও মহত্তর এক তাৎপর্য পায়। সংকীর্ণ জাতি-বৈরিতার ঊর্ধ্বে উঠে তা তার মানবিক মূল্যচেতনার কথাও মনে করিয়ে দেয়। ত্যাগের প্রেরণা নির্ভুল ধরা পড়ে। এবং প্রচ্ছন্ন কৃতজ্ঞতার। 'তোমার গান যে কত শুনিয়েছিল মোরে, সেই কথাটি তুমি ভুলবে কেমন করে?' — এই কলিটি মুক্তিযোদ্ধাদের সংকেতসুরে ছিল না। তবু অনুমান করি, তার অন্তর্নিহিত আবেগ তাদের মনে সাড়া জুগিয়েছিল। 'ভুলতে সে কি পার, ভুলিয়েছ মোর প্রাণ'— তাদের সংকল্পে আর একটা অনাস্বাদিত অনুভব যুক্ত করে দেশপ্রেমের কোমল মানবিক দৃঢ়তা এনেছিল।

সংকট পেরিয়ে মুক্তিসংগ্রামে আমরা জয়ী হয়েছি। অতিশয়োক্তি হবে, যদি বলি তা রবীন্দ্রনাথের কারণেই। তবে তার মানবিক স্বপ্নরচনায় রবীন্দ্রসৃষ্টি সেখানে যে এক বিশাল ভূমিকা রেখেছিল, তা বোধ হয় ভুল নয়।

কিন্তু সে-স্বপ্ন টুটে গেছে অচিরেই। স্বাধীনতা আমাদের অসাধারণ এক অর্জন, আবার মুক্তিসংগ্রামে, তা ভেঙে টুকরো টুকরো হয়েছে স্বাধীনতার পর পরই। সম্পদের বণ্টনে নৈর্ব্যক্তিক নিঃস্বার্থতা ধরে রাখা যায়নি। ক্ষমতার নিজস্ব যে প্রবৃত্তিতাড়িত চালিকাশক্তি, যে আকর্ষণ ও জিঘাংসু কেন্দ্রাভিমুখী উচ্চাশার উন্মত্ততা, তাতে প্রলুব্ধ হয়েছে অনেকেই। ফলে, 'মুক্তিযুদ্ধ হায়, বৃথা যায় বৃথা যায় বৃথা যায়'। পঁচাত্তরের সপরিবারে বঙ্গবন্ধু ও মুক্তিসংগ্রামের চার প্রধানের নিধনের পর হাওয়া ঘুরে যায় উলটোমুখে। রাবীন্দ্রিক মূল্যবোধ— এবং তা আমাদের মুক্তিচেতনারও মূল্যবোধ— আবার ক্ষমতাবানদের কোপদৃষ্টিতে পড়ে। বিপরীতে প্রশ্রয় পেতে থাকে আগের ধারাবাহিকতায় প্রাতিষ্ঠানিক ধর্মের প্রতি প্রশ্নহীন আনুগত্য, প্রবৃত্তির নামে সামাজিক বিভাজন। বৈষম্যের দিকে ঝোঁক ও অনিশ্চিত ভবিষ্যতে টিকে থাকার প্রতিযোগিতায় সুযোগসুবিধা ওপর থেকে যা মেলে তার দখল নিয়ে মারামারি। শুধু ক্ষমতাচক্রের ভেতরে নয় সর্বত্র। পরিকল্পিতভাবে শিক্ষা প্রতিষ্ঠানসমূহে প্রশাসনের দফতরে দফতরে এবং ব্যবসাবাণিজ্যে আনুকূল্যের বন্টনে দুর্বৃত্তায়নের অশুভ শক্তির আঁতাতের পেছনে কাজ করে চলে কায়েমি স্বার্থের প্রশ্রয়। আরও চোখে পড়ে সমাজের সর্বস্তরে অসংযমী লোভ। রবীন্দ্রনাথ যেখানে হাটবাজার, তাতেই বোঝা যায় সংকটের গভীরতা। বোঝা যায় তার বিস্তার।

অস্বীকার করার উপায় নেই, দ্রুত বদলে যাচ্ছে সময়ের পট। রবীন্দ্রনাথের কাল থেকে সরে এসেছি অনেক দূরে। ঔপনিবেশিক শাসন-শোষণের প্রেক্ষাপট প্রত্যক্ষনিশ্চিহ্ন যে প্রশ্নগুলো শেষজীবনে তাঁকে বিচলিত করেছে, তারা আজ পূর্বের স্মৃতি। যদিও বাস্তবের চক্রান্তে তাদের

রূপান্তর থেকে এবং রূপান্তরের ছোবল থেকে রেহাই মেলেনি এখনও। অবস্থা যে জটিল থেকে জটিলতর হবার দিকে মোড় নেয়, বিদ্যা-বুদ্ধি-বিবেচনা নিয়ে আর নতুন নতুন অভিজ্ঞতার দ্বান্দ্বিক অভিঘাত নিয়ে তার মুখোমুখি হতে হয় আমাদেরই। উত্তরণের পথ খোঁজাও আমাদেরই দায়িত্ব। এবং সেখানে বিরাট একটা ভূমিকা আজকের প্রযুক্তিবিপ্লবের। জীবনযাত্রায় ও সংস্কৃতিতে তার ছাপ এড়ানো অসম্ভব, কাম্যও নয়। তবে এটাও ভাববার, প্রযুক্তিদক্ষতা মানুষের বাহ্যিক শক্তির সম্ভাবনা বহুগুণ বাড়ালেও তার জীবনের নৈতিক অবলম্বনের নিশ্চয়তা হ্রাস করে, অথবা তাকে এমনভাবে পালটে দেয়, যাতে তার মানবিক মূল্যবোধের প্রতিষ্ঠিত ছাঁচ আর ধরে রাখা যায় না। এতে তার আত্মিক অসহায়তা বাড়ে। এবং মানুষে মানুষে পারস্পরিক নির্ভরতা কমতে কমতে প্রায় শূন্যের কোঠায় গিয়ে দাঁড়ায়। মুক্তির স্বাদ প্রত্যেকের তত্ত্বগতভাবে নিঃসীম নিঃসঙ্গতায় ছড়ায়। তা মুক্তির ধারণাকেই প্রশ্নবিধ করে। অথবা ধারণাটি স্বয়ং নতুনভাবে সাজাতে হয়। সংকট উলটো সাজে মুখব্যাদান করে তেড়ে আসে।

এলোমেলো ছিন্নভিন্ন বিপর্যস্ত যেখানে সমষ্টির আত্মস্বরূপ, সেখানে কাকে ফেলে কাকে রাখি? বিভ্রান্তি কি কানাগলিতেই টানে? প্রতিক্রিয়ায় মৌলবাদী ধর্মান্ধতায়? অথবা সংকীর্ণ আত্মগরিমার অসহিষ্ণুতায়? উদ্ধারের পথ খুঁজতে ফিরে যেতে পারি কি আবার রবীন্দ্রনাথে? হয়তো সোনার বাংলার আবেদন আগের মতো একইভাবে কানে বাজবে না। কারণ, সে তো আর অমীমাংসিত নয়। আর রবীন্দ্রনাথও সারাজীবন একই ঘাটে বাঁধা থাকেননি। রুদ্রের কল্যাণময় দক্ষিণমুখ তিনি খুঁজে ফিরেছেন বার বার— বাস্তবের প্রতিটি বিপন্নতায়। মুক্তির স্বরূপও ফলে নানাভাবে ফুটে উঠেছে। নিজেকে স্পষ্টতর করেছে, প্রসারিত করেছে। অন্ধকূপে আত্মবিলুপ্তির পথ ধরেননি। আমাদের আজ ফিরে তাকাতে হয় সেইসব অন্বেষণের দিকে; এবং তা নিজেদের গরজেই। যদিও জানি, আজকের ঘোলাটে বাস্তবতা দাবি করে আজকেরই সৃষ্টিশীল চিন্তাকর্ম। বড়োজোর ঐতিহ্যরেখায় মানবমুক্তির অভিযানে একটি আলোর মশাল আমাদের হাতে তুলে দিয়ে যেতে পারেন— যদি পারেন রবীন্দ্রনাথ।

মুক্তিসংগ্রামে আমাদেরও স্বপ্ন ছিল উদার মানবিক মূল্যবোধের প্রতিষ্ঠার। ছিল গণতন্ত্রের সঙ্গে বৈষম্যহীন সমাজ নির্মাণের অঙ্গীকার। শতাব্দীর পর শতাব্দী বাঙালি যেভাবে বেড়ে উঠেছে, বিশেষ করে সজল সবুজ গ্রামবাংলায়, তাতে এমনটিই ছিল স্বাভাবিক। স্বাধীন বাংলাদেশের অভ্যুদয়ে মনে করেছিলাম, স্বপ্ন বুঝি সফল হল। পেছন ফিরে আর চলতে হবে না। ভুলে গিয়েছিলাম অথবা ভুলে থেকেই খুশি ছিলাম, বাস্তব তো হ্যাঁ অথবা না নয়। আঁধার মহিষে দুখান করে কেটে ফেললেই তা মরে না। আবার গজায়। রক্তবীজের মতো পিলপিল করে বাড়ে। হ্যাঁ-নায়ের মেশামিশিতে কখন যে 'না' আবার 'হ্যাঁ' কে ঘাড় মটকাতে এগিয়ে আসে অথবা আসতে পারে এবং সুযোগ পেলে নির্মমভাবে তা কাজে লাগাতে কসুর করে না, তা আমরা খেয়ালই করি না। হঠাৎ যখন মাথার উপর আকাশ ভেঙে পড়ে, তখন বুঝি হাতছাড়া হয়ে গেছে অনেক কিছুই। এমনকী ছিনতাই

হয়ে গেছে অবিসংবাদী বাঙালি চেতনাও। প্রশ্রয় পায় ধর্মীয় মৌলবাদ। 'সকলের তরে সকলে আমরা প্রত্যেকে আমরা পরের তরে' — একথা যেন ঠাট্টার মতো শোনায়। গণতন্ত্র রসাতলে যায়। অস্ত্রে-বর্মে সজ্জিত হয়ে মস্তানতন্ত্র জেঁকে বসে। এই অবস্থার সঙ্গে যুঝতে যুঝতে পার করি আমরা এতগুলো বছর। একেবারে হাত-পা ছেড়ে দিয়ে অবশ্য নয়। রবীন্দ্রনাথকেও পুরোপুরি ভুলে থেকে নয়। তবু পিছুই হটেছি বার বার। এখন দেখার তার পরেও অন্ধকারে আলোর পথ মেলে কি না। মেলাতে পারেন কি রবীন্দ্রনাথ? আগের মতো না হলেও অন্যভাবে? আরও জটিল ব্যাপক প্রেক্ষাপটে? যদিও জানি, পরশপাথরের ছোঁয়ায় চোখের পলকে কোনো সমাধান আজ অবাস্তব। মানুষ যে বিক্ষিপ্ত ও বিভ্রান্ত, সময় যে অপরিচ্ছন্ন ও অশান্ত। এসবই তাঁর দিকে পূর্ণদৃষ্টি মেলে তাকাবার পথে বাধা হয়ে দাঁড়ায়।

বলার অপেক্ষা রাখে না, রবীন্দ্রনাথের বাঙালি চেতনা দাঁড়িয়ে ছিল তাঁর মনুষ্যত্বের বোধের উপর। এই মনুষ্যত্ব নির্বিশেষ। তার ভাবমূর্তি রচনায় শুরুর দিকে কোনো কোনো আদর্শের কাছে হাত পেতেছেন তিনি। অথবা কারও কারও ব্যক্তিসাধনায় প্রেরণা পেয়েছেন। যেমন, পথ দেখিয়েছেন রামমোহন, দেবেন্দ্রনাথ, ঈশ্বরচন্দ্র বিদ্যাসাগর। জীবনের পাঠ দিয়েছেন বাউলেরা, লোকগীতির ভাবুকেরা। কর্মযজ্ঞের রূপ চিনিয়েছেন সোভিয়েত রাশিয়ার কারিগররা। মনুষ্যত্বের মহিমা শুনিয়েছেন মহাত্মা গান্ধী, রমাঁ রলাঁ, আইনস্টাইন, ভিক্টোরিয়া ওকাম্পো এঁরা। কিন্তু সব মিলে সব নিয়ে তিনি হয়ে উঠেছেন এমন মানুষ, যার পরিচয় শুধু তাঁর মনুষ্যত্বেই। অন্যসব চিহ্ন হারিয়ে গেছে পথের ধুলোয়। এই মনুষ্যত্বের ঐতিহ্যকেই ধারণ করে তাঁর বাঙালিত্ব। এ থেকে ভ্রষ্ট হলেই দূরে সরে গিয়েছেন তিনি। বাঙালিত্বের গৌরবকে অস্বীকার করে নয়, তার সংকীর্ণতার অশুচিতাকে বর্জন করে, অহেতুক অহংকারকে নীরবে প্রত্যাখ্যান করে। তাঁর স্পষ্ট উচ্চারণ, 'চিত্ত যেথা ভয়শূন্য উচ্চ যেথা শির, জ্ঞান যেথা মুক্ত, যেথা গৃহের প্রাচীর/ আপন প্রাঙ্গণ তলে দিবসশর্বরী/ বসুধারে রাখে নাই খণ্ড ক্ষুদ্র করি'... যেখানে 'তুচ্ছ আচারের মরুবালুরাশি/বিচারের স্রোতঃপথ ফেলে নাই গ্রাসি'... সেইখানে তাঁর দেশ; হৃদয় তাঁর প্রকাশ হোক সেইখানে; প্রসারিত হোক অনন্ত আকাশে।

আমাদের এই বাংলাদেশে নয়, গোটা উপমহাদেশেই। ইতিহাসের নিয়ামক যাঁরা, তাঁদের অতীত ভ্রান্তি যে উসকানি দেয় না, তা নয়। আমরা যে প্ররোচিত হই এইটিই দুর্ভাগ্যের। দরজা-জানালা বন্ধ রেখে আস্ফালনে আস্ফালনে নিজেদের জাহির করাতেই বাহাদুরি খুঁজি। দুর্বলের উপর অত্যাচারই কেউ কেউ মনে করি সবলের আত্মপ্রতিষ্ঠার সহজ পথ। তার জন্য সংকীর্ণ আত্মপরায়ণতার নানা অজুহাত। অমর্ত্য সেন তাঁর সাম্প্রতিক বই *আইডেনটিটি অ্যান্ড ভায়োলেন্স*-এ নিয়ে বিস্তারিত আলোচনা করেছেন, দেখিয়েছেন আত্মপরিচয়ের মাত্রা একাধিক। যেখানে কোনো একটিকেই সর্বেসর্বা ধরে আত্মসংকোচনের বা আত্মখণ্ডনের পসরা সাজালে অনাসৃষ্টিই বাড়ে। পারস্পরিক বিদ্বেষে বিদ্বেষে উত্তেজনার খোরাক মেলে হয়তো, কিন্তু নিজেদের

ছোটো থেকে আরও ছোটো, পূর্ণ থেকে ভগ্নাংশ হতে হয়। এটা অনিবার্য নয়, কিন্তু শোচনীয় বাস্তব। সর্বনাশা বিকার হলেও তা ইতিহাসেরই সৃষ্টি। পদে পদে তার এরকম বিভ্রান্তির ফাঁদ পাতা। স্বেচ্ছায় পা ফেলি তাতে অবশ্য আমরাই।

রবীন্দ্রনাথের সমগ্র জীবনসাধনা ছিল এ থেকে বেরিয়ে আসার। একে অতিক্রম করে মনুষ্যত্বেরই স্বর্গ রচনার। আত্মোপলব্ধির জন্য শুধু নয়, সবাইকে নিয়ে সুস্থ সুন্দর আনন্দময় জীবনের পথ খোঁজার জন্যও। মানুষকে তিনি বিচ্ছিন্নভাবে নয়, সমগ্র সত্তাতে দেখেছেন। 'অসংখ্য বন্ধনমাঝে মহানন্দময়' মুক্তির কথাও ভেবেছেন ওই সমগ্র সত্তাতেই। এভাবে তাঁকে বোঝার চেষ্টা করলে আমরাও তা থেকে প্রেরণা পাই। নিজেরাই যে নিজেদের বন্দিশালা রচনা করে তাকে নরক বানিয়ে চলেছি, তা থেকে পরিত্রাণের কথা ভাবি। কাজটা কিন্তু সহজ নয়। অমঙ্গলের যে মাদকতা তা আমাদের টানে। অশুভও যে মানুষি বাস্তব, তা জাহির করাতেও সত্যান্বেষণের বাহবা মেলে। স্পষ্টবাদিতারও। আর, কোনো কিছুই যে দাম না-দিয়ে মেলে না— বাজারেই কেবল নয়, চিন্তায় ও কর্মে সকল এষণায়— এই শীতল তথ্য আমাদের ভালো-মন্দ বিচারবোধকে খণ্ডিত করে।

স্বার্থের তাল-বেতালেও অসংখ্য টানাটানি। অসংখ্য গিঁট। একে অন্যে তারা জট পাকায়। লাভ-ক্ষতির হিসাবও আপেক্ষিক। দূরের দেখা আর কাছের দেখা দুরকম। একই দেখা হতে পারে নানারকম বিভিন্ন দিক থেকে। ঠিক-বেঠিক স্থির করা ফলে প্রায় আয়ত্তের বাইরে চলে যায়। 'একই সূত্রে বাঁধিয়াছি সহস্র জীবন'— একথা একসময় 'আমার সোনার বাংলা, আমি তোমায় ভালোবাসি' গেয়ে বলতে পেরেছিলাম। এখন আর তা একইরকম আবেগ জাগায় না। সহজ সমাধান হাতের কাছে মেলে না। যদি-বা কিছু মেলে বলে মনে হয়, তা হাজার চিৎকারে হারিয়ে যায়। তবু এরই ভেতর রবীন্দ্রনাথের কথা যতটা পারি শুনি। যতটুকু পারি শোনাই। ওয়াহিদুল হক করেছেন। ছায়ানট করে চলেছে। করে চলেছেন আরও কতজন আপন আপন এলাকায়। পেতে চাইছেন আপন আপন চেতনায়। অবশ্য 'রাতের সব তারাই আছে দিনের আলোর গভীরে'— এমন ভরসা নিয়ে নিশ্চিন্ত থাকা যায় না। তারারাও আড়ালে ঢাকা পড়ে, শেষপর্যন্ত মন থেকে হারিয়ে যায়। কিন্তু তেমনটি হয়নি। বরং তাঁর কথা, তাঁর গান কিছুটা হলেও ছড়িয়েছে। অন্তত আগের চেয়ে বেশি। চোখে পড়ার মতো অবশ্যই। অকল্যাণের দাপট সেই অনুপাতে যদি কমে, তবে তার আয়োজনকেও শ্রদ্ধা জানাতে হয়।

একইসঙ্গে এটাও মানতে হয়, বিশ্বজুড়ে ক্ষমতার খাসতালুকে, এমনকী তার অলিতেগলিতে অসহিষ্ণু দখলদারির উদগ্র আস্ফালনে গণজীবনে শান্তি ও সুস্থিতি মারাত্মকভাবে বিপন্ন। তার চূড়ান্ত বীভৎসার প্রেতনৃত্য দেখে যেতে হয়েছে শেষজীবনে রবীন্দ্রনাথকেও। 'প্রশ্ন' (পৌষ ১৩৩৮) কবিতায় অন্তর্দাহে যখন তাঁর প্রবাদতুল্য স্থৈর্য বিদীর্ণ, তখন প্রায় একই সময়ে, ওই পরিশেষ কাব্যগ্রন্থেই 'সান্ত্বনা' কবিতায় তিনি তাঁর যন্ত্রণা আর হতাশা, অন্তহীন বেদনায় ডুবিয়ে ফুটিয়ে তোলেন 'নিরাশ দুঃখে চেয়ে দেখি/ পৃথ্বী ব্যাপী মানব বিভীষিকা'; হাহাকারের মতো বলেন, 'যে

দুঃখ নিহিত আছে/ অপমানে শঙ্কায় লজ্জায়/ কোনোকালে যার অন্ত নাই/ আজি তাই নির্যাতন করে মোরে।' মনে হয় তিনিও বুঝি তলিয়ে যাচ্ছেন সংকটের অতলে। গভীর অমানিশা গ্রাস করছে তাঁকেও। কিন্তু ওই একই কাব্যগ্রন্থে দুর্মর মানবসত্তার চিরজাগ্রত শাশ্বত বোধ আবার তাঁর ভেতরে জেগে ওঠে। সমস্ত শুভশক্তি সঞ্চয় করে পালটা সে নিজেকে জানায়। মহাকালের প্রেক্ষাপটে আপন বিকাশের ধারা— জীবনের ধারা মেলে ধরে। পরাজয়কে অস্বীকার করে। 'মৃত্যুঞ্জয়' কবিতায় (১৭ আষাঢ় ১৩৩৯) এমনটিই পাই। 'দুর্জয় নির্দয় তুমি, কাঁপে পৃথ্বী তোমার শাসনে / তুমি বিভীষিকা / দুঃখীর বিদীর্ণ বক্ষে জ্বলে তব লেলিহান শিখা।' আরও বলেন 'ভয়ে ভয়ে এসেছিনু দুরুদুরু বুকে/ তোমার সম্মুখে/ তোমার ভ্রুকুটিভঙ্গে তরঙ্গি আসন্ন উৎপাত/ নামিল আঘাত।' কিন্তু আঘাতের পর আঘাতে তার তীব্রতা ভোঁতা হয়ে আসে 'এই মাত্র? আর — কিছু নয়?/ ভেঙে গেল ভয়।' তারপর অসংকোচে বলেন, 'ছোটো হয়ে গেছ আজ/ আমার টুটিল সব লাজ।/ যতবড় হও,/ তুমি তো মৃত্যুর চেয়ে বড়ো নও।/ আমি মৃত্যু চেয়ে বড়ো, এই শেষ কথা বলে/ যাব আমি চলে।

কোন অর্থে তিনি 'মৃত্যু চেয়ে বড়ো'? নিশ্চয় ব্যক্তির পার্থিব শরীরে নয়। 'আমি' নির্দেশ করে গোটা মানবধারা। এমনকী তার চেয়েও বেশি— প্রবাহমাণ প্রাণও প্রকৃতির ক্রমবিকাশের। তার অফুরান বৈচিত্র্যের, তার বিপুল বিস্ময়ের ধারা। স্থানে ও কালে কোনো বলদর্পীর আঘাত সেখানে তুচ্ছ। আর, মৃত্যু বলদর্পীর চিহ্নটুকুও অবশিষ্ট রাখে না।

আগের 'সান্ত্বনা' কবিতাটিতে, বা এইরকম আরও কিছু কবিতায়, 'মানব বিভাষিকার' নির্যাতনে যেখানে নিঃসহায় নিরালোকে তাঁর হৃদয় আচ্ছন্ন, সেখানেও শেষপর্যন্ত নিজেকে আবার চাঙা করে নিতে পারেন তিনি বিশ্বপ্রকৃতির দিকে মুখ ফিরিয়ে। অশোক-শাখায় কোকিলের, অথবা কোনো নাম-না-জানা পাখির গান, 'দুয়ারে আঙিনার ধারে চামেলির লতা' কিংবা কোনো বনস্পতির পত্রমর্মর তাঁর চিত্তে দুরারোগ্য নৈরাশ্যের শুশ্রূষা ঘটায়। 'আদিম আনন্দ যাহা এ বিশ্বের মাঝে/ যে আনন্দ অন্তিমে বিরাজে', তিনি তার আভাস পান/ তারদিকে মুখ তুলে তাকান' পথের খোঁজ যেন মেলে।

আবু সয়ীদ আইয়ুব অবশ্য আপাতসরল এই সান্ত্বনার সমাধানে আপত্তি তুলেছেন। 'যেটা একটু অস্বাভাবিক ঠেকে' তিনি বলেন, 'তা এই যে, এমন নিদারুণ দুঃখের বিভীষিকায় তিনি সান্ত্বনা খুঁজে পান এত সহজে— একটি পাখির ডাকে বা একটি বনস্পতির পত্রমর্মরে।' আরও প্রশ্ন করেন তিনি, 'কোকিলের আলোভরা কণ্ঠে বা বনের রহস্যময় পত্রমর্মরে' যদি-বা আমরা শুনতে পাই 'যে শান্তিটি সব প্রথমের/ যে শান্তিটি সবার অবসানে' তারই স্নিগ্ধ বার্তা, তবু সে বার্তা কি ছাপিয়ে উঠতে পারে মনুষ্যসমাজ থেকে যে আর্তচিৎকার ওঠে তার বিরূপ সাক্ষ্যকে? প্রকৃতির সুষমা আর মানবিক বিভীষিকা যদি বিপরীত সুর যোজনা করে বিশ্বের ঐকতানে, তবে তার মধ্যে একটি সুরকেই শুদ্ধ বা মূল সুর ভাববার কি কোনো কারণ আছে? মানুষের কানে মানুষের সুরই

যদি বেসুর বাজে তবে প্রকৃতির বসন্তবাহার কি তাকে শেষ সান্ত্বনা দিতে পারবে?' তাঁর সিদ্ধান্ত, 'যেসব কবিতায় তিনি মানব বিভীষিকাকে সহনীয় করে নিতে চেয়েছেন চামেলি-সজনের সবুজ বৈতালিতে বা পাখির কণ্ঠে প্রিয় সম্বোধন শুনে, সেখানে তাঁর কল্পনা কবিত্বমণ্ডিত। দৃষ্টি সত্যসন্ধানীর নয়।' (*আধুনিকতা ও রবীন্দ্রনাথ*, দে'জ পাবলিশিং কলকাতা, ১৯৯৫, পৃ. ৯৫, ৯৭, ৯৮)।

আমার কিন্তু মনে হয়, এই বিচারে কোথায় যেন একটা গোলমাল ঢুকে যায়। গোলমাল দৃষ্টিবিভ্রমের। কবিতায় ব্যঞ্জনাকে তা বোধ হয় পুরোপুরি ধরতে পারে না, অথবা দৃষ্টি বিপথে চলে যায়। ক্ষণকালকে তার সকল ক্লেদ ও গ্লানি নিয়ে, রবীন্দ্রনাথ স্থাপন করেন বৃহতের প্রেক্ষাপটে। এই বৃহৎ নিত্যপ্রবহমাণ গতির সঙ্গে তার বিকাশ আছে, আছে ওই বিকাশে প্রাণের বিচিত্র ধারায় স্থায়ী সুন্দরের, স্থায়ী আনন্দের, স্থায়ী প্রসন্নতার সংযোগ। এই সুযোগেই ক্ষণকালের দুঃখ-যন্ত্রণাকে সঙ্গে নিয়েও তাকে ছাপিয়ে থেকে যায়। জীবনের মাধুর্য আনে। আপাত অর্থহীন অস্তিত্বে অর্থ জোগায়। সম্মিলিত আত্মহননের পথে মানুষ যায় না। সেটা তার অসহায়তা শুধু নয়, স্বেচ্ছাকৃত নির্বাচিত সিদ্ধান্তও। পাখির গান, বনমর্মর, বা আপন আঙিনায় শিমুল-সজনে-চামেলির মধুর সমারোহ— এরা ওই সিদ্ধান্তের পটভূমি রচনা করে। অর্থহীনতায় স্থায়ী অর্থ আরোপ করে। তা প্রবাহিত হয়ে চলে কাল থেকে কালান্তরে। 'ক্ষণকালের আভাস হতে চিরকালের তরে'। কেউ কেউ দেখতে পান। মনে তাঁদের ভাবনার দোলা লাগে। এইসব খণ্ড খণ্ড শব্দ-স্পর্শ-গন্ধময় তড়িৎচকিত দৃশ্য প্রতীকী তাৎপর্য পায়। 'যে শান্তিটি সব প্রথমের, যে শান্তিটি সবার অবসানে', অথবা যে 'আদিম আনন্দ' 'অন্তিমে বিরাজে' তার প্রতীক। রবীন্দ্রনাথ প্রত্যক্ষের মায়াজালে তাকে প্রত্যাখ্যান করে নয়, তার ভেতরের সত্য ফুটিয়ে তুলে এই শাশ্বতকেই চিনিয়ে দিতে চেয়েছেন বলে মনে হয়। সেখানেই পরম নৈরাশ্যের বিপরীতে 'আছে, আছে, আছে' এই ধ্বনির আশ্বাস শুনতে পাওয়া। আশ্বাস বিশ্বে প্রাণ ও প্রকৃতির অব্যাহত জয়যাত্রার। অন্য কিছু নয়। বিপুল দুঃখকে অতিক্রম করে তার সঙ্গে পাল্লায় সমান সমান হয়ে নয়, তাকে ছাড়িয়ে এই এগিয়ে যাওয়া।

এভাবে না দেখলে 'মৃত্যুঞ্জয়' কবিতাটি নিছক বাগাড়ম্বর বলে মনে হতে পারে। কিন্তু তা তো নয়। 'আমি মৃত্যু-চেয়ে বড়ো'— এই অহংকার ফাঁপা নয়। অহংকার সমস্ত মানুষের হয়ে। আর সেখানেই জাগে সংকটকালে অভয়মন্ত্রের প্রেরণা। সত্যকথা, মহাবিশ্ব নির্দ্বান্দ্বিক নয়। অচঞ্চল নয়। সবটাই আপেক্ষিক। এবং সেখানেও চলে দিবস-রজনির বাস্তবতা পার হয়ে ভাঙা-গড়ার খেলা। তারকার মৃত্যু ঘটে। শক্তির বিলয় ঘটে কৃষ্ণগহ্বরে। বিলয়, নাকি সংরক্ষণ? তার ধারণা হয়তো রবীন্দ্রনাথ পেয়েছেন; কিন্তু নিশ্চয়তা অবশ্যই নয়। কারণ তার প্রমাণ মিলেছে তাঁর মৃত্যুর অনেক পরে। তাই অসীমের অন্তহীন বিস্তারে 'কোথাও মৃত্যু, কোথা বিচ্ছেদ নাই' একথা আজ আর নির্ভুল বলে কেউ মানবেন না, তবে প্রাণ মন ততদূর যায় কি? যেতে হলে তো সেখানের চৈতন্যেরও অস্তিত্ব মানতে হয়। তা আছে কি না জানা যায় না। এখনও না। অতএব ভাবনা, সবটাই

মাটির পৃথিবীর প্রেক্ষাপটে, এবং সেখান থেকেই দেখা বিশ্বব্রহ্মাণ্ডের উদার, বিস্ময়। তাকে সঙ্গী রেখে কেবল সে বলতে পারে, 'আমি মৃত্যু-চেয়ে বড়ো'। তারকার মৃত্যু ছাপিয়ে মহাবিশ্ব বর্তমান। বর্তমান ধুলার সংসার এই মাটিতে মৃত্যুকে ছাড়িয়ে জীবনের স্রোত। মানুষ তাকেই দেখে। দেখে রুদ্রের দক্ষিণ মুখের রূপ। তাই তাকে বাঁচার প্রেরণা জোগায়। সুখে বিগত মন, বা দুঃখে বিগতস্পৃহ হয়ে নয়। দুঃখ-সুখের সকল অভিঘাত সহ্য করে। সংকটে দীর্ণ-বিদীর্ণ হয়েও। এবং সেইখানেই ফুটে উঠেছিল ঐশ্বর্য। কিন্তু— এবং এই কিন্তুই আজ আমাদের ভাবায়। 'দিন শেষে দেখি ছাই হলো সব হুতাশে' আর হুতাশে। বার বার ছাই নাড়াচাড়াই যেন আমাদের অদৃষ্টের লিখন। আর মনুষ্যত্বের বিপন্ন মহাত্মা— আমাদের মুক্তিসংগ্রামে আমরা তাকে ফুটিয়ে তুলেছিলাম। অনির্বান শিখায়। স্বাধীন বাংলাদেশের সংবিধানে ফুটে উঠেছিল ঐশ্বর্য। সেই সুযোগে ঘটে সুবর্ণর নতুন নতুন অবতারের আবির্ভাব। সংকটমোচন আর হয় না। বরং তা ভোল পালটায়। ঘনীভূত হয়। এমনকী আদিম আক্রোশে নীচের দিকে টানে। 'মানব অভ্যুদয়ের' বিশ্ববাস্তবতার বিপরীতেই।

ফলে রবীন্দ্রনাথকেও আমরা ছাড়তে পারি না। ব্যক্তিগত ভাবনায় দেখেছি, তা এক রকম অসম্ভব। কারণ অস্তিত্বের গভীরে শুনি আত্মিক সংকটের পদধ্বনি। তাঁর কথায় ও সুরে, ছবি ও গানে পাই বহুমুখী বহুমাত্রিক জীবনসত্যের প্রতিফলন। বিভিন্ন দিক থেকে ব্যক্তিগত সংকটের মুখোমুখি হবার সাহস তাদের কোনো কোনোটা থেকে মেলে। কিন্তু ছাড়তে পারি না তাঁকে সমষ্টিজীবনেও। তাঁর সর্বগ্রাসী প্রভাবের প্রমাণ এটা বটে। প্রমাণ আমাদের সমূহ জীবনের অমার্জনীয় ব্যর্থতারও। এখনও তিনি অপরিহার্য। আমরা তাঁকে ছাড়িয়ে যেতে পারি না। মুক্তিসংগ্রামের প্রস্তুতিপর্বের মতো করে নয়, নতুন আঙ্গিকে তাঁর সৃষ্টির অন্যতর প্রেরণার অনুসরণে। তাঁর দিকে তাকাবার প্রয়োজন থেকেই যায়। সত্যিকারের বাঙালি হতে সত্যিকারের মানুষ হবার, সাহসী হবার— সমিধ জোগাড় করি। আজও যে এটা করতে হয়, তা আমাদের উৎফুল্ল করে না। এ চেখে আঙুল দিয়ে দেখিয়ে দেয়, বড়ো হতে গিয়ে অন্যতর প্রলোভনের পাল্লায় পড়ে ছোটো হয়েছি কত, পিছিয়ে পড়েছি বার বার। বাস্তবের অসংখ্য ডালপালা জড়াজড়ি করে নানা দিকে টানে। পথ আটকায়। পথ ভোলায়— যে পথে গেলে এগোতে পারি, সেই পথ। রবীন্দ্রনাথ অন্তত তার দিকে আমাদের মুখ ফেরান। আর কানে দেন অভয়মন্ত্র। বাঙালির মানুষ হবার, মানুষ থাকার সাধনায় নির্ভয়ে অসংকোচে এগিয়ে যাবার মন্ত্র। এখনও তাই বলতে হয়, 'আমি ভয় করব না, ভয় করব না।' বলতে হয়, 'ভয় হতে তব অভয় মাঝে নূতন জনম দাও হে।' মনুষ্যত্বের অবাধ মুক্তির 'নতুন জনমেই, আমাদের বাঙালিত্বের স্বাভাবিক স্ফূর্তি, তার ভবিষ্যতের গৌরবরেখা।' 'সর্ব তুচ্ছভয়— লোকভয়, রাজভয়, মৃত্যুভয়, আর—' 'এ দুর্ভাগ্য দেশ হতে' দূর করে তবেই আমাদের সংকট থেকে মানসমুক্তি।

[২৮]
বিশ্বভাবনায় বিশ্বকবি

বিশ্বকবি রবীন্দ্রনাথ তাঁর চেতনায় স্বদেশের সঙ্গে বিশ্বকেও বিশেষ গুরুত্ব দিয়েছিলেন। তাঁর স্বদেশবোধের পরিচয় পাওয়া যায় স্বদেশি যুগে লেখা তাঁর গানে। সেই সমস্ত গানের একটি হল—

সার্থক জনম আমার জন্মেছি এই দেশে।
সার্থক জনম, মা গো, তোমায় ভালবেসে।
(*গীতবিতান*, পৃ. ২৫৭)

তবে এই স্বদেশকে রবীন্দ্রনাথ একেবারে আলাদা করে দেখেননি। দেখেছিলেন বিশ্বেরই অবিচ্ছেদ্য অংশ হিসেবে। স্বদেশের মধ্যে তিনি দেখেছিলেন বিশ্বেরই রূপ :

ও আমার দেশের মাটি, তোমার পরে ঠেকাই মাথা।
তোমাতে বিশ্বময়ীর, তোমাদের বিশ্বমানের আঁচল পাতা।
(*গীতবিতান*, পৃ. ২৪৪)

স্বদেশকে রবীন্দ্রনাথ কাছ থেকে দেখেছিলেন, চিনেছিলেন ও জেনেছিলেন। সেইসঙ্গে বিশ্বের সঙ্গে পরিচয়ের একটা আকুলতা তাঁর মধ্যে ছিল। সে-আকুলতার এক ধরনের প্রকাশ দেখা যায় বিলেত- যাত্রার আগে লেখা একটি গানে :

বিশ্বসাথে যোগে যেথায় বিহারো
সেইখানে যোগ তোমার সাথে আমারও
(*গীতবিতান*, পৃ. ১৫১)

রবীন্দ্রনাথ স্বদেশ ও বিশ্বকে একসূত্রে মেলাতে চেয়েছেন। তাই সংকীর্ণ জাতীয়তাবাদের মধ্যে তিনি কখনো নিজেকে আচ্ছন্ন করেননি। সংকীর্ণ জাতীয়তাবাদী উগ্রমূর্তির সঙ্গে তাঁর প্রথম পরিচয় ঘটে প্রথম মহাযুদ্ধের সময়। তাতে তাঁর মানসলোকে জেগেছে তীব্র প্রতিক্রিয়া। অন্ধ

জাতীয়তাবাদ ও জাত্যভিমানের উগ্রতার তীব্র সমালোচনা করে তিনি বক্তৃতা করেছেন জাপানে ও আমেরিকায়। সেসব বক্তৃতায় তিনি স্পষ্ট করে বলেছেন ন্যাশনালিজ্‌ম সভ্যতার শেষ কথা নয় interdependence বা পরস্পর নির্ভরশীলতাই হচ্ছে সভ্যতার মূল দিক।

রবীন্দ্রনাথের বিশ্বভাবনার কেন্দ্রে ছিল বিশ্বমানবের সহযোগ ও কল্যাণ, বিভেদ ও ধ্বংস নয়। তাই প্রথম মহাযুদ্ধ শুরু হলে তাকে তিনি দেখেছেন বিশ্বপাপ হিসেবে। তিনি সাম্রাজ্যবাদী যুদ্ধের নিন্দা করেছেন, সমর্থন করেছেন মুক্তিকামী মানুষের সংগ্রামকে। জার্মানির আগ্রাসী শক্তির বিরুদ্ধে বেলজিয়ামের জনগণের মরণপণ লড়াই ও বীরত্ব দেখে উদ্দীপ্ত কবি লিখলেন—

বাধা দিলে বাধবে লড়াই,
মরতে হবে
পথ জুড়ে কী করবি বড়াই?
সরতে হবে।
লুঠ-করা ধন করে জড়ো
কে হতে চাস সবার বড়ো
এক নিমেষে পথের ধূলায় পড়তে হবে।
নাড়া দিতে গিয়ে তোমায় নড়তে হবে।
(গীত-৩ *গীতালি*)

১৯৩৫ সালে ইতালি যুদ্ধ উন্মাদনা নিয়ে আফ্রিকার সুপ্রাচীন দেশ আবিসিনিয়া (বর্তমান ইথিয়োপিয়া) আক্রমণ করলে রবীন্দ্রনাথ এই ফ্যাসিবাদী আক্রমণের বিরুদ্ধে সোচ্চার হয়েছেন। আপন মর্মবেদনার কথা লিখেছেন সি এফ অ্যানড্রুজকে। লিখেছেন বিখ্যাত 'আফ্রিকা' কবিতাটি।

এল ওরা লোহার হাতকড়ি নিয়ে
নখ যাদের তীক্ষ্ণ তোমার নেকড়ের চেয়ে,
এল মানুষ-ধরার দল
গর্বে যারা অন্ধ তোমার সূর্যহারা অরণ্যের চেয়ে।
সভ্যের বর্বর লোভ
নগ্ন করল আপন নির্লজ্জ অমানুষতা।
তোমার ভাষাহীন ক্রন্দনে বাষ্পাকুল অরণ্য পথে
পঙ্কিল হল ধূলি তোমার রক্তে অশ্রুতে মিশে;
দস্যু-পায়ের কাঁটা-মারা জুতোর তলায়
বীভৎস কাদার পিণ্ড
চিরচিহ্ন দিয়ে গেল তোমার অপমানিত ইতিহাসে।
(১৬ সংখ্যক কবিতা, *পত্রপুট*)

এমনিভাবে ১৯৩৬ সালে জেনারেল ফ্রাংকো প্রচণ্ড বর্বরতায় স্পেনের গণতন্ত্র নস্যাৎ করলে রবীন্দ্রনাথ বিশ্বমানবতার প্রতি উদাত্ত আহ্বান জানান স্পেনের গণতন্ত্রকামী জনগণের পাশে দাঁড়াতে। ভারতে ফ্যাসিবাদবিরোধী সংগঠন 'লিগ অ্যাগেনস্ট ফ্যাসিজম অ্যান্ড ওঅব' প্রতিষ্ঠিত হলে তিনি তার সভাপতি হন। তিরিশের দশকে চীনের উপর জাপান আক্রমণ করলে সে-আক্রমণের নিন্দায় তিনি মুখর হন। এভাবে সাম্রাজ্যবাদ ও ফ্যাসিবাদের বিরুদ্ধে দৃঢ় অবস্থান তাঁর বিশ্বভাবনারই ইতিবাচক প্রকাশ।

রবীন্দ্রনাথের বিশ্বভাবনার একটি বিশেষ দিক হচ্ছে সর্বমানবিক মুক্তিচেতনা। তাই সোভিয়েত দেশে মানবমুক্তির সূচনা দেখে তিনি অভিভূত হয়েছিলেন। লিখেছিলেন—

> "এদের এখানকার বিপ্লবের বাণী ও বিশ্ববাণী। আজ পৃথিবীতে অন্তত এই একটা দেশের লোক স্বজাতিক স্বার্থের উপরেও সমস্ত মানুষের স্বার্থের কথা চিন্তা করছে।" (রাশিয়ার চিঠি)

রবীন্দ্রনাথের বিশ্বভাবনার মূলে ছিল এক ধরনের বিশ্বমানবের আদর্শ। দেশ-কাল-জাতি-ধর্ম-বর্ণ-গোত্র নির্বিশেষে সকল মানুষের যোগে গড়ে উঠবে সেই বিশ্বমানব— এই ছিল রবীন্দ্রনাথের ভাবধারণা। এই ভাবধারণারই ফসল শান্তিনিকেতনে তাঁর প্রতিষ্ঠিত বিশ্বভারতী বিশ্ববিদ্যালয়।

ব্রিটিশ সাহিত্যিক রুডিয়ার্ড কিপলিং একসময় গর্ব করে লিখেছিলেন 'প্রাচ্য প্রাচ্যই, প্রতীচ্য প্রতীচ্যই। এ দুই কখনও এক হতে পারে না।' রবীন্দ্রনাথের অবস্থান ছিল এর বিপরীতে। বিশ্বভারতী প্রতিষ্ঠার মাধ্যমে রবীন্দ্রনাথ প্রাচ্য ও পাশ্চাত্যের মিলনে ব্রতী হয়েছিলেন, অগ্রসর হয়েছিলেন বিশ্বমানবের ঐক্য ও মৈত্রীর মেলবন্ধন রচনায়। বিশ্বভারতী প্রতিষ্ঠার মাধ্যমেই রবীন্দ্রনাথের বিশ্ববোধ পেয়েছিল নতুন মাত্রা ও বিশেষ তাৎপর্য।

রবীন্দ্রনাথের বিশ্বভাবনা ও বিশ্বমানবের ধারণা একসূত্রে গাঁথা। তার স্পষ্ট বহিঃপ্রকাশ লক্ষ করা যায় *মানুষের ধর্ম* (১৯৩০) গ্রন্থে। তাতে কবি দেখিয়েছেন, দীর্ঘকাল ধরে মানুষ যে ধর্মকে অনুসরণ করে আসছে তা সম্প্রদায়কেন্দ্রিক এবং তা নানা উপসম্প্রদায়ে বিভক্ত। ধর্মে ধর্মে পার্থক্য ও বিভেদ মানুষে মানুষে মিলনের পথে দাঁড়িয়ে আছে বাধা হয়ে। তাই বিশ্বমানবের ধারণার আলোকে রবীন্দ্রনাথ মানুষের ধর্মগ্রন্থে উত্থাপন করেছেন নতুন ভাবধারণা; ধর্ম একটাই তা হচ্ছে মানুষের ধর্ম।

রবীন্দ্রনাথের এই উদার মানবচেতনার বহিঃপ্রকাশ ঘটেছে তাঁর *শেষলেখা* (১৯৪১) কাব্যগ্রন্থের একটি কবিতায়। সেখানে তিনি লিখেছেন 'ঐ মহামানব আসে'। যে মহামানবের প্রত্যাশা তিনি করেছেন তিনি কোনো মহাপুরুষ নন, তিনি হচ্ছে The MAN। (প্রভাতকুমার মুখোপাধ্যায়, 'বিশ্বভারতী ও রবীন্দ্রনাথের বিশ্ববোধ') তিনি হচ্ছেন জাতি-ধর্ম-বর্ণ-গোত্রের ঊর্ধ্বে ওঠা মানুষের প্রতীক। তাঁর ধর্মই মানুষের ধর্ম। রবীন্দ্রনাথের বিশ্বভাবনারই মানসপুত্র ওই মহামানব। সেই মহামানবের প্রত্যাশাই ছিল তাঁর জীবনের অন্তিম প্রত্যাশা :

ওই মহামানব আসে;
দিকে দিকে রোমাঞ্চ লাগে
মর্ত্যধূলির ঘাসে ঘাসে,
সুরলোকে বেজে উঠে শঙ্খ।
নরলোকে বাজে জয়ডঙ্ক—
এল মহাজন্মের লগ্ন।
আজি অমারাত্রির দুর্গতোরণ যত
ধূলিতলে হয়ে গেল ভগ্ন।
উদয়শিখরে জাগে মাভৈঃ মাভৈঃ রব
নবজীবনের আশ্বাসে।
জয় জয় জয় রে মানব-অভ্যুদয়,
মন্দ্রি উঠিল মহাকাশে।

(৬ সংখ্যক কবিতা, *শেষলেখা*)

[২৯]

জাতীয়তাবাদ, জাতীয় সংগীত, রবীন্দ্রনাথ

রবীন্দ্রনাথের গান দুটো দেশের জাতীয় সংগীত— একই উপমহাদেশের মধ্যে। সাংস্কৃতিক উত্তরাধিকারে ফারাক নেই তেমন। তবু একটা বিরল। আর কোথাও আছে কি? আমার জানা নেই। ইউরোপ-আমেরিকার দেশগুলোয় চালচলনে তফাত নেই। অনেক দেশে ভাষাও এক। সাহিত্যসংস্কৃতিতে চিন্তা-কল্পনার বিকাশের ধরন মোটামুটি একটি ধারায়। তবু একজনের রচনা কোনো দুটো দেশের জাতীয় সংগীত হয়েছে বলে শুনিনি। প্রতিটি রাষ্ট্র যেখানে আলাদা জাতিসত্তার দাবি জাহির করায় ব্যস্ত, সেখানে এইটিই স্বাভাবিক। জাতীয় সংগীত, জাতীয় পতাকা, এগুলো রাষ্ট্রের প্রতীক। মিলেমিশে একাকার হয়ে গেলে তাদের গুরুত্ব থাকে না। রাষ্ট্রের জাতিগত ভিত্তি নিয়েও প্রশ্ন ওঠে। জাতীয় সংগীতে তাই প্রত্যেকেই বিশেষ হতে চায়। প্রতিবেশী দেশগুলো থেকে যে ভিন্ন, এটা বোঝাবার চেষ্টা আরও বেশি।

সাধারণভাবে বাস্তব প্রেক্ষাপটে যখন এমন, তখন বাংলাদেশ ও ভারত, উভয়েই জাতীয় সংগীত হিসেবে বেছে নিয়েছে রবীন্দ্রনাথের গান। একসঙ্গে নয়, ভারত ১৯৪৭-এ বাংলাদেশ ১৯৭১-এ স্বাধীন হবার পরে। অবশ্য তার আগে মুক্তিযুদ্ধের প্রস্তুতিপর্বের গোড়া থেকেই এই গান— ‘আমার সোনার বাংলা আমি তোমায় ভালবাসি’ গণমানুষের চেতনায় অনেকটা তাদের অজান্তে মিশে যেতে শুরু করেছে। পরে এই বাস্তবতাকেই আনুষ্ঠানিক স্বীকৃতি দেওয়া। ভারত বহুভাষাভাষীর দেশ। সংস্কৃতিতে ঐক্য থাকলেও বহু বিচিত্রকে নিয়ে সেই ঐক্য। সমকক্ষতার দাবি সেখানে অনেকের, তবু ‘জনগণমন অধিনায়ক’ তাদের জাতীয় সংগীত। পরম শ্রদ্ধায় একে তারা মাথায় তুলে নিয়েছে। একজনেরই লেখা দুটি গান দুই ভিন্ন রাষ্ট্রের নির্মাণে তাদের আদর্শ কল্পনাকে ফুটিয়ে তোলে, দু-জায়গাতেই ‘সর্বজনের মনের মাঝে’ ঐক্যের সুর তোলে। জাতিগঠনে, ইংরেজিতে যাকে বলে নেশন-বিল্ডিং, তাতে অবিনাশী ভূমিকা রেখে চলে—এটা অবাক করার মতোই। মেনে নিই, সব কৃতিত্ব রবীন্দ্রনাথের। ভিন্ন ভিন্ন ঘটনাস্রোতে দু-দেশের চলমান জনসমষ্টি ভিন্ন ভিন্ন দৃষ্টিকোণ থেকে সমবেত আবেগে জাতিসত্তার প্রকাশ ঘটাতে তাঁর কাছে প্রেরণা খোঁজে। তিনি নিরাশ করেন না।

কিন্তু এখানে একটা প্রশ্ন যেন মাথা তুলতে চায়। দুটো দেশের জাতিসত্তার দুরকম সংস্থান। একই উপাদান যে দুটো নেই, তা নয়। ইতিহাসের অভিজ্ঞতাও তাদের অনেক দূর পর্যন্ত অনেকখানি একই ধারায়। তবু তাদের সমষ্টিগত উপলব্ধি এক নয়। আত্মপরিচয়ের ভিত্তি এক নয়। আশা-নিরাশায় সহায়সম্বলের চেহারায়, তাদের হয়ে ওঠায়, সম্ভাবনায় যথেষ্ট ফারাক। একজন এই দুটোর সঙ্গেই যদি একাত্ম হন, এবং একইভাবে উভয়ের বন্দনা গান, তবে তাতে কি নিজের ভেতরেই এক স্ববিরোধের তিনি জন্ম দেন না? যদি বলি ক্ষুদ্র পরিসর থেকে বৃহত্তর পরিসরে একই ভাবের প্রকাশ তিনি ফুটিয়ে তোলেন, এবং সে কারণেই তা কোনোক্রমেই দ্বান্দ্বিক নয়, বরং পূর্ণতারই ছোটো ও বড়ো সংস্করণ, এবং সে-কারণে সুষমারই ক্রমব্যাপ্ত নিদর্শন, তবে জাতীয় মহিমায় তারা আলাদা আলাদা অনন্য বা বিশিষ্ট হবার দাবি করে কীভাবে? জাতীয় সংগীত সাধারণত ওই বিশিষ্টতার গৌরবই ঘোষণা করে। এবং নিজ নিজ ক্ষেত্রে গণচিত্তে তার অতুলনীয়-অদ্বৈত রূপই প্রতিষ্ঠা করতে চায়। এখন যদি বলি, এসব গান স্থান ও কালে নির্দিষ্ট বিশেষ বিশেষ পরিস্থিতি বা ঘটনানির্ভর, তাগিদ তাঁর ভেতরের নয়, বাইরের, এমনকী থাকতে পারে পেছনে বহুজনের উপরোধ, অথবা আনুষ্ঠানিকতার দায়, তবে আর এক বিব্রতকর প্রশ্ন সামনে এসে হাজির হয়। কবি কি তবে শুধুই কথা ও সুরের নিপুণ কলাকার? ভাবনার নিজস্বতা তাঁর এখানে খণ্ডিত হতে পারে, এমনকী, সবটাই আরোপিত? যেমন যেমন চাহিদা, সেই অনুযায়ী তাঁর গান রচনা, গানের পরিবেশনা? তেমন হলে বাইরের 'অপর' নিয়ন্ত্রণ করে গান। ভাষায় ও কলাকৌশলে ওই নিয়ন্ত্রিত আধেয় বস্তুর (এখানে ভাবের) রূপনির্মাণই কেবল কবির কাজ। তিনি বার্তাবাহক মাত্র। রচনার। অধিকার তাঁর ওইটুকুই। অসংগতি বা স্ববিরোধের প্রশ্ন এখানে অবান্তর। কারণ তিনি ঘটমান-পরিবর্তমান পরিস্থিতির দাস। আজ্ঞাপালনই তাঁর প্রধান কাজ। বাইরের আবেগকে সঞ্চালিত করেন তিনি তাঁর গানে। ওইটুকুই তাঁর নিজের ভূমিকা। এমন হলে সৃষ্টি ও স্রষ্টার অভেদ ও পরিপূর্ণ একৈকান্তিকতার ধারণা বিপর্যয়ের মুখে পড়ে। কবি কী ভেবেছেন, তা আলাদা করে ছেঁকে নেওয়া মুশকিল হয়ে দাঁড়ায়। প্রশংসা বা নিন্দা, কোনোটাই তাঁর উপর পুরোপুরি বর্তায় না। অবশ্য বহুত্বের ভেতরেও যদি কবি-ভাবনার সংগতি মেনে, এবং আলাদা আলাদা দুটো দেশের জাতীয় সংগীতেও সামঞ্জস্য বজায় রেখে, অথবা কোনো বিরোধ না জাগিয়েও মানিয়ে যায়, তবে ভিন্ন কথা। সেখানে গানের আলাদা আলাদা ভাববৈশিষ্ট্য কবিকেও চিনিয়ে দিতে পারে। আরও একটা কথা এখানে যোগ করা দরকার। রবীন্দ্রনাথ নিজে কোনো জাতীয় সংগীত রচনা করেননি। স্বাধীন রাষ্ট্র হিসেবে আবির্ভাবের পরে ভারত ও বাংলাদেশের মানুষ ভিন্ন ভিন্ন সময়ে তাঁর রচনার ভাণ্ডার থেকে এই গান দুটো তাদের নিজ নিজ জাতীয় সংগীত বলে বেছে নিয়েছে। তাই বিষয়ের উদ্দেশ্যের সঙ্গে তাঁকে যোগ করে তাঁর উপরেই দায় চাপানো অথবা তাঁকে কৃতিত্ব দেওয়া সমীচীন মনে হয় না। তবে গান দুটোর ভেতরেই যদি থাকে বৈপরীত্য অথবা পরস্পর বিরোধিতা, তবে তাদের পৃথক যুক্তি ও ভাবরূপ আপন আপন জায়গায় গণমানুষের মনে অশেষ প্রেরণাসঞ্চারী হলেও কবির উপর আত্মখণ্ডনের অভিযোগ কিছুটা হলেও বর্তায়।

আরও গুরুতর জবাবদিহির প্রশ্ন একটা ওঠে। বোধ হয় সেইটিই প্রাথমিক এবং তা কবিকে নিয়েই। ধরে নেওয়া যায়, জাতীয় সংগীতের অন্তর্নিহিত ভাব আবশ্যিকভাবে সর্ববাদীসম্মত

জাতীয় চেতনায় উদ্ভূত বোধের প্রতিনিধিত্ব করে? এই জাতির স্বপ্ন-কল্পনা-আশা-আকাঙ্ক্ষা-কামনা-বাসনা, এমনকী জিগীষা ও শ্রেষ্ঠত্বের আত্মঘোষণা, এ সবই তাতে জায়গা করে নিতে পারে। আপন সমগ্রকে নিয়ে আপনার আবরণ ও আভরণ রচনাই যদি এর ফলে মুখ্য হয়ে ওঠে, তবে তা অস্বাভাবিক মনে করার কোনো কারণ নেই। আত্মগৌরবের জয়গানে যদি আতিশয্যে ভর করে, তবে সেটিও ওই জাতিরাষ্ট্রে সবার স্বতঃস্ফূর্ত অনুমোদন পায়। এককভাবে এটি কোনো সমস্যা নয়। বরং ওই জাতীয়তার প্রেরণা যদি তার জনসমুদয়কে মিলিত চেষ্টায় সমৃদ্ধি ও উন্নয়নের পথে পরিচালিত করে, অথবা অকল্যাণকে দূরে ঠেলায় তাদের সংঘবদ্ধ প্রয়াসে সাহস জোগায়, তবে তার পরিণাম ইতিবাচকই বলতে হয়। কিন্তু কার্যত জাতীয়তাবাদের অতিস্ফীতি বিভিন্ন জাতিরাষ্ট্রের স্বার্থের দ্বন্দ্বকে প্রায়শই প্রকট করে তোলে। একের লাভ অন্যের ক্ষতি, স্বার্থ-দ্বন্দ্বের এই মানচিত্র আপন আপন উদ্দেশ্যসিদ্ধির অসহিষ্ণু তাড়নার সঙ্গে মিলে তাদের পারস্পরিক বিদ্বেষ ও বিনাশের উন্মাদনা উত্তরোত্তর বাড়িয়ে তাদের সবাইকে একে অন্যের বিরুদ্ধে আইনসিদ্ধ সংঘবদ্ধ অন্যায় ও সন্ত্রাসের পথে টেনে নিয়ে যেতে পারে। মানবিক বিপর্যয় ও কাণ্ডজ্ঞানহীন ধ্বংস এর সম্ভাব্য পরিণাম। রবীন্দ্রনাথের কাছে এ ছিল এক বিভীষিকার মতো। চোখের সামনে বিশ্বজুড়ে তিনি প্রত্যক্ষ করেছেন এর বিষময় ফল। অপ্রিয় হবার ঝুঁকি নিয়েও এর বিরুদ্ধে তিনি ছিলেন আপোশহীনভাবে সোচ্চার। মা মনসার এই বাহনকে বাম হাতের কড়ে আঙুলেও পুজো দেবার তাঁর রুচি নেই, এমন কথা তিনি খোলাখুলি বলতেন বলে শোনা যায়। কিন্তু আমরা ফাঁপরে পরি এখানেই। জাতিসত্তার প্রতিষ্ঠায় ও বিকাশে তিনি যেখানে উদ্‌বিগ্ন, সেখানে এই জাতীয়তাবাদেরই আত্মশক্তির শ্রীবৃদ্ধিতে তাঁর গান মন্ত্রের মতো কাজ করে কী করে? গীতবিতান খুললে প্রথমেই চোখে পড়ে, তিনি নিজেই বিষয়ানুক্রমিক সূচি রচনায় যে পর্ব-বিভাজন করেছেন, তাতে 'ভাবের অনুষঙ্গ রক্ষা করে' 'স্বদেশ' শিরোনামে একগুচ্ছ গান আলাদা একটি ভাগে সাজিয়ে রেখেছেন। সব মিলে ছেচল্লিশটি গান? বেশিরভাগই আমাদের উদ্‌বোধিত করে। আমরা ব্যক্তিস্বার্থের খোলস ভেঙে স্বদেশভূমিতে সব মানুষের সঙ্গে সব মানুষের হয়ে এক অখণ্ড কল্যাণযাত্রায় প্রেরণা পাই। এই স্বদেশ অবশ্য ঘটমান বাস্তবতার ও ভাবনার প্রেক্ষিতে কখনো বাংলা, কখনো-বা ভারতবর্ষ। এটাও একটা বিবেচনার বিষয়। তবে তার চেয়েও বেশি যা আমাদের চিন্তাকে ব্যতিব্যস্ত করে তা হল, সংকীর্ণ স্বাদেশিক জাতীয়তাবাদের জয়গানে তাঁর অনিচ্ছা যেখানে স্পষ্ট ও তীব্র, সেখানে তিনিই 'স্বদেশ' পর্বের এতগুলো গান রচনা করে তাদের দিকে বিশেষ দৃষ্টি আকর্ষণ করেন কীভাবে? তিনি কীভাবে আবেগে যখন যেমন তখন তেমন গেয়েছেন? না কি এদের ভেতরেও রয়েছে গভীর অন্বয়? অথবা বাইরের পরস্পরবিরোধী ডাকে সাড়া দিতে গিয়ে তাঁর অন্তরাত্মা তাঁকে যেভাবে চালিত করেছেন, তিনি সেইভাবে চলেছেন, আগে-পিছে সংগতি-অসংগতি নিয়ে মাথা ঘামাননি। আর এতে তাঁর যৌক্তিক ও নৈতিক বোধের জায়গাটি বার বার বিচলিত হয়েছে? এই প্রশ্নগুলো নিয়ে চিন্তা করার আগে জাতীয়তাবাদ নিয়ে তাঁর বিরাগের বিষয়টি আমরা একটু বিশদভাবে বোঝার চেষ্টা করি। তারই প্রেক্ষিতে স্বদেশ পর্বের গান ও জাতীয় সংগীত নিয়ে পরে যতটুকু পারা যায় ভেবে দেখা যাবে। কবিমানসের স্বরূপের আভাসও হয়তো কিছুটা হলেও এতে ফুটে উঠতে পারে। অবশ্য এখানে চোখ যদি আমাদের ঠিক জায়গায় ঠিকভাবে পড়ে তবেই।

জাতীয়তাবাদ নিয়ে রবীন্দ্রনাথের বিরাগ, মনে হয়, সবচেয়ে জোরালোভাবে ফুটে ওঠে তাঁর Nationalism বক্তৃতামালায়। ১৯১৬ সালে বিদেশে গিয়ে বিভিন্ন জায়গায় এই বক্তৃতাগুলো তিনি দিয়ে বেড়ান। অধিকাংশই আমেরিকায়। একটা উদ্দেশ্য ছিল 'বিশ্বভারতী'র জন্য অর্থ সংগ্রহ। বক্তৃতার বিনিময়ে সম্মানীমূল্য তহবিল কিছু ভরতে পারে, এই আশা। তা ছাড়া অনুপ্রাণিত হয়ে অনেক শুভানুধ্যায়ী সহায়সম্বল নিয়ে পাশে এসে দাঁড়াবেন, এও হয়তো তিনি ভেবেছিলেন। এমনটি হয়ে থাকলে তাঁর আশা অনেকটাই বিফলে যায়। পাশ্চাত্যে প্রভাবশালী মহলের বেশিরভাগই তাঁর দিক থেকে মুখ ঘুরিয়ে নেয়। এর অন্যতম কারণ কিন্তু তাঁর এইসব বক্তৃতা। পাশ্চাত্যে জাতীয়তাবাদের আগ্রাসী রূপ তাঁকে বিচলিত করেছিল। দ্ব্যর্থহীন ভাষায় তীব্রভাবে তিনি তার নিন্দা করেন। প্রাচ্যের শান্তি ও সহমর্মিতার শুশ্রূষা যে নিরাময়ের পথ দেখাতে পারে, একথা বলতে তিনি ভোলেন না। বিশ্বভারতী-শান্তিনিকেতনের যৌক্তিক ভূমিকাই বুঝি এভাবে তিনি রচনা করতে চান। এতে কিন্তু হিতে বিপরীত হয়। শ্রোতৃমণ্ডলীর স্বাভিমানে আঘাত লাগে। এখানে-সেখানে কাগজে কাগজে বিরূপ সমালোচনাও বের হতে থাকে। মূল অভিযোগ, কবি তাঁদের মাটিতে দাঁড়িয়েই তাঁদের গালমন্দ করেছেন; অথচ ভিখিরির মতো হাত পেতে আছেন তাঁদেরই অসৎ অর্জনের কিছু দিয়ে নিজের ঝোলা ভরে তুলবেন। এই আশা নিয়ে, এমন প্রতিক্রিয়া অস্বাভাবিক ছিল না। তবে কবির দিক থেকে এটুকু বলা যায়, তাঁর কথা কোনো ভান ছিল না। প্রার্থী বলে তোষামোদে দাতার মন গলাবারা চেষ্টা তাঁর কাছে লজ্জার ও ঘৃণার বলে মনে হয়েছে। শুধু নিজেদের নয়, সমগ্র বিশ্বের কল্যাণে যা তিনি উচিত মনে করেছেন, তাই বলেছেন। কোনো স্বার্থের পরোয়া করেননি। যৌক্তিক ও নৈতিকভাবে তাঁর বক্তব্য নিয়ে আপত্তি তোলার জায়গা যে ছিল না, তা নয়। তবে সেদিক থেকে বিচারবিশ্লেষণ খুব-একটা হয়নি।

'ন্যাশনালিজম'-এর সব বক্তৃতা সরাসরি ইংরেজিতে লেখা। এমনটি তিনি আগে করেননি। শুরুতে তো ইংরেজিতে লেখায় তাঁর সংকোচ ছিল। তেমন কোনো চিঠি লিখতে হলে অন্যকে দিয়ে লিখিয়ে নিতেন, একথা তিনি নিজেই বলেছেন। নিজের করা গীতাঞ্জলির অনুবাদ বাইরে যে অভূতপূর্ব সাড়া জাগায়, এতে তিনি অবাক হন। পরে অবশ্য এমন আরও লিখেছেন। তবে ইংরেজিতে লেখা হলেও এ যে জাত ইংরেজদের লেখা নয়, তা খুব সহজেই ধরা পড়ে। ভাষার মেজাজ, শব্দচয়ন, রূপকল্পনা, এ সবই তাঁর নিজস্ব। মিশে আছে তাতে ভিন্ন সংস্কৃতি-ভূমির প্রকৃতি-জল-হাওয়া। হয়তো ইচ্ছাকৃত নয়, কিন্তু গভীরে তাঁর ন্যাশনালিজ্‌মের প্রতিপাদ্যের সঙ্গে খাপ খেয়ে যায়।

আমরা দেখি, নেশন— যার তাৎপর্য শুধু 'জাতি' বলে বোঝানো যায় না, কারণ, আমাদের ঐতিহ্য ও চিন্তায় 'জাতি' বললে ভিন্ন ভিন্ন আরও অনেক কিছু বোঝায় এবং ন্যাশনালিজ্‌ম— জাতীয়তাবাদ, দুটোই রবীন্দ্রনাথের অনেক দুশ্চিন্তার, এমনকী আতঙ্কের কারণ হয়ে দাঁড়ায়। 'নেশন' শব্দের পেছনে এক রাজনৈতিক ঐক্যের ধারণা আছে। সে ঐক্য ওই নেশনকে অবলম্বন করে একক রাষ্ট্রগঠনের মূলভিত্তি। এই ঐক্যের পেছনে থাকে যাদের নিয়ে নেশন গড়ে ওঠে, তাদের সহমর্মী-সমজাতীয় চিন্তা; এবং তা খাটে কেবল তাদের বেলাতেই। অভিন্ন স্বার্থের

যোগসূত্র এখানে একটা বড়ো ভূমিকা রাখতে পারে। তবে জীবনযাপনের ঐতিহ্যে পারস্পরিক নৈকট্যবোধ তার আবশ্যিক উপাদান। সাধারণভাবে এই নৈকট্যবোধ তাদের আর সবার থেকে আলাদা করে। এবং আর সব নেশন-এর সঙ্গে প্রতিযোগিতায় নামায়। 'সকল দেশের সেরা' হবার, এবং সেরা থাকার তাগিদ তাদের চালিত করে। যূথবদ্ধ অহংকারের বাতাবরণ একটা তৈরি হয়। ন্যাশনালিজ্‌ম তার উপরেই দাঁড়িয়ে। আপন-পর স্বার্থ বিভাজন প্রকট হয়ে উঠতে থাকে। তা নেশন— স্টেটগুলোকে পারস্পরিক সংঘাতের দিকে ঠেলে। বলে রাখা প্রয়োজন, শুরুতে রবীন্দ্রনাথও এই ন্যাশনালিজ্‌মের আরাধনায় তাঁর পরিমণ্ডলে আর সবার সঙ্গে যোগ দিয়েছেন। তখন প্রাচীন ভারতের ইতিহাস— তার সভ্যতার উজ্জ্বল বিভা— নতুন নতুন পাঠে ও অনুশীলনে উদ্ভাসিত হয়ে উঠেছিল। নব্যশিক্ষিত সমাজে তার প্রতিক্রিয়ার শিহরন ছিল, স্বতঃস্ফূর্ত ও সংক্রামক। সেখান থেকেই জাগে ওই ভারতের পুনর্নির্মাণের স্বপ্ন-বাসনা। পরাধীনতার ভিন্ন বাস্তবতা ওই বাসনায় বাড়তি মাত্রা যোগ করে তার তীব্রতা বানিয়ে দিয়েছিল। আরও তাকে দৃঢ় মূল করেছিল। পাশ্চাত্যের সমকালীন তত্ত্বভাবনা ও ঘটমান বাস্তবতায় তার রোমাঞ্চকর কাহিনি। বঙ্কিমের অবিস্মরণীয় আবির্ভাব ও জনচিত্তে তাঁর রচনার বিপুল প্রভাব এই প্রেক্ষাপটেই। কৈশোরে ও প্রথমযৌবনে রবীন্দ্রনাথও তাঁর চারপাশের এই ভাবনা-বলয়ে একই রকম জাতীয়তাবাদের উদ্‌বোধনের উদ্দীপনায় মাতেন। সংখ্যায় খুব বেশি নয়, সব মিলে ষোলোটা গানও তিনি রচনা করেন তার প্রেরণায়। *গীতবিতান*-এ 'জাতীয় সংগীত' নামে একটা ছোটো অংশে তাদের পাই। ভারতের অতীত গৌরবের রোমন্থন ও লুপ্ত গৌরবে হাহাকার, পাশাপাশি জাতীয় সংহতির আহ্বান, এগুলোই এসব গানে প্রাধান্য পায়। সমষ্টিচেতনা এখানে গুরুত্ব পায় বেশি। একটা গান তো মনে হয়, তখনকার কেতাবি জাতীয়তাবাদী ছকেই রচনা। তার শুরু 'এক সূত্রে বাঁধিয়াছি সহস্রটি মন/ এক কার্যে সঁপিয়াছি সহস্র জীবন—/ বন্দেমাতরম।' তারপর মন্ত্রপাঠের মতো উচ্চারণ, 'আসুক সহস্র বাধা বাধুক প্রলয়/ আমরা সহস্র প্রাণ রহি নির্ভয়—/ বন্দে মাতরম।' সমষ্টির সংকল্পের উত্তেজনা গানে ছড়ায়, 'আমরা ডরাইব না ঝটিকা-ঝঞ্ঝায় অযুত তরঙ্গ বক্ষে সহিব হেলায়/ টুটে তো টুটুক এই নশ্বর জীবন/ তুব না ছিঁড়িবে কভু এ দৃঢ় বন্ধন—/ বন্দে মাতরম।' এই যে যূথবদ্ধ ভারতীয়তা, যা অতীতের পুনরাবিষ্কারে, পুনরুদ্ধারে ও পুনঃপ্রতিষ্ঠায় কৃতপ্রতিজ্ঞ, এবং সম্পূর্ণত আত্মমগ্ন, এ জাতীয়বাদের চলতি ধারণাকেই তার ধারাবাহিক সংজ্ঞাকেই হুবহু অনুসরণ করে। কিন্তু পরে যখন তিনি ন্যাশনালিজ্‌মের বক্তৃতাগুলো রচনা করেছেন, তখন এই দৃষ্টিভঙ্গি তাঁর পুরোপুরি বদলে যায়। এটাও খেয়াল করবার, 'জাতীয় সংগীত' পর্যায়ে তাঁর গুটিকয়েক মাত্র গান। এতে তাঁর মন বসেনি। নিজের সঙ্গে বোঝাপড়া করতে করতে একটু একটু করে তাই জাতীয়তাবাদী ধ্যানধারণা থেকে সরে আসেন। অবশ্য প্রাচীন ভারতের মোহাঞ্জন তাঁর চোখ থেকে পুরোপুরি মুছে যায় না, যদিও নতুন জীবন, নতুন জ্ঞান তাঁকে ক্রমাগত সামনের দিকে টানে। এবং জাত-ধর্ম-বর্ণ ইত্যাদির সীমাবদ্ধতা ভেঙে মানুষের পূর্ণতাকেই তিনি তাঁর অন্বেষণের চূড়ান্ত লক্ষ্য করে তোলেন। আগেও তা ছিল তবে অন্যান্য সীমা মেনে নিয়ে তাদের সঙ্গে তার সামঞ্জস্য খোঁজার চেষ্টা ছিল বেশি।

১৯১৬-তে এসে ন্যাশনালিজ্‌ম নিয়ে বক্তৃতায় তিনি খোলাখুলি নেশনকেই কাঠগড়ায় দাঁড় করাচ্ছেন। তিনি বলছেন, "When the organization of politics and commerce, whose other name is the Nation, becomes all powerful at the cost of the harmony of the higher social life, then it is an evil day for humanity. When it allows itself to be turned into a perfect organization of power, them there are few crimes which it is unable to perpetrate"একই ভাবনার পুনরাবৃত্তি আরও জোরালোভাবে আবার শুনি। "The Nation, with all its paraphernalia of power and prosperity, its flags and pious hymns, its blasphemous prayers in the churches and the literary mock thunders of its patriotic bragging cannot hide the fact that the Nation is the greatest evil for the Nation, that all its precautions are against it." অথবা এখানে "And the idea of the Nation is one of the most powerful anasthetics that man invented, under the influence of is fumes the whole people can carry out its systematic programme of the most viru-lent, self-seeking without being in the least aware of its moral perversion—in fact feeling dangerously resentful if its is pointed out."

তিনি মনে করেন, এই সর্বনাশা জাতীয়তাবাদের জন্ম পাশ্চাত্যে। হিংসা-দ্বেষ ও লোলুপ আগ্রাসনে প্রভুত্ব প্রতিষ্ঠার উন্মত্ত তাড়না এর চালিকাশক্তি। মনুষ্যত্বকে এ বিকশিত করে না, বরং তার সমূহ ক্ষতির কারণ হয়। আমরা পড়ি, "The truth is that the spirit of conflict and conquest is at the origin and in the centre of western nationalism, its basis is not Social Co-operation... it is like the pack of redatory creatures that must have its victims."

পাশ্চাত্যের মানবমুক্তির বাণীর কথা স্বীকার করেও তিনি বলতে ছাড়েন না, "And we cannot but acknowledge this paradox, that while the spirit of the west marches under its barner of freedom, the Nation of the west forges its iron chains of organization which are the most relentless and unbreakable that have ever been manufactured in the whole history of man." আমরা খেয়াল করি, নেশন সম্পর্কে বলতে তার অর্গানাইজেশন-সংগঠনের উপর জোর দিচ্ছে রবীন্দ্রনাথ বার বার। বোধ হয় বোঝাতে চাইছেন, এটা স্বতঃস্ফূর্ত মানবিক নয়, বৈষয়িক স্বার্থসাধনে উদ্যোক্তা মহলের উদ্ভাসিত যন্ত্র-বিশেষ। সহযোগিতা কারও সঙ্গে থাকলে ওই স্বার্থের ভিত্তিতেই, দ্বন্দ্বও ওই স্বার্থেরই কারণে। What is this nation? এই প্রশ্নটি তুলে তিনি তার উত্তর দেন, A Nation, in the sense of the political and economic union of a people, is that aspect which a whole population assumes when organized for a mechanical purpose. এখানে যান্ত্রিক লাভ-ক্ষতির হিসাবনিকাশই প্রধান। এবং ওই লাভ-ক্ষতির পরিমাণ বৈষয়িক স্বার্থের ওজনে। মানবিক সম্পর্কের স্বয়ংসম্পূর্ণতার বোধ এখানে তুচ্ছ। সবই নিয়ন্ত্রণ করে ক্ষমতার দখলদারিত্ব। তারই জটাজালে বন্দি মানুষে মানুষে সম্পর্ক; এমনকী মানব-মানবীর

জীবনযাপনের ধরন ও চরিত্র। তিনি দেখেন, "... The living bonds of society are breaking up, and giving place to mechanical organization... It is owing to this that war has been declared between man and woman because the natural thread is snapping which holds them together in harmony; because man is driven to professionalism, producing wealth for himself and others, continually turning the wheel of power for his own sake or for the sake of universal officialdom, leaving women alone to wither to die or to fight her own battle unaided."

প্রযুক্তিবিপ্লব সফল করতে উৎপাদন ও বন্টনে নতুন সমীকরণ অনিবার্য হয়ে পড়ে। শ্রম বিভাজনে মানুষে মানুষে সম্পর্কের চেহারাও বদলে যায়। ব্যক্তিমানুষের কাজের বৃত্তের অখণ্ডতা আর বজায় থাকে না। তার অভিঘাত ফাটল সৃষ্টি করে তার চেতনায়। অভাবিতপূর্ব অপরিকল্পিত এক বিচ্ছিন্নতাবোধ তাকে পেয়ে বসে। তার অসহায়তা বাড়ে। প্রতিফলিত হয় তা পারিবারিক ও সামাজিক উভয় রকম সম্পর্কের অসংখ্য আঁকাবাঁকা গতিরেখায় বহুমুখী নানা কাটাকাটিতে। এই টুকরো টুকরো ব্যক্তিসত্তাকে একত্র করার পথ দেখায় ওই ব্যবস্থা থেকেই উঠে আসা নেশন বা জাতিনির্মাণ প্রক্রিয়া। রবীন্দ্রনাথের কাছে তাই তা মনুষ্যত্বের কোনো মৌলিক বা প্রাণবান উপাদান নয়। বাইরের বন্দোবস্তের যান্ত্রিক যোগসূত্রে তার উদ্ভব, এবং এই যোগসূত্রের ক্রিয়া-প্রতিক্রিয়ার নির্মম ঘর্ষণে তাতে গতির সঞ্চার। ক্ষমা-দয়া-প্রেম এসব সেখানে অবাস্তব। আপন স্বার্থের জ্বালানিতে তা চালু থাকে। এই স্বার্থের সম্প্রসারণ তাকে দিগ্‌বিদিকে ছোটায়। তার যৌক্তিক মূল্য কাঠামো সে খোঁজে। তার বাইরে কোনো কল্যাণভাবনা তার নেই। কবি সতর্ক করে দেন, 'মনুষ্যত্বের মঙ্গলকে যদি ন্যাশানালত্ব বিকাইয়া দেয়, তবে ন্যাশানালত্বের মঙ্গলকেও একদিন ব্যক্তিগত স্বার্থ বিকাইতে আরম্ভ করিবে।' আরও বলেন, 'ন্যাশানালিটির স্পর্শখনির স্পর্শে সমস্ত অন্যায় সোনার চাঁদ হইয়া ওঠে না।'

প্রথম মহাযুদ্ধকে রবীন্দ্রনাথ দেখেছিলেন পাশ্চাত্যের নেশনে নেশনে দ্বন্দ্ব-সংঘাতের এক প্রতিরোধহীন পরিত্রাণহীন শোচনীয় পরিণাম হিসেবে। তারই দুঃখ বুকে নিয়ে তিনি লেখেন, 'পশ্চিম ভূভাগ কামান বন্দুকের আয়োজন করুক— যে শক্তিতে সেই সমস্ত আয়োজনকে তুচ্ছ করতে পারি আত্মার সেই পরম শক্তিকে প্রকাশ করবার জন্য আমাদের সাধনা।... ভারতের একটা জায়গা থেকে ভূগোল বিভাগের মায়াগণ্ডি সম্পূর্ণরূপে মুছে যাক— সেইখানে সমস্ত পৃথিবীর পূর্ণ অধিষ্ঠান হোক— সেই জায়গা হোক আমাদের শান্তিনিকেতন। আমাদের জন্য একটি মাত্র দেশ আছে সে হচ্ছে বসুন্ধরা, একটি মাত্র নেশন আছে সে হচ্ছে মানুষ।... কিন্তু ভারত তো নিজেও জাতীয়তাবাদে দীক্ষা নিয়ে মুক্তির পথ খোঁজে। আরও পরে ১৯২৩-এ (১৩৩০ বঙ্গাব্দে) 'বিশ্বভারতী' প্রবন্ধগুচ্ছের নরম রচনায় এ নিয়ে তাঁর দুশ্চিন্তা ফুটে ওঠে— "যে স্বদেশাভিমান আমরা পশ্চিমের কাছ থেকে ধার করে নিয়েছি তারই মধ্যে রাজ্য-বাণিজ্যগত সম্পদের প্রতি একান্ত বিশ্বাসপরতার অশুচিতা রয়ে গেছে। সেইজন্য আজকের দিনে ভারতবাসীও এমন কথাও বলতে লজ্জাবোধ করে না যে রাষ্ট্রের গৌরব সর্বাগ্রে তারপরে সত্যের গৌরব। কোনো কোনো

পাশ্চাত্য মহাদেশে দেখে এসেছি ধনের অভিমানেই সেখানকার সমস্ত শিক্ষা দীক্ষা সাধনাকে রাহুগ্রস্ত করে রেখেছে। সেখানে বিপুল ধনের ভাবাকর্ষণে মানুষের মাথা মাটির দিকে ঝুঁকে পড়েছে।" পরের রচনাতে (১৯২৩) তিনি আবার বলেন, "ভারত তার জাত রক্ষা করবার সপক্ষে কি পাশ্চাত্যের নজির টেনে আনবে। আমরা কি এ কথা ভুলে গেছি যে ইউরোপ ও আমেরিকা আপন আপন ন্যাশনালিজমের ভিত্তিপত্তন করে যে বিরাট প্রাচীর নির্মাণ করেছে আমাদের দেশে তেমন ভিত্তিপত্তন কখনও হয়নি। ভারতবর্ষ এই কথা বলেছিল যে, যিনি বিশ্বকে আপনার বলে উপলব্ধি করতে পেরেছেন তিনিই যথার্থ সত্যকে লাভ করেছেন।"

লক্ষ করি ন্যাশনালিজম তখন যে আপন-পর সীমা টেনে বিভেদের প্রাচীর খাড়া করে। তিনি তাকে মানুষের আচরণে স্বাভাবিক বলে মনে করেননি। কল্যাণকরও না। তবে ভারতাত্মার বাণী যে এতে সায় দেয় না, এদিক থেকে সে যে বিশিষ্ট এবং এই বিশিষ্টতাতেই তার গৌরব, এমনকী, খুলে না বললেও তাতে শ্রেষ্ঠত্বের মর্যাদা, এই ভাবটা কিন্তু তাঁর লেখায় একেবারে গোপন থাকে না। তিনি চান বা না-চান, আমরা ওদের মতো না, ওদের চেয়ে অনেক ভালো, এইরকম মনোভঙ্গি একটা প্রকাশ পায়। এও কিন্তু বিপরীত দিক থেকে জাতিসত্তা নির্মাণের উপাদান। অবশ্য পাশ্চাত্যে নেশন নির্মাণের ছলাকলাকে এ পাশ কাটিয়ে যায়। এবং ওই ছলাকলার সংক্রমণ থেকে আমরাও যে রক্ষা পাই না, রক্ষা পেতে চাই না, এতেই তাঁর তীব্র আপত্তি। দুশ্চিন্তাও গভীর। তাঁর ভারতীয় পরিচয়ের বৈশিষ্ট্য ও গৌরব মুছে যাক, এটা তিনি চান না, আবার নির্বিশেষ মনুষ্যত্বের তিনি বন্দনা গান— দুই-এর ভেতরে কোনো স্ববিরোধ থাকতে পারে কি না, এ প্রশ্ন বোধ হয় তাঁর মনে জাগে না।

তাঁর বিবেচনায় ভারতীয় পরিচয়ের নিজস্বতা একটা আছে। কিন্তু তাকে পাশ্চাত্যের জাতিসত্তার সংজ্ঞায় ঠিক ফেলা যায় না। কোনো স্বার্থের একত্ব, জনসমুদয়ের জীবনযাপনের নৈকট্য ও পারস্পরিক সংযোগ, রাজশক্তির ধারাবাহিক কেন্দ্রমুখী টান— এদের সমন্বিত শক্তিপ্রবাহ যেভাবে জাতির অবয়ব রচনা করে তার শিরা ও ধমনির পথ বেয়ে হৃদয়ে নিয়মিত রক্ত সঞ্চালন করে, সেভাবে তেমন কিছু গোটা ভারতবর্ষের জনসমষ্টির হয়ে ওঠার প্রক্রিয়ায় অতীতে কখনো মূল কারক হয়ে ধারাবাহিকভাবে কোনো স্থায়ী একক রূপ গড়ে তোলেনি। বহু ভাষা বহু রীতিনীতি আচার-বিচার-সংস্কার-বিশ্বাস নিয়ে এই দেশ। এখানে এক নেশনের ধারণা অচল। আবার বহু নেশন হলেও তাদের পরস্পর প্রতিদ্বন্দ্বী মনে করার কোনো কারণ নেই। বৈচিত্র্য বিভেদকে প্রশ্রয় দেয় না, বরং জীবনবোধে সমন্বয় ও ঐক্যের দিকেই সবাইকে টানে। তার ভিত্তি সুদূর অতীতে জগৎ ও জীবনকে দেখার যে মানসিকতা এখানে গড়ে উঠেছে, তার সজীব ও চলমান ঐতিহ্য চেতনায় কাজ করে তা এই ভূখণ্ডে সব অঞ্চলের সব মানুষের ভেতরেই। সাহিত্যে-সংস্কৃতিতে আচারে-বিশ্বাসে একে অন্যের মানবিক সম্পর্কে তার ছাপ স্পষ্ট। অতএব একটা নেশন না হয়েও গড়ে ওঠে তাদের ভেতর একত্ববোধ ও একক দৈশিক সত্তার উপলব্ধি; তা সবাইকে কাছে টানে। কাউকে দূরে ঠেলে না। রাষ্ট্রকাঠামোর বাধ্যবাধকতার তার প্রয়োজন নেই। সম্পর্ক সরাসরি মানুষের সঙ্গে মানুষের। আত্মীয়তাবোধের ভিত্তি গ্রামের সমাজ। তারই সম্প্রসারণ চতুর্দিকে দূর

থেকে দূরান্তরে এই ভাবনাকে তিনি রূপ দিতে চেয়েছেন বিশ্বভারতী শান্তিনিকেতনে। স্বদেশের প্রতি দায়বদ্ধতা সেখানে অবশ্যই আছে। কিন্তু সে-দায়বদ্ধতা বৃহত্তর নির্বিশেষ মানুষের প্রতি দায়বদ্ধতারই ক্ষুদ্রতর সংস্করণ। পাশ্চাত্যের অনুকরণে সচেতন উদ্যোগ নেশন গড়ে তাতে চাক বাঁধা, এবং তাকে পরিচালনার জন্য রাষ্ট্রনির্মাণ করে তার বিধিবিধানের আওতায় ওই নেশনকে নিয়ে আসা, এসবই তিনি মনে করেন নানা বিভ্রান্তির ও মানুষে মানুষে বিচ্ছিন্নতার, সেইসঙ্গে স্বার্থের দ্বন্দ্বের ও রেষারেষির কারণ। মানুষের মৌলিক সত্য ও কল্যাণবোধ তাতে লাঞ্ছিত হয়।

তিনি ভেবে দেখেছেন কি না জানি না, তবে তাঁর এই ভাবনাবিশ্ব বহুলাংশে একস্থির ও নিরুপদ্রব সমাজ-সংগঠনের উপর দাঁড়িয়ে থাকে। উন্নতি বলতে বোঝায় চিন্তার পরিশীলন। তাতে আপন-পর ভেদাভেদ ঘোচে। উপনিষদের সোহহং বা তত্ত্বমসি বাণী তার সহায়। মনের মুক্তি ব্যক্তিকে বিশ্বের সকল প্রাণ ও প্রকৃতির সঙ্গে আনন্দময় ঐক্যে মেলায়। কিন্তু কাজের জগৎ থেকে যায় পূর্বনির্ধারিত। কৃষিকাজ, পশুপালন, কারুকাজ এ সবেরই কৃত্তকৌশল পরিবর্তনহীন। জনসংখ্যা বাড়লে একই পুনরুৎপাদন প্রক্রিয়ায় জনবসতির বিস্তার ঘটে মাত্র, কিন্তু উৎপাদন ব্যবস্থার বা উৎপাদিকা শক্তিতে কোনো রূপান্তরের কল্পনা ঠাঁই পায় না। তেমন সম্ভাবনার কথা মাথায় আসলে মেনে নিতে হয় প্রযুক্তি রূপান্তরের বাস্তবতার কথা। এই পরিবর্তন যদি ঘটে, তবে তা মানুষে মানুষে সম্পর্কের পূর্বাবস্থা ভেঙে দেয়। শক্তিসংস্থানের নতুন ভারসাম্য খুঁজতে হয়। সমাজ সংগঠনে সম্পর্কে সম্পর্ক-সম্বন্ধের সমীকরণরাশিতে যদি শক্তির অধিকারের নতুন অবস্থার যথাযথ প্রতিফলন না ঘটে, তবে ভারসাম্যের প্রকৃত চেহারা তাতে ফুটে ওঠে না। বিভিন্ন কাজের প্রত্যক্ষ মান যথার্থ মানের সঙ্গে মেলে না। এলোমেলো অবস্থায় টাল খেতে খেতে তখন সামঞ্জস্যের রূপান্তরিত বিন্যাস খুঁজতে হয়।

শিল্পবিপ্লবের পর ইউরোপে নেশন-স্টেটের উদ্ভব এইরকমই নতুন ভারসাম্যের খোঁজ। কৃষক ও ফসলের সম্পর্ক-সমগ্রতায় উৎপাদন কর্মকাণ্ডের যে ভাবরূপ ফুটে উঠত তা আর টিকে থাকে না। নতুন প্রযুক্তি কারুশিল্পকেও বড়ো বড়ো কারখানার নৈর্ব্যক্তিক প্রক্রিয়ায় রূপান্তরিত করে। বহু মানুষের একত্রে কাজ। কিন্তু কাজের ফলের সঙ্গে তাদের সংযোগ নেই। কাজের ধরন পরস্পর নির্ভরশীল হলেও সবার একরকম নয়। জড়ো হয় তারা বিভিন্ন অঞ্চল থেকে। নিজেদের ভেতর চেনাজানা থাকবে, এমন কোনো নিশ্চয়তা নেই। সম্পূর্ণ অনাত্মীয় পরিবেশে খুঁজতে হয় নিজেদের ভেতরেই লুকোনো থাকা, কিন্তু ক্রিয়াশীল, কোনো যোগসূত্র ভাষা, সংস্কৃতি, প্রকৃতি, পরিবেশ, এইসব। এতে ব্যক্তিমানুষের পরিচয়ের ক্ষেত্র প্রসারিত হয়। সংকীর্ণ-আত্মীয়তার বিকল্প সহকর্মী-সহমর্মী এক মানব-মানচিত্র চারদিকে ছড়ায়। পণ্যরাশিও নিজেদের ক্রেতা চায়। তারাও নিজেদের জানাতে চায়। যোগাযোগের পথ খোঁজে। তারাও ধরে ওই একই পথ। অন্তত প্রাথমিক পর্যায়ে এইভাবে গ্রাম-শহরের সীমানা ছাড়িয়ে বৃহত্তর এক পরিধি বিস্তৃত হতে হতে তার মানবিক- ভৌগোলিক-প্রাকৃতিক সীমারেখায় এসে থামে। ভেতরের মানুষের ঐতিহ্যের উত্তরাধিকারের যে নবলব্ধ সচেতনতা, বহু কর্মের সংযোগ প্রত্যক্ষে ও পরোক্ষে যে পারস্পরিক নির্ভরতা, এগুলো তাদের ভেতরে জাতীয় চেতনার উন্মেষ ঘটায়। তার উপাদানগুলো যে আগে

থেকেছিল না, তা নয়। কিন্তু নতুন পরিস্থিতি তাদের জাতীয় পরিচয়ের বৈশিষ্ট্য সংহত করে। এই পরিচয়ের সচেতনতাও তীব্রতর হয়। অবশ্যই মৌলিক নয়, কোনো নিত্যতার দাবি তার নেই। তবে মানুষের ইতিহাস তো ওই মৌলিক সত্তা থেকে বেরিয়ে ঠেকে ঠেকে শিখে শিখে চেতনায় বদলাতে বদলাতে ক্রমাগত বিকশিত হবার ইতিহাস। চিরন্তনকে আঁকড়ে থাকার অবকাশ কি তার মেলে?

একটা আধুনিক জাতির রূপরেখা যেমন ফুটে ওঠে, তেমনি তাকে কার্যকরভাবে ধরে রাখার জন্য তাকে নিয়ে এক রাষ্ট্রব্যবস্থা গড়ে তোলারও প্রয়োজন দেখা দেয়। পুরানো আমলের কোনো রাজবংশের ধারাবাহিক উত্তরাধিকার অথবা রাজার একনায়কত্ব এই ব্যবস্থায় খাপ খায় না। চাপটা তৈরি হয় জাতীয় সম্পদের নতুন সমীকরণ থেকে। উৎপাদনে ও বণ্টনে সবারই সবার প্রয়োজন। বিধিবিধানে তার প্রতিফলনের দাবিও তাই অনিবার্য। রাষ্ট্রনির্মাণে জনসাধারণের ভূমিকা আসে প্রত্যক্ষে। গণতান্ত্রিক মূল্যবোধ ও তার বাস্তব রূপায়ণ গুরুত্ব পেতে শুরু করে এইসব নেশন-স্টেটের প্রতিজ্ঞায় ও কর্মকাণ্ডে। এতে সংঘাত যে ঘটে না, তা নয়। অথবা জাতি রাষ্ট্রেরই যেসব সময়ের চূড়ান্ত আদর্শ, এমন কথাও সত্য নয়। শুধু শিল্পবিপ্লবোত্তর ইউরোপের বাস্তব পরিস্থিতি এমন সব রাষ্ট্রের উদ্ভব যৌক্তিক করে তুলেছিল। এইটুকুই যা বলবার। তাকে প্রতিহত করলে ইউরোপ তার প্রাচীনতার খোলস ছেড়ে পুরোপুরি পেরিয়ে আসতে পারত কি না সন্দেহ।

অস্বীকার করা যায় না, প্রবলতার নেশন-স্টেট অথবা প্রবল হয়ে উঠতে চায় এমন নেশন-স্টেট ইউরোপের ওই প্রেক্ষাপটে বার বার আগ্রাসী হয়ে উঠেছে। ফলে বিপর্যয় নেমে এসেছে গোটা পৃথিবীতেই। সাম্রাজ্যবাদ নতুন মাত্রা পেয়েছে। তার শোষণ তীব্রতর হয়েছে। তবে এই সাম্রাজ্যলিপ্সা জাতিরাষ্ট্রের হাত ধরে ধরাধামে আত্মপ্রকাশ করেনি। এটি বরং মানবসভ্যতার সমান বয়সি। 'বীরভোগ্যা বসুন্ধরা'— এই কথাটা অন্য কোথাও নয়, এই ভারতবর্ষেই ইতিহাসের প্রাচীন পর্ব থেকে চালু। আরও চালু তার সঙ্গে আর একটি সর্বাংশে অরুচিকর আপ্তবাক্য, 'বীরভোগ্যা নারী'। বহু মানুষের ভূয়োদর্শনেই এমন উপলব্ধি। অন্য কোথাও এর ব্যতিক্রম ছিল, এমনটি ভাবার কোনো কারণ নেই। ইউরোপের শক্তিধর রাজপুরুষদের সাম্রাজ্যবিস্তারে মনোযোগ জাতিরাষ্ট্র গড়ে ওঠোর অনেক আগে থেকে। এমনকী ইস্ট ইন্ডিয়া কোম্পানিগুলোও ভারতে ঘাঁটি গেড়েছে বহু আগে। উত্তর ও দক্ষিণ আমেরিকাতে ইউরোপীয় উপনিবেশ গড়ে ওঠার ইতিহাস তার সমসাময়িক। প্রকৃতপক্ষে ইউরোপীয় উপনিবেশবাদে শোষণের ধারা সৃষ্টি হয়েছে তখন থেকেই। বাণিজ্য ও লুণ্ঠন ছিল তখন প্রায় সমার্থক। নেশন স্টেট গড়ে ওঠার কালে অ্যাডাম স্মিথ বা রিকার্ডোর বাণিজ্যতত্ত্ব অন্তত লুণ্ঠনপ্রবণ ছিল না। অবশ্য তত্ত্বের প্রত্যয়রাশি বাস্তবোচিত ছিল কি না এ প্রশ্ন উঠতে পারে। দেশে দেশে প্রযুক্তিজ্ঞানের সমবিস্তার তখন ছিল না; আজও অধরাই থেকে গেছে। জ্ঞানের কর্তৃত্বে বৈষম্যপূর্ণ প্রতিযোগিতার প্রাক্স্বীকৃতিকে অসার প্রতিপন্ন করে। পূর্ণ সদিচ্ছা থাকলেও অবাধ বাণিজ্য তখন অনুন্নত বিশ্বের দারিদ্র্য বাড়াবার কারণ হয়, আবার বাণিজ্যের পথ আগলে রাখলে গরিব দেশে নতুন প্রযুক্তি প্রবেশপথ খুঁজে পায় না। ফলে সেখানে বৈষয়িক উন্নতি ঘটানো আরও দুরূহ হয়ে পড়ে। এই উভয়সংকটের কোনো সহজ সমাধান নেই। রবীন্দ্রনাথ পার্থিব সম্পদ সৃষ্টি থেকে মুখ ফিরিয়ে চিন্তাকে ঊর্ধ্বমুখী করার কথাই বেশি ভেবেছেন।

তাতে মনের মুক্তি। ধনাকাঙ্ক্ষা না থাকলে ঔপনিবেশিক সংযোগকেও উপেক্ষা করা যায়। আত্মশক্তির উদ্‌বোধন ঘটিয়ে বিশ্বের সমীহ আদায়ও তাহলে সম্ভব। মানুষের মহিমা ও গৌরব নিয়ে মাথা উঁচু করে দাঁড়ানোর সেখানে বাধা থাকে না। নেশন হওয়া বা না-হওয়া নিয়ে না ভাবলেও চলে। কিন্তু এখানে ধরে নিতে হয়, ওই গরিব দেশেও জ্ঞানের ভাণ্ডার স্বয়ংসম্পূর্ণ। দেশে-বিদেশে আপনা থেকে তার কদর। সবরকম পার্থিব হীনতা থেকে উদ্ধার পাবার জন্য, অথবা তাকে পাত্তা না দিয়েও মনের আনন্দ বজায় রাখার জন্য তা যথেষ্ট। মুষ্টিমেয় সাধকদের জন্য শুধু নয়, দেশের সমস্ত মানুষের জন্যও। এটা খুব বাস্তবসম্মত মনে হয় না। জন সংখ্যা বাড়লে উৎপাদন বাড়াবার কথা ভাবতেই হয়। তার জন্য উন্নতি উন্নতর প্রযুক্তির দ্বারস্থ হওয়া ছাড়া উপায় থাকে না। সে-কারণে হাত পাততে হয় বাইরেই। আর প্রাথমিক পর্যায়ে জনসংখ্যা যদি না বাড়ে, তবে তার অর্থ দাঁড়ায় অনাহার, অপুষ্টি, উচ্চ মৃত্যুহার ও অনড় দারিদ্র্য। বিশ শতকের প্রথমার্ধে এমনটিই ছিল এ অঞ্চলের সামান্য লক্ষণ। উচ্চতর চিন্তার গৌরব নিয়েও তাকে সমর্থন করা যায় না। রবীন্দ্রনাথও করেননি।

প্রযুক্তি যখন শ্রম ও পুঁজির উৎপাদিকা শক্তি বাড়ায় এবং তাকে সংহত করতে উৎপাদন কাঠামো যখন নৈর্ব্যক্তিক ব্যবস্থাপনায় দক্ষতা বাড়াবার দিকেই নজর দেয়, তখন এই প্রক্রিয়াকে সফল করতে জাতীয় চেতনার ঐক্য ও তার প্রেরণা খুব ফলপ্রসূ হয়। আগেই দেখেছি উৎপাদনে শ্রম বিভাজন ব্যক্তিমানসেও পূর্ণতাবোধ ভেঙে টুকরো টুকরো করে। নিজেকে অতিক্রম করে তখন বৃহত্তর ঐক্যের একটা জায়গায় কেউ পৌঁছোতে পারে এই জাতীয় চেতনাকে সম্বল করে। উৎপাদনের সব উপাদানই তাতে সক্রিয় হয়। পারস্পরিক নির্ভরতার কারণে তাদের সবগুলোর সবদিক থেকে সম্প্রসারণ ঘটতে থাকে। সমৃদ্ধি আসে। আরও সমৃদ্ধির আশা জাগে। কিন্তু এই ধারা রুদ্ধ হতে পারে যদি উৎপাদনের উপাদানগুলোকে তাদের কাঙ্ক্ষিত অনুপাতে আর বাড়ানো না যায়। ঘাটতি দেখা দিতে পারে প্রয়োজনীয় কাঁচামালে। দেখা দিতে পারে শ্রমে বা পুঁজির সংস্থানে। সমস্যা দেখা দিতে পারে সঠিক প্রযুক্তির যথাযথ প্রয়োগে। দুষ্প্রাপ্য উপাদন জোগাড় করতে তখন হাত বাড়াতে হয় বাইরে, আবার এমনও হতে পারে, উৎপাদনের সম্ভাবনা যতটা বাড়ে, রাষ্ট্রে জনগণের চাহিদা তার চেয়ে কম। অথবা কোনো কোনো পণ্য জনগণের ভোগের জন্যই প্রয়োজন, কিন্তু নিজেদের সম্পদ ও সুযোগ তার উৎপাদনের অনুকূল নয়। এমন অবস্থাতেও নিজের বাড়তি উৎপাদনের বিনিময়ে বাইরে থেকে পণ্য এনে আপন প্রয়োজন মেটাবার কথা ভাবা যায়। তবে সমস্তটার সামগ্রিক ধারণা থাকা এখানে জরুরি। এটা বিচ্ছিন্নভাবে কোনো ব্যক্তির কাজ নয়। একক ব্যক্তিকে অতটা গুরুত্ব দেওয়া বাঞ্ছনীয়ও নয়। তা জাতিসত্তার মূল প্রত্যয়কেই খণ্ড করে। রাষ্ট্রকেই অতএব দায়িত্ব নিতে হয়। ব্যক্তির উদ্যোগ অনুমোদনযোগ্য হলে তাও হতে পারে রাষ্ট্রের তত্ত্বাবধানে। পরিণামে সম্পদ সৃষ্টির ও জনগণের ক্রমবর্ধমান ভোগচাহিদা মেটাবার পথে বাধাগুলো অনেকখানি দূর করা যায়। মানুষের সুখ-স্বাচ্ছন্দ্য বাড়ে। কল্যাণও নিশ্চয় বাড়ারই কথা। ভাবজগতে মুক্তিই মানুষের মুক্তির একমাত্র পরিচয় নয়। ক্ষুধা ও দারিদ্র্য দূর করে ইহজাগতিক সুখ ও সমৃদ্ধির সাধনায় স্বাধীন উদ্যোগে এগিয়ে যাবার ক্ষমতা আয়ত্ত করাও ওই মুক্তিরই আর এক দিক। বোধ হয় অগ্রাধিকার পাওয়া উচিত এইটিরই। কারণ যারা

দুস্থ, অপুষ্টিতে ভোগে, চিন্তার ক্ষমতাও তাদের লুপ্ত হতে বসে। এই অক্ষমতাকে মুক্তির সঙ্গে এক করে দেখা ঠিক নয়। রবীন্দ্রনাথও সেভাবে দেখেননি। তাঁর অসংখ্য রচনায় প্রমাণ মেলে তার। তাঁর কর্মসাধনাতেও বিশেষ করে পল্লি উন্নয়ন উদ্যোগে এর সাক্ষ্য মেলে। 'দিবে আর নিবে, মিলাবে মিলিবে যাবে না ফিরে" — এ তো তাঁরই কথা। ভাবের ঘরে যেমন, ভাবের হাটেও তেমন তা খেটে যায়। একইরকম সাড়া জাগায়। তবে তারপরেও নেশনের যৌক্তিক কাঠামোর সঙ্গে তিনি একে মেলাননি।

অবশ্য অস্বীকার করার কোনো উপায় নেই, এই ছকের ভেতরে দ্বন্দ্বের বীজও থেকে যায়। বাস্তবে তা থেকে বিরোধ বিশাল আকারে ফুটে উঠে বিস্ফোরিত হয়েছে বার বার। অনেক ধ্বংসের তা কারণ হয়েছে। অসহায় মানুষের দুঃখ-কষ্ট-বিপন্নতা বাড়িয়ে চলেছে। বাজারের প্রতিযোগিতায় সবাই সমান সুযোগ পাবে এর কোনো নিশ্চয়তা নেই। প্রাথমিক অবস্থাতেই বৈষম্য জাঁকিয়ে বসে থাকতে পারে। খোলাবাজার দুর্বলকে কোনো ছাড় দেয় না। যে সবল, সে আটঘাট বেঁধে নামতে পারে। বাজারের বিধিবিধানও সে নিজের অনুকূলে নিয়ে নেয়। দুর্বলের মাথা তোলার অবস্থা আর থাকে না। বৈষম্য বাড়ে। ক্ষমতার মানদণ্ডে ছোটো-বড়োর প্রভেদ আরও প্রকট হতে থাকে। অন্যায় সর্বব্যাপ্ত হবার সুযোগ পায়। দ্বন্দ্বের মূল একটা চাপা থাকে এখানে। বৃহৎ শক্তির দাপট মেনে নিলে কোনো ঝামেলা থাকে না। কিন্তু সেটা কি কাম্য? অতীতে কোনো প্রতাপশালী রাজার সাম্রাজ্য বিস্তারের ব্যাপারটা ছিল এইরকম। পরাভূত জনপদের মানুষ কে রাজা তা নিয়ে মাথা না ঘামিয়ে মায়াময় সংসারচিন্তা অতিক্রম করে বৈরাগ্য সাধনায় হয়তো সান্ত্বনা খুঁজে পেত। অপার্থিব সার্থকতাও হয়তো কারও কারও মিলত। কিন্তু এটা কি ভালো? এমন শান্তিই কি আমরা চাই? নাকি ওই দ্বন্দ্বকেই তীব্রতর করে সেখান থেকে সমাধান খোঁজার চেষ্টা করি? সহায়সম্বল সংগতির কথা মাথায় রেখে আপন অর্থনৈতিক বন্দোবস্তের চারপাশে বাধার প্রাচীর তুলতেই পারে। সংরক্ষণশীলতা সেখানে শুধু আত্মরক্ষার নয়, আত্মোন্নতিরও উপায়। অবশ্য জ্ঞান ও প্রযুক্তি যদি ঠিকঠাক আয়ত্তে থাকে, তবেই। জাতীয়তাবোধ এখানে সমূহ অন্যায়ের বিরুদ্ধে প্রতিরোধ খাড়া করায় সহায় হয়। এমনকী আরও বিস্তারিতভাবে ঔপনিবেশিকতার বিরুদ্ধে সংগ্রামেও পরাধীন দেশের সব মানুষের জাতীয়তাবোধ প্রথম অবলম্বন এবং প্রধানও বটে। আজ লক্ষ করি, র‍্যাডিক্যাল ভাবাদর্শের নামে চিন্তাজগতের অনেক মহারথী বিশেষ করে দুর্বল ও উন্নয়নশীল দেশগুলোতে, নেশন-স্টেট যে কত ক্ষতিকর, এইটি বুঝিয়ে তা ভেঙে ফেলার নানা ফন্দিফিকির খাড়া করছেন। বিপ্লবের নামে অনেক সন্ত্রাসী কর্মকাণ্ডেও উসকোনি দিচ্ছেন। পৃথিবীতে জাতি-রাষ্ট্রের পরিচালনায় ব্যর্থতার নজির কম নয়। কিন্তু রাষ্ট্রকে ভেঙে টুকরো টুকরো করে ছড়িয়ে দিয়ে আদিম গোত্রনির্ভর আত্মপরিচয়ের ক্ষুদ্র ক্ষুদ্র প্রকোষ্ঠে অধিবাসীদের পুনর্বাসিত করলে তাদের জীবনকুশলতা কতটা সমৃদ্ধ হবে। এবং কল্যাণই-বা কতটা বাড়বে, তা নিয়ে কেউ মাথা ঘামান বলে মনে হয় না। আন্দামানের বিলুপ্তপ্রায় মানব প্রজাতি অথবা মালয়ের জঙ্গলে এখনও দেখা পাওয়া আদি নরগোষ্ঠী এরা অনেকেই মনে রোমান্টিক ভাবাবেগ জাগায় সন্দেহ নেই, কিন্তু সেই জীবনে ফিরে যাবার ভাবালুতা মানবসভ্যতার সমূহ অর্জনকে অস্বীকার করারই নামান্তর।

রবীন্দ্রনাথের তাতে সায় ছিল না কোনোদিনই এবং এখন যেভাবে চিন্তা করা বাস্তবসম্মতও নয়। আধুনিক জীবনের হালচাল বজায় রেখে নেশন-স্টেট ভেঙে ফেললে লাভ কিন্তু আন্তর্জাতিক অঙ্গনে পুঁজি-প্রযুক্তির অমিত শক্তিধর প্রায় একচেটিয়া মালিকদের। তাদের প্রতিহত করতে পারে এমন শক্তি বা প্রতিষ্ঠান তাহলে কোথাও থাকে না। আপন আপন উদ্যোগের অসংখ্য শাখা অবাধে খুলে ওই অঞ্চলের সবটাই তারা নিজেদের নিয়ন্ত্রণে নিয়ে নিতে পারে। দক্ষ জনশক্তি সেখানে গড়ে উঠলে তারা উচ্চ বেতনভুক কর্মকর্তা-কর্মচারী হয়ে নিশ্চিন্তে দিনগুজরানের সুযোগ হয়তো পায়। আর স্বাধীন র‍্যাডিক্যাল চিন্তাবিদেরা সুযোগ পায় মৃণালভোজী হয়ে বুঁদ হয়ে পড়ে থেকে বহুজাতিক কর্মকাণ্ডের বিবিধ সেবা পাবার। মানুষের উজ্জীবনের এটাই প্রকৃষ্ট উপায় কি না, এ প্রশ্ন করা বোধ হয় অন্যায় নয়।

আরও একটা বিষয় আমাদের নজর কাড়ে। নেশন-স্টেট তত্ত্বগতভাবে গণতন্ত্রের সঙ্গেই সবচেয়ে বেশি খাপ খায়। আগেই বলেছি, রাষ্ট্র ব্যবস্থা এখানে রাজনির্ভর নয়, জনগণনির্ভর। সবাই মিলে একজাতি। এই জাতির সংহতি গড়ে ওঠে জনগণের একত্ববোধে। সার্বিক একান্তবোধেরই প্রতিফলন ঘটে তাতে। তার মানে এ নয়, সবাই একই ভাববে একইরকম কাজ করবে, একইভাবে চলবে। একত্ববোধ রাষ্ট্রকে অবলম্বন করে। তার সঙ্গে প্রত্যেকের একই সম্পর্ক। এবং সেই সূত্রে সেই প্রেক্ষাপটে প্রত্যেকের সঙ্গে প্রত্যেকের ঐক্যবোধ। এরই ভিত্তিতে রাষ্ট্রের কাছে সবার মূল্যমান সমান। এবং রাষ্ট্রকে কার্যকর রাখায় মৌলিক দায়িত্বও সবার এক। কোনো রাজা বা কোনো একনায়ক সবার কর্তৃত্ব নিজের হাতে নিয়ে দেশ শাসন করলে তা আর নেশন-স্টেট বা জাতিরাষ্ট্র থাকে না। কিন্তু জনগণ এই রাষ্ট্র ব্যবস্থায় তাদের অংশীদারিত্ব ও অধিকার প্রতিষ্ঠা করে কীভাবে? সবাই একভাবে চিন্তা করে না। পছন্দ-অপছন্দও সবার একরকম নয়। সব প্রাপ্তবয়স্ক চিন্তা ও কর্মক্ষম নরনারীর মতামতের, তাদের পছন্দ-অপছন্দের আপেক্ষিক মূল্য মেনে যদি রাষ্ট্রক্ষমতার পরিচালনা ও তার বিন্যাস নির্ধারিত হয়, তবে তাতেই জনগণের, এবং সেই অর্থে গোটা জাতির ইচ্ছার প্রকাশ একভাবে ঘটে। অন্য কোনোভাবে জনগণ এ বিষয়ে তাদের অংশীদারিত্বকে একইবাবে কার্যকর করতে পারে না। জাতীয় সিদ্ধান্তে প্রতিফলনও তাতে হয় না। তাই নেশন-স্টেটের বেলায় গণতন্ত্র ছাড়া অন্য যেকোনো রাষ্ট্র পরিচালনা ব্যবস্থাই তার আপন প্রত্যয়ভূমিকে খণ্ডন করে এটা ঠিক। বাস্তবে অনেক জাতীয়তাবাদী রাষ্ট্র অথবা জাতীয়তাবাদী সংগঠন গণতন্ত্রের তোয়াক্কা করে না। এখানে তারা নিজেরাই নিজেদের মাথা কেটে ছিন্নমস্তা হয়ে নগ্ন নৃত্যের বীভৎসতা দেখায়। এই আচরণ অতীত স্মৃতি থেকে উঠে আসা। নেশন-স্টেটের এ চরিত্রলক্ষণ নয়। কোথাও কোথাও অনেক দুঃখ সয়ে অনেক মূল্য দিয়ে জনগণ বিষয়টি বুঝতে পারে। তার আগে চাওয়া-পাওয়ার সংঘাত বাস্তবকে দুর্বিষহ করে তুলতে পারে। করেও তাই। তার কদর্য রূপ রবীন্দ্রনাথকে বিচলিত করেছে। তবে তা থেকে বেরিয়ে আসাতেই নেশন-স্টেটের আত্মস্বরূপ পূর্ণতা পায়। গণতন্ত্রে রবীন্দ্রনাথের স্বতঃস্ফূর্ত সমর্থন ছিল। 'আমরা সবাই রাজা আমাদের এই রাজার রাজত্বে'— এ তো তাঁরই লেখা। তবে ওই গণতন্ত্রের বাস্তব নির্মাণকলা কী ও কেমন, জনগণকে তা কী দিতে অঙ্গীকারবদ্ধ, জনগণেরই-বা দায়বদ্ধতা কোথায়, রাষ্ট্রের কর

কাঠামো কোনো নীতির উপর দাঁড়ায়— এসব নিয়ে তিনি গভীরভাবে চিন্তা করেছেন, এমনটি মনে হয় না। আসলে তাঁর তো কোনো আপন রাষ্ট্র ছিল না। গোটা জীবন কেটেছে পরাধীন ভারতে। ঔপনিবেশিক সরকারের আচার-আচরণ তাঁকে ক্ষুব্ধ করেছে। পরিণামে যেকোনো রাষ্ট্রশক্তিকেই তিনি সন্দেহের চোখে দেখেছেন। তাঁর আরও মনে হয়েছে, ভারতবর্ষের স্থায়ী গৌরব যেখানে যাদের নিয়ে, সেখানে তাদের কীর্তি রাষ্ট্রনিরপেক্ষ; রাষ্ট্রের কর্মকাণ্ড তাদের স্পর্শ করে না। অতএব, রাষ্ট্রকে পাশ কাটিয়ে জীবনে সার্থক হওয়া সম্ভব। মানুষে মানুষে সৌহার্দ্য ও সম্প্রীতিও গড়ে উঠতে পারে সেভাবে। গ্রামীণ সমাজে পরস্পরের ঘনিষ্ঠতা ও আত্মীয়তাবন্ধন সেখানে মানববিশ্বে জীবনচর্চার মডেল হয়ে উঠতে পারে। কিন্তু প্রযুক্তিবিপ্লব উৎপাদন ব্যবস্থাকে যেভাবে পালটে দেয়, তাতে ওই গ্রামীণ ছক আর পুরো বাস্তবসম্মত থাকে না। বৃহত্তর প্রেক্ষাপটে, বিকল্প কাঠামোর কথা ভাবতেই হয়। সেখানে জাতীয়তাবাদের প্রকল্প বিশেষ প্রাসঙ্গিক হয়ে ওঠে। রবীন্দ্রনাথ যে জাতীয়তাবাদকে দেখেছিলেন সাম্রাজ্যবাদের আগ্রাসী চেহারায়, এতে তাঁর মন বিষিয়ে ওঠা স্বাভাবিক। তবে সাম্রাজ্যবাদকে ঠেকাতে হলেও চাই পালটা জাতীয়তাবাদী উত্থান। তাতে এতটুকু অন্তত বোঝা যায় যে সাম্রাজ্যবাদ জাতীয়তাবাদের আবশ্যিক অনুষঙ্গী নয়। উভয়ের পশ্চাৎভূমি ও ভিত্তিভূমি আলাদা। পারস্পরিক টানে এক জায়গায় তারা মিলে যেতে পারে। সমাজ-মানুষের অসতর্কতাও সেখানে একটা ভূমিকা রাখে। জাতীয়তাবাদকেও অতিক্রম করার তাত্ত্বিক ছক একটা পাই সমাজবাদের ধারণায়। প্রায়োগিক ছকও। কিন্তু সমাজতান্ত্রিক ব্যবস্থার অভিজ্ঞতা থেকে তার সমস্যা ও সীমাবদ্ধতাও কিছু কিছু আমাদের কাছে ধরা পড়েছে। প্রশাসনিক কাঠামো ও মানুষের মৌলিক স্বাধীনতা নিয়ে গুরুতর প্রশ্ন একটা আছে। এ ছাড়া মানুষ তার চিন্তায় ও কাজে আপন পরিচয়ের সীমা স্বভাবসিদ্ধভাবে কতদূর প্রসারিত করতে পারে, সে নিয়ে কোনো নিশ্চিত মীমাংসায় পৌঁছুনো এখনও সম্ভব হয়েছে বলে মনে হয় না। স্থান ও কালের প্রভাব সব জায়গায় একই সময়ে একইরকম নয়। জীবনযাপনের ধরনধারণে অনেক বৈচিত্র্য। অনেক বৈপরীত্য। ইতিহাসের ধারায় সমাজ-সংস্কৃতির চেহারা এক এক জায়গায় এক এক রকম। আরও বেশি গুরুত্ব পায় কাজে শ্রম নিয়োগের প্রকৃতি। মোটেও তা সমজাতীয় নয়। এখানে হুকুম দিয়ে আপন-পর ভেদাভেদ সব ঘুচিয়ে দেওয়া যাবে, এতটা আশা করা কি যৌক্তিক? সমাজতান্ত্রিক বিপ্লব যখন যেখানে ঘটেছে, সব জায়গাতেই তার পেছনে স্থানিক বাস্তবতার চাপ কাজ করেছে। জাতীয় চেতনার মিশ্রণ তাতে প্রেরণা জুগিয়েছে। বিপ্লবের পরেও আপন-পর সীমারেখা ঘোচেনি। সমাজতান্ত্রিক বিশ্ব ভেঙে পড়লে আবার তা স্পষ্ট হয়ে উঠেছে। পরিচয়ের এই সীমা হয়তো ক্রমশ দূরে সরতে সরতে এবং ধীরে ধীরে মুছে যেতে যেতে একসময় তার তাৎপর্য হারাবে। সেখানে প্রধান ভূমিকায় চলে আসে দূর সঞ্চারে বিপ্লব। উৎপাদন প্রক্রিয়ার আন্তর্জাতিকীকরণ ও দেশে দেশে মানুষে মানুষে যোগাযোগের ও চলাচলের ক্রমবিস্তার। হয়তো তখনই রবীন্দ্রনাথ বেশি প্রাসঙ্গিক হয়ে উঠবেন। তাঁর লেখা যদি সেদিন মানুষ পড়ে, তবুও।

আরও একটা বিষয় আমাদের দৃষ্টি আকর্ষণ করে। ভারতবর্ষের যে ভাবরূপ রবীন্দ্রনাথকে আবিষ্ট করে রাখে, তাতে প্রধান হয়ে ওঠে মানুষের সত্য ও সুন্দরের সাধনা। তাদের উপলব্ধি পূর্ণতা

পেলে চিত্তের প্রসার ঘটে। আপন-পর ভেদ অবাস্তব হয়ে যায়। ভারতভূমি নিজেকে বিশিষ্ট করে এই সাধনার গৌরবে। এখানে কে কোথায় কখন রাজা হল, এ বিষয়টি তেমন গুরুত্ব পায় না। ইহা জাগতিক স্বার্থচিন্তাকে অতিক্রম করেই মানুষ তার শ্রেয়কে লাভ করতে পারে। সেই পারাতেই তার সত্যিকারের সার্থকতা এই ভাবনা যে ভ্রান্ত একথা বলা যায় না। তবে এ অসম্পূর্ণ। এবং এই অসম্পূর্ণতা আত্মপরিচয়ের নির্মাণে অনিবার্য বিভ্রান্তির সৃষ্টি করে। রাষ্ট্রভাবনা ভারতে উপনিষদের মতোই প্রাচীন। কৌটিল্যের 'অর্থশাস্ত্র' সমাজ অর্থনীতি-রাজনীতির ওপর রচিত এক অসামান্য ধ্রুপদি গ্রন্থ। লোকায়ত দর্শনের প্রবক্তারা বিশুদ্ধ ইহবাদী। রামায়ণে পাই রামচন্দ্রের সীতা বিসর্জনে ব্যক্তিগত ও সামাজিক ন্যায়নীতির দ্বন্দ্ব সংকট। আজও তা অমীমাংসিত। মহাভারত তো স্পষ্টতই রাজ্য নিয়ে মারামারি অকরুণ কাহিনি। বেদে-উপনিষদেও আছে ইহজাগতিক চিন্তা এবং তা মৃত্তিকাসংলগ্ন মানুষের জীবনের বার্তা সম্বল করেই। এসব নিয়ে প্রাচীন ভারতবর্ষের সামগ্রিক চিত্রভাষ্য রবীন্দ্রনাথের চেতনায় যা ধরা পড়ে, তাতে আবদ্ধ থাকে না। পার্থিব জীবনের অনেক বিব্রতকর প্রশ্নও তা হাজির করে। তাদের সামনে নিয়ে অগ্রসর হলে জাতীয়তাবাদ নিয়ে সমস্যার সমাধান হয়তো মেলে না, কিন্তু তার মাত্রাগুলো এবং তাদের গুরুত্ব অনেকখানি স্পষ্ট হয়। এও মনে রাখা দরকার, ভারতবর্ষের ইতিহাসের একটা ধারাবাহিকতা আছে। প্রাচীন ভারতেই তার কীর্তিকাহিনির শেষ নয়। বাবর, শেরশাহ আকবর— এঁরা রাজপুরুষই শুধু ছিলেন না, যুগপুরুষও ছিলেন। তাঁদের ভাবনাচিন্তার সফলতা-বিফলতার রেশ গোটা উপমহাদেশে সাধারণ মানুষের জীবনযাপনের দৈনন্দিন কর্মপ্রবাহে ছড়ায়। রাজ্যশাসন প্রক্রিয়া ও গণমানুষের সংসারযাত্রা একেবারে পরস্পর বিচ্ছিন্ন থাকে না। মানুষ যে তার পরেও রাষ্ট্রবিমুখ থাকে, তাতে তার কল্যাণ বাড়ে না।

এবার তাহলে আমরা আমাদের শুরুর প্রশ্নে ফিরে যাই। যে, রবীন্দ্রনাথ ছিলেন জাতীয়তাবাদ প্রশ্নে ভীষণরকম বিমুখ এবং ওই জাতীয়তাবাদ যাঁর মনে হয়েছিল এক মূর্তিমান অরুচিকর অকল্যাণ, তাঁরই লেখা গান জাতীয় সংগীত হল পাশাপাশি দুই দেশে। এ কি আবেগতাড়িত প্রমাদ, অথবা উদাসীন কাণ্ডজ্ঞানহীনতা, না কি এই গান দুটোতেও আছে শুশ্রূষার বিশল্যকরণী, কালের হাতে মার-খাওয়া বেদনাবিক্ষুব্ধ জনসমুদয় দু-দেশেই যাতে শান্তি পায়, শুচিস্নিগ্ধ মনে সামনের দিকে তাকাতে পারে? বিষয়টি ভেবে দেখতে হয়।

রবীন্দ্রনাথের কাছে জাতীয়তাবাদ যথেষ্ট শ্রদ্ধেয় না হলেও দেশপ্রেমে তাঁর কমতি ছিল না। তাঁর কর্মসাধনার প্রায় সবটাই জুড়ে ছিল স্বদেশ। তার কল্যাণ ও মুক্তির নানা আয়োজনে নিজেকে তিনি উজাড় করে ঢেলে দেন। 'তেন ত্যক্তেন ভূঞ্জীয়া মা গৃধঃ কস্য স্বিদ্ধনম্' — ত্যাগেই সুখ, লোভ কোরো না, ধন কারও নয়— উপনিষদে এই বাণীকে তিনি জীবনের ব্রতে মিশিয়ে দিয়েছিলেন, এবং তা নিবেদন করেছিলেন স্বদেশেরই হিত কামনায়। নিঃস্ব হতে চেয়েছিলেন, নিঃস্বই হয়েছিলেন তিনি পল্লি উন্নয়নেও বিশ্বভারতী উদ্যোগে নিজের সহায়সম্বল সব নিয়োগ করে। তাও যথেষ্ট হয়নি। ধার করেছেন। ভিক্ষার ঝুলি নিয়ে পাশ্চাত্যে দেশে দেশে ঘুরেছেন। ব্রত থেকে

কখনো ভ্রষ্ট হননি। গীতবিতানে স্বদেশ পর্যায়ের গানগুলোতে ধরা আছে তার ভাবরূপ। নানা সময়ে নানা দিক থেকে চিন্তার বা ঘটনার নানা অভিঘাতে তাদের সৃষ্টি। তার ছাপ থাকে তাদের শরীরে। ধরাও পড়ে তাদের সুরে। বৈচিত্র্যের অভাব নেই তাতে। কিন্তু আন্তরিকতায় কোথাও কোনো ফাঁক আছে মনে হয় না। এটা ঠিক, পরিস্থিতির প্রভাব প্রবলভাবে আছে বেশিরভাগ গানে। বিশেষ করে বঙ্গভঙ্গ রদ আন্দোলনের পর্বে লেখা গানগুলোতে। অনুরোধে লেখা গানও আছে কিন্তু কালের আহ্বান থাকে, তবে কবি তাতে সাড়া দেন। সাড়া দেন তাঁর মতো করে। তা কিন্তু একান্ত ব্যক্তিগত থাকে না। তা সমষ্টির ভাব আত্মস্থ করে। একক কণ্ঠে অযুত কণ্ঠের বাণী উচ্চারিত হতে থাকে। তাই বলে তা শুধু দূতিয়ালি নয়। নিজে কেবল সাক্ষীগোপাল, সবার মুখপাত্র, অথচ স্বয়ং নির্লিপ্ত; এমন ভূমিকায় তিনি কখনোই নামেন না। ফরমায়েশি রচনাতেও তাঁর নিজের মনের প্রতিধ্বনি বাজে এবং যা তাঁর কাছে সত্য তার বিপরীতে একটি বাক্যও তিনি লেখেন না। এক পা-ও হাঁটেন না। আর সবার বিরাগভাজন যদি হতে হয় তাতে তবু। গণধিক্কারের ঝুঁকি নিয়ে উত্তাল জনমতের বিপরীতে দাঁড়িয়ে তিনি *ঘরে-বাইরে* লেখেন, *চার-অধ্যায়* লেখেন। দেশপ্রেম তাঁর কম ছিল বলে নয়, রাজশক্তির দাক্ষিণ্য পাবার লোভেও নয়। তরলিত জনমতের সঙ্গে তাঁর মিল হয়নি। এটা আপন দেশপ্রেমে স্থির থেকেই স্পষ্ট করে জানিয়ে দেবার জন্য। তাঁর কাছে এর প্রয়োজন ছিল। কারণ, তা নইলে 'মৌনংসম্মতি লক্ষণং' ধরে নিয়ে তাঁকেও সবাই হিংসাশ্রয়ী হঠকারী আন্দোলনের প্রতি সহানুভূতিশীল মনে করতে পারত। সাময়িক জনপ্রিয়তার প্রলোভনে তিনি তাঁর সারা জীবনের শ্রেয়োবোধ থেকে স্খলিত হতে প্রস্তুত ছিলেন না। একের সঙ্গে অনেকের যোগসূত্রে রচনায় ব্যক্তির ন্যায়-অন্যায় শুভ-অশুভ-মূল্যচেতনাকে তিনি সমষ্টির উদ্দেশ্যসাধনের লক্ষ্যে গৌণ অথবা অপ্রাসঙ্গিক মনে করেননি; বরং ব্যক্তির মূল্যমানকে আরও উন্নত, আরও কঠিন ও শুচিস্নিগ্ধ, আরও নৈর্ব্যক্তিক ও সার্বিক কল্যাণমুখী করে ওই আত্মস্বার্থবোধমুক্ত জায়গা থেকে স্বদেশের সমগ্র রূপের আরাধনার কথা ভেবেছেন। ওই সমগ্রতার সব মানুষকে নিয়ে তবে শুধু মানুষই নয়, তার নিসর্গ ও ভূপ্রকৃতি, তার ইতিহাসের ধারা এবং ওই ধারায় বিশ্বের সঙ্গে যোগাযোগ, এসবও তাতে একসঙ্গে মিশে একাকার। তা প্রাণবান, চলমান, গ্রহণে-বর্জনে সতত ক্রিয়াশীল। এই যে অখণ্ড প্রাণসত্তা তার ধ্যান, তার বন্দনা প্রধান হয়ে ওঠে তাঁর স্বদেশ পর্যায়ের গানে। কিন্তু খেয়াল করি অধিকাংশ গানই একক কণ্ঠে আবেদন একবচনের, বহুবচনের মিলিত কণ্ঠের নয়। এবং স্বদেশমাতৃকার প্রতিমাও এক পরিপূর্ণ সত্তা। অন্তর্নিহিত কথোপকথন একের সঙ্গে একের বহুজনের উপস্থিতি যে কোথাও টের পাওয়া যায় না, তা নয়। একের সঙ্গে একের সম্পর্কে তা ভারসাম্য বজায় রাখে। তবে মুখপাত্র অথবা বিষয়-মাধ্যম একজনই। এটা এরকম প্রায় সব গানে। কিছু উদাহরণ দিই—এক, ও আমার দেশের মাটি, তোমার পরে ঠেকাই মাথা; দুই, যদি তোর ডাক শুনে কেউ না আসে তবে একলা চলো রে; তিন, এবার তোর মরা গাঙে বান এসেছে, 'জয় মা' বলে ভাসা তরী; চার, আমি ভয় করব না ভয় করব না; পাঁচ, সংকোচের বিহ্বলতা নিজেরে অপমান; ছয়, জানি জানি তোর বন্ধন ডোর ছিঁড়ে যাবে বার বার; সাত, হে মোর চিত্ত পূণ্য তীর্থে

জাগো রে ধীরে; আট, যে তোমায় ছাড়ে ছাড়ুক, আমি তোমায় ছাড়ব না মা; নয়, বুক বেঁধে তুই দাঁড়া দেখি, বারে বারে হেলিসনে ভাই; দশ, ব্যর্থ প্রাণের আবর্জনা পুড়িয়ে ফেলে আগুন জ্বালো। একলা রাতের অন্ধকারে আমি চাই পথের আলো; এগারো, সার্থক জনম আমার জন্মেছি এই দেশে। বেশিরভাগই অসাধারণ স্মরণীয় গান। পুরোনো হয় না, এখনও শতকণ্ঠে সবাই গায়। আমাদের প্রেরণা জোগায়। বহুবাচনিক গান যে এখানে নেই, তা নয়। যেমন— এক, ওদের বাঁধন যতই শক্ত হবে ততই বাঁধন টুটবে, মোদের ততই বাঁধন টুটবে; দুই আমাদের যাত্রা হলো শুরু। তবে সংখ্যায় এরা গুটিকয়। পরিসংখ্যানের হিসাবে গণ্যও হয়। অবশ্য তাদের অনুরণনও কানে বেজে চলে।

তারপরেও এটা বলা যায় বোধ হয়, কথা যেখানে একবচনে সেইখানেই রবীন্দ্রনাথের স্বাভাবিক ঝোঁক। এটা আকস্মিক বা অবিবেচনাপ্রসূত বলে মনে হয় না। তাঁর অভিপ্রায়ের গূঢ় 'ইঙ্গিতও বুঝি মেলে এখানে। ব্যক্তি তার আত্মশক্তিতে বলিয়ান হয়ে সমগ্রের— এখানে স্বদেশের মুক্তির ও কল্যাণের বিকাশমান রূপের সার্থক বাস্তবায়নে নিজেকে নিঃশর্ত সমর্পণ করে নির্ভয়ে এগিয়ে যাবে (কানে বাজে, 'শুভ কর্মপথে ধর নির্ভয় গান') এই বোধ হয় তিনি চান। এবং একজন নয়, প্রত্যেকে। ফলে প্রত্যেকের চেতনায় একই আলো জ্বলে উঠবে। এক মশাল থেকে আর এক মশালে আগুনের পরশমণি ছড়িয়ে পড়বে। কোনো ভেদাভেদ থাকবে না। প্রত্যেকের মুক্তিকামনায় সর্বজনের মুক্তিকামনার ঐক্যবন্ধন তৈরি হয়ে (আমার মুক্তি সর্বজনের মনের মাঝে)। এইসব গান তাই বিশেষ একজনের নয়, প্রত্যেক একজনের, এবং তাতে সব স্বদেশবাসীর কাছেও সেই সূত্রে ভিন্ন ভিন্ন স্বদেশের প্রতিজনের কাছে একইভাবে পৌঁছোয়। সবাই একসঙ্গে কণ্ঠ মেলায়, অন্তত মেলাতে গিয়ে ভাবের ঘরে ফাঁকি দেবার প্রশ্ন ওঠে না। এটা সহজেই ধরা পড়ে যখন 'যদি তোর ডাক শুনে কেউ না আসে তবে একলা চলো রে'— এই গানটি সবাই মিলে গায়। আপাতদৃষ্টে কেবল একক ব্যক্তিচৈতন্যের পটাকাশেই এর সার্বিক আবেদন। কিন্তু সত্যিই কি তাই? একলা চলার পেছনে কি অনেকের অনুসরণের প্রত্যাশাও থাকে না? একা নির্জনতায় নিমগ্ন হবার গান এ নয়, জনসমুদ্রে মিশে যাবার আহ্বানই বরং এতে বাজে। এবং মিশে থাকে তাতে সৎ ও কল্যাণের পথে 'আপন বুকের পাঁজর জ্বালিয়ে নিয়ে'-ও এগিয়ে যাবার শপথ। প্রত্যেকের মনে যদিও এ প্রেরণা সঞ্চারিত হয়, তবে 'একলা' আর 'একলা' থাকে না। সমগ্র স্বদেশে তার প্রতিধ্বনি ছড়ায়।

এই স্বদেশ কিন্তু কালবিচ্ছিন্ন নয়, বাইরের বিশ্বজগৎ থেকেও বিচ্ছিন্ন নয়, অতীতকে সে ভোলে না, কিন্তু অতীতেই আটক থাকে না। শুধুই অতীতে পড়ে থাকা মানে জীবন থেকেও মুখ ফিরিয়ে রাখা। সেখান থেকে উঠে আসার আহ্বানই জানান তিনি স্বদেশবাসীকে তাঁর বিস্তারমান স্বদেশভূমিতে। 'জড়তার জর্জর বন্ধে' অবরুদ্ধ না থেকে 'দুর্জয় প্রাণের আনন্দে' 'বিঘ্ন-বিপদ জয়ী মনোরথে' 'মুক্তিপথে' চলার উৎসাহ জোগায় তাঁর গান। এই মুক্তি কেবল নিজের জন্য নয়। নিজেকে অতিক্রম করেও। স্বদেশভাবনা তাই স্বদেশকে ছাড়িয়ে যায়। বিদেশের কল্যাণভাবনা ও প্রায়োগিক জ্ঞানও সঞ্চারিত হয় স্বদেশমুক্তির চিন্তায়। এইভাবে অন্নদাশঙ্কর রায় যেমন বলে,

স্বদেশকে মেলাতে চান তিনি স্বকালে, যাত প্রাণস্রোত তিনি দেখেন, প্রবলভাবে বয়ে চলে বাইরে। স্বদেশ এতে পূর্ণতা পায়। সক্ষমতাও তার বাড়ে। তাঁর গানে এই বার্তার অন্তর্নিহিত সুরটাও আমরা শুনি। গতানুগতিক জাতীয়তাবাদের চারপাশে টানা খণ্ডির গণ্ডি এখানে নেই। অন্তর্জালও তার তুচ্ছ হয়ে যায়। অবাধ মুক্তির আকৃতি জাতীয় চেতনায় মেশে।

এই স্বদেশ-পর্বের গান থেকেই বাছা হয়েছে বাংলাদেশ ও ভারতের জাতীয় সংগীত। কেমন করে একজনের লেখা দু-দেশের জাতীয় সংগীত হয়, এ প্রশ্ন আমরা শুরুতে তুলেছি। কিন্তু তাঁর চেতনায় স্বদেশের যে ধারণা স্পষ্ট হয়েছে তা এখন বিবেচনা করলে এটা আর অস্বাভাবিক মনে হয় না। অসংগতও না। তাঁর পায়ের তলার মাটি থেকে ইতিহাস ও সংস্কৃতির ধারাবাহিকতা তাদের মিশ্র অবিচ্ছিন্নতা যতদূর তাকে প্রসারিত করে, ততদূর তাঁর স্বদেশ। এবং তার সীমাও দেয়ালঘেরা নয়। তাই বাংলা মায়ের বন্দনা যখন তাঁর গানের সুরে প্রাণ পায় তা যেমন খাঁটি, গোটা ভারতের ভাবরূপ যখন তিনি জাগিয়ে তোলেন, তখন তা-ও তেমনি খাঁটি। গোটা ভারতের ভাবরূপ যখন তিনি জাগিয়ে তো লেন, তাও তেমনি খাঁটি। কোনো স্ববিরোধ ঘটে বলে মনে করার মতো যুক্তি কিছু টেকে না। চোখ ও মন কোথায় কখন স্থির হয়ে পড়ছে সেইটিই দেখবার' যে শান্তিবানী উচ্চারণ করে উপনিষদ পাঠ তিনি শুরু করেন, 'ওঁ পূর্ণমদঃ পূর্ণামিদং পূর্ণাৎ পুর্নমুদচ্যতে'— ওটা পূর্ণ, এটাও পূর্ণ, পূর্ণ থেকেই পূর্ণের উদ্ভব, 'পূর্ণস্য পূর্ণ মাদায় পূর্ণমেবাবশিষ্যতে'— পূর্ণ থেকে পূর্ণবাদ গেলে পূর্ণ অবশিষ্ট থাকে— তার ভাবের সঙ্গে তাঁর স্বদেশের এই উপলব্ধি একই সমলয়ে এসে পুরোপুরি মিলে যায়। কিন্তু মিললেই কি জাতীয় সংগীত হতে হবে? তিনি তো এদের তাঁর ধারণায় জাতীয় সংগীতে পর্যায়ে ফেলেননি। গান দুটো তাহলে খুঁটিয়ে দেখতে হয়।

'আমার সোনার বাংলা, আমি তোমায় ভালোবাসি।' কোনো উদ্দীপক গান নয়। কথায় বা সুরে এমন কিছু নেই যাতে মন উত্তেজিত হয়, যা সংঘবদ্ধ উদ্যোগে জনসমষ্টিকে সাহস ও ভরসা জোগায়। এ গান শুনে রক্ত গরম হয় না, অহংকারও জাগে না— আত্মগৌরবে বুক ফুলে ওঠে না। আছে কেবল এক সরল অকৃত্রিম স্বীকারোক্তি, 'তোমায় ভালোবাসি'। আর সেই ভালোবাসারই সহজ অনাবিল উচ্চারণ 'চিরদিন তোমার আকাশ বাতাস আমার প্রাণে বাজায় বাঁশি' বা 'ওমা, ফাল্গুনে তোর আমের বনে ঘ্রাণে পাগল করে' কিংবা 'অঘ্রাণে তোর ভরা ক্ষেতে আমি কী দেখেছি মধুর হাসি'। আবার একটু পরেই খুবই অসহায় খুবই কাতর, কিন্তু খুবই নীচুগলায় আপন দুঃখের আপন বিপন্নতার নিরাবরণ অসংস্কৃতি সত্য বয়ান, 'মা তোর বদনখানি মলিন হলে, ওমা আমি নয়ন জলে ভাসি'। বাংলার এ গানের প্রাণপ্রতিমা। এবং তাতে আতিশয্য নেই এতটুকু। সহজ ও অনাড়ম্বর। ঠিক মা যেমন, তেমন। প্রতিটি বাঙালি চেতনায় তা একইভাবে ঘা দেয়। তা প্রত্যেকের এবং সে-কারণে সবার অনুভব ফুটিয়ে তোলে। সর্বজনীন হয়। আরও দেখবার, রবীন্দ্রনাথ এখানে সব বাঙালির মনোজগতে নিজেকে সঞ্চারিত করেন না, বরং তার উলটোটাই করেন। নিজের মনের কথা আলাদা করে নয়। চারপাশে আর সবার মনের কথা তাদের মতো করে তিনি বলেন। তাতে তাঁর আত্মপুরুষও মিশে যায়। সবার মনে হতে পারে তাদের অজান্তেও, প্রকৃতি ও পরিবেশের বিশেষ পরিমণ্ডলে জীবনযাপনের অভিজ্ঞতায় স্থায়ী ভাবপুঞ্জের রসায়নে যে ছবি

রূপ পায়, প্রাণ পায়, আপন চৈতন্যে তাকে ধারণ করে একটাও বাড়তি আঁচড় না দিয়ে অনাবিল সততায় তিনি তার প্রকাশ ঘটান। প্রতিমার আন্তরসত্তাই পূর্ণ প্রাণের মহিমায় স্পন্দিত হতে থাকে। কিছুই তিনি যোগ করেন না। এমনকী সুরও মাটি থেকেই উঠে আসা। গগন হরকরা যেমন পায়, তিনি তেমনই তা জুড়ে দেন। 'সোনার বাংলা' নিজেই নিজেকে চেনায়। চেনায় তার সন্তানদেরও।

এমন সাদাসিধে নরম সুরের সরল উচ্চারণ যে জাতীয় সংগীতের মর্যাদা পাবার যোগ্য। এমন ভাবার কোনো কারণ আপাতদৃষ্টে খুঁজে পাওয়া ভার। কিন্তু এই সারল্যই তার শক্তি। শুদ্ধ চেতনায় তার আন্তরিকতা নির্ভুল ছাপ ফেলে। কোনোভাবেই তা মুছে ফেলা যায় না। এটা বোঝা গেলে প্রাক্‌মুক্তিযুদ্ধ পর্বে এ দেশের বাঙালির আত্মসচেতনতা জাগরণের সময়। বোঝা গেছে মুক্তিসংগ্রামের দিনগুলোতে তাদের আত্মপ্রতিষ্ঠার সংকল্পে প্রাণ প্রতিষ্ঠায়। কেউ কোনো নির্দেশ দেয়নি। কিন্তু একজনের থেকে অন্যজনের কণ্ঠে সুরে সুরে ধ্বনিত-প্রতিধ্বনিত হতে হতে আপনা থেকে তা হয়ে উঠেছে সবার অবিসংবাদী জাতীয় সংগীত। প্রত্যেক মানুষের হৃদয়তন্ত্রীতে যে সুর নিত্যদিন বাজে, তাই যেন তার অকুণ্ঠ বাণীর ধ্বনিতরঙ্গে সত্য হয়ে ফোটে। বাস্তব জীবনে অন্যায় শোষণ ও অবিচারের প্রেক্ষাপটে গাইতে গেলে আবেগে গলা বুজে আসে। কিন্তু ভালোবাসার প্রতিজ্ঞা আরও দৃঢ় হয়। দেশ স্বাধীন হলে দ্বিতীয় কোনো গানের কথা কারও মনেও আসে না। আনুষ্ঠানিক ঘোষণায় এই গানই আমাদের জাতীয় সংগীতের মর্যাদা পায়।

ভারতের জাতীয় সংগীতের শুরু, 'জনগণমন অধিনায়ক জয় হে, ভারত ভাগ্যবিধাতা'। আগেই বলেছি এটাও স্বদেশ পর্যায়ের গান। রবীন্দ্রনাথের বিচারে জাতীয় ভাবনার গান এটা নয়। কেন নয়, তার উত্তর স্পষ্ট করে এই গানের ভেতরেই আছে। 'পঞ্জাব, সিন্ধু, গুজরাট, মারাঠা, দ্রাবিড়, উৎকল বঙ্গ/বিন্ধ্য হিমাচল, যমুনা, গঙ্গা, উচ্ছলজলধিতরঙ্গ'— কোনো এক জাতি এক ভূপ্রকৃতি-নদনদীর বিস্তারের কথা বলে না। কিন্তু সব মিলে স্বদেশচেতনায় এক স্থান ও কালে জাতির নয়। মানুষে মানুষে পরস্পর সংলগ্নতায় ভাবের ঐক্যে তার স্বভাবসিদ্ধ প্রসারণ। ঐক্যের সীমা ওই স্বদেশেরও সীমা। পাঞ্জাব থেকে বঙ্গ একাধিক অঞ্চলের একাধিক জাতিগোষ্ঠী আপন আপন পরিচয় নিয়েও তাতে একীভূত। সোনার বাংলা স্বদেশ, ভারতও তাঁর স্বদেশ। যৌক্তিক বিরোধ কিছু ঘটে না। কেবল চেতনায় ও পায়ের তলায় স্বদেশভূমি ছড়ায়। রাষ্ট্রনির্মাণের কথা এখানে গুরুত্ব পায় না। 'রাজ্য ভাঙা গড়া' অবিরাম চলে। বজ্র সুকঠিন রাজশক্তিও সন্ধ্যারক্তরাগে লীন হয়। কিন্তু স্বদেশ থেকে যায়। শুধু কাছের জন্মভূমিকে একভাবে দেখা, চেতনায় গড়ে ওঠা ঐক্যভূমিকে আর একভাবে।

এখানেও কিন্তু জাতীয় অহংকারের ধ্বজা ওড়াবার কোনো চেষ্টা নেই। 'হিন্দু, বৌদ্ধ, শিখ, জৈন, পারসিক, মুসলমান, খ্রিস্টান— সবাই 'ভারতভাগ্যবিধাতা'র উদার বাণী শোনে, তার 'শুভ আশিস মাগে'? 'পতন-অভ্যুদয়-বন্ধুর পন্থা'য় 'যুগ যুগ ধাবিত যাত্রী'দের তিনি 'চির সারথি'। তাদের নিয়ে তিনি চলেন। তাদের পথ দেখান। তবে পথ দেখানো মানে অবিরাম দিগ্বিজয়ে চলা নয়। কলের যাত্রায় পতনও বিক্ষিলিপি। কিন্তু ঘোর তিমির ঘন নিবিড় নিশীথে পীড়িত মূর্ছিত

দেশে'ও তাঁর অবিচল মঙ্গল নত নয়ন 'অনিমেষে' জেগে থাকে। তিনি সেখানে মাতা স্নেহময়ী। অন্য আর এক গানে যেমন বলেছেন, এখানেও তেমনি কবি 'উদার ছন্দে পরমানন্দে' এই গানে 'ভারতভাগ্যবিধাতা'র জয়গানে মুখর। ধীর ও উদাত্ত তাঁর কণ্ঠে, 'সোনার বাংলা'র একান্ত আপনে ঘরোয়া ভাবনা, তার অতলস্পর্শী সারল্য এখানে নেই। বিশাল পটভূমিতে তা আশা করাও ঠিক নয়। তবে এই বিশালতা মনকে আগ্রাসী করে না, লোভের তাড়নায় উদ্‌বেগিতও করে না। কেবল স্বদেশ প্রতিমাতেই নিবেদিত থাকে।

তাহলে একই কবির দুটো গান দুই স্বাধীন রাষ্ট্র তাদের জাতীয় সংগীত করায় কোথাও কি কোনো যৌক্তিক প্রমাদের সৃষ্টি হয়? অথবা কোনো অসংগতির? এমন অভিযোগ কি কবির উপরও বর্তায়? আমরা দেখেছি, দুটো গানই তাঁর স্বদেশ পর্যায়ের। এই স্ব দেশচেতনায় তাঁর স্বাভাবিক সম্প্রসারণ আছে, কিন্তু স্ববিরোধ নেই। দুটো গানের ভাবেই বিষয় ও বিষয়ী মিলেমিশে একাকার। তাই অসংগতি কোথাও ঘটে না। কবির ব্যক্তিচেতনার উপলব্ধিকেও সেখানে মিলিয়ে নিতে অসুবিধা হয় না। আবেগে অবিশ্বাসী হবার প্রশ্নও তাই ওঠে না। তবে রবীন্দ্রনাথের জাতীয়তাবাদের ধারণা যথেষ্ট সুচিন্তিত ও সুগঠিত বলে মেনে নেওয়া মুশকিল। তাঁর সময়ের সাম্রাজ্যবাদী তাণ্ডবের সঙ্গে জাতীয়তাবাদী উত্থান। জাতি-চেতনা অবশ্য এখানে বহুমাত্রিক। প্রযুক্তিবিপ্লব ও উৎপাদন ব্যবস্থায় মানুষে মানুষে সম্পর্কে-সম্বন্ধর ক্রম প্রসারমান অন্তর্জাল তার আধার ও আধেয়, দুটোর উপরেই স্থায়ী প্রভাব ফেলতে পারে। একে উপেক্ষা করা যায় না। তারপরেও তাঁর ধারণা অনুযায়ী জাতীয়তাবাদের ব্যাবহারিক অর্থ মেনে নিলে এই গান দুটোর কোনোটিকেই আর জাতীয় সংগীত করা যায় না। তিনি থাকলে নিজেও হয়তো তাতে আপত্তি করতেন। কারণ, তা নইলে তাঁর বিরুদ্ধেও আত্মখণ্ডনের অভিযোগ তোলা সম্ভব হত। কিন্তু আমরা জানি তাঁর অবর্তমানে দুই রাষ্ট্রের জনগণই গান দুটোর নির্বাচন অনুমোদন করেছে। এতে বোঝা যায়, এই দুই দেশে অন্তত জাতি-চেতনা তাঁর ভাবনার ঘাটে আর বাঁধা নেই। তিনি রাষ্ট্রকে অবিশ্বাস করেছেন। এবং রাষ্ট্রকে দেশের জনগণের সঙ্গে এক করে দেখেননি। তাঁর নিজের কোনো স্বাধীন রাষ্ট্র ছিল না। ঔপনিবেশিক অভিজ্ঞতায় যেকোনো রাজশক্তিকে সন্দেহের চোখে দেখা তাঁর দিক থেকে হয়তো স্বাভাবিকই ছিল। কিন্তু আজকের বাস্তবতায় কোনো স্বাধীন রাষ্ট্রের ভূমিকা উপেক্ষা করার নয়। জনগণের মৌল চাহিদা মেটাবার জন্যও তার সক্রিয় হওয়া জরুরি হয়ে পড়ে। সার্বিক উন্নয়নে ও কল্যাণকাণ্ডেও তাকে বাদ দেওয়া যায় না। এই প্রেক্ষিতে তাঁর গান দুটো ভিন্ন দুই দেশের জাতীয় সংগীত হওয়ায় তাদের ভাবরূপ বিপন্ন হয়নি। তাদের মর্যাদাও ক্ষুণ্ণ হয়নি। উলটো রাষ্ট্রই গানের মানবিক বাণীর প্রতি দায়বদ্ধ থাকার শপথ তার আনুষ্ঠানিক কর্মকাণ্ডে প্রতিদিন ঘোষণা করে চলেছে। রাষ্ট্রের জনগণের কাছেও তা পৌঁছুচ্ছে। জনগণের মুক্তি ও কল্যাণই যদি জাতীয় আদর্শ হয়, তবে এর চেতনাবাহিত মূল্য একেবারে উপেক্ষা করার মতো নয়।

[৩০]
একুশ শতকে রবীন্দ্রনাথ

পার হয়ে গেছে একুশ শতকের একটি দশক। সামনে আরও নয়টি। এই কালখণ্ড মহাকালের প্রবাহে মনে হতে পারে বিন্দুবৎ। কিন্তু মর্ত্য-মানুষের চোখে লম্বা সময়। বর্তমানে তটরেখায় দাঁড়িয়ে ভবিষ্যতের প্রান্তসীমা কল্পনাতেও এঁকে নেওয়া দুঃসাধ্য। কত কী ঘটতে পারে। প্রতিটি ঘটনা আরও কত অসংখ্য ঘটনার সম্ভাবনা তৈরি করে। তাদের প্রতিটি বিন্দু থেকে এইরকম আরও অসংখ্য। সম্ভাবনা-প্রবাহের এই মানচিত্র আমাদের চেতনায় ধরে না। তারই কোনো একটি ধরে বাস্তব এগোবে। কোনটি তা জানি না। তবু তারই রূপরেখা একটা ধরে নিয়ে আমাদের কথা বলা। চিন্তার প্রক্ষেপণে একুশ শতকের গতিবিধি বোঝার চেষ্টা করা। কিছুটা বুদ্ধির খেলা। কিছুটা জল্পনা।

বিষয়টি যে কতখানি অনুমাননির্ভর, তা অতিক্রান্ত শতকটির দিকে তাকিয়েও আঁচ করতে পারি। বিশ শতকের গোড়ায় বিশ্বজগৎ স্থিতিশীল। ব্রিটিশ সাম্রাজ্যের গরিমা প্রশ্নাতীত। শিল্পবিপ্লব পূর্ণতায় পৌঁছেছে। প্রযুক্তি-কুশলতা সবটাই জানা হয়ে গেছে। এমন বক্তব্যে আপত্তি ছিল কম জনেরই। কোনো বিকল্প নিয়ে মাথা ঘামায়নি সাধারণ মানুষ। অথচ বিশ্বরঙ্গমঞ্চে ওই মুহূর্তেই চলছিল পালাবদলের আয়োজন। মহাযুদ্ধ, সমাজতান্ত্রিক বিপ্লব, মহামন্দা, এগুলো প্রতিষ্ঠিত বিশ্ব ব্যবস্থার ধারণাকে তছনছ করে। শতাব্দীর মধ্য-প্রহরে শুরু হয় ঔপনিবেশিকতার অবসান। সব সাম্রাজ্যের নিশানা মুছে যায় পঁচিশ বছরের ভেতরেই। নতুন নতুন স্বাধীন রাষ্ট্র মাথা তুলে দাঁড়ায়। আন্তর্জাতিক ব্যবস্থার চেহারা দ্রুত পালটায়। অতীত ইতিহাসের ধারাকে তুচ্ছ করে আমাদের এই বাংলাদেশই আবির্ভূত হয় স্বাধীন রাষ্ট্রের মর্যাদায়। স্বাধীনতা সংগ্রামে জীবনের মূল্যে, সম্পদের প্রভূত বিনষ্টিতে অবশ্য দাম দিতে হয়েছে অনেক। তবু শতাব্দীর শুরুতে যা ছিল অবাস্তব কল্পনা, তা-ই হয়েছে সর্বজনস্বীকৃত বাস্তব। আবার পাশার দান উলটেও গেছে শতাব্দী শেষে ঘূর্ণিঝড়ে। উন্নততর সমাজ ব্যবস্থার প্রতিশ্রুতি নিয়ে দেখা দিয়েছিল সমাজতন্ত্র। কিন্তু সত্তর বছরের অভিজ্ঞতায় গণমানুষ তার শাসনবৃত্তে নিজেদের প্রত্যাশার যথোচিত পূরণ ঘটতে দেখে না। পরিকল্পিত সম্পদ ব্যবহারে জ্ঞানকাণ্ডের বিকাশের সঙ্গে ব্যবধান বাড়ে। অথবা আদেশ-নির্দেশের বেড়াজালে জ্ঞানের বিকাশই বাধাগ্রস্ত হয়। পরিণামে উৎপাদনে স্থবিরতা আসে। উৎপাদনের সিদ্ধান্তও জনগণের

অনুভূত চাহিদা সম লয়ে আর থাকে না। সততা নিয়ে যদি প্রশ্ন নাও ওঠে, তবু পরিকল্পিত উদ্যোগের পেছনে বাস্তবের উপলব্ধি পুঁজি-প্রযুক্তির সঙ্গে শ্রম-সম্পর্কের অতীত অভিজ্ঞতার কোনো স্থির বিন্দুতে আটকে থাকে। বাস্তব যে সরে এসেছে সেখান থেকে, নীতিপ্রণেতারা তা খেয়াল করেন না, ফলে পণ্য চাহিদায় ও পণ্য সরবরাহে গরমিল প্রকট হতে থাকে। মানুষের হতাশা বাড়ে। ওই হতাশা থেকে বিরাগ বিস্ফোরণের আকার নেয়, সমাজতান্ত্রিক রাষ্ট্র ব্যবস্থা তাকে সামলাতে পারে না। হুড়মুড় করে ভেঙে পড়ে।

আরও ঘটে যায় এই সময়ে অভাবনীয় প্রযুক্তিবিপ্লব। বিশেষ করে তথ্যপ্রযুক্তিতে নতুন নতুন উদ্ভাবন শিল্পবিপ্লবোত্তর উৎপাদন ব্যবস্থাকে অনেকখানি সেকেলে করে ফেলে। কোথাও কোথাও নতুন তথ্যপ্রযুক্তিনির্ভর ব্যবস্থাপনার সঙ্গে তাল মেলাতে না পেরে তা প্রতিযোগিতায় পিছিয়ে পড়ে। শেষপর্যন্ত বাতিলের খাতায় নাম লেখাতে বাধ্য হয়। প্রযুক্তি পুঁজির ব্যবহারের স্থানিক চরিত্র আমূল পালটে দেয়। সবরকম শিল্পই হয়ে পড়ে মুক্তপদ। প্রেক্ষাপট ও কর্মকাঠামো আন্তর্জাতিক। জাতি বা রাষ্ট্রের প্রথানুগ কর্তৃত্ব আর আগের মতো জাহির করা যায় না। উৎপাদনে নৈর্ব্যক্তিকতা আরও বাড়ে। পাশাপাশি বিশ্বায়ন তার ছাপ ফেলে দূরদূরান্তে গ্রামের অর্থনীতিতেও। আর দূরসঞ্চারের কল্যাণে গোটা পৃথিবী চলে আসে অতিসাধারণ নামগোত্রহীন মানুষেরও ঘরের ভেতরে। তার ভাবনাচিন্তার জগৎকে তা অবিরাম প্রভাবিত করে চলে। পছন্দ-অপছন্দের ধরন তার বদলে যায়। অনিয়ন্ত্রিত অনির্দিষ্ট অনিশ্চয়তায় ডুবে সে যেতে থাকে। এই ডুবে যাওয়াতেই বেশি তৃপ্তি তার। অবশ্যই তার তথ্যভাণ্ডার অনেকগুণ বেড়ে যায়। বেড়ে যায় সুখী হবার আকৃতি ও তার আবেগ। কিন্তু সাধ্যের সীমা একইসঙ্গে সবসময়ে বাড়ে না। অধিকাংশ ক্ষেত্রেই না। ফলে অস্থিরতা সমাজে ছড়ায় আগের চেয়ে অনেক বেশি। প্রকটতা আরও দরিদ্রতর অঞ্চলে। পুরোনো ধাঁচের জীবনযাপনে চাওয়া-পাওয়ার ধরনে বৈচিত্র্য ছিল না। বেশিরভাগই ছিল হাতের নাগালে। এখন গোটা পৃথিবীর পণ্যরাশির মাথার ভেতরে গিজগিজ করে। অথচ তাদের কেনার ক্ষমতা ইচ্ছা করলেই বাড়ানো যায় না। সহায়সম্বলের সঠিক জোগান চাই। জ্ঞানভিত্তিক প্রযুক্তি ও পুঁজি চাই। অবকাঠামোর নির্মাণ চাই। বিশ্ববাজারে কেনা-বেচায় যোগাযোগের পথ জানা চাই। সবই সময়সাপেক্ষ এবং সময়েও যে মিলবে, তা জোর দিয়ে বলা যায় না। ব্যক্তিজীবন যেমন, সমাজজীবনও তেমন, আর আগের মতো বেশি বেশি অভ্যস্ত ঐকিক নিয়মে চলে না। চেনা-জানা জগৎটাও এলোমেলো হয়ে যায়। অথচ আকর্ষণও তার বাড়ে। এ সবই ঘটে চলে অতি দ্রুততালে বিশ শতকের শেষ পর্বে এসে।

আরও একটা ব্যাপার মানব-মানবীর মনোজগতে, বিশেষ করে মানবী চেতনায় প্রবল আলোড়ন তোলে। মানুষের জন্ম দৈবনির্ভর, নরনারী অসহায় ক্রীড়নক মাত্র, এ ধারণা দ্রুত মুছে যেতে থাকে। জন্মনিয়ন্ত্রণের কলাকৌশল চলে আসে হাতের মুঠোয়। এর ফলে মেয়েদের জৈবিক অসহায়তা আর আগের মতো থাকে না। পছন্দের স্বাধীনতা তার বেড়ে যায় বহুগুণ। সমাজের মনোজাগতিক পরিবর্তন অনিবার্য হয়ে পড়ে। তার অভিঘাত সরাসরি পড়ে ব্যক্তি, পরিবার ও সমাজের উপর। ঈশ্বরকে মাথার উপর রেখে পবিত্র বিবাহবন্ধকে ভিত্তি করে পরিবারনির্ভর

জীবনযাপনের রীতি যে প্রায় স্বতঃসিদ্ধ ছিল, তা হুমকির মুখে পড়ে। জীবন ও পরিপার্শ্বকে দেখার চোখ বদলে যেতে থাকে। প্রথার শাসনের দাপট ক্রমশ হারিয়ে যেতে বসে। এই প্রবণতা দেখা দেয় প্রথম সমৃদ্ধ পাশ্চাত্যে। পরে তা প্রসারিত হয় অন্যত্রও। যদিও কোনো সমাজের সাধারণ লক্ষণ বলে একে মনে করার মতো অবস্থা এখনও তৈরি হয়নি। তবে সব জায়গাতেই মানুষকে এ নাড়া দিয়েছে ঠিকই। নারীমুক্তি ও ধর্ম-বর্ণ-জাতির গণ্ডি অতিক্রম করে মানুষের স্বাধীনতা এক বিন্দুতে এসে মিলতে চাইছে। প্রতিরোধও অবশ্য আছে।

ঐতিহ্যলালিত মূল্যবোধের প্রতিরোধ। এবং সেইসঙ্গে সামাজিক প্রতিষ্ঠানসমূহের প্রতি আনুগত্যের সঙ্গে এই অবাধ মুক্তির বিরোধ। তবু আজকের যা প্রবণতা, তাতে মনে হয়, এই মুক্তির সংস্কৃতিই পরিশেষে বলবতী হবে। একনিষ্ঠ প্রেমের রূপরেখার মায়া আগ্রহী শ্রোতার মন ভোলানোয় আর যথেষ্ট হবে না। মুক্তির আনন্দ ও উৎকণ্ঠা, দু-ই বাড়বে। এমন সম্ভাবনার দিকেই ইঙ্গিত করে আবহমান মানবসভ্যতার ধারাবাহিক ইতিহাস। অবশ্য অর্থনৈতিক মুক্তি তার পূর্বশর্ত। তা সমাজের আয়ত্তে না এলে নারীর বন্ধন ঘোচানো মুশকিল। এক প্রান্তে তীব্র অভাব একনিষ্ঠ পরিবারকে ভেঙে টুকরো টুকরো করে সত্য, কিন্তু অন্য প্রান্তেও নারী-পুরুষ নির্বিশেষে পরিবারে প্রত্যেকের অর্থনৈতিক সংগতি পারস্পরিক নির্ভরতা কমায়। সমাজ স্বয়ং তৈরি করতে পারে ওই সংগতির সম্ভাবনা। নারী-পুরুষের সুযোগ তা নিশ্চিত করে।

বিশ শতকের শেষে সমাজতান্ত্রিক রাষ্ট্র পরিচালনায় ব্যর্থতার পটভূমিতে এইরকম বাস্তবতায় প্রাধান্য পায় প্রাচুর্যনির্ভর উত্তর-আধুনিক দর্শন। রাষ্ট্রকে তার ক্ষতিকারক, এমনকী অবাস্তব মনে করে। তার হস্তক্ষেপে মানুষ যে তার স্বাধীনতা হারায়, এমনকী হারায় তার দায়িত্ববোধও, এই কথাটাই তা জোরের সঙ্গে তুলে ধরতে চায়। বৃহৎ রাষ্ট্রের কর্তৃত্বাধীনে বহু খণ্ড খণ্ড জাতি-জনজাতি তাদের আত্মপরিচয় হারাতে বসে। ক্রমশ তারা হুকুম মানা না-মানুষে পরিণত হয়। এ থেকে উদ্ধারের উপায় রাষ্ট্রকেই টুকরো টুকরো করে অসংখ্য গোষ্ঠীতে ছড়িয়ে দেওয়া। খবরদারির জায়গা তাহলে ছোটো হয়ে আসে। মানব-মানবীর স্বাধীনতা বাড়ে। শিল্পবিপ্লবোত্তর সমাজবাস্তবতায় বৃহৎ শিল্পের সম্মুখ ও পশ্চাৎভূমির সুরক্ষায় ও তার অভিভাবকত্বে রাষ্ট্রের ভূমিকা গুরুত্বপূর্ণ হয়ে উঠেছিল। নব্য-প্রযুক্তিবিপ্লব ওই শিল্পপ্রতিষ্ঠানের কর্মকাণ্ড ছড়িয়ে দিয়েছে বিশ্বময়। রাষ্ট্রের অভিভাবকত্ব তাই নিষ্প্রয়োজন, অনেকসময় উৎপাদনের স্বাভাবিক বিকাশের পথে বাধা। উৎপাদনকাণ্ডে ক্ষুদ্র সরাসরি যুক্ত হতে পারে বৃহতের সঙ্গে। বৃহৎও সমন্বিত বহু মানুষের বহু জাতির মিশ্র আকার পায়। পুঁজির মালিকানা গোটা বিশ্বে ছড়ায়। ঔপনিবেশিকতার বা কারও একক প্রভুত্বের সুযোগ লুপ্ত হয়। পুরোনো জাতীয়তাবাদও প্রাসঙ্গিকতা হারায়। এই তত্ত্বভূমির উপর দাঁড়িয়ে আন্তর্জাতিক পুঁজি ও তার পরিচালনচক্র দুর্বলতর রাষ্ট্রগুলোর ঘাড় মটকাতে ব্যস্ত থাকে। রাষ্ট্রের দ্রবীভবনের ধারণাও বেশ চালু হয়। উত্তর-আধুনিক পণ্ডিতরা দেশে-বিদেশে তার ডঙ্কা বাজায়। এনজিও নামে ক্ষমতার নতুন বলয় এক উত্তর-ঔপনিবেশিক পরিমণ্ডলে গজিয়ে ওঠে। নাগরিক সমাজের বিজ্ঞজনেরা অনেকে তাতে উৎসাহ জোগায়। রাষ্ট্রকে ঠুঁটো জগন্নাথ বানালেই গণমানুষের বঞ্চনা দূর হবে, একথা প্রচারের পেছনে নয়া কায়েমি স্বার্থের কোনো দুরভিসন্ধি আছে

কি না আমরা নিশ্চিত করে বলতে পারি না। তবে তেমন সন্দেহ করা অসংগত মনে হয় না, বিশেষ করে সমাজতান্ত্রিক ব্যবস্থার অবলুপ্তির পর ঘোলা জলে মাছশিকারে উৎসাহী করিৎকর্মার যে অভাব হবে না, এটা সহজেই অনুমান করা যায়। বিশ শতকের শেষে বিশ্ব প্রেক্ষাপটে— এমনকী আমাদের দেশেও উদ্যোগ-অভিযান ও বুদ্ধিমানদের তৎপরতার দিকে নজর দিলে তার লক্ষণ সব খোলা চোখেই দেখা যায়।

উত্তর-আধুনিক চর্চায় গভীর কোনো সত্যের পেছনে, অথবা কোনো আদর্শিক ধারণার পেছনে ছোটা নেই। এ কারণে নয় যে তা আয়ত্তের বাইরে। বরং এজন্য যে তার অস্তিত্বই নেই। প্রত্যক্ষের সীমা যেখানে, তাঁরা বলেন, বাস্তবের সীমাও সেখানে। রঙে-রেখায় এলোমেলো উলটোপালটা যেমন-যেমন সে হাজির তেমন-তেমন তার পরিচয়ধ্বনিতে বা দৃশ্যে এমন কোনো মায়ারচনা অর্থহীন, যা সবটাই মনগড়া— প্রকাশ্যে যার প্রতিফলন নেই। অর্থ বা তার অন্তর্নিহিত ছন্দ বা বাণী খোঁজাও নিরর্থক, কারণ প্রতিদ্বন্দ্বী অন্য কোনো ছন্দ বা বাণীতেও তার অনুরূপ ব্যাখ্যা সম্ভব। আকাশে মেঘের খেলা নানা দিক থেকে নানাভাবে দেখা যায়। কোনোটিই কোনো গূঢ়ার্থ দাবি করতে পারে না। শুধু মেঘের খেলা আছে, এইটুকুই বাস্তব। উত্তর-আধুনিক সাহিত্যে জীবনচর্চাও তাই সবটাই ওপরতলের। প্রত্যেকে তার প্রতিক্রিয়া নিজের নিজের মতো জানাতে পারে। সব ক-টিই তুল্যমূল্য, এর বেশি কিছু বলার নেই। লেখকেরও আলাদা করে বলবার কিছু নেই। রচনা প্রকাশিত হলে তার উপর তাঁর আর কোনো অধিকার থাকে না। অনন্যনির্ভর মুক্তির দ্বারাই কেবল দেবার ও পাবার চেষ্টা। কোনো কিছুই হাতে রাখার মোহ এখানে শুধু বিভ্রমই জাগায়।

মনে করা ঠিক হবে না, বিশ শতকের অন্তিম লগ্নে এগুলোই ছিল পৃথিবী জুড়ে সকল মানব-মানবীর ভাবনাচিন্তার ও জীবনযাত্রার সাধারণ নির্দেশক। অনেকেই তারা এসব নিয়ে মাথা ঘামাত না। এখনও ঘামায় না। জীবন তাদের চলে আগের মতোই। ঘরসংসার, রুজিরোজগারও। রাজ্য ভাঙা-গড়ার, ক্ষমতার পালাবদলের খেলাতেও বিরাম নেই। এইসব অস্থিরতা ইতিহাসের গতিপথে মিশে যায়। দাগ তাদের মিলিয়ে যায় না। তবে যেটা দেখাবার, এদের অধিকাংশই মানব-মানবীর হয়ে ওঠায় মৌলিক কোনো পরিবর্তনের বার্তা আনে না। পুনরাবৃত্তির ধারাকেই তারা পুষ্ট করে। এদিক থেকে উপরের বিষয়গুলোর তাৎপর্য অনেক বেশি। মেধায়, মননে ও কর্মে মানুষের সৃষ্টি ও অনাসৃষ্টি, দুটোর সম্ভাবনাতেই তারা ইন্ধন জোগায়। একুশ শতকে প্রবেশ করি আমরা এইসব সম্ভাবনার কথা মাথায় নিয়ে। তারই প্রেক্ষাপটে বিবেচনায় আনি রবীন্দ্রনাথকে। তিনি কি এখানে খাপ খান, না কি না আমাদের স্বপ্নকল্পনার পথ আঁকেন কি তিনি এখনও, না কি তিনি হারিয়ে যান পথের বাঁকে একপাশে।

তবে তার আগে আর একটা বিষয় কিছুটা স্পষ্ট করে নিই। আমরা দেখেছি, বিশ শতকের গোড়ায় পৃথিবীর যে চেহারা ছিল, প্রত্যাশার ও আশঙ্কার যে আকর ছিল, ওই শতকের শেষে তার কিছুমাত্র অবশিষ্ট ছিল না। ক্রিয়ায়-প্রতিক্রিয়ায় বাস্তব বার বার নিজেকে ভেঙেছে, নিজেকে গড়েছে। শুরুতে যা ছিল কল্পনার অতীত, তারই প্রতিমার আবির্ভাব ঘটেছে; ঠাঁই করে নিয়েছে তা কালের বেদিতে। শতাব্দীর শুরুতেই তার সমস্তটার সম্ভাবনার ছবি আঁকা নিষ্ফল প্রয়াস বলেই

মনে হয়। আমরা একুশ শতকে রবীন্দ্রনাথের প্রাসঙ্গিকতা নিয়ে যখন চিন্তা করি, তখন আমাদের অভিজ্ঞতার বৃত্ত থেকে একুশ শতকে তাঁকে নিয়ে কীভাবে প্রবেশ করি, কীভাবে সমাজে অগ্রসর হতে চাই, সেইটুকুই বড়োজোর ভাবনায় আনতে পারি। গোটা একুশ শতকের ছবি আঁকা আমাদের সাধ্যের বাইরে।

বাড়িয়ে বলা হবে না, যদি বলি ১৯৬১-তে শতবর্ষ পেরিয়ে রবীন্দ্রনাথ এই বাংলায় আমাদের নতুনভাবে জাগিয়ে তুলেছিলেন। আমরা তখন আমাদের বাঙালি সত্তায় ফিরতে চাইছিলাম, মানুষের পরিচয়ে নিজেদের মানসমুক্তির পথ খুঁজছিলাম। পাকিস্তানি অপশাসন আমাদের আত্মসচেতন করে তুলছিল। মোহমুক্তি ঘটছিল আমাদের। রাষ্ট্রশক্তি দাবি করে, আমরা সাম্প্রদায়িকতায় বন্দি থাকি। সেইটিই তারা বলে ওই রাষ্ট্র ব্যবস্থার ভিত্তি। বিরোধ ঘটে তার সঙ্গে আমাদের জীবনভাবনার, বহু যুগ ধরে গড়ে ওঠা আমাদের জীবনযাপনের ঐতিহ্যের। তার স্বরূপই বুঝি পূর্ণবিভায় উদ্ভাসিত করে তোলেন রবীন্দ্রনাথ। মানবমহিমার বিপুল বিস্ময় নিয়ে হাজির হন তিনি। এমনিই তিনি ছিলেন। আমরা তেমন খেয়াল করে দেখিনি। স্কুল-কলেজের পড়ায়, বইয়ের পাতায়, গতানুগতিক তাঁকে পেরিয়ে গিয়েছি। এলোমেলো অন্যমনস্ক তাঁর গান শুনেছি। আমাদের জীবনচর্চার সঙ্গে মিলিয়ে দেখিনি। একান্ত হয়ে একাত্ম হবার আয়োজন সামনে পাইনি। শতবার্ষিকী তার সুযোগ করে দেয়। আকাশে-বাতাসে ভাসে তাঁর গান— তাঁর কবিতা। নৃত্যনাট্য-গীতিনাট্যের পালা শুনি একের-পর-এক অসাধারণ সব দীর্ঘ বাদনে। মনের কী উদার মুক্তি। কী অতুলনীয় ঐশ্বর্য। আমরা অভিভূত। আবার আত্মগরিমায় ঋদ্ধ। জানি আমরা তুচ্ছ নই, কূপমণ্ডূকতা আমাদের নিয়তি নয়। অথচ রাষ্ট্রের শাসনদণ্ড যাঁদের হাতে, তাঁরা সংকীর্ণ সাম্প্রদায়িকতার এক ঘোরাটোপে আমাদের বেঁধে রাখতে চান। তাতেই সহজ হয় ঔপনিবেশিক শোষণ। তাতেই যুক্তি খোঁজার চেষ্টা উদ্ভট এক রাষ্ট্রের জবরদস্ত শাসনের। হুমকি হয়ে দেখা দেন তাই তাঁদের কাছে রবীন্দ্রনাথ। এবং তাঁদের পক্ষে যা স্বাভাবিক, তাই তাঁরা করেন। নিষেধাজ্ঞা জারি করেন তাঁরা রবীন্দ্রসংগীত প্রচারের উপর। বাধা আসে নানাভাবে রবীন্দ্রচর্চার উপর। কিন্তু আমরা তা মানি না। প্রতিবাদে মুখর হই। রবীন্দ্রনাথকে অবলম্বন করেই রবীন্দ্রনাথের জন্য বিক্ষোভে মাতি। নিষেধ প্রত্যাখ্যান করে তাঁর গান গাইতে থাকি। আমাদের সবাইকে নিয়ে সবার মাঝে তিনি এসে দাঁড়ান। মূর্তি হয়ে নয়— মানুষ হবার, মানুষ থাকার প্রতিজ্ঞা নিয়ে আমাদের আত্মোপলব্ধির সংগ্রামের প্রেরণা হয়ে। ওই সংগ্রামের সুন্দর উজ্জ্বল কান্তি অন্ধকার বিদীর্ণ করে।

সেই সময়ের উত্তেজনা পেছনে ফেলে নিরাবেগ মনে তখনকার বাস্তবতার দিকে যদি ফিরে তাকাই তাহলে বুঝি, রবীন্দ্রনাথের সঙ্গে এক সমলয়ে চলে এসেছিলাম আমরা গত শতকের ষাটের দশকে। তাঁর মানবতার বাণী অঙ্গীভূত করতে চাইছিলাম আমরা আমাদের আন্তর সত্তায়। আপন 'প্রাঙ্গণতল' 'খণ্ডক্ষুদ্র' করে রাখায় আমাদের মন সায় দেয়নি। মানুষের স্বতঃস্ফূর্ত স্বাভাবিক বিকাশের ঐতিহ্য থেকে পাকিস্তান আমাদের দূরে ঠেলেছিল। আমরা তা মেনে নিতে পারিনি। পূর্ণদৃষ্টিতে যেভাবে তিনি মানুষকে দেখার সাধনা করেছেন; অপরূপ নান্দনিকতায় যেভাবে তা তিনি ফুটিয়ে তুলেছেন গানে-কবিতায়-গল্প-উপন্যাসে, তারা যে কেবল তাঁর কল্পনার সৃষ্টি তা নয়।

এই বাংলার প্রকৃতি-পরিবেশ এখানে মানুষের জীবনসঙ্গীর রসায়ন তাঁকে ওভাবে গড়ে তুলেছিল। বুদ্ধ, চৈতন্য, চণ্ডীদাস, লালন, মানুষে মানুষে তফাত করার কথা বলেননি। তাদের অবিভাজ্যতার কথাই শুনিয়েছেন। তার অবিনাশী ধারা মিশে আছে আমাদের সমূহ চেতনায়। পাকিস্তান তারই আরও বিকাশ ঘটাবে, এই আশা ছিল আমাদের অনেকের মনে। কিন্তু রূঢ় আঘাতে তার বলদর্পী শাসকচক্র তাকে খান খান করে। আমরা একটা অবলম্বন খুঁজছিলাম। নিজেদের অমৃত আকাঙ্ক্ষার কথা শুনতে ও শোনাতে চাইছিলাম। এই সময়েই নতুন করে আবির্ভাব ঘটল তাঁর। শতবর্ষের আলোয় ঝরনাধারার মতো তিনি আমাদের মন প্লাবিত করে চললেন। তাঁকে বর্জন করার ফতোয়া আমরা সম্পূর্ণ প্রত্যাখ্যান করলাম। সবাই যে জেনে-বুঝে হিসাব করে, তা নয়। আমাদের ভেতরে যে ভাব অস্ফুট অব্যক্ত চাপা ছিল, বাইরে তাকেই পরিপূর্ণ পাই রবীন্দ্রনাথে— তাঁর সৃষ্টিরসের উপস্থাপনায়। তাঁর জন্মের শতবর্ষ পরে সাহিত্য-সংগীত-নাটকের শত আয়োজনে তারা আমাদের মনকে স্তম্ভিত বিস্ময়ে আচ্ছন্ন করে, মনের তৃষ্ণা মেটায়।

কিন্তু একুশ শতকে এসে সমদৃষ্টির ও সমন্বয়ের এই মাহেন্দ্রযোগ কি অব্যাহত আছে? চার দশকের বেশি সময় পেরিয়ে গেছে তারপর। উন্নয়নের রূপরেখা রচনা করি আমরাই। এই আমরা সমগ্রে এখন কতটা বাজে এক সুর? কতটাই-বা বহু সুর, বহু স্বরের একীভূত ধ্বনিসুষমা? নাকি তাল কেটে যায় বার বার? এবং তার অনেকটাই পরিবর্তনের অনিবার্য পরিণাম, যে পরিবর্তন ঘটাতে চাই আমাদেরই কল্যাণ কামনায়? অশুভ তৎপরতাও যে নেই তা নয়। কিন্তু সেও কি গজায় না বিভিন্ন স্বার্থবাহী মহলের মেরুকরণের কারণে? তাদেরও উৎপত্তি এই সমাজের ভেতরেই। তাহলে স্ববিরোধ একটা তৈরি হয়। অবিশেষায়িত অবিভক্ত সমাজ আর থাকে না যদিও 'দেশে দেশে দিশে দিশে কর্মধারা ধায় অজস্র সহস্রবিধ চরিতার্থতায়?' এবং তাকে স্বাগত জানাতে আমাদের কার্পণ্য নেই। চিত্তের ও কর্মের প্রসার তাহলে একইভাবে একই সুরে না-ও ঘটতে পারে। বাস্তব সমর্থন করে তারই। এক ও অবিভাজ্য মানবচেতনা কার্যকরভাবে এখানে ধরে রাখা মুশকিল। সর্বমঙ্গলা-সর্বার্থসাধক সুন্দরের আরাধনা যে রবীন্দ্রনাথ করেন, তার বস্তুগত ভিত্তিভূমি কিন্তু এখানে হারিয়ে যেতে বসে। হারিয়ে যেতে দিতে বাধ্য হই আমরাই। কারণ তা নইলে সহায়সম্বলের বৃদ্ধি ঘটে না। প্রয়োজনও আমাদের মেটে না। সমাজের ক্রিয়াকর্মে প্রত্যাশিত গতিও তাহলে আসে না। রবীন্দ্র শতবর্ষ পরবর্তী আয়োজনে গণমানুষ এদেশে যে উচ্ছল ঐক্যে সাড়া দেয়, এমন অবস্থায় আজ অনুরূপ আয়োজনে তার একইরকম পুনরাবৃত্তি আর আশা করা যায় না। যদিও সেদিনের মতো বিরোধের চক্রান্ত বাহ্যত উজ্জ্বল, এবং রবীন্দ্রনাথের জন্য শ্রদ্ধার আসন পেতে রাখায় আপত্তি করবেন খুব কম জনই। তিনি আমাদের আত্মার আত্মীয়, একথা আমরা সরল বিশ্বাসে নির্দ্বিধায় উচ্চারণ করি। হয়তো উচ্চকণ্ঠেই। কিন্তু এই বিশ্বাসের ভূমি যে আমাদের অজান্তেই ক্ষয়ে যেতে শুরু করেছে এটা বোধ হয় আমরা খুব-একটা খেয়াল করি না।

প্রায় একশো বছর আগেও আমাদের গ্রাম ছিল গ্রামে, শহর ছিল শহরে। রবীন্দ্রনাথ শহরের চোখে গভীর মমতায় গ্রামকে দেখেছেন। তাতে কোনো ভান ছিল না। গ্রামের জীবনে, মনে করেছেন তিনি, সত্য ছিল। শহর কৃত্রিম, মেকি। যদিও প্রাচুর্য শহরে— গ্রামকে বঞ্চিত করেই। এই

অন্যায় বৈপরীত্যে তাঁর প্রবল আপত্তি ছিল। 'উপেক্ষিত পল্লী' রচনায় (১৯৩৪) তাঁর অসন্তুষ্টি তিনি গোপন করেন না। উদ্‌বেগও তাঁর ফুটে ওঠে— "বর্তমান সভ্যতায় দেখি এক জায়গায় একদল মানুষ স্বতন্ত্র উৎপাদনের চেষ্টায় নিজের সমস্ত শক্তি নিয়োগ করেছে, আর এক জায়গায় দেখি আর একদল মানুষ স্বতন্ত্র থেকে সেই অন্নে প্রাণধারণ করে। চাঁদের যেমন এক পিঠে অন্ধকার, অন্য পিঠে আলো, এ সেইরকম। একদিকে দৈন্য মানুষকে পঙ্গু করে রেখেছে, অন্যদিকে ধনের সন্ধান, ধনের অভিমান, ভোগবিলাস সাধনের প্রয়াসে মানুষ উন্মত্ত। অন্নের উৎপাদন হয় পল্লিতে, আর অর্থের সংগ্রহ চলে নগরে। অর্থ উপার্জনের সুযোগ ও উপকরণ যেখানেই কেন্দ্রীভূত স্বভাবত সেখানেই আরাম আরোগ্য ও শিক্ষার ব্যবস্থা প্রতিষ্ঠিত হয়ে অপেক্ষাকৃত অল্পসংখ্যক লোককে ঐশ্বর্যের আশ্রয় দান করে। পল্লিতে সেই ভোগের উচ্ছিষ্ট যা-কিছু পৌঁছায় তা যৎকিঞ্চিৎ। এই বিচ্ছেদের মধ্যে যে সভ্যতা বাসা বাঁধে তা বেশি দিন টিকতেই পারে না।" এইরকম আর এক ভাষণে তিনি স্পষ্ট জানান— "দেশ আমাদের সৃষ্টি। দেশ মৃন্ময় নয়, চিন্ময়। মানুষ যদি প্রকাশমান হয় তবেই দেশ প্রকাশিত। সুজলা সুফলা মলয়জ শীতলা ভূমির কথা যতই উচ্চকণ্ঠে রটাব ততই জবাবদিহির দায় বাড়বে প্রশ্ন উঠবে প্রাকৃতিক দান তো উপাদান মাত্র, মলয়জ যদি বিষিয়ে ওঠে মারী বীজে, শস্যের জমি যদি হয় বন্ধ্যা, তবে কাব্যকথায় দেশের লজ্জা চাপা পড়বে না। দেশ মাটিতে তৈরি নয়, মানুষের তৈরি।"

গ্রামের প্রতি উপেক্ষার কথা যে তিনি তখন বলেছিলেন, তাতে কোনো ভুল ছিল না। শহরের চাকচিক্য গ্রামকে ম্লান করেছে এবং ওই চাকচিক্যের জোগানদার গ্রামই, এর পুরোপুরি সঠিক। আরও বোঝা যায়, শহর গ্রামকে বঞ্চিতই করেছে, ফিরিয়ে দেয়নি কিছুই। তবু গ্রাম তার নিজস্ব পরিচয়ে টিকে থেকেছে। তার জন্য উদ্‌বেগই তার আলাদা সত্তা চিনিয়ে দিয়েছে।

একুশ শতকে এসে এই জায়গাটা আরও জটিল, আরও অনচ্ছ। গ্রামীণ উৎপাদন ক্রিয়াকর্ম এখন অনেকখানি শহরনির্ভর। উপকরণের জন্য, উৎপাদনের বিপণনের জন্য তাকিয়ে থাকতে হয় শহরের দিকে। যোগাযোগ ব্যবস্থা শহরকে টেনে নিয়েছে গ্রামে। গ্রামকে ঠেলে দিয়েছে শহরে। ফলে গ্রামের বঞ্চনা আর গ্রামেই আটকে থাকছে না। ভিড় করছে শহরে। উপচে-পড়া দারিদ্র্যের ভিড়ে শহর তার জৌলস হারাচ্ছে। অথচ বিচ্ছিন্ন হয়ে থাকা তার পক্ষে আর সম্ভব হচ্ছে না। অসহায় আত্মসমর্পণ করতে হচ্ছে তাকে দারিদ্র্যের ও ব্যর্থ প্রাণের কদর্যতার কাছে, লড়াইটা অতএব একমুখো নয় দু-মুখো। সবই যে খারাপ তাও নয়, নইলে টিকে থাকি কী করে? জনসংখ্যা বাড়ে কেন? আয়ু-আরোগ্য, দুটোতেই তো উল্লেখ করার মতো উন্নতি ঘটেছে। শুধুই শহরে নয়, গ্রামেও। বাজার নানা দিক থেকে গ্রামকে আরও নিবিড়ভাবে বেঁধেছে। গ্রাম এর ফলে নিজের মতো এক কোণে আর পড়ে থাকতে পারে না। তার স্বাতন্ত্র্য বিনষ্ট হচ্ছে, এটা নিয়ে আক্ষেপ আমরা করতেই পারি। কিন্তু বাজারের যোগাযোগে কাজের পরিধিও তার বাড়ছে। বেশিরভাগই নৈর্ব্যক্তিক। হৃদয়ানুভূতির ছোঁয়া নেই বললেই চলে। রবীন্দ্রনাথের মেজাজ এখানে খাপ খায় না। অনেকটাই সৌন্দর্যবোধহীন। পণ্যের দেওয়া-নেওয়ার উপরই সব মনোযোগ। তারই টানে আসে

উৎপাদনে তাগিদ, অথবা কোনো কোনো কাজে আগ্রহ কমে যাওয়া। এই চক্রের সমস্তটা, তার বৃদ্ধি ও বিস্তার আজ নিয়ন্ত্রণ করছে আমাদের সকল কর্মকাণ্ডকে। আমাদের আচরণের জ্যামিতিও পালটে দিচ্ছে তা। ভালো বা খারাপ নয়, এটিই অনিবার্য। পঞ্চাশ বছর আগের মানুষে মানুষে সম্পর্কের ছকের সঙ্গে কি একে মেলানো যায়? রবীন্দ্রনাথ কি এমন বাস্তবতায় আমাদের চেতনায় সেদিনের মতো কেউ তোলেন? অথচ একে মেনে নিয়েই আমাদের চলা। শুধুই বাধ্য হয়ে নয়। নিজেদের সুচিন্তিত উন্নয়ন পরিকল্পনাতেও। অন্য উপায় নেই। কিন্তু এতে গ্রামে আর শহরে খিচুড়ি-পাকানো এমন এক অবস্থার রাজত্ব, যেখানে শান্তি ও সুস্থিতি সবখান থেকেই পলাতক। কাজের সম্পর্ক শহরে-গ্রামে নানা দিকে ছড়ানো, গিঁটে গিঁটে বাধা। তারই ভেতর ছোটো ছোটো বৃত্তে মানুষের ঘোরাফেরা। মনোযোগের ক্ষেত্র প্রসারিত হয় না তার বাইরে। কারণ, সেইখানেই জীবিকা। জীবন কার্যত জীবিকাসর্বস্ব। বড়ো করে উদারভাবে সমস্তকে দেখা তার সঙ্গে একাত্ম হওয়া কঠিন হয়ে উঠেছে ক্রমশ। হয়তো অপ্রয়োজনীয়। যদিও অন্যদিকে আলাদা আলাদাভাবে গোটা পৃথিবীর পণ্য, গোটা পৃথিবীর আয়োজন তাদের অস্তিত্ব জানিয়ে দিতে ঢুকে পড়ছে এমনকী পর্ণকুটিরেও। শুধু শহরে নয়, গ্রামেও এই বাস্তবতায় ক্ষুদ্র ও বৃহতের মিল করি কী করে? তার বোধের অনুভবে কী করে মনের প্রসন্নতা আনি? অবিকল্প স্থিরতায় তাকে ধরে রাখি? পথ নিশ্চয়ই আছে। সমাধানও থাকবে। কিন্তু রবীন্দ্রনাথ আর ভরসা কতটুকু। বাস্তবের সঙ্গে মিলিয়ে আনন্দের যে রূপে আমরা ডুবতে চাই, ভেতরে-বাইরে সেও কি বদলে যায় না? অস্থিরতার ছটা কি তাতেও বিচিত্র রং ধরায় না? তেমন হলে সেখানে তাঁকে মেলাই কী করে? পঞ্চাশ বছর আগে আমাদের মনের তৃষ্ণা সবকুটু মিটেছিল রবীন্দ্রনাথে। একুশ শতকের এই জমিতে দাঁড়িয়ে একইভাবে কি তাঁর আবাহন গাই? নাকি অপেক্ষা আবার ভবিষ্যতের, যখন এই সময়ের ধুলোবালি আবার থিতিয়ে যাবে, নতুন সমীকরণে মানুষ তার সহজ ঐক্য ফিরে পাবে? অথবা এমনও হতে পারে, ব্যবধানের বিস্তার শুধুই বাড়বে। হাম্পটি-ডাম্পটি কোনোদিনই আর এক হবে না। তাহলেও অবশ্য দূরের আকাশে 'রবীন্দ্রনাথ' নামে একটি তারা তখনও জ্বলজ্বল করবে।

বাংলা কবিতায় পালাবদল শুরু হয়েছে অনেক আগেই। গত শতকে তিরিশের দশকে রাবীন্দ্রিক ভাবনা-বলয় থেকে তা সরে আসে। আশ্রয় করে নতুন প্রকাশভঙ্গিমা। প্রতীকে, উপমায়, চিত্রকল্পনায় তা অন্য ছবি, অন্য স্বর আনতে চায়। প্রাত্যহিক জীবনের কালিমা থেকে সুন্দরকে তা বিচ্ছিন্ন করে ছেঁকে তোলে না। ওই বাস্তবতার সবটুকুতেই সুন্দরের প্রতিচ্ছবি খোঁজে। নৈরাশ্যকে উড়িয়ে দেবার বীরোচিত শপথ নেয় না। তারই ভেতরে ডুবে যেতে যেতে তারই স্বরূপ ফুটিয়ে তুলতে তার ভেতরে চোখ রাখে। অনেকটাই এর বাইরের প্ররোচনায়। লালিত্যহীন নতুন সুর ইংরেজি কবিতায় আমদানি করেন টি এস এলিয়ট। ফরাসি কবিতায় বোদলেয়ার বা র‍্যাঁবো যে বিপরীতের সাধনা করে গেছেন তার সবটুকু বোধ হয় জানা ছিল না। তাই তার ঝাপটা প্রবলভাবে তখনও পড়েনি। তবে চিত্রকলায় গগাঁ, ভ্যান গঘ, সেজান থেকে শুরু করে তখনকার পিকাসো পর্যন্ত, ওই সময়ের কবিদের চিন্তা-কল্পনায় তাঁদের রং ও রেখার বাঙ্ময় ছাপ ফেলতে থাকেন। মিলিত অভিযানে তাঁরা বাংলা কবিতাকে রবীন্দ্রনাথের জাদুকরি সম্মোহন থেকে মুক্ত করেন

অনেকখানি। এই দূরত্ব ক্রমাগত বেড়েই চলে। প্রতিভা তাঁদের বেশি বলে নয়। প্রত্যক্ষের তাপ ও স্বাদ তাঁরা সরাসরি বেশি করে দিতে পারেন বলে। ইউরোপে মহাযুদ্ধ ও সমাজতান্ত্রিক বিপ্লবের উন্মাদনাও উদ্‌বেলিত করে আমাদের কবিদের। অনেকে হয়ে ওঠেন উচ্চকণ্ঠ। রবীন্দ্রনাথের সঙ্গে একই ঘাটে ভিড়িয়ে রাখতে চান না তাঁরা তাঁদের নৌকা। সোনার তরির স্বপ্ন তাঁরা করেন না। দুর্ভিক্ষে-অন্তর্দ্বন্দ্বে সোনার বাংলা পুড়ে ছাই হতেই তাঁরা দেখেন। বাংলা কবিতায় বন্দরের কাল শেষ হয়। ছোটো ছোটো জলযান অন্য ঘাটের ঠিকানা খোঁজে। একুশ শতকে এসেও একইরকম তার পরিক্রমা, তবে ধ্যানধারণা বদলে গেছে তার পরেও বিস্তর। উত্তর-আধুনিক ভাবার্থহীনতার তত্ত্বে আমাদের কবিতাও আক্রান্ত। নীরক্ত, নির্বীর্য বহুমাত্রিক প্রসাধনীর নিরর্থকতাই তার আরাধ্য। কারণ, ওই নিরর্থকতাই বাস্তব। অথবা বাস্তবের দূর থেকে ভেসে আসা প্রত্যয়। ছিন্নবিচ্ছিন্ন অসম্বন্ধ দৃশ্যমাত্রার নৈরাজ্যিক সমাবেশ কতটা মনোগ্রাহী করা যায়, তার পরীক্ষানিরীক্ষাই যেন কবিতার লক্ষ্য। রবীন্দ্রনাথ এখানে প্রবেশাধিকার পান না। অবশ্য তাঁর কাব্য-বলয় থেকে দূরে সরাতেই আমরা তাঁর আদর্শ থেকে ভ্রষ্ট হই। এমন নয়, তিনি নিজেই বলেছেন, 'আমার প্রেম রবিকিরণ হেন জ্যোতির্ময় মুক্তি দিয়ে তোমারে ঘেরে যেন।' বলেছেন, আমার ঈশ্বরকে অস্বীকার করতে পারি বলেই তাঁর কাছে নিজেকে নিবেদন করতে পারি। প্রশ্নহীন আনুগত্য নয়, প্রশ্নকণ্টকিত বিকল্পের অভিসারই কাম্য। তবে প্রতিভার স্পর্শে যেন তা দীন না হয়। গত শতকের তিরিশের দশকের কবিতা অন্তত তেমন ছিল না। তার ছাপও দুরপনেয়। যদিও একক রবীন্দ্রনাথের দীপ্তি আকাশের সীমানায় তখনও তার সমস্তটা জুড়ে। একুশ শতকে এসে আজকের বাংলা কবিতায় নিরর্থকতার অহমিকা ও রুগ্‌ণতার আস্ফালন নিয়ে সেকথা কি এখন সাহস করে বলা যায়? একুশ শতকের বাকি পর্বে কী দেখব তার কোনো হদিস এখানে মেলে না।

কবিতার এই পালাবদল একটা বড়ো ক্ষতি করছে বাংলা গানে। আমাদের গানের একটা বড়ো ঐতিহ্য তার গীতিকবিতাকে ঘিরে। চর্যাপদের কাল থেকেই তার ধারা চিনে নেওয়া যায়। বৈষ্ণব কবিতা-পদাবলি, শ্যামাসংগীত, বাউল গান, ভাটিয়ালি, ভাওয়াইয়া, সবই কাব্যগীতিনির্ভর। রবীন্দ্র-নজরুলে এসে তার বিকাশ শিখর স্পর্শ করে। আমাদের শ্রেষ্ঠ প্রতিভা এই গান রচনায় যুক্ত থাকে। গান গণজীবনের সুর-ছন্দ-লয়কে ধারণ করে। তার আশা-আকাঙ্ক্ষার, আর্তি-আকুতির প্রকাশ ঘটায়। মার্গসংগীতের ঢালকে তা উপেক্ষা করে না। বরং তার ছক মাথায় রেখে যেভাবে এগোয়, তাতে ওই মার্গসংগীতেই নানা ভাব ও ভাবনাযুক্ত হয়। এইভাবে তা সমৃদ্ধ হয়ে এসেছে যুগ যুগ ধরে। হঠাৎই কোনো এক সময় তা নাজেল হয়নি। কোনো একক প্রতিভা তাকে চিরকালের রূপ দেয়নি, যদিও তা সৃষ্টিকে সমৃদ্ধ করেছে প্রচুর। কিন্তু এই ধারা শুকিয়ে আসে রবীন্দ্র-পরবর্তী কবিতার সঙ্গে গানের সহজ-স্বতঃস্ফূর্ত যোগ বিচ্ছিন্ন হয়ে যায়। বাংলা গান তার ঐতিহ্যের ধারা থেকে বিচ্যুত হয়ে শুকিয়ে মরতে বসে, অথবা প্রতিভাহীন অলীক রঙ্গে মজে। এই চেহারাই প্রকট হয়ে উঠেছে একুশ শতকে এসে। রবীন্দ্রসংগীত যে গাই না বা শুনি না তা নয়, আগের চেয়ে বোধ হয় বেশি গাই, বেশি শুনি। কিন্তু নতুন কবিতা— নতুন গানে তা কোনো জোয়ার আনে না। কোনো ঐশ্বর্যও তাতে যোগ করে না।

শুধু মানুষের অবিভাজ্যতার কথা বলেই রবীন্দ্রনাথ থেমে থাকেননি। সেই একক পূর্ণতাকে বাস্তবে ফুটিয়ে তোলার দায়িত্বও তিনি তাঁর মতো করে নিয়েছেন। কেউ বাধ্য করেননি। আপন অন্তরের তাগিদ শুনেছেন। তার নির্দেশেই কাজে নেমেছেন। গেয়েছেন, 'আমার যে সব দিতে হবে সেত' আমি জানি।' তা শুধু কথার কথা ছিল না। নিঃস্ব হতে চেয়েছেন। নিঃস্বই হয়েছেন। পতিসর-শিলাইদহে গ্রাম উন্নয়ন উদ্যোগে নিজের সঞ্চয় সব ঢেলেছেন। সে-অর্থ ফেরত আসেনি, পরে ব্রত নিয়েছেন শিক্ষার আলো জ্বালার। গ্রামের দারিদ্র্য দূর করবার। বিশ্বভারতী-শ্রীনিকেতন হয়ে উঠেছে তাঁর ব্রত উদ্‌যাপনের কেন্দ্র। তা বিভাজিত মানুষকে সামনে রেখে নয়। পূর্ণ মানুষের স্পষ্ট সত্যকে জাগিয়ে তুলতে। এই মানুষ জাতি-ধর্ম-বর্ণের উর্ধ্বে। বলেছেনও স্পষ্ট করে, আমাদের একটিই জাতি, সে হচ্ছে মানুষ; একটি মাত্র দেশ, এবং তা বসুন্ধরা। ''যত্র বিশ্বং ভবেত্বেকং নীড়ম'— এই ছিল তাঁর বিশ্বভারতীর বাণী। শ্রীনিকেতনে ছিল গরিব মানুষকে সমবায়ে একত্র করে তাদের স্বনির্ভর করার কর্মযজ্ঞ।

উভয় উদ্যোগের মহিমাই আমাদের উদ্‌বোধিত করে। উজ্জ্বল উদ্ধারের পথ যেন তারা দেখায়। সব মানুষের তীর্থস্থানই বুঝি হয়ে ওঠে তারা। কিন্তু তার পরে কী? কোনো মৌলিক পরিবর্তন কি তারা সহজে ঘটায়? নাকি রবিকরোজ্জ্বলে উদ্ভাসিত দ্বীপ হয়েই তারা থাকে? গোটা দেশের মানুষকে তারা যুক্ত করেনি। যুক্ত করার নৈর্ব্যক্তিক প্রাতিষ্ঠানিক ব্যবস্থাও কিছু গড়ে তোলেননি। তেমন কিছু গড়তে হলে জনগণের রাষ্ট্র বা অনুরূপ কোনো সাংগঠনিক নির্মাণকে গুরুত্ব দিতে হত। তাতে তাঁর কোনো আস্থা ছিল না। অন্তরের মূল্যবোধই ছিল তাঁর পাথেয়। কী করে তাতেই সবাই মিলবে, কী করে তা সবাইকে মিলাবে, এ বিষয়ে কোনো সুনির্দিষ্ট কর্মসূচি তিনি দেননি। ফলে গোটা দেশের প্রেক্ষাপটে সবটাই রয়ে যায় ভাসমান। শিকড় তার মাটির গভীরে যায় না। এমনকী বিশ্বভারতী-শ্রীনিকেতনও ক্রমশ মলিন হয়। আজ তারা আছে, এইটুকুই যা সংবাদ। উন্নয়নের কর্মভাবনায়, অথবা কর্মকলায় তাদের সংযোগ কিছুই প্রায় থাকে না। স্মৃতিভাবনায় অথবা কর্মকলায় তাদের সংযোগ কিছুই প্রায় থাকে না। 'স্মৃতিভারে আমি পড়ে আছি'— এই বুঝি তাদের দুটোরই আলাদা আলাদা বলার কথা। একুশ শতক তাদের মুখাপেক্ষী হবে, এমন আশার কোনো বস্তুভূমি চোখে পড়ে না।

একুশ শতকে এসে আমরা কি তবে আজ রবীন্দ্রনাথের মতোই প্রশ্ন করাবে— যে-দিন গেছে তার সবটাই কি গেছে? পঞ্চাশ বছর আগে এক ব্রহ্মমুহূর্তে তাঁকে আমরা আপন করে পেয়েছিলাম। চেয়েছিলামও আপন করে। তারপরে হাজার গীতে নয়, হাজার ইঙ্গিতে হাজার দিকে উদ্‌ভ্রান্ত হয়ে আমাদের ছোটা। আলগা হয়ে পড়ে ঐক্যলীলার যোগবন্ধন। ক্ষীণ হতে থাকে তাঁর প্রতি আকর্ষণ। অশ্রদ্ধায় নয়, আক্রোশেও নয়। কালই তার কার্যকারণের প্রসারণ পতে দূরত্ব রচনা করে। ভালো বা মন্দ নয়, এমনটিই আমাদের স্বয়ংচালিত নিয়তি। কাল নিমিত্ত মাত্র।

রবীন্দ্রনাথ যে শুদ্ধ মানবতার জয়গান করেছিলেন, এবং যাতে তাঁর বিশ্বাসে খাদ ছিল না এতটুকু, তা ছিল তাঁর দূর অতীতের স্বপ্নকল্পনার পুনর্নির্মাণ। বহুধাবিভক্ত সমাজবাস্তবতায় তাকে ফিরিয়ে আনা মুশকিলই। তবু ওই স্মৃতির মায়া মরে না। আমাদের চেতনায় তা মিশে থাকে।

উত্তর-আধুনিক জগঝম্পে যখন ক্লান্তি আসে তখন ওই সমগ্রের সুষমার জন্য আমাদের তৃষ্ণা আবার জাগে। মনে হয়, শেষ নেই তার। রাতের সব তারা যেমন থাকে দিনের আলোর গভীরে কথার ছবিটা রবীন্দ্রনাথেরই-এও তেমনি। আর সেইসঙ্গে তিনি এসে দাঁড়ান আমাদের মাথার কাছে। বাস্তবতার রং যেমন যেমন বদলায় তেমন তেমন তিনি আসেন— কখনো শান্ত চরণে, কখনো রাজ সমারোহে, কখনো আলোয় আলোকময় হয়ে। এ ভাবালুতা নয়, আমাদের সত্য অনুভবের অকৃত্রিম প্রতিচ্ছবির মুখোমুখি যদি হই তাহলে স্বীকার আমাদের এটা করতেই হয়। তবে বাস্তবের খণ্ডবিখণ্ড মুখে অসার বিরাগ এতে মিলিয়ে যায় না। বর্তমান চাহিদার অগ্রাধিকারও অন্যরকম হয় না। শুধু ওই পূর্ণতার অনুভবে সার্থকতার তৃপ্তি তার ছোঁয়া দিয়ে যায়। অকৃতার্থ অসংখ্য মুহূর্তে আমরা তার অপেক্ষায় থাকি, এই একুশ শতকের পুঁজি-প্রযুক্তির নতুন বিন্যাসের ভেতরেও।

এটাও আমরা দেখি, তাঁর মানবতা শুধুই মানবকেন্দ্রিক ছিল না। তাঁর প্রিয় মন্ত্র ছিল 'আত্মানং বিদ্ধিঃ'— আপনাকে জানো, একইরকম বুদ্ধবাণী, 'আত্মদীপো ভব'। তিনি গেয়েছিলেন, 'আপনাকে এই জানা আমার ফুরাবে না'। তবে এই সব নয়। আরও 'এই জানারই সঙ্গে সঙ্গে তোমার চেনা'— 'তোমার চেনা' আপনাকে জানার সব সীমা ভেঙে দেয়। প্রোটাগোরাস বা সক্রেটিস গ্রিক দর্শনেও যে বলেছেন 'নিজেকে জানো'। তা ছিল, সবটাই মানুষের আত্মকেন্দ্রিক। নিজের সকল বৃত্তি, প্রেম-ক্ষমা, করুণা, ক্রোধ, ভয়, সাহস, এমনই সব কিছু চিনে নেবার আহ্বান ছিল তা। কিন্তু 'তোমার চেনা' তা অতিক্রম করে সমগ্র বিশ্বে ছড়ায়। 'সবাই নিয়ে সবার মাঝে দাঁড়িয়ে আছ তুমি।' তিনি বলেন, 'সই যে আমার তুমি'। উপনিষদ তাঁকে শেখায়, বট গাছের ক্ষুদ্রাতিক্ষুদ্র বীজ থেকে আদিত্য মণ্ডলের জ্যোতিকণা পর্যন্ত সব কিছুর সঙ্গে মানুষ একাত্ম। অতএব বিদ্বেষ কোরো না, ভালোবাসো। তিনিও বলেন, 'বিশ্বসঙ্গে যোগে যেথায় বিহারো, সেইখানে যোগ তোমার সঙ্গে আমারো।' আত্মপরিচয় ও বিশ্বপরিচয় তাঁর একাকার হয়ে যায়। এই বোধ থেকে আসে প্রকৃতির সঙ্গে আত্মীয়তা। প্রকৃতি তাঁর চেতনায়, তাঁর রচনায় এক জীবন্ত সত্তা। মানুষকে বাঁচায়। দৃষ্টিকে তার উদার করে।

আজ মানুষের উদগ্র লোভের কাছে প্রকৃতি যখন পরাস্ত, তার অস্তিত্ব যখন বিপন্ন এবং সেই বিপন্নতা যখন ধ্বংসের মুখোমুখি দাঁড় করিয়ে দেয় মানুষের বেঁচে থাকার পরিবেশকেও, তখন পথের দিশা পেতে পারি আমরা রবীন্দ্রনাথের উপলব্ধি থেকে। তাঁর বনমহোৎসব, বনদেবীর আবাহন, তাঁর বর্ষামঙ্গল, গানে গানে ঋতু পরিক্রমা, বিচিত্র সৌন্দর্য তাদের আমাদের চোখের সামনে মেলে ধরা— এরা আমাদের আত্মপরিচয়ের পরিধি বাড়ায়, মমতার চোখে পরিবেশকে দেখতে শেখায়। এই শিক্ষা নতুন নয়। মানুষের জীবনের সঙ্গে আবহমান তার যোগ। তবু ভুলে থাকি। নিজেদের বিপদ বাড়াই। তারও কারণ বাঁচার আকাঙ্ক্ষা— সক্ষমতার, সচ্ছলতার আকাঙ্ক্ষা। অবশ্য শুধু মানুষের নিজেকে নিয়েই। তাতে সংকট ক্রমাগত বেড়ে যায়। একুশ শতকে এসে বুঝি শিরেসংক্রান্তি। শুশ্রূষার বাণী শোনান এখানে রবীন্দ্রনাথ। তাঁর শরণ নিলে ঋদ্ধ হই, আমরাই। জগৎসংসারের বোধও আমাদের পালটায়। অবশ্য আমরা কী করি, কী হই, তা নির্ভর করে আমাদেরই উপরে।

একথা ঠিক, রবীন্দ্রনাথ কোনো বাধ্যবাধকতায় আমাদের বাঁধেন না। জ্যোতির্ময় মূর্তির কথাই তিনি বলেন। একুশ শতকেও সামনে এনেছে নতুন প্রশ্ন। চায় নতুন সমাধান। ফেলে এসেছে পেছনে রবীন্দ্রনাথের কাল। বিশ্বাসের তাবিজ করে তাঁকে গলায় ঝুলিয়ে রাখা আর মানায় না। সংগতও না। তবু আমাদেরই আন্তর প্রেরণা, ঝঞ্ঝাবিক্ষুব্ধ বাস্তবতায় আমাদের আর্তজিজ্ঞাসা এখনও তাঁর দিকে আমাদের টানে। সব সমাধান তিনি দেবেন, এটা আশা করা যায় না। তেমন ভাবাটাই অরাবীন্দ্রিক। সময়ের বর্ষণে ক্ষয়ে গেছে তাঁর অনেক মহিমা। সেইটিই স্বাভাবিক। তারপরও মর্ত্য মানুষের সুন্দর ও কল্যাণের তৃষ্ণাটুকু থেকে যায়। থেকে যায় তারই বিপরীতে বিভাজনের ও বৈষম্যের গ্লানি। দুটোর অনুভবই তাঁর দিকে আমাদের ফেরায়। চেতনায় তাঁকে ধারণ করে আমরা আমাদের মতোই এগিয়ে যাবার পথ খোঁজার কথা ভাবতে পারি। তবে রাষ্ট্রের ক্রিয়াকার্য নিয়ে তাঁর মনে যে সংশয় ছিল, নেশন-স্টেটের উত্থান নিয়ে যে দুশ্চিন্তা তাঁকে পীড়িত করেছে, তাদের অনুসরণে কোনো সরলরৈখিক ও একমাত্রিক সিদ্ধান্তে পৌঁছুনো শুভবোধের বিচারে যতই আকর্ষণীয় মনে হোক বাস্তবে তা সমূহ মানুষের জন্য কল্যাণকর কি না এ প্রশ্ন থেকে যায়। উত্তর-আধুনিক চিন্তা ও রাষ্ট্রকে আসামির কাঠগড়ায় দাঁড় করায়। ভেঙে ফেলতে চায় বহু মানুষের পরস্পর নির্ভরতার ও যোগাযোগের প্রাতিষ্ঠানিক কাঠামো। রাষ্ট্রের দায় ও দায়িত্ব দুটোই তাতে মূল্য হারায়। প্রতি পদে প্রশ্নবিদ্ধ হয় তার প্রাতিষ্ঠানিক কর্মকাণ্ড। নাগরিক সমাজের স্বতন্ত্র প্রভাববলয় সর্বেসর্বা হয়ে উঠতে চায়। সেই অনুপাতে রাষ্ট্র তার কর্তৃত্ব হারায়। রবীন্দ্রনাথের চিন্তাধারা থেকে এতে তাঁর সায় মিলত বলেই মনে হয়। কিন্তু এই শতকের প্রেক্ষাপটে রাষ্ট্রের দুর্বলতা, অথবা তাকে টুকরো টুকরো করা, ক্ষমতা ও প্রতিপত্তি বাড়ায় বহুজাতিক কর্তৃত্ববাদী পুঁজির ও প্রযুক্তির। বিনষ্ট সংহতি নিয়ে একা ও আলাদা আলাদা মানুষ তার সামনে আরও অসহায়। করিৎকর্মা বুদ্ধিমান ধুরন্ধরের দল আখের গোছাবার সুযোগ পেয়ে বহুজাতিক সংস্থাসমূহের সঙ্গে গাঁটছড়া বেঁধে উচ্চনিনাদে তাদের দামামা বাজাতে পারে, এবং তা রবীন্দ্রনাথের আন্তর্জাতিকতার আদর্শের দোহাই দিয়েও— কিন্তু অসহায় মানুষের সহায় তাতে বাড়ে না। অবলম্বনের জায়গা তার আরও সংকুচিত হয়। তার আগে যদি ধরে নিই, গণতান্ত্রিক ব্যবস্থা মেনে নিয়ে পরিচালিত হয় রাষ্ট্র। তবে রবীন্দ্রনাথের লক্ষ্যটাকেই এখানে আমরা সামনে রাখার কথা ভাবতে পারি; যদিও তাঁর ভাবকল্পনার সবটুকু নয়। সরল পুনরুৎপাদনের বৃত্ত থেকে বেরিয়ে এসে প্রবৃদ্ধি-প্রকল্পের জটিলতর সম্পর্ক-সম্বন্ধে যুক্ত হওয়ার বিকল্প যখন আর কিছু আমাদের থাকে না, তখন আমাদের সমাধানসূত্রও হয়ে পড়ে বহুমাত্রিক। রবীন্দ্রনাথের মুক্তি ও কল্যাণের স্বপ্নকল্পনায় এনে পথের রেখা রচনা করার দায়িত্ব নিতে হয় আমাদেরই এবং তা কোনো পিছুটান না রেখে স্বাধীন ও নিরাসক্ত মন নিয়ে এই একুশ শতকে বর্তমান বাস্তবতার মুখোমুখি হবেই।

[৩১]

এখন রবীন্দ্রনাথ

পেরিয়ে গেল রবীন্দ্রনাথের দেড়শোতম জন্মদিন। তাঁর জীবনাবসানের পরেও কেটে গেছে আশি বছরের বেশি সময়। কথাটা মাথায় আসতেই একটু নড়েচড়ে বসি। মাঝখানে সময়টা মনে মনে দ্রুত একবার দেখে নেবার চেষ্টা করি। কত কী ভাঙাগড়া। অর্জন আর বিসর্জন। সময় তার খাজনা নেয়। নিরাসক্ত নির্মম। তৈরি হয়েছে নতুন সম্ভাবনাও। তাতেও সে নির্বিকার। আমরা সেসবে সাড়া দিই। হ্যাঁ-না দু-ই। ক্রিয়ায়-প্রতিক্রিয়ায় বাস্তবে তোলপাড় জাগে। সামনের পথ নানা দিকে ছড়ায়। আমরাই তেমন ঘটাই। একা নয়, সবাই। একসঙ্গে বসে বুদ্ধি করে নয়, নিজের নিজের মতো সময়ের দান দিয়ে, আর দান তুলে। কাটাকাটিতে যোগসাজশে পরিস্থিতিতে তারা গতির আবেগ সৃষ্টি করে, পথের নিশানাও গজায়। একাধিক। ইচ্ছা-অনিচ্ছার, করা না-করার মিলিত প্রবাহ আমাদের ঠেলে দেয় তার কোনো একটিতে। তাতেই আমরা চলি পড়ি ঘুরপাক খাই। আবার উঠে দাঁড়াবার চেষ্টা করি। পড়িমরি করে ছুটতে হয়। এমনই ঘটে অবিরাম। কখনো ধীর লয়ে, এমনকী চলছি কি না বোঝাই যায় না, কখনো-বা হুড়মুড়িয়ে, কে কোথায় ছিটকে পড়ে, কিছুই শক্ত হাতে সামলানো যায় না। চালের নিয়মে সময়ের প্রেক্ষাপটেও পালটায়। তা অবিরাম আঁকা হয়ে চলে আগের মতোই। আমরাই তার কুশীলব। কর্তা-কর্ম দু-ই আমরা আবার সবমিলিয়ে সময়ের বৈরাগ্যের নিয়ন্ত্রণে অসহায় ক্রীড়নক। এভাবে চলতে চলতে আজ আমরা যেখানে, সেখান থেকেই দেখবার চেষ্টা করি ঋষিপুত্র রবীন্দ্রনাথকে। কত দূরে তিনি? কত কাছে? জীবনের পরতে পরতে মিশে যান কি তিনি এখনও? না কি জীর্ণ পাতার মতো তাঁকে ফেলেও জীবন নতুন আকর্ষণে মাতে? বিষয়টি ভাববার; কারণ তার সঙ্গে জড়িয়ে আছে আমাদের চাওয়া-পাওয়ার মূল্যবিচার। ওই বিচার অবশ্য আপেক্ষিক। মূল্য স্বয়ং স্থান ও কালনির্ভর। তাকে অতিক্রম করে বাস্তবের স্বরূপ যদি কিছু ফোটে তবে তার আভাসটুকুর গুরুত্বও উপেক্ষা করবার নয়।

প্রথমেই চোখের সামনে ভেসে ওঠে তার শতবার্ষিকীতে আমাদের অভিজ্ঞতার ধারাবাহিক ছবি। মাঝখানে তাঁর মৃত্যুর পর কেটে গেছে আরও কুড়ি বছর। তাঁর অনুপস্থিতি যদি কোনো

শূন্যতার জন্ম দিয়ে থাকে তবে তার সঙ্গে মানিয়ে নেবার পক্ষে যথেষ্ট সময়। অবশ্য যদি ধরে নিই তাঁর সঙ্গে যোগাযোগের স্বাভাবিক নিরবচ্ছিন্নতা। তা তাঁর না-থাকার পরিসরেও। স্মৃতির নির্দেশ তখন সত্তায় মেশে। বাড়তি আগ্রহ জাগায়। মননে যে আলোড়নের সৃষ্টি হয় তারও প্রভাব পড়ে বাস্তবের নির্মাণকলায়। কিন্তু প্রত্যক্ষে প্রবল হতে পারে বিপরীত বায়ুর দাপট। তাতে ঝড়ের তাণ্ডবে এলোমেলো হয়ে পড়ার আশঙ্কা থাকে আমাদের পূর্বনির্ধারিত ইষ্টানিক বিচারবোধের। দ্বন্দ্ব-সংঘাতে বিক্ষিপ্ত মন উদ্‌বাস্তু হতে পারে অনির্দেশে। ছড়িয়ে-ছিটিয়ে পড়তে পারে টুকরো টুকরো বিষয়চিন্তায়। পরস্পরবিরোধী স্বার্থের হানাহানিতে আবিল হয়ে উঠতে পারে সমগ্র দৃশ্যপট। তা প্রমাণিত করতে গেলেও সরে আসতে হয় প্রাথমিক অবস্থান থেকে। তাতে চিন্তায় ও কাজে অগ্রাধিকারের ছক নতুন করে সাজাতে হয়। কারণ ঘটমান আকস্মিকতায় ও বিশৃঙ্খলায় আগের আয়োজন সংগতি হারায়। সেক্ষেত্রে চিন্তায় ও কাজে সর্বোত্তম মীমাংসা আর আগের জায়গায় থাকে না। কালের বিপরীতে তার গতিরেখা নতুন পথ খোঁজে। হতে পারে তা অনিশ্চিত অথবা সোজা রাস্তা ছেড়ে আঁকাবাঁকা নিত্যপরিবর্তনমান। এইটিই যদি আমাদের সমাজ সংসারে ও মনোজগতে বহু-বিপরীতের টানাপোড়েনে প্রধান হয়ে ওঠে, তবে প্রাথমিক অবস্থার স্বাভাবিকতাও তার প্রত্যাশিত গতিশীলতা আর বজায় রাখা যায় না।

কবির তিরোধানের পর ওই যে কালখণ্ড, তা আর যা-ই হোক, রাবীন্দ্রিক ছিল না। পূর্ণতার অনুভব তখন ছত্রখান। অথচ পরিপার্শ্বের নয়, বিশ্বব্রহ্মাণ্ডের সমগ্রতায় এক অখণ্ড প্রাণপ্রবাহের চেতনা ছিল তাঁর উপলব্ধির কেন্দ্রবিন্দুতে। ছিল তাঁর মূল অবিচল প্রেরণা। দুঃখ-মৃত্যু-বিরহক্লিষ্ট পার্থিব জীবন থেকে বেরিয়ে গিয়ে নয়, তা থেকে মুখ ফিরিয়ে নিয়েও নয়, বরং তাকে আত্মস্থ করেই গভীর প্রশান্তিতে ও আসক্তিহীন তৃপ্তিতে সমগ্রের পূর্ণাবয়ব অবলোকন করাই ছিল তাঁর সাধনা। তা আমৃত্যু স্ফুটনোন্মুখ পদ্মের মতো এই বিশ্বপ্রপঞ্চ। দলগুলো তার স্তরে স্তরে সাজানো। ‘কান্না-হাসির-দোলানো’, ‘সাদা-কালোর দ্বন্দ্বে’ রূপময় জীবনলীলার ছন্দে যে ‘রং জাগে’ তার বিচিত্র বর্ণচ্ছটা অন্তরে শুষে নিয়ে ওই বিশ্বপটে বিশ্বশিল্পের সমান্তরালে তিনি সাজিয়ে দেন তাঁর সৃষ্টির সরঞ্জাম। রচনায় ফুটিয়ে তুলতে চান বিশ্ববাণীর মর্মবাণী। কখনো যে বিচলিত হননি তা নয়, বিশেষ করে জীবনের শেষ পর্বে যে দেখেন চারদিকে দুঃশাসনের লাগামহীন বিস্তার আর কানে বাজে উৎপীড়িতের অসহায় আর্তনাদ, তাতে তাঁর নিজের বিশ্বাসের জায়গাটাও কেঁপে উঠেছিল। আকুল প্রশ্নে দীর্ণ হয়েছিলেন, ‘যাহারা তোমার বিষাইছে বায়ু নিভাইছে তব আলো/ তুমি কি তাদের ক্ষমা করিয়াছ। তুমি কি বেসেছ ভালো?’ তাঁর আশাহীন আকুল হাহাকারও সেইসঙ্গে ভাষা পেয়েছিল— ‘কণ্ঠ আমার রুদ্ধ আজিকে, বাঁশি সংগীত হারা/ অমাবস্যার কারা/ লুপ্ত করেছে আমার ভুবন দুঃস্বপনের তলে।’ তবু তিনি সংবিত হারাননি। দুঃসহ বেদনা আকণ্ঠ পান করেও বিশ্বাস হারাতে চাননি মানুষের উপর থেকে। এ ‘মানুষের’ বাস সব মানুষের অন্তর্লোকে। স্বার্থবুদ্ধিকে অতিক্রম করে সব মানুষের অগ্রাভিযানে সে শামিল হয় বলেই মানবসভ্যতার বিকাশ। এই বিকাশে তাঁর আস্থা তিনি শেষ পর্যন্ত বজায় রেখেছেন। আর সান্ত্বনা খুঁজেছেন ‘অনায়াসে যে পেরেছে ছলনা সহিতে/ সে পায় তোমার হাতে/ শান্তির অক্ষয় অধিকার।’ অতএব ‘দ্বন্দ্ব-বিরোধ’ দৃষ্টি স্থির

রেখে তার কার্যকারণের গতিপথ তিনি খোঁজেন না; চূড়ান্ত পরিণামে যে 'ভালো' তারই স্বপ্ন লালন করেন। সে যে 'আসে, আসে, আসে' এবং তা অনিবার্য। এই ভাবনা মন থেকে মুছে ফেলেন না। সেখানে 'সবা'য় নিয়ে সবার মাঝে লুকিয়ে আছ তুমি', তাতে পক্ষ-বিপক্ষের ব্যবধান অবাস্তব। কার ভিতরে জাগিয়া কে যে, সে নির্বিশেষ মানুষ। সবার ভেতরে আর একইরকম অবস্থান। তাকে বেঁধে রাখলেই নয়নে লাগে আঁধি; আর ভুবনে ভুবনে যেন হয়ে যায় আধাআধি। তারই বিপরীতে 'কত জীবনের আশা রঙে, রঙে পায় ভাষা'। স্পষ্টতই এটা দূরের ছবি। 'শুভ কর্মপথে' যেখানে পৌঁছোতে চাই, সেই আলোকিত নিশানার, বর্তমানের রুগ্ণ-বিবর্ণ বাস্তবতায় স্বার্থতাড়িত দ্বন্দ্বের ঘনঘটার মাঝ দিয়ে এগিয়ে যাবার কোনো পথের নির্দেশ এতে নেই। স্বর্ণযুগের স্বপ্ন দেখি আমরা সবাই। কিন্তু 'প্রতিদিনের পথের ধূলায়' প্রত্যক্ষে যে জীবনের কর্মরূপ আচ্ছন্ন, তার ভেতরে দৃষ্টি দিয়ে তা থেকে বেরোবার পথ যদি খুঁজে না পাই, তবে অভীষ্ট লক্ষ্য যে স্বর্ণশিখর প্রাঙ্গণ, তা বুঝি অধরাই থেকে যায়।

এই যে বহু রূপের স্তরে স্তরে ছন্দময় বিন্যাসে বিশ্বরূপের পার্থিত প্রকাশ পরিপূর্ণ সুষমায় ফুটে ওঠা দেখতে চাওয়া, এবং সেই চাওয়াকে কালের যাত্রাপথে এতটুকু বিচলিত হতে না দেওয়া। এ কিন্তু এই বিপুল আয়োজনে বৈষম্যকে অস্বীকার করে না। বরং তাকে স্বভাবজাত অভিপ্রায় বলেই মেনে নেয়। তেমন না হলে, তিনি মনে করেন, অভিব্যক্তিতে বৈচিত্র্য থাকে না। সমতলতা বা একাকারতা উদ্যোগের অভিযানকে কোনো উৎসাহ জোগায় না, 'বুদ্ধিকে অলস করে'। অবশ্য তিনি এও বলেন, "অতিবন্ধুরতাও দোষের কেননা, তাতে যে ব্যবধান সৃষ্টি করে, তার দ্বারা মানুষে মানুষে সামাজিকতার যোগ অতিমাত্রায় বাধা হয়। যেখানেই তেমন বাধা সেই গহ্বরেই অকল্যাণ নানান মূর্তি ধরে বাসা বাঁধে। অপরিমিত অসাম্য সমাজনাশের কারণ হয়। চারদিকে তা অনিষ্ঠ ও অশান্তি বিকট আকারে ডেকে আনে।" (সমবায় নীতি, ১৩৩৫) এমন অবস্থায় ঠিক ক্রান্তি-মুহূর্তে আমরা কী করি, তার সঠিক দিকনির্দেশ তাঁর কাছ থেকে আমরা তেমন পাই কি না তা ভেবে দেখবার। তিনি যে জোর দেন ব্যক্তিগত সততার উপর, উপলব্ধি উক্তি ও কর্মকে সমলয়ে গাঁথার উপর, প্রত্যেকের আত্মশক্তির জাগরণের উপর, তা খুবই মূল্যবান। নিজের জীবনে এর প্রত্যেকটিতে তিনি যে উজ্জ্বল অনুকরণীয় দৃষ্টান্ত স্থাপন করেছেন, তাতে কোনো সন্দেহ নেই। কিন্তু ঘটনা যখন ব্যক্তি থেকে গোষ্ঠী, এবং গোষ্ঠী থেকে সমষ্টিতে ছড়ায়, তখন ব্যক্তি গোষ্ঠী ও সমষ্টির আচরণ একই তরঙ্গদৈর্ঘ্যে এনে মেলানো বেশ কঠিনই। তিনি কিন্তু ব্যক্তির মাপকাঠিতেই সব আচরণ দাঁড় করান। তাতে উত্তমায়ন বিধি সহজেই হয়তো বেরিয়ে আসে। কারণ রূঢ়, যোগরূঢ় বা যৌগিক মিশ্রণ, এবং সেই অনুযায়ী অর্থ নির্দেশ সেখানে অবাস্তব। কিন্তু তা যথার্থ একথা নিশ্চিত করে বলা মুশকিল। ব্যক্তির মূল্যমান সবসময় সার্বিক কল্যাণের নির্ণায়ক নয়। আত্যন্তিক সততা ও শুভকামনা নিয়ে ব্যক্তি তার বিবেকের অনুশাসন মেনে চলতে পারে, যেমন চলেছেন আজীবন তিনি স্বয়ং। কিন্তু বাস্তব যদি হয় দ্বন্দ্বসংকুল তবে তাতেই বহু মানুষের মিলিত জীবনে আবশ্যিকভাবে সুখ ও সমৃদ্ধির দেখা পাওয়া তর্কসাপেক্ষ। আলাদা আলাদা ব্যক্তির পছন্দতালিকার অগ্রাধিকার পরস্পরবিরোধী হওয়া সম্ভব ও স্বাভাবিক। প্রায়শই তেমন ঘটে। সবার পছন্দের সরল

যোগফল সেখানে কোনো কাজে আসে না। রবীন্দ্রনাথ ভরসা রাখেন সমবায়ের উপর। কিন্তু এমন পরিস্থিতিতে তার গোড়াতেই গলদ থেকে যাবার আশঙ্কা।

রবীন্দ্রনাথের মৃত্যুর পর ওই বিশ বছরে এই প্রশ্নগুলো আমরা সচেতনভাবে তুলিনি। কিন্তু আমাদের যৌথ আচরণেই তারা নিজেদের প্রকটভাবে জাহির করে। কালের পটভূমিও ছিল ত্রাসে-সংকটে চৌচির। শুধু আমাদের পরিপার্শ্বেই নয়, পৃথিবীজুড়েই। তাদের করালগ্রাস তিনি যে দেখে গেছেন তাঁর জীবনের অন্তিম লগ্নে, তার নিরাশ্বাস-নির্বিচার বিভীষিকায় তাঁর সংবেদনশীল মন আর্তনাদে দীর্ণ হয়েছে— 'যে দুঃখ নিহিত আছে/ অপমানে শঙ্কায় লজ্জায়/ কোনোকালে যার অন্ত নাই/ আজি তাই নির্যাতন করে মোরে/ আকূল আক্ষেপ তাঁর ঝরে পড়ে। 'প্রতারণার ছুরি/ পাঁজর কেটে করে চুরি/ সরল বিশ্বাসে—' ('সান্ত্বনা', *পরিশেষ*)। বলেন, 'জানিলাম এ জগৎ স্বপ্ন নয়/ রক্তের অক্ষরে দেখিলাম আপনার রূপ/ চিনিলাম আপনারে/ আঘাতে আঘাতে বেদনায় বেদনায়'— ('রূপনারায়ণের কূলে', *শেষলেখা*)। কিন্তু তার পরেও তিনি আস্থা হারান না তাঁর 'অন্তরের পথে'; তা 'চিরস্বচ্ছ' 'সহজ বিশ্বাস', 'চিরসমুজ্জ্বল'। নারকীয় বাস্তবতার নিষ্ঠুর উন্মোচন তাঁকেও গ্রাস করে। 'কণ্ঠের বিকৃত ভান, ত্রাসের বিকট ভঙ্গি যত-অন্ধকারে ছলনা'— এসবের সম্মুখে এসবের ভেতরে তিনি উঠে দাঁড়ান, 'অন্তরে ঋজু'। আঁকড়ে থাকেন তাঁর অবিনাশী মানব অভ্যুদয়ের অমলিন স্বপ্নকে। গেয়ে ওঠেন— 'আজি অমারাত্রির দুর্গতোরণ যত ধূলিতলে হয়ে গেল ভগ্ন।/ উদয় শিখরে জাগে মাভৈঃ মাভৈঃ' নবজীবনের আশ্বাসে; আর ওই মানব-অভ্যুদয়ের জয়গানে মুখর হয়ে ওঠেন, 'জয় জয় জয় রে মানব অভ্যুদয়' মন্দ্রি উঠিল মহাকাশে'। বিশ্বাসের ভূমি তুমি থেকে তখনও তিনি উচ্চারণ করেন, 'শেষস্পর্শে নিয়ে যাব যবে ধরণীরে/ বলে যাব, তোমার ধূলির/ তিলক পরেছি ভালে/ দেখেছি নিত্যের জ্যোতি দুর্যোগের মায়ার আড়ালে।' আর বলেন, 'সত্যের আনন্দরূপ এ ধূলিতে নিয়েছে মুরতি'— (মধুময় পৃথিবীর ধূলি', আরোগ্য) এ তো তাঁর আজীবন লালিত মন্ত্রগাঢ় উপলব্ধি। শুরুর দিকেই যে গেয়েছিলেন, 'আনন্দলোকে মঙ্গলালোকে বিরাজ সত্য সুন্দর'। আর তারই মহিমায় জাগরণে— 'জগতে তব কী মহোৎসব, বন্দন করে বিশ্ব/ শ্রীসম্পদ ভূমাস্পদ নির্ভয়শরণে'। জীবনের প্রান্তবেলায় এ যেন তারই গভীর-গম্ভীর পুনরাবৃত্তি। একটু খেয়াল করলেই বোঝা যায়, রবীন্দ্রনাথের ভরসাস্থল, ওই মহাবিপর্যয়ের ভেতরেও সত্য কল্যাণ ও সুন্দরের এক ধ্রুবক। তা অজড়-অমর-অক্ষয়। জ্যোতি তার চিরকালের। দুর্যোগ শুধুই মায়া। অন্তরের পথে তার উপলব্ধি। এবং সেই পথ প্রত্যেকের নিজস্ব। অন্বিষ্ট যা, তা শাশ্বত। এই পথের কথা তিনি আগেও বলেছেন। সরে আসেননি পরেও। নিটফল থেকে যায় একইরকম সরলরৈখিক। এবং সব সরলরেখার যোগফলেই চূড়ান্ত সমাধানপথ। দারুণভাবে আমাদের এ মুগ্ধ করে। আবিষ্ট করে। দূরের আলোকস্তম্ভ যেন। আমাদের সম্মোহিত করে। নিশ্চিত ওই লক্ষ্যের দিকে আমরা এগোতে চাই। কিন্তু বাধা পাই প্রতি পদে।

বাস্তবে যে বহুমাত্রিক দ্বন্দ্বের জটাজাল। তবে গোলকধাঁধায় সোজা পথের নিশানা মেলে না। আর 'কষ্ট' বা 'ত্রাস' তো ভান বা ভঙ্গি নয়। বাস্তবের কর্মধারায় তাদেরও রয়েছে উৎসমূল। ক্রিয়া-প্রতিক্রিয়ায় তাদের বাড়বাড়ন্ত। ছড়ায় সবখানে। 'মায়া' বলে, 'অপচ্ছায়া' বলে তাদের

দিক থেকে মুখ ফিরিয়ে রাখলেই তারা উবে যায় না। ঝাড়েবংশে ডালপালা ছড়ায়। গোটা মানব অস্তিত্বের ভেতর থেকেই যোগাশ্রয়ী, এমনকী রূঢ় কর্মপন্থার কথা ভাবা ছাড়া তখন উপায় থাকে না। এবং শুধু ভাবা নয়, করাও। সমগ্রের অখণ্ড ভাবরূপ তাতে অটুট নাও থাকতে পারে। প্রকৃতপক্ষে তা খান খান হয়ে ভেঙে যায়। আমাদের দৃষ্টিও ভিন্ন ভিন্ন টুকরোতে আটকে থাকে। ভিন্ন ভিন্ন সমাধান খুঁজি। হতে পারে তার একটা অন্যটার প্রতিস্পর্ধী। এবং অনিবার্যভাবে তাদের ভেতরে আবার মারামারি। প্রেক্ষাপটের অনচ্ছতা কাটে না। আমরা কেবলই হাবুডুবু খাই। খড়কুটো পেলেও ধরার চেষ্টা করি। কখনো কখনো খণ্ড দৃষ্টির মায়ায় তাৎক্ষণিক লাভকে বৃহত্তর কল্যাণের চেয়ে বেশি মূল্য দিই। এমনকী শয়তানকেও দেবতার আসনে বসাই। বিষয়টা ভালো বা মন্দ নয়, উচিত বা অনুচিতও নয়, এলোমেলো ছড়ানো-ছিটানো ঘটনারাশিতে তার-ছিঁড়ে-যাওয়া তাল-কেটে-যাওয়া যে উথালপাথাল অবস্থা তাতে আপন আপন জায়গা থেকে নিজের নিজের মতো করে সামলে ওঠার সামাল দেবার তা চেষ্টা, সমগ্রের ধ্যানে তখন মন বসে না। যদিও সেইটিই যে শ্রেয়, একথা আমরা জপ করে চলি অবিরাম।

দ্বিতীয় মহাযুদ্ধ শুরু হয়ে গেছে রবীন্দ্রনাথ বেঁচে থাকতেই। কিন্তু আগে— তিরিশের দশকের গোড়ায় বিশ্বব্যাপী শিল্পী অর্থনীতির গোড়ায় আঘাত হেনেছে এক রক্ত-হিম-করা স্নায়ুক্ষয়ী মহামন্দা। আস্থায় চিড় ধরেছে বিষয় ব্যাপারের গোটা স্বয়ংক্রিয় ব্যবস্থাতে। বাজার আপন মহিমায় কাজ জোটাবে, কাজ বাড়াবে, নিশ্চিন্ত নির্ভরতার জায়গা হয়ে থাকবে, এই প্রত্যয় তখন হুমকির মুখে। অর্থনীতিতেও যে ডামাডোল, তাতে হঠাৎ করেই দেখা দেয় বিপুল বেকারত্ব, ঘন হয়ে জমে সহায়সম্বল খুইয়ে সাধারণ মানুষের পথের ভিখিরি হবার আশঙ্কা। উদ্‌বেগ আর উৎকণ্ঠায় তারা দিশেহারা। সংকট ছায়া ফেলে দেশে দেশে মানুষে মানুষে পারস্পরিক সম্পর্কেও। দেনা-পাওনায় গরমিল উত্তেজনা ছড়ায়। যুদ্ধকেও উসকে দেয়। তার কালো ছায়া প্রলম্বিত হয় আমাদের দেশেও। কৃষিতে অর্থের জোগান যেটুকু ছিল, তাতেও টান পড়ে, মহাজনি কারবারের সুদের হার চড়চড় বেড়ে যায়। গরিব চাষিরা আরও বিপাকে পড়ে। প্রতিক্রিয়াও দেখা দেয় তার। গোটা ব্যবস্থা তেমন গড়ে ওঠার আগে অনিশ্চয়তার মুখে এসে দাঁড়ায়। তার আঁচ রবীন্দ্রনাথকেও যে বেকায়দায় ফেলে না, তা নয়। তাঁর সমবায় আন্দোলন ঠিক মাথা তুলে দাঁড়াতে পারে না। আর্থ-সামাজিক-রাজনৈতিক পরিস্থিতি তাঁর সর্বোদয় উদ্যোগের সহায় হয় না। এদিকে ঔপনিবেশিক কাঠামোয় এমনিই কাজের বিস্তারের সুযোগ ছিল অতি সীমিত। মহামন্দার আক্রমণে তা আরও সংকুচিত হয়। গণজীবনে হতাশা ফলে আরও বেশি ছড়ায়। শাসন ব্যবস্থা, অর্থ ব্যবস্থা, বিনিয়োগ-সম্ভাবনা, এইসব মিলিয়ে সমস্যার মূলে চোখ রেখে সরাসরি তার মোকাবিলায় নামতে গেলে যে দ্বান্দ্বিক বিভাজনের সৃষ্টি অনিবার্য, সে-বিষয়ে সচেতন থেকেও রবীন্দ্রনাথ এক উদার সমন্বয়ধর্মী সমাধানের স্বপ্ন দেখেন। সমকালীন চিন্তাস্রোত কিন্তু ক্রমশ অসহিষ্ণু হয়ে ওঠে। অশেষ শ্রদ্ধায় রবীন্দ্রনাথকে প্রণতি জানিয়ে তা বাঁক নিয়ে ভিন্ন মুখে চলতে শুরু করে। মহাযুদ্ধের আঁচ থেকেও তাঁর রেহাই মেলে না। তার লেলিহান শিখা উৎকট আয়োজনে বেষ্টন করে দিক্‌মণ্ডল। ব্যক্তিমানুষের ভালো-মন্দের বাছবিচার সেখানে নিরর্থক, তার সামনে আর পাঁচজনের মতো তিনিও অসহায়।

শুধু ধরা পড়ে অনুভূতির অন্তর্জালে সীমাহীন মানবযন্ত্রণা, আর আত্যন্তিক শুভকামনা। ক্ষোভের তীব্রতায় তাঁরও সংযমের বাঁধ বুঝি ভেঙে পড়ে। বলে ওঠেন, ''সংগ্রাম মদিরাপানে আপনা-বিস্মৃত/ দিকে দিকে হত্যা যারা প্রসারিত করে/ মরণলোকের তারা যন্ত্রমাত্র শুধু/ তারা তো দয়ার পাত্র মনুষ্যত্বহারা।" আরও বলেন, ''সজ্ঞানে নিষ্ঠুর যারা উন্মত্ত হিংসায়/ মানবের মর্মতন্তু ছিন্ন ছিন্ন করে/ তারাও মানুষ বলে গণ্য হয়ে আছে।" অসহায় বিলাপের মতো তারপর তাঁর মর্মভেদী উচ্চারণ, ''কোনো নাম নাহি জানি বহন যা করে/ ঘৃণা ও আতঙ্কে মেশা প্রবল ধিক্কার/ হায়রে নির্লজ্জ ভাষা, হায় রে মানুষ!" ('প্রচ্ছন্ন পশু', *জন্মদিনে*)। এই বিবেকসুদ্ধ আক্ষেপ আমাদের হৃদয় মথিত করে। অন্যায় হিংসাকে আমরা প্রত্যাখ্যান করার শক্তি সঞ্চয় করি। প্রত্যেকে এককভাবে নিজের মতো করে। কিন্তু তাতে সংকটমোচনে কোনো দিকনির্দেশ মেলে না। অবশ্য কোনো কবির কাছ থেকে— মানব ভাগ্যের কোনো দ্রষ্টার কাছ থেকে তা আমরা আশা করতে পারি কি না, এ প্রশ্নেরও উত্তর আমাদের খুঁজতে হয়। যদিও নিশ্চিত কোনো সদুত্তর আমরা পাই না। বোধ হয় তা সম্ভবও নয়। বস্তুজগৎ তার আপেক্ষিক উপস্থাপনে আমাদের দৃষ্টিকে সংজ্ঞার্থেই খণ্ডিত করে ফেলে। কবি মনীষী যদি কেউ থাকেন তবে তার বেলাতেও তা সত্য। আমাদের তুষ্ট থাকতে হয় নিজের নিজের জায়গা থেকে কে কতটা প্রেরণা পাই, কেবল তাই নিয়ে। সবাই একইভাবে উদ্‌বোধিত হন না। একইরকম সাড়াও দেন না। চোখ পড়ে হয়তো এক এক জনের এক এক জায়গায়। অসংখ্য খণ্ড সত্য যে জোড়া লেগে এক হবে, তার কোনো নিশ্চয়তা দেওয়া যায় না। উলটো এক না হবার ঝোঁকই প্রথম প্রথম চোখে পড়ে বেশি। তেমনটি আমাদের এখানেও। ফলে রবীন্দ্রনাথের সমন্বিত পূর্ণসত্যের মহত্তম বাণী ওই সময়ে বহু মানুষের মনে সেভাবে দাগ কাটে না। ক্ষুদ্রতার আস্ফালন আর বিভেদের উত্তেজনাই জনচিত্তকে আচ্ছন্ন করে বেশি। এক কবিতায় তিনি বলেন, চারদিকে নাগিনিদের বিষাক্ত নিশ্বাস, 'শান্তির ললিত বাণী' এখানে 'ব্যর্থ পরিহাসের' মতোই শোনাবে। ('নাগিনীরা চারদিকে ফেলিতেছে বিষাক্ত নিঃশ্বাস', *প্রান্তিক*)। কথাগুলো ফিরে গিয়ে কিন্তু তাঁকেই আঘাত করে। তাঁর পূর্ণতায় আস্থা কাউকে আশ্বস্ত করে না। 'ব্যর্থ পরিহাসের' মতো তাঁর বাণীও প্রত্যাখ্যানের দেয়ালে আঘাত করে ফিরে আসে। শান্তি যেখানে নেই, সেখানে বিদায় নেবার আগে তিনি তাদের ডাক দিয়ে যান, যারা 'দানবের সঙ্গে সংগ্রামের তরে' ঘরে ঘরে প্রস্তুত হচ্ছে। খুবই আন্তরিক। এর আবেদন সরাসরি সবার মনে ঘা দেয়। কিন্তু তার পরেও এ কি 'উড়ো খৈ গোবিন্দায় নমঃ'-এর মতো হয়ে যায় না? কে 'দানব' তা চিনি কী করে? প্রত্যেকেই যদি মনে করে, অন্যজন দানব আর সে দেবতুল্য— বাস্তবের চেহারাও ছিল এইরকমই— তবে ধর্মযুদ্ধে ধর্মের অবস্থান স্বয়ং বিতর্কিত হয়ে যায়। অতি প্রাচীন কুরুক্ষেত্র কাণ্ডেও তার যৌক্তিক মীমাংসা খুঁজে পাওয়া মুশকিল।

তাঁর দেহাবসানের পর, বিশ শতকের চল্লিশের দশকে, বীভৎসতার আগ্রাসন আরও ব্যাপক। তার উন্মত্ত হিংস্র, রুধিরাক্ত মুখ আরও বিকট। মহাযুদ্ধের তাণ্ডব অব্যাহত থাকে ১৯৪৫ পর্যন্ত। আঘাতে আঘাতে চোখের পলকে তছনছ হয়ে যেতে থাকে গ্রাম-শহর-নগরের শান্ত জীবনশৃঙ্খল। গণহত্যায় বলি হয় লক্ষ লক্ষ মানবসন্তান যাঁরা যুদ্ধ চাননি, অথচ যুদ্ধ যাঁদের উপর চেপে বসে।

সবশেষে আণবিক বোমায় নিশ্চিহ্ন হয় জাপানের দুই শহর হিরোশিমা ও নাগাসাকি। ঈশ্বরের নৈতিক বিধান, ন্যায়-অন্যায়, কল্যাণ-অকল্যাণ, এসবের ধারণা বিশ্বেও একইসঙ্গে হুড়মুড় করে ভেঙে পড়ে। ঘটনা কেবল দূরের পৃথিবীতেই ঘটে না। ঘটে আমাদের নিজেদের চৌহদ্দিতেও। মহাযুদ্ধেরই লেজের ঝাপটায় বিধ্বস্ত হয় গ্রামবাংলা। যুদ্ধের প্রয়োজনে খাবার মজুত করে ঔপনিবেশিক সরকার। শত্রুবাহিনীর পথরোধ করার লক্ষ্যে অচল করে দেয় যানবাহন-পথঘাট। ফলে গ্রামে গ্রামে আকস্মিক দেখা দেয় কাজের অভাব আর খাবারের অভাব। উদাসীন রাজশক্তি প্রতিকারের কোনো ব্যবস্থাই করে না। জনসমাজও ভেতর থেকে তার মোকাবিলায় প্রস্তুত থাকে না। হঠাৎ এসে দুর্ভিক্ষ অসহায় মানুষের উপর ঝাঁপিয়ে পড়ে। অপ্রস্তুত নিরন্ন জনসমুদয়কে সহজ শিকার বানিয়ে ক-মাস তা দাপিয়ে বেড়ায়। লক্ষ লক্ষ মানুষ খোলা রাস্তায় পড়ে থেকে বেঘোরে নিঃশব্দে মারা যায়। 'প্রতিকারহীন শক্তের অপরাধ' এর চেয়ে বড়ো কিছু, ভয়ংকর কিছু কল্পনা করা যায় না। অথচ তা ঘটে যায় নির্বিবাদে। আমাদের শাশ্বত মূল্যবোধের শিক্ষা বিন্দুমাত্র আঁচড়টুকুও কোথাও কাটে না। এদিকে সাম্প্রদায়িকতার বিষ কিছু আগে থেকেই সমাজে ছড়াতে শুরু করে। তার বিপদ সম্পর্কে সচেতন ছিলেন রবীন্দ্রনাথ। সতর্ক করেছেন আর সবাইকে। রাজশক্তির ভেদবুদ্ধি একে উসকে দিয়েছে ঠিকই। মন্দায় ও উদ্যমহীনতায় কাজের প্রসার ঘটেনি, অথচ কাজের জন্য নব্য শিক্ষিতদের চাহিদা সাম্প্রদায়িক চেহারা নিয়েছে এও সত্য। কিন্তু গভীরে ওই সাম্প্রদায়িক বিভাজন ও তার অনুসরণে অমানবিক অসভ্যতার সংস্কার যে সমাজে এক দুরারোগ্য ব্যাধিকে লালন করে চলেছে এবং তার পরিণাম যে সর্বগ্রাসী অকল্যাণ, একথা তিনি বলে এসেছেন বরাবর। তার বেশ কিছু উল্লেখ আছে 'কালান্তরে'। একে প্রতিহত করতে তিনি জোর দিয়েছেন মানুষেরই অন্তর্গত শুভবুদ্ধির উপর। বিশ্বাস করেছেন, সেইটিই মৌলিক, হতে পারে শেষ বিচারে স্থায়ী সত্যোপলব্ধি ওইরকমই। কিন্তু মত্ত হানাহানির উসকানি যেখানে বাস্তবে প্রবল, সেখানে শুধু ওই বোধের উদ্‌বোধনের ডাক দিয়ে শান্তি ফেরানো প্রায় অসম্ভব বলেই মনে হয়। সমাজের পরস্পর অন্বিত বহুমাত্রিক কর্মকাণ্ডে সম্পর্ক-সম্বন্ধের বস্তু ও গুণগত রূপ অবিকল আগের জায়গায় রেখে কি পুঞ্জীভূত তিক্ততা ও মনের অনৈক্য দূর করা যায়। এই জায়গায় তিনি যে কিছু করতে চাননি বা করেননি, তা নয়। তাঁর শিক্ষা ও গ্রাম উন্নয়ন উদ্যোগ মনের কালো ঘুচিয়ে আলো জ্বালাতে যথেষ্ট সৎ ও আন্তরিক ছিল। কিন্তু অসুস্থতার মূলে কোনো প্রতিষেধক এতে পড়ে না। কাজের চেহারা বদলে দিয়ে মানুষে মানুষে সম্পর্কের ক্ষেত্র রচনা ওভাবে হয় না। ফলে মনস্তাপই আরও বাড়ে। সমাজের বিষফোড়া বিকট বিস্ফোরণে ফেটে পড়ে ক্লেদ আর কলঙ্ক সব উগরে দেয়।

বাংলায় সাম্প্রদায়িকতা তখন ভয়াবহ আকার নেয়। দাঙ্গা আর হানাহানি সরল নির্বিরোধ মানুষের মনেও বিভেদ ও অবিশ্বাসের বীজ বুনে চলে। তখন ঢাকার দাঙ্গায় কাদের মিয়ার মৃত মুখের দুঃসহ স্মৃতি এখনও অমর্ত্য সেনকে তাড়া করে ফেরে। তিনি মনে করেন, অভাবই কাদের মিয়াকে ঠেলে দিয়েছে মৃত্যুর ঝুঁকি নিয়ে কাজের আশায় পথে বেরোতে। কিন্তু তা পরিণাম; কারণ নয়। কারণকে আলাদা আলাদা খণ্ডে ভাগ করে দেখাও বোধ হয় সহজ নয়। মানুষের হয়ে ওঠার ইতিহাসে বহুভাবে বহু ধরনের যে সংযোগ ও মিশ্রণ, তাতে যোগ-বিয়োগ দুটোই ঘটে অবিরাম।

আবার যোগ-বিয়োগও মানদণ্ডের বিচারে এক এক সময় এক এক রকম হয়ে পড়ে। গ্রহণ-বর্জনের ঠেলাঠেলিতে গজিয়ে ওঠা সাম্প্রদায়িকতা। দেশকালনির্ভর তার রোগজীবাণুর সংক্রমণ। আক্রমণ তার মহামারির মতো ভয়ংকর। কিন্তু মহামারি যেমন হঠাৎ হঠাৎ আসে-যায়, এ তেমন নয়। ইতিহাসের আশ্রয়ে মানুষের মনোজগতে বাসা বাঁধলে সহজে তাকে তাড়ানো যায় না। তার পরেও যদি কাজের জগৎ মানবিক ও শুধুমাত্র দক্ষতানির্ভর হয়, এবং তা যদি হয় বহুমাত্রিক ও ক্রমবিস্তারমান, তবে মাথার ভেতরে সাম্প্রদায়িকতার ক্ষেত্র ক্রমশ সংকুচিত হয়ে আসার কথা। অনুকূল পরিবেশ পেলে তাকে পুরো নির্মূল করাও হয়তো সম্ভব। গত শতকে চল্লিশের দশকে এই বাংলায় এমনটি ঘটার কোনো সুযোগই ছিল না। বিপরীত শক্তিই ছিল প্রলয়ংকরী। ভাগাভাগি আর কাড়াকাড়ির নির্লজ্জ আস্ফালন তখন বাহবা পায় বেশি। মনকে প্রতিমুহূর্তে বিষিয়ে তোলে ক্ষুদ্র স্বার্থের হিসাবনিকাশ। ক্ষুদ্র হলেও অবশ্য গুরুত্বহীন নয়। কারণ কলেজ-বিশ্ববিদ্যালয়ে পড়াশোনা করা উচিত শহুরে ভদ্রজনদের জীবন ও জীবিকার অবলম্বন যে ব্রিটিশ প্রভুর ছুড়ে-দেওয়া অল্প কিছু চাকরিবাকরি, তার পাওয়া না পাওয়া নিয়ে বিরোধ, আর জেদজেদির পারদ ওঠে তুঙ্গে। ব্যক্তি ও সমষ্টির সামাজিক মনোভাবের উপরও প্রভাব পড়ে তার। গ্রামজীবনের বহুবিধ ও উৎপাদন সম্পর্ককে দেখা হতে থাকে সাম্প্রদায়িক চশমার কাচের নীচে ফেলে। এখানে-ওখানে মাঝে মাঝেই ঘটতে থাকে সাম্প্রদায়িক হানাহানি। প্রচণ্ড আক্রোশে তা ফেটে পড়ে ছেচল্লিশের দাঙ্গায়। তারপর সাতচল্লিশে দেশভাগ।

মনুষ্যত্বের এই চরম লাঞ্ছনার সবটা রবীন্দ্রনাথকে দেখতে হয়নি। বোধ হয় ভালোই হয়েছে। তাঁর কল্পস্বর্গ থেকে এ ছিল সমূহ পতন। ওই নরকযাত্রা থেকে তিনি রক্ষা পেয়েছেন। তবে তাঁর মৃত্যুর অব্যবহিত পরে এই কালপর্বে তাঁর স্মৃতির অবশেষ তখনও উজ্জ্বল। পরিচিত বৃত্তে তার গভীর অনুরণন। প্রতিধ্বনি ছড়ায় তার বঙ্গভাষী সব অঞ্চলে, এমনকী তার বাইরেও। আগেই আকাশ স্পর্শ করেছিল তাঁর ব্যক্তিমায়া। এখন তাঁর ব্যক্তিপ্রতিমা প্রতিষ্ঠা পায় ঘরে ঘরে। কিন্তু রবীন্দ্রভাবনার প্রেরণা সর্বজনীন হয় না। বৈশানিক কাল ছিল তখন সর্বাংশে প্রতিকূল। যদিও তার দায় বর্তায় দেশের মানুষের উপরেই। বিশ্বজোড়া অপকর্মও অবশ্য নখদন্তের স্থায়ী চিহ্ন রেখে যায় তাতে। ফলে দাঁড়ায় এই, তাঁর কপালে অসামান্যের তিলক এঁকে আমরা তাঁকে পুজোর বেদিতে বসাই। অভ্যাসের পৌনঃপুনিকতায় তাঁকে স্মরণ করে চলি। কিন্তু পারিপার্শ্বিকের চাপে ও স্বভাবের অনিবার্যতায় অতি দ্রুত অন্যমনস্ক হয়ে পড়ি। স্কুল-কলেজে ভক্তি করে তাঁর রচনা পড়ি। ভক্তির জায়গাগুলোই বেছে নিই, যেখানে তিনি লোকোত্তীর্ণ ধরাছোঁয়ার বাইরে, কিন্তু যেখানে তিনি বৈরী বাস্তবের সঙ্গে যুযুধান, হারজিত অমীমাংসিত, অথবা যেখানে তাঁর সঙ্গে পা ফেলতে আমাদের আপত্তি, সেই জায়গাগুলো আমরা সযত্নে এড়িয়ে যাই। নামতা পড়ার মতো রবীন্দ্রচর্চা চলে। তাতে গতানুগতিকভাবে খোলস শক্ত করে এঁটে বসতে থাকে। কিন্তু প্রাণময়, প্রাণদায়ী ও প্রাণের সংঘর্ষে উন্মুখ যে রবীন্দ্রনাথ তা যেন একটু একটু করে পিছু হটতে থাকে। শুধু এখানে নয়, রবীন্দ্রপাঠের আয়োজন যেখানে যেখানে আছে, সবখানেই। ওই সময়ের ডামাডোলে এর চেয়ে বেশি কিছু বোধ হয় সম্ভবও ছিল না। এ ছাড়া কোনো রাজনৈতিক আদর্শ বা অভিসন্ধি থেকে, পড়ে অথবা

না-পড়ে যাঁরা তাঁকে খারিজ করায় ছিলেন উন্মুখ, তাঁদের কথা এখানে তুলছি না। আমাদের সার্বিক রবীন্দ্রভাবনায় তাঁদের প্রভাব ছিল তখন সামান্যই। দেশভাগ ও স্বাধীনতা কোনো সুস্থিতি আনে না। শুরু হয় অসহায় উদ্‌বাস্তু মানুষের দ্বিমুখী মিছিল। দুর্ভিক্ষ ও দাঙ্গায় বাঙালি জীবনের স্থির-অবিচল-প্রসন্ন-পরিতৃপ্ত ছবি ভেঙে পড়েছে আগেই। এবার যোগ হয় নিরাপত্তার খোঁজে ছিন্নমূল মানুষের যাত্রা। মনুষ্যত্বের চূড়ান্ত অপমান, আর তাতেই কেল্লাফতে বলে এখানে-ওখানে তামসিকতার ঢক্কানিনাদ। কায়েমি স্বার্থের দখলদারি পাকাপোক্ত করার ফাঁকফোঁকরও গজিয়ে ওঠে তাতে। বাঙালি পরিচয়ের বিভাজনে রাষ্ট্রীয় সিলমোহর আঁকা হয়ে যায়। এমনকী সরল জীবনের সুখ-দুঃখ একে অন্যে একসঙ্গে ভোগ করার সুযোগ আর থাকে না। পারস্পরিক সহমর্মিতাকে মনে করা হয় রাষ্ট্রীয় বিধিনিষেধের বিরোধিতা। যদিও হতে পারে তারা একে অন্যের একান্ত আপন। রবীন্দ্রনাথের বিচরণভূমি— কর্মভূমির মাঝখানেও ওঠে বিধিনিষেধের বেড়াজাল। ছিন্ন হয়ে যায় পতিসর-শিলাইদহ ও শান্তিনিকেতন-শ্রীনিকেতনের যোগাযোগ, যদিও সবাই জানি, তাঁর বোলপুর আশ্রমের সৃষ্টিশীল কর্মপরিকল্পনার প্রেরণাই ছিল তার আগে পূর্ববাংলার মাটিতে তাঁর গ্রাম উন্নয়ন উদ্যোগের অভিজ্ঞতা। দুই বাংলার কোনোখানেই তখন রবীন্দ্রনাথের সাহিত্য পাঠ উপেক্ষিত হয় না। কিন্তু মানুষের জীবনভাবনায় জীবনচর্চায় তার প্রভাব প্রায় কিছুই চোখে পড়ে না। উজ্জ্বল ব্যতিক্রম একটি অবশ্য বহুরূপীর নাট্য প্রযোজনা। *রক্তকরবী* ও *চার-অধ্যায়ের* উপস্থাপনায় তারা দেশ ও সমাজের সমকালীন চিন্তাস্রোতে রবীন্দ্রনাথকে নিয়ে আসে। দর্শকরা মুগ্ধ হয়, বাস্তবতার সত্যতর ও গভীরতর নান্দনিক উপলব্ধি তাদের ঘটে।

আমরা কিন্তু নতুন করে আত্মসচেতন হয়ে উঠতে শুরু করি ওই সময়েই। রাষ্ট্রভাষার প্রশ্নে বাংলা অবমাননার প্রতিবাদে সোচ্চার হয় ঢাকার ছাত্ররা আটচল্লিশেই। বাহান্নর ভাষা আন্দোলন এক রূঢ় আঘাতে চিনিয়ে দেয় আমাদের আত্মপরিচয়ের ভিত্তিভূমি। পাকিস্তান রাষ্ট্রের সাম্প্রদায়িক ধর্মনির্ভরতা যে আমাদের স্বপ্নকল্পনায় পুষ্টি জোগায় না, বরং তাকে সংকীর্ণতার ঘোরাটোপে বন্দি করে, আমরা যে তাতে ক্ষুদ্র ও অশ্রদ্ধেয় হয়ে পড়ি, এবং এই হীনতার উপর যে চেপে বসতে চায় সেপাই-আমলা-ভূস্বামীর কায়েমি স্বার্থের রাজ্যপাট, এসব আমাদের একটু একটু করে চক্রান্তে -লুণ্ঠনে-শাসনে-শোষণে জানা হতে থাকে। আমরা সংবিৎ ফিরে পাই। নিজের মানস মুক্তিকে আত্মস্থ করে পরিচয়ে পূর্ণতা লাভের পথেই তার অগ্রাভিযান। নানা স্বার্থের প্রলোভন বার বার পেছন থেকে টেনে ধরে। খণ্ড খণ্ড লোভের মোহিনী মায়া চোখের সামনে বিভ্রান্তি জাগায়। কিন্তু বাংলার মানুষ তাদের কাছে কখনো দীর্ঘদিন নতিস্বীকার করে থাকেনি। মহাস্থবির শীলভদ্রর প্রজ্ঞা থেকে, চর্যাপদের মানবিক তৃষ্ণা থেকে, চণ্ডীদাসের 'সবার উপরে মানুষ সত্য' আহ্বান থেকে লালন শাহর 'লালন কী জাত সংসারে' প্রশ্ন থেকে নজরুলের 'জাতের নামে বজ্জাতি' চিনে নেওয়া থেকে— যে মৌল সত্য আমাদের সত্তার অণুতে অণুতে একটু একটু করে দানা বেঁধে বিশেষ রূপে তার নিজস্বতায় প্রতিভাত হতে শুরু করেছে, সাময়িক বিহ্বলতা ভেঙে আমরা অনেকে সচেতন হয়ে তাতেই মিশে যাবার পথ খুঁজি। মোটেই আকস্মিক নয় এটা। ওই বিশ শতকের প্রথম ভাগেই মুক্তচিন্তার ব্রত নিয়ে প্রকাশিত হতে থাকে 'সওগাত' পত্রিকা। আর বিশের দশকে ঢাকায়

আলোড়ন তোলে 'শিখা' গোষ্ঠী, বুদ্ধির মুক্তি হয়ে ওঠে তাদের আন্দোলনের লক্ষ্য। শতবর্ষের ধর্মনিরপেক্ষ শিরধারার দিকে ফিরে তাকাই। দেখি, কালের যাত্রায় মন্থনে-মিশ্রণে যে বাঙালি সত্তা ক্রমবিকাশমান, শত দুর্যোগ পেরিয়ে মনুষ্যত্বের মৌলিক ঐক্যের সত্য ভাবনাক্ষা ব্যবস্থায় অভ্যস্ত হয়ে ওঠে বিদ্যানুরাগী জনগণ, পাশ্চাত্যের জ্ঞান-বিজ্ঞানের সংযোগও চোখ খুলে দিতে থাকে অনেকের। সাম্প্রদায়িক জেদাজেদিতে এসব চাপা পড়ে ছিল কিছুকাল কিন্তু পাকিস্তান প্রতিষ্ঠার পর যখন দেখা গেল, নতুন রাষ্ট্র ব্যবস্থা এদের প্রতিকূল, তখন তাঁরা বিক্ষুব্ধ হয়ে উঠতে থাকেন। বিক্ষোভের প্রকাশ একভাবে ঘটে বাহান্নর ভাষা আন্দোলনে। এরপর আবার তার সুনির্দিষ্ট আকার পেতে অপেক্ষা করতে হয় গোটা কয় বছর।

এই যে উদার মানবিক বোধে ফেরা, এতে সহায় হন রবীন্দ্রনাথ। যতটা তাঁকে পড়ে, তাঁকে বুঝে, তার চেয়ে বেশি তাঁর দীপ্যমান বিশ্ববন্দিত ভাবমূর্তি সামনে তুলে ধরে। এবং তা-ও সবাই মিলে নয়। যারা পাকিস্তানে তাদের আবহমান বাঙালি পরিচয়ে বিপন্ন বোধ করে, কেবল তারাই। উনিশ ও বিশ শতকে শিক্ষা-সংস্কৃতিতে নতুন ঢেউ তাদের ওই পরিচয়কে আরও ব্যাপ্ত প্রেক্ষাপটে দাঁড় করায়। উদার মুক্তির আহ্বান তাদের চঞ্চল করে। যদিও ঔপনিবেশিক শাসন অকল্যাণের নাগপাশে তাদের হাত-পা বেঁধে রাখে। এই স্ববিরোধের সঙ্গে লড়াই করে তাদের স্বরূপে ফুটে ওঠার চেষ্টা রবীন্দ্রনাথেরও ছিল তাই। তাঁর ভাবরূপের মায়াই সেখানে তাদের প্রয়োজন হয়। কিংবদন্তি তাঁকে আরও বিরাট করে। মাথা তাঁর আকাশ ছোঁয়। এখানে বাঙালির মানসযাত্রায় এবং মানবযাত্রায়— তাঁর ওই ভাবরূপকে অনুসরণ করে তারা তখন পথ চলতে চায়।

এই সময়েই— ১৯৬১-তে তাঁর জন্মশতবার্ষিকীর আয়োজন। গোটা বিশ্বের সঙ্গে আমরাও তাঁর দিকে আরও আগ্রহ নিয়ে ফিরে তাকাই। এবং এখানেই ঘটে পাকিস্তান মতাদর্শের সঙ্গে প্রত্যক্ষ সংঘাত। প্রথমত, কেন্দ্রীভূত ক্ষমতার উপর একচ্ছত্র কর্তৃত্ব কায়েম করে তারই বলে এই বাংলার মানুষের উপরেও আদিম শোষণ চালিয়ে তাদের নিঃস্ব ও নির্জীব করে ফেলার অভিসন্ধি কার্যকর করার যাবতীয় ব্যবস্থা পাকা করা এবং তারই অনুসরণে ধর্মীয় শুদ্ধতায় নিজেদের শ্রেষ্ঠত্ব জাহির করে বাঙালি জনসমুদয়ের উপর জাতিগত নিপীড়ন উসকে দিয়ে তাদের প্রায় না-মানুষে পরিণত করা, এবং সেই লক্ষ্যে তাদের উদার মানবিক সাংস্কৃতিক ঐতিহ্য থেকে তাদের বিচ্যুত করে উগ্র ধর্মান্ধতার পথে তাদের ঠেলে দেওয়া, এগুলোই হয়ে দাঁড়ায় অত্যন্ত মোটা দাগে পাকিস্তানি শাসকচক্রের সুনির্দিষ্ট দীর্ঘমেয়াদি আর্থ-সামাজিক ও রাজনৈতিক উদ্দেশ্য। মধ্যযুগের ক্ষমতার বর্বরতা যে মনোজগতের সৃষ্টি করে, তা থেকে যেন তারা বেরিয়ে আসায় উৎসাহী হয় না। মানবিক উজ্জীবনের কোনো শিক্ষাই তাদের কানে পৌঁছোয় না।

অথচ আমাদের চিন্তাজগতে তখন আলোকিত মানুষ হবার ও শোষণমুক্ত সমাজ গড়ার লক্ষ্যই প্রধান হয়ে উঠতে শুরু করেছে। এবং তাতে একটা আদর্শিক অবস্থানের রূপরেখা গড়ে তুলতে সচেতনভাবে রবীন্দ্রনাথকেই আমরা কাণ্ডারি করে তুলেছি। যে নির্বিশেষ মানবতায় তিনি ছিলেন একনিষ্ঠ। তা তখন আমাদেরও আরাধ্য। একই তরঙ্গদৈর্ঘ্যে সমলয়ে চলে আসে রবীন্দ্রভাবনা

ও এদেশে তৎকালীন বাঙালি ভাবনা। দ্বন্দ্বকে অতিক্রম করে সর্বজনীন মুক্তির যে স্বপ্ন ছিল রবীন্দ্রনাথের, চেতনার প্রাথমিক উচ্ছ্বাসে আমরাও তাকে আমাদের করে নিই। বাস্তবে তেমন এক জগৎ গড়ার কথা ভাবি। আমাদের শিল্পচর্চা, নারীভাবনা, সমাজকল্পনা, সবেতেই তার ছোঁয়া লাগে, আমরা উদ্‌বুদ্ধ হই।

আরও একটা ব্যাপার এই সময়ে ঘটে— আমাদের চেতনালোকে তার ফল হয় তাৎক্ষণিক; এবং তা দ্রুত ছড়ায়। রবীন্দ্রনাথকে যতই আমরা মাথায় তুলে রাখি-না কেন, তাঁর কীর্তির সঙ্গে যোগাযোগ ছিল আমাদের খুব ক্ষীণ। অনেক বিষয় থেকে যেত আমাদের আয়ত্তের বাইরে। স্কুল-কলেজের পাঠ্যবস্তু ছিল প্রধান ভরসা। সঞ্চয়িতাও নাগাল পেত না অধিকাংশ ছেলেমেয়ে। তাঁর গান ছিল যেন আরও দূরের ব্যাপার। স্বরবিতান চোখে দেখা তখন এক বিরল ঘটনা। শখ করে গান শেখা ছিল শ্রুতিনির্ভর। নিয়মিত চর্চার সুযোগ ছিল না বললেই চলে। সারা দেশে দু-চার জন গুণীজন এখানে-ওখানে ছিলেন। তাঁরা যে-কটা গান শেখাতে পারতেন, তাই নিয়ে সন্তুষ্ট থাকতে হত আগ্রহী ছেলেমেয়েদের। তারাও সংখ্যায় এমন কিছু বেশি ছিল না। কলকাতা রেডিয়ো থেকে নিয়মিত ও ঢাকা রেডিয়ো থেকে মাঝে মাঝে রবীন্দ্রসংগীত বাজত। কিন্তু রেডিয়োর চল তো ছিল কেবল শহরে। তাও শুধু যাদের বাড়িতে বিদ্যুৎসংযোগ আছে, তাদের কোনো-কোনোটায়। রেডিয়োওয়ালা বাড়ির সংখ্যা এক একটা পাড়ায় তিন-চারটের বেশি ছিল কি না সন্দেহ। আর রেডিয়ো থাকলেই যে রবীন্দ্রসংগীত শোনার আগ্রহ থাকবে, এমন কোনো কথা নেই। হয়তো একশো রেডিয়োর ভেতরে একটিতে শোনা যেত রবীন্দ্রসংগীত। তাঁর গীতিনাট্য, নৃত্যনাট্য এসবও ছিল দূরের কল্পনা। প্রবন্ধ, সাহিত্য তাঁর বেশিরভাগই অপঠিত থেকে যেত। তাদের নিয়ে কৌতূহলও তেমন ছিনা। যেমন কৌতূহল ছিল না তাঁর আঁকা ছবি নিয়ে।

কিন্তু তাঁর শতবার্ষিকীর ধারাবাহিক আয়োজন ও রবীন্দ্রচর্চায় নতুন জোয়ার প্রবলভাবে আমাদের মুখ তাঁর দিকে ফিরিয়ে দেয়। আমরাঅবাক বিস্ময়ে দেখি, কত দিকে তাঁর ব্যাপ্তি, কতদিকে তিনি আলো ফেলেন, আর কত দিক থেকে আলো ফেলা হয়। আলো ফেলা যায় তাঁর উপর। আক্ষরিক অর্থেই 'নানা রবীন্দ্রনাথের একখানা মালা'। শুধু তাঁর নয়। আমাদের ভাবনাও তাতে মেশে। মেশে আমাদের প্রশ্নদীর্ণ বাস্তবতার উদ্‌বেগ-উৎকণ্ঠা। বিশেষ করে, পাকিস্তান রাষ্ট্রভুক্ত এই ভূখণ্ডে আমরা তাঁকে আঁকড়ে ধরি। উচ্চকণ্ঠে ঘোষণা করি, তিনি আমাদেরই লোক। সত্যকথা, 'প্রথম যুগের উদয় দিগঙ্গনে' যে শান্তি ও সাম্য। তিনি ধ্যান করেছেন তারই। 'আলো-আঁধারের আনন্দ বিপ্লবের' গান ছিল তাঁর কণ্ঠে। এ সবই জোগায় সত্য সুন্দর ও কল্যাণের সংযোগবিন্দুর পূর্ণতার বার্তা। আর আমরা ছিলাম বাস্তবে অন্যায়-বঞ্চনার শিকার। চেতনার কোষে কোষে জমা হয় তার তাপ। মুক্তির পথ খুঁজি সবাই। কিন্তু প্রত্যক্ষে তার অভাবই তাড়িয়ে নিয়ে যায় আমাদের। ছেঁড়াখোঁড়া জীবনের আক্ষেপ মনে বিস্ফোরক হয়ে জমে। তবু এসব আমরা পেরোতে চাই। পৌঁছোতে চাই বাঙালি ঐতিহ্যে লালিত মানবসত্যের পূর্ণতায়। পৌঁছোতে চাই

তার উদার আনন্দময় চরিতার্থতায়। আমরা তখন নতুন করে আবিষ্কার করি রবীন্দ্রনাথই এঁকে দেন ওই চরিতার্থতার ছবি। প্রত্যয়ে আবেগে তাঁকেই আমরা তাই হৃদয়াসনে বসাই।

অস্বীকার করা যায় না, তাঁকে নতুন করে আবিষ্কারে প্রধান বাহন ছিল তাঁর গান। আর একটা বড়ো ভূমিকা ছিল তখন গানের লং-প্লেয়িং রেকর্ডের। শতবার্ষিক আয়োজনের অংশ হিসেবেই তাতে ধরা হয় অসামান্য সব রবীন্দ্রসংগীত। যাঁরা গান, তাঁরা ওই সময়ের সেরা। বিপুল আলোড়ন তোলে সেসব। আরও শুনি আমরা এইভাবে তাঁর নৃত্যনাট্য— চণ্ডালিকা, শ্যামা, চিত্রাঙ্গদা; শুনি গীতিনাট্য— শাপমোচন। ঘরে ঘরে ছড়িয়ে পড়েন রবীন্দ্রনাথ। আমাদের ওই সময়ের নান্দনিক তৃষ্ণা যেন এই অমৃতসুধা পানের জন্যই উন্মুখ হয়ে ছিল। জানি ওই সময়েই সুচিত্রা মিত্রের গলায় রবীন্দ্রসংগীত শুনে কবিতা লিখেছিলেন বিষ্ণু দে। কণিকা বন্দ্যোপাধ্যায়কে নিয়ে সন্তোষ ঘোষ লিখেছিলেন, 'কণিকা এখন পূর্ণিমায়'। আর কিছু পরে এখানেও মুগ্ধ শামসুর রহমান লিখবেন ফাহমিদা খাতুনের গান শুনে। সংস্কৃতির উজ্জীবনে তখন রবীন্দ্রনাথই প্রধান অবলম্বন। এ বাংলায়, ও-বাংলাতেও।

কিন্তু এখানেই বাদ সাধে পাকিস্তান রাষ্ট্র ব্যবস্থা। যে যুক্তিকাঠামোর উপর তার অবস্থান ও যে ক্ষমতাবৃত্তের পরিচালনায় তার শাসন, তাদের কাছে রবীন্দ্র বিশ্বের উদার মানবতা ও 'বন্দনা মোর ভঙ্গিতে আজ সংগীতে বিরাজে'— এই বাণীর প্রেরণা নিতান্তই অগ্রহণযোগ্য। অতএব অনিবার্য হয় সংঘাত। রাষ্ট্রের নির্দেশে রবীন্দ্রসংগীতের উপর নিষেধ জারি হয়। রবীন্দ্রসাহিত্যের চর্চাতেও আসে নানারকম বাধা। এখানে মানুষ কিন্তু তাদের মানে না, বরং প্রতিবাদে সোচ্চার হয়ে ওঠে। রবীন্দ্রনাথে আগ্রহ তাদের শতগুণ বেড়ে যায়। প্রকাশ্যে তারা গায়, 'ওদের বাঁধন যতই শক্ত হবে ততই বাঁধন টুটবে, মোদের ততই বাঁধন টুটবে।' যোগ করেন, 'ওদের যতই আঁখি রক্ত হবে মোদের আঁখি ফুটবে, ততই মোদের আঁখি ফুটবে।' জানায়, 'ওরা ভাঙতে যতই চাবে জোরে গড়বে ততই দ্বিগুণ করে, ওরা যতই রাগে মারবে রে ঘা ততই যে ঢেউ উঠবে।' গায় তারা পুরো গানটিই, এবং এইরকম আর সব। এ বাংলা থেকেও রবীন্দ্রসংগীতের রেকর্ড বেরোয়। সন্‌জীদা খাতুন, ফাহমিদা খাতুন, জাহেদুর রহিম, ইকবাল আহমেদ, আঁখি চক্রবর্তী, ফ্লোরা আহমদ— এঁদের গাওয়া সেই গান সারাদেশে ছড়ায়— বিদেশেও। সমর শাসনের রক্তচক্ষু উপেক্ষা করে তাঁরা গান, 'আমার সোনার বাংলা, আমি তোমায় ভালোবাসি।' তার সুরের আগুন জ্বলে ওঠে সবখানে। প্রাণ থেকে প্রাণে ওই দীপাবলির আলো সঞ্চারিত হয়। আন্দোলনের নেতৃত্বে থাকেন ওয়াহিদুল হক, কলিম শরাফী, সন্‌জীদা খাতুন, জাহেদুর রহিম এঁরা, সাড়া দেয় সব দেশ। প্রত্যন্ত অঞ্চলও তার বাইরে থাকে না। বোঝা যায় ওই মাহেন্দ্রক্ষণে রাবীন্দ্রিক মূল্যবোধ ও তার নান্দনিক উদ্ভাস মানুষের চেতনাকে এদেশে বিপুলভাবে আলোড়িত করেছে। মিশে যায় তা তাদের ভাবনায়। সংগঠন হিসেবে 'ছায়ানট' পাদপ্রদীপের সামনে চলে আসে। পিছিয়ে থাকে না বুলবুল ললিতকলা অ্যাকাডেমিও (বাফা)। চণ্ডালিকা বা চিত্রাঙ্গদার সমৃদ্ধ মঞ্চায়ন দেখি তাদের প্রযোজনায় এখানেও। দৃশ্যমায়া জীবনের সারসত্যের উন্মোচন করে। আবেগ-স্পন্দিত চিত্তে তার সামনে আমরা স্তব্ধ বসে থাকি। পাশাপাশি আরও একটা বিষয় এই সময়ে ঘটে চলে, যা পুরোপুরি প্রযুক্তিজ্ঞাননির্ভর।

আমাদের সংকট বা সংকটমোচনের সঙ্গে সরাসরি তার কোনো যোগ নেই। কিন্তু ওই সময়ে রবীন্দ্রভাবনাকে, বিশেষ করে গানে-কবিতায় সবার কাছে পৌঁছে দেওয়ার তার ভূমিকা ছিল বিরাট। এ হল ট্রানজিস্টার-রেডিয়ো। গ্রামে গঞ্জে মাঠেঘাটে সর্বত্র তা বাজে। সুলভ বলে গ্রামের সাধারণ কৃষকের ঘরেও। এখানে রবীন্দ্রনাথের উপর সরকারি নিষেধ জারি থাকলেও কলকাতায় তা ছিল না। তারা বরং সচেতনভাবেই এখানকার এই অভাবটা পূরণ করতে নামে। রবীন্দ্রনাথের গান ও কবিতার শ্রেষ্ঠ আয়োজন বেতারে ছড়িয়ে পড়ে। পৌঁছে যায় তা এ বাংলার ঘরে ঘরে। ওই সময়ের প্রেক্ষিতে ট্রানজিস্টারের এই অবদান কোনোক্রমেই খাটো করে দেখা যায় না। আমাদের মনোবল জিইয়ে রাখতে আবার তা অপরিহার্য হয়ে ওঠে একাত্তরে মুক্তিযুদ্ধের ক্রান্তিলগ্নে। আমাদের মুক্তিসংগ্রাম তার আকাঙ্ক্ষার বিস্তারে রবীন্দ্রনাথের ভাবকল্পনাকেই বাস্তব করতে চেয়েছে। আমরা দেখেছি তাঁর স্বপ্ন ছিল এক সুসমন্বিত পূর্ণতায়। সৃষ্টির আদিমকল্পের অনুমানে অথবা খণ্ডকালে দ্বন্দ্বের অবসানে সমে ফিরে বহু সমীকরণের একত্রিত শুদ্ধ সমাধানে পৌঁছে ওই পূর্ণতার প্রতিষ্ঠা আমরা কল্পনা করতে পারি। মুক্তিসংগ্রামে আমাদের বিজয় তার এক দুর্লভ অভিজ্ঞতা। শতাব্দীর পর শতাব্দী পেরিয়ে কখনো কোথাও কোথাও হয়তো তার দেখা মেলে। এমনও হয়, কোনো মানবভূমিতে তার দেখা মেলে না কোনোদিন। আমরা অন্তত বাংলাদেশের অভ্যুত্থানে এই স্বপ্নের সঙ্গে বাস্তবের ও বাস্তবের সঙ্গে উপলব্ধির ঐক্যের সমবিন্দু আমাদের জীবনে প্রত্যক্ষ করেছি। এতে রবীন্দ্রনাথও মুক্তি পান। কোনো নিষেধের বেড়। আর এদেশে থাকে না। রবীন্দ্রচর্চা অনর্গল হয়। কথায় আর গানে তাঁকে সরাসরি পাওয়া সহজতর হয়। আমাদের ছেলেমেয়েরা বিশ্বভারতী শান্তিনিকেতনে গিয়ে গান শেখে। রবীন্দ্র বিশেষজ্ঞ যাঁরা, কী এখানে কী অন্যত্র তাঁদের কাছে পাঠ নেয়। নিজেদের ভাবনাচিন্তার বিকাশ ঘটায়। মূল ধারায় তাকে যুক্ত করে আত্মবিশ্বাসও তাদের বাড়ে।

কিন্তু পূর্ণকুম্ভ চলকে যায় অচিরেই। সময়ও এক জায়গায় কাউকে স্থির থাকতে দেয় না। নতুন চাহিদা, নতুন তাগিদ বাস্তবের কর্মভূমিতে— মল্লভূমিও বটে— চারদিক থেকে হামলে পড়ে। সামলানো যায় না তাদের সবাইকে। বহু বাসনার মারামারিতে আর টানাটানিতে আবার সব এলোমেলো হয়ে যায়। সমাধানের স্থির বিন্দু থেকে ছিটকে পড়ে সবাই। একইসঙ্গে প্রত্যাশার ও অনিশ্চয়তার আরও আরও ক্ষেত্র উন্মোচিত হতে থাকে। দিগন্তও তাদের প্রসারিত হয়ে চলে। রবীন্দ্রনাথের 'সরল জীবনের' বিশ্বাসের জায়গা থেকে একটু একটু করে আমরা দূরে সরি। অনেকটা অনিবার্যই বলা যায়। বিজ্ঞান ও প্রযুক্তি সমগ্র বিশ্বের কোলাহলকে আমাদের অন্দরমহলে টেনে আনে। বিনোদনেও পড়ে মাতাল বিশ্বের উন্মাদনার ছাপ। অনেক প্রলোভনের জালে অস্থির চিত্ত আকুল। আবার সম্পদের পেছনে সুযোগসন্ধানীদের হন্যে হয়ে ছোটা, আর বহু মানুষের ক্ষুধা দারিদ্র্য ও বঞ্চনার সঙ্গে লড়াই আরও প্রকট।

রাষ্ট্রের দিক্‌দর্শনেও ঘটে যায় মৌলিক বিপর্যয়। পঁচাত্তরে বঙ্গবন্ধু ও মুক্তিসংগ্রামের চার নেতাকে হত্যার পর দেশ আবার সাবেক পাকিস্তানি ভাবাদর্শের দিকে ঝোঁকে। অন্তত রাষ্ট্রক্ষমতার স্বরূপ ফুটে ওঠে সেইভাবে। ধর্মতান্ত্রিকতা প্রশ্রয় পায়। আবার কোণঠাসা হতে থাকে মুক্তবুদ্ধির

চর্চা। আমাদের প্রধান কবি শামসুর রহমানের কণ্ঠে বিলাপের মতো উচ্চারিত হয়, 'উদ্ভট উটের পিঠে চলেছে স্বদেশ বিরানায়; মুক্তিযুদ্ধ/ হায়, বৃথা যায়, বৃথা যায়, বৃথা যায়।' এই পরিবেশ রাবীন্দ্রিক ভাবনার অনুকূল নয়। পাকিস্তান পর্বে আরও হিংস্র আক্রোশের মুখে আমরা রবীন্দ্রচেতনায় 'বুকের পাঁজর জ্বালিয়ে' একলা নয়, মিলিত শক্তির বজ্র বানিয়ে তা দিয়ে তাকে পরাস্ত করেছিলাম। আক্রমণের মূল উৎস ছিল বাইরে। আমরা তাকে বুঝতে পেরেছিলাম। কিন্তু এই বাংলায় লতায়-পাতায় অনেক সম্পর্কের মিশ্রণে আমরা আর তাকে আলাদা করতে পারি না। পারস্পরিক স্বার্থের জটাজালও আমাদের হিসেবি করে, তার সঙ্গে তাল মিলিয়ে আমরা ভিন্নতর কর্মপন্থা খুঁজি। তাতে রবীন্দ্রনাথ নির্বাসিত হন না। কিন্তু তাঁর দীপ্তি অনেকটাই ম্লান হয়ে আসে। তাঁর স্বপ্নকল্পনার সঙ্গে আমাদের অভীপ্সার মণিকাঞ্চনযোগ আর বুঝি হয় না। কাল থেকে পেছনে ফেলে এগিয়ে যায়। চেতনার ওই স্থিরবিন্দু তার সঙ্গে সঙ্গে চলে না। প্রত্যক্ষ বর্তমানের দাবিপূরণেই আমরা বেশি ব্যস্ত হয়ে পড়ি। এবং এই বর্তমান দূরের চিন্তাকে পাত্তা দেয় না। অস্থির বাস্তবতায় প্রত্যেকের আপন আপন স্বার্থসিদ্ধি প্রধান হয়ে ওঠে। তাতে কোনো সামঞ্জস্যরেখা চোখে পড়ে না। অনিশ্চয়তাই বরং স্বাভাবিক বলে মনে হয়। ব্যক্তির মনোজগতে প্রতি মুহূর্তে হাতুড়ি পিটে সে তার অস্তিত্বের জানান দেয়। সেখানে রবীন্দ্রনাথের প্রবেশপথ ক্রমশ সংকীর্ণ হয়ে আসে। প্রশান্তি ও প্রসন্নতার আকাঙ্ক্ষাও দূরে সরে। মুহূর্তের হর্ষোল্লাসেই মন মজে। কারণ তাকে ছাড়িয়ে বেশি দূর আমরা দেখতে চাই না। দেখতে পারি না। অসংখ্য হিজিবিজি আমাদের দৃষ্টি আচ্ছন্ন করে রাখে।

এটাও ঠিক, সময়ের গ্রন্থি কেটে রবীন্দ্রনাথও আমাদের সঙ্গে আজ পুরোপুরি একাত্ম হতে পারেন না। যে বাস্তব তাঁকে নির্মাণ করে, তা বদলে গেছে কত আগে। তাঁর জায়গা থেকে তিনি আলো পাঠাতে পারেন আমাদের কাছে। কিন্তু সবটা নয়। অনেকটাই তার শুষে নেয় তাঁর সময়। এমনকী তাঁর সময়ও শুরু থেকে শেষ অবিকল এক থাকে না। মানুষের উদ্‌বেগ-উৎকণ্ঠায় নতুন মাত্রা যোগ হয়। পুরোনো তার গুরুত্ব হারায়। এটা আমরা আগেই বোঝবার চেষ্টা করেছি। তারপরেও তাঁদের মুখোমুখি হতে ভয় পাননি তিনি। নিজের বোধে অটুট থেকেছেন। যদিও ওই কালখণ্ডেই চিন্তাভাবনার পালে হাওয়া বদলের ঝাপটা এসে পড়তে শুরু করেছে। পরে তা আরও প্রবল হয়েছে। আজ তাঁর তিরোধানের পর প্রায় সাত দশক পেরিয়ে তাঁর ভাবনাবৃত্তে আমরা অবিচল থাকব, এটা আশা করাও বোধ হয় বাতুলতা। তাঁর জন্মশতবর্ষের কালখণ্ডে এদেশের বস্তুগত অবস্থা তাঁকে আমাদের অবলম্বন হিসেবে আঁকড়ে ধরতে প্রেরণা জুগিয়েছিল। কিন্তু তারপর জোয়ারের জল নেমে গেছে। সেইসঙ্গে ওই সময়ের আবেগের থিতিয়ে গেছে অনেকখানি। আজ নির্মোহ দৃষ্টিতে নিরাসক্ত মনে তাঁর দিকে আমরা ফিরে তাকাই। তাকাতে যে পারি, এটা আমাদের জীবনের জঙ্গমতাকেই চিনিয়ে দেয়।

১৮৯১ খ্রিস্টাব্দে শিলাইদহে থেকে ইন্দিরা দেবীকে 'ছিন্নপত্রের' এক চিঠিতে তিনি লিখলেন, ''বিকেলে পদ্মার ধারে আমাদের নারকেল বনের মধ্যে সূর্যাস্ত হল। আমি নদীর ধারে উঠে আস্তে আস্তে বেড়াচ্ছিলাম। আমার সামনের দিকে দূরে আমবাগানে সন্ধের ছায়া পড়ে আসছে। এবং